PASSION POUR L'ALGÉRIE
Les moines de Tibhirine

Un livre salué par la critique

Après les attaques terroristes du 11 septembre aux États-Unis, Passion pour l'Algérie *nous ouvre les yeux de l'intérieur, et nous permet d'observer de près les forces violentes qui déchirent le monde musulman. [...] Ce livre décrit de manière surprenante les liens fraternels qui existent entre croyants chrétiens et musulmans, laissant ainsi entrevoir un rayon d'espoir pour l'avenir.*

Dan Morgan, *The Washington Post*

D'après l'enquête menée par M. Kiser, les musulmans ne sont pas en guerre contre l'Occident en général, ni contre le christianisme en particulier. Heureusement, M. Kiser ne prétend pas apporter une réponse péremptoire à la question des relations entre chrétiens et musulmans au seuil du nouveau millénaire. Ce qu'en revanche il réussit à merveille, c'est de raconter l'histoire, à la fois douloureuse et encourageante, d'hommes extrêmement généreux qui prirent leur vocation au sérieux jusqu'à donner, dans ce combat, leurs vies.

Roger Kaplan, *The Wall Street Journal*

Peu de livres sur les moines de Tibhirine ont été écrits en anglais, alors qu'un nombre important l'a été en français. De tous ces livres, toutes langues confondues, celui de John Kiser est l'un des meilleurs, précisément parce que, tout en étant un compte rendu précis et documenté des faits et de leur contexte historique et politique, il se concentre sur le parcours spirituel et humain de chacun des protagonistes avec beaucoup de compréhension et de respect.

Dom Armand Veilleux, ancien procureur général
de l'Ordre cistercien (OCSO), *Spiritus*

Un livre extraordinaire et mystérieusement opportun sur de vrais martyrs modernes, par opposition à la pieuse banalité que l'on nous

*présente habituellement comme modèle. Une histoire tragique, racontée
avec précision et efficacité, avec compassion et sobriété.*

Christopher BUCKLEY, auteur de *The White House Mess*

*L'ouvrage de M. Kiser est remarquablement bien documenté, et se lit
comme un roman. Il [...] souligne le contraste entre les factions terroristes
qui utilisent l'islam comme un moyen, et les villageois de Tibhirine qui
le pratiquent comme une fraternité.*

Imam Feisal Abdul RAUF, *Islamic Horizons Magazine*

*Voici un livre dont la lecture est particulièrement précieuse à ce
moment précis de l'histoire parce que l'auteur situe ce martyre dans son
contexte, de façon extrêmement pénétrante et bienveillante. [...] J'ai lu
bon nombre de livres consacrés à l'islam [...]. Mais aucun ouvrage n'a
suscité en moi autant de sympathie pour ces frères et sœurs [musulmans]
que cette histoire des moines de Tibhirine présentée par John Kiser. [...]
L'auteur maîtrise son sujet.*

M. Basil PENNINGTON, moine (OCSO) et auteur, *America*

*Un livre inhabituel et remarquable : en partie œuvre journalistique,
en partie analyse psychologique et en partie réflexion interreligieuse
islamo-judéo-chrétienne, l'auteur réussit sur les trois fronts. Un tour
de force.*

Jacques LOCQUIN, ancien agent de la DGSE

*Dans le sillage confus et incertain des attentats terroristes du 11 sep-
tembre, aux États-Unis, et face au réflexe de la « guerre au terrorisme »
actuellement conduite avec brutalité, en guise de réponse, par le Président
Bush [...], ce livre dépassionne le débat, prend de la distance et cherche
d'abord à comprendre, attitude qui peut grandement nous aider à clarifier nos analyses. De surcroît, cet ouvrage fournit un puissant antidote
au poison de plus en plus envahissant de l'intolérance religieuse et de la
haine attisée par d'irresponsables démagogues. [...] Bien qu'il traite d'une
question qui fait peur – le terrorisme – ce livre apporte des informations*

solides et bien documentées à ses lecteurs. Surtout, il offre une nourriture spirituelle et montre la voie du courage.

Bill GRIFFIN, *The Catholic Worker*

Un livre remarquable sur l'amour, le respect et le pardon. Il devrait être lu par tous ceux qui cherchent à bâtir la paix, quelle que soit leur confession religieuse. [...] John Kiser peint de manière très vivante les moines et le pays qu'ils habitent.

Élizabeth SWENSON, Directrice à la rédaction de la revue *The Friends of St Benedict*

John Kiser reconstitue patiemment et impartialement la triste histoire d'une Algérie où spiritualité et violence, paix et guerre, espérance immense et contradictions redoutables sont inextricablement liées. Le livre témoigne de la souffrance actuelle d'un pays en quête d'une identité.

Marco IMPAGLIAZZO, vice-président de Sant'Egidio à Rome

Passion pour l'Algérie est une œuvre d'une grande sensibilité. [...] Son écriture pénétrante relie des thèmes complexes de l'histoire de l'Algérie pour aboutir à un ensemble unifié porteur d'un message de vie. Il transforme une tragédie en espérance quant à l'avenir des relations islamo-chrétiennes. [...] Une lecture très stimulante!

Abdul Aziz SAID, Directeur du Centre pour la paix mondiale, Université Américaine

Passion pour l'Algérie étudie de manière extrêmement éclairante l'une des questions les plus importantes auquel notre monde du XXIᵉ siècle est confronté. Cette enquête s'intéresse à la sociologie du terrorisme islamiste et dévoile le courage des imams qui ont résisté à la pression de ceux qui voulaient obtenir d'eux des justifications religieuses aux massacres de civils innocents. Surtout, l'ouvrage révèle la capacité des musulmans et des chrétiens à se respecter, à s'estimer, et même — le mot n'est pas trop fort — à s'aimer dans les circonstances les plus éprouvantes qui puissent s'imaginer. Ces réflexions s'appuient sur un récit captivant et émouvant qui se lit parfois comme un roman de John Le Carré, riche toutefois d'une bien plus grande profondeur humaine et spirituelle.

Joseph V. MONTVILLE, *The Middle East Journal*

Ce livre [...] entrelace des épisodes de l'histoire religieuse et monastique avec des questions sociales et politiques contemporaines. Il est aussi écrit comme un thriller *et le suspense de l'histoire tient le lecteur en haleine : parfait pour [...] comprendre les difficultés auxquelles les relations islamo-chrétiennes doivent faire face dans un contexte radicalisé !*

Sidney GRIFFITH, professeur de langues sémitiques
à l'Université Catholique

Un voyage intellectuel et sensible à travers les thèmes universels de la foi, de la haine, de la guerre et de la réconciliation. Passion pour l'Algérie *n'est pas seulement le récit d'événements historiques récents : il étudie également les idées et les idéologies qui les sous-tendent.*

Susan EISENHOWER, directrice de l'Eisenhower Institute

John Kiser raconte une histoire d'amitié [...] interreligieuse et inter-culturelle, dans un pays et une époque d'intense animosité, de suspicions et de haine [...]. Un des aspects les plus remarquables de ce livre est la description que fait l'auteur de l'Algérie du XXᵉ siècle : historiquement équilibrée et nuancée, [...] la présentation en est claire et efficace. [...] Je suis absolument convaincu que l'histoire des moines de Tibhirine et du peuple algérien auquel ils consacrèrent leurs vies est sans doute l'une des histoires les plus importantes de notre temps – une histoire dont nous avons un cruel besoin aujourd'hui. [...] Le témoignage des moines montre claire-ment que nous donnons le meilleur de nous-mêmes, sur le plan de la foi, lorsque nous laissons nos traditions religieuses s'ouvrir à une transformation personnelle au contact de ceux qui nous sont différents, et quand nous osons découvrir dans cette différence – et la transformation qu'elle engendre – la puissance rédemptrice de l'amour de Dieu et son pouvoir de guérison.

Scott C. ALEXANDER, professeur d'islamologie
à la Catholic Theological Union

Ce livre n'est pas le premier sur les moines de Tibhirine. Mais il est le premier de cette importance écrit en langue anglaise, et il pourrait bien être – toutes langues confondues – le meilleur. J'ai été frappé par la justesse du portrait de chacun des sept moines, par la description du contexte local et national des événements, par la compréhension spirituelle de la vocation cistercienne et de la vocation de notre Église d'Algérie. [...] Merci à l'auteur pour le sérieux de son enquête, et pour avoir fait de ce drame une lecture au niveau qu'il mérite.

P. Gilles NICOLAS, curé de Médéa, *La Semaine religieuse d'Alger*

Le livre de John Kiser tente de répondre aux questions sans doute les plus fondamentales de l'humanité : Comment vivre avec notre prochain ? Pourquoi vivre ensemble ? La vie de ces moines fournit des réponses à méditer.

Anne ALDRICH, *East Hampton Star*

John KISER

PASSION POUR L'ALGÉRIE

Les moines de Tibhirine

Traduit de l'américain par Henry Quinson

Édition revue, corrigée et mise à jour

récit

Nouvelle Cité

Titre original : *The Monks of Tibhirine : Faith, Love and Terror in Algeria.* © 2002 by John W. Kiser. All rights reserved. Publié par St. Martin's Griffin, 175 Fifth avenue, New York, N.Y. 10010, février 2003

Composition : Nouvelle Cité
Couverture : Anne-Charlotte Jouve

Illustrations de couverture :
p. 1, photo extraite du film *Des hommes et des dieux* de Xavier Beauvois
(© Marie-Julie Maille/Why Not Productions)
p. 4, portraits de l'auteur et du traducteur (DR)
© Nouvelle Cité 2006
Domaine d'Arny – 91680 Bruyères-le-Châtel

ISBN 9782853134989

Aux moines de Tibhirine et à ceux qui les ont aimés

L'Algérie est terre, l'Algérie est soleil, l'Algérie est mère, cruelle et adulée, souffrante et passionnelle, caillouteuse et nourricière. Plus que dans nos zones tempérées s'y vérifie l'imbrication du bien et du mal, la dialectique inextricable de l'amour et de la haine, la fusion des contraires qui se partagent l'humanité.

Albert CAMUS

REMERCIEMENTS

Tout comme les moines trappistes, les écrivains réalisent l'essentiel de leur travail dans la solitude, mais leurs efforts sont soutenus et ne portent leur fruit que grâce à l'aide et aux encouragements de ceux qui les entourent. Sans la confiance et la bonne volonté accordées par les familles et les amis des moines, ce livre n'aurait jamais pu voir le jour. À ces derniers, je suis donc particulièrement reconnaissant d'avoir laissé un étranger partager leurs souvenirs et leur peine.

Je voudrais également remercier Bruno Chenu, l'ancien rédacteur du journal *La Croix,* qui, au printemps 1997, me mit en relation avec les personnes dont j'avais besoin pour commencer mon travail d'investigation. L'une de ces personnes, Marie-Christine Ray, se montra particulièrement généreuse de son temps et me communiqua gracieusement ses sources. Elle travaillait alors à une biographie de Christian de Chergé, et ses propres recherches, bien avancées, s'avérèrent, pour moi, d'un grand profit. Je suis aussi très reconnaissant à Mgr Henri Teissier et son économe, Gilles Nicolas, pour l'aide et les conseils qu'ils me prodiguèrent pendant ma visite en Algérie en 1999. D'autres personnes, trop nombreuses pour être toutes citées ici, incluent journalistes, amis des moines à l'intérieur et en dehors de l'Ordre, diplomates et universitaires.

En ce qui concerne le soutien moral dans les premiers temps de

13

cette entreprise, je suis très redevable à Ned Chase, Susan Eisenhower et Carol Edwards, dont l'intérêt pour mon travail et l'aide rédactionnelle préliminaire me conduisirent vers Michael Denneny, mon éditeur à *St. Martin's Press*. Les conseils avisés de Michael furent décisifs pour relier les différents fils de cet écheveau complexe.

Je veux enfin exprimer ma gratitude aux nombreux amis et connaissances qui prirent le temps de lire et réagir au premier manuscrit, avec le plus grand soin. L'un d'entre eux, Dean Fisher, ancien responsable du Proche-Orient à l'hebdomadaire *Time,* luttait à l'époque contre un cancer. Mireille Luc-Keith, mon assistante et amie très chère, lut et relut ce manuscrit plus que quiconque, peut-être même plus encore que moi-même. Je tiens à la remercier du fond du cœur pour son investissement personnel dans cette aventure, son enthousiasme et son attention méticuleuse aux moindres détails.

NOTE DE L'AUTEUR

Ceci est une histoire vraie. Cependant, la vérité, nous le savons bien, présente toujours plusieurs facettes. D'une seule chose je suis certain : ce récit ne présente pas *toute* la vérité.

Les extraits cités dans cet ouvrage proviennent de diverses publications, contributions monastiques, ou entretiens. J'ai mentionné mes principales sources par chapitre à la fin de l'ouvrage, plutôt que dans des notes détaillées en bas de page. Les caractères en italiques sont généralement réservés aux citations du Coran, de la Bible ou de la Règle de saint Benoît ; dans certains cas, je les ai aussi utilisés pour citer de larges extraits d'articles ou autres documents écrits.

Les mots étrangers utilisés sont définis dans le glossaire [1], ainsi que les expressions et concepts musulmans fondamentaux.

_____

(1) Dans la présente édition, toutes les expressions définies dans le glossaire (situé en fin d'ouvrage) sont marquées d'un astérisque (*) lorsqu'ils sont employés pour la première fois [NDT].

NOTE DU TRADUCTEUR

Les citations du Coran, originellement tirées de la traduction anglaise de N. J. Dawood publiée par *Penguin Classics,* sont ici extraites du *Saint Coran, et la traduction en langue française du sens de ses versets,* édité par la Présidence générale des Directions des recherches scientifiques islamiques, de l'Ifta, de la Prédication et de l'orientation religieuse, dont l'impression fut ordonnée par le Serviteur des deux saintes mosquées, le Roi Fahd Ibn 'Abdel 'Aziz Al-Saud, roi du Royaume d'Arabie Saoudite.

De même, les citations bibliques, que l'auteur avait tirées de la *New King James Version,* sont ici restituées en français d'après la traduction liturgique officielle de l'Église catholique (A.E.L.F.), celle qu'utilisaient les moines de Tibhirine. Les versets cités qui ne figurent pas dans les textes du missel romain (Desclée) et du psautier (Cerf) sont, par défaut, empruntés à la *Bible de Jérusalem* (Desclée).

L'auteur utilise tour à tour les termes « algériens », « musulmans » et « arabes » pour désigner les habitants des anciens départements de l'Algérie française, devenus, depuis 1962, nation indépendante sous le nom de République algérienne démocratique et populaire. Il va de soi que ces trois mots ne sont pas parfaitement synonymes. Il a toujours existé des communautés juive et chrétienne en Algérie : tous les Algériens ne sont donc pas musulmans. De même, si le

Maghreb fut progressivement arabisé à partir du VIIe siècle, tous ses habitants ne sont pas « arabes », à commencer par de nombreux Kabyles algériens, très attachés, encore aujourd'hui, à leur langue ancestrale, le *tamazight*. En toute rigueur de termes, les Arabes sont d'ailleurs les habitants de la seule péninsule arabique (qui ne compte, à ce jour, que six pays : l'Arabie Saoudite, le Yémen, Oman, les Émirats Arabes Unis, le Qatar et Bahrein). Toutefois, beaucoup de Nord-Africains se disent eux-mêmes « arabes » et de nombreux Français les désignent également par ce vocable. Cette expression a donc été maintenue, malgré son ambiguïté, son imprécision et ses limites [2], dans la présente traduction.

L'édition française a bénéficié de corrections et de précisions sur quelques points factuels. Elle doit sa grande exactitude à plusieurs personnes, parmi lesquelles il convient de remercier plus particulièrement : John Kiser lui-même, qui a autorisé les modifications proposées ; son assistante, Mireille Luc-Keith, qui a veillé avec talent à la fidélité de la version française ; Jean-Pierre Schumacher, moine de Notre-Dame de l'Atlas ; Bernardo Olivera, abbé général de l'Ordre des cisterciens de la stricte observance ; Henri Teissier, archevêque d'Alger ; Gilles Nicolas, curé de Médéa et familier du monastère de Tibhirine ; Étienne Baudry, ancien abbé de Bellefontaine et ami de Christian de Chergé ; Maurice Borrmans, professeur à l'Institut pontifical des études d'arabe et d'islamologie à Rome ; Pierre Laurent, neveu de frère Luc et président de l'Association des écrits des sept de l'Atlas ; Robert de Chergé, frère du prieur de Tibhirine, et son épouse Anne ; Jehanne Lebreton, mère de frère Christophe ; Élisabeth Bonpain, sœur de frère Christophe ; Françoise Boëgeat-Chessel, nièce et filleule de frère Paul ; Philippe Hémon,

---

(2) Le mot « arabe » est, en outre, chargé de connotations diverses, parfois diamétralement opposées : pour les uns, le terme est valorisant puisque, aux yeux des musulmans, l'arabe est la seule langue sacrée ; pour d'autres, l'expression est au contraire péjorative en raison d'un jugement négatif porté sur la civilisation musulmane associée précisément à cette langue. Enfin, il faudrait signaler que bien des idéologies politiques sont venues, au fil du temps, colorer le sens du mot, tel que le panarabisme, pour n'en citer qu'un exemple très explicite [NDT].

moine de l'abbaye de Tamié ; Jean-Marc Thévenet, ancien abbé de Tamié ; Roger Michel, islamologue à l'Institut catholique de la Méditerranée ; Karim de Broucker, de la Fraternité Saint-Paul [3]. La relecture orthographique et stylistique doit beaucoup aussi à Sylvie Horguelin, journaliste, et à Marie Murat, haut fonctionnaire du Quai d'Orsay.

Jean-Michel Beulin, de la Fraternité Saint-Paul, est à l'origine de ce projet ; de nombreux amis et voisins algériens ou d'origine algérienne – sans oublier les harkis et les pieds-noirs – ont contribué à lui donner son sens et son actualité. Qu'ils soient tous, eux aussi, remerciés.

Pour tout commentaire ou réaction à la version française de ce livre, merci d'écrire à l'adresse électronique suivante : *henry.quinson@wanadoo.fr.*

---

(3) La Fraternité Saint-Paul est une communauté catholique présente à Marseille et en Algérie (*http://perso.wanadoo.fr//frat.st.paul/Menu.htm*).

INTRODUCTION

C'est dans le hall du Grand Hôtel Concorde à Lyon que je devais rencontrer Robert de Chergé pour la première fois. Je l'avais contacté pour lui faire part de mon désir d'écrire un livre sur les moines de Tibhirine, dont le prieur, Christian de Chergé, était son jeune frère. Il m'avait immédiatement répondu à Paris, où je séjournais à ce moment-là, et m'avait invité à venir pour en parler. J'étais un peu nerveux à l'idée de rencontrer ce général à la retraite, qui avait quitté depuis peu le commandement de la force nucléaire française de l'armée de terre, et qui avait été désigné pour filtrer l'accès des journalistes, écrivains et autres personnes qui cherchaient à se mettre en rapport avec les familles des moines.

L'histoire de l'enlèvement et de l'assassinat des sept trappistes français en Algérie avait fait les manchettes de la presse européenne au printemps 1996. Leur monastère de Notre-Dame de l'Atlas à Tibhirine était un lieu d'amitié entre musulmans et chrétiens, connu et apprécié d'un grand nombre. Durant quatre ans, le prieuré et le village tout proche avaient tous deux été épargnés par la violence qui faisait rage dans les montagnes alentour. Mais les moines avaient finalement payé de leur vie, victimes d'un combat entre musulmans pour une société plus juste. Ce conflit avait très mal tourné puisqu'il avait coûté la vie à beaucoup d'Algériens : entre 60 000 et 100 000 fin 1996. Toutefois ces trappistes n'étaient

19

pas des martyrs de la foi. Ils n'étaient pas morts parce que certains détestaient les « chrétiens ». Ils étaient morts parce qu'ils avaient refusé de quitter leurs amis musulmans, ces voisins également menacés, qui comptaient sur eux.

Un an plus tard, l'émotion était toujours vive, et les familles des défunts s'étaient senties agressées par l'omniprésence des médias. C'est donc avec soulagement que je vis arriver cet homme grand et mince, aux cheveux gris en bataille, vêtu d'un blouson en daim ouvert sur un col sans cravate, au sourire intrigué. Dans leur appartement rue Auguste Comte, Anne, son épouse, nous rejoignit au salon, où, sans attendre le dîner, je commençai à répondre à leurs questions, toujours posées avec tact.

« Les Américains ont-ils vraiment envie de lire quelque chose sur l'Algérie? Pourquoi vous intéressez-vous à des moines français? »

L'intérêt que les Américains pouvaient porter à l'Algérie en tant que telle, répondis-je, se limitait probablement à quelques spécialistes universitaires et aux sociétés pétrolières. Mais il y avait un désir de comprendre la violence perpétrée au nom de l'islam*, et, plus largement, de savoir comment des personnes différentes pouvaient vivre ensemble pacifiquement. J'expliquais alors que j'avais passé une année sabbatique en France en 1994-1995, avec ma famille, et que j'avais, cette année-là, rencontré des chrétiens et des musulmans qui essayaient de mieux se comprendre. Les musulmans que j'avais eu l'occasion de rencontrer m'avaient frappé par leur chaleur humaine et leur sens de l'hospitalité, ainsi que par leur respect pour la personne de Jésus. Cinq millions de musulmans vivent en France, soit 8 % de la population d'un pays où j'avais observé un malaise grandissant vis-à-vis des « Arabes », alimenté par un fort taux de chômage, l'insécurité, l'ignorance et le racisme. Chaque année, de plus en plus de musulmans du monde entier émigrent aux États-Unis, où une absence de connaissance et d'acceptation mutuelles pose les mêmes problèmes. Pour la plupart des non-musulmans, le visage de l'islam était celui de la terreur et du fanatisme. Mais des musulmans qui aimaient les chrétiens et risquaient leur vie en s'insurgeant contre le terrorisme renvoyaient à d'autres visages de l'islam.

Quant à mon intérêt pour les moines français, j'expliquai que ces derniers n'étaient pas vraiment « français ». À mes yeux, leur pays était celui des Évangiles. Ils appartenaient à tout le monde, même aux Américains et aux musulmans. Ces hommes représentaient ma conception de ce que le christianisme devrait être. Aimer Dieu certes, mais aimer son prochain d'abord! Le problème, c'est toujours le prochain... Leur amour était respectueux des autres et acceptait l'idée que Dieu parle aux hommes de diverses manières. Ils vivaient leur foi sans arrière-pensées dans un pays où prêcher l'Évangile est défendu.

Je voulais aussi mieux comprendre ce que signifiait être « chrétien ». Est-ce le baptême qui vous fait chrétien? Est-ce le fait de professer votre amour pour Jésus? D'ailleurs, pour mener une vie chrétienne, faut-il être chrétien? Et pourquoi les chrétiens ont-ils si souvent été des témoins peu convaincants du christianisme – divisant et excluant, au lieu d'unir les hommes – exactement comme le font certains soi-disant musulmans aujourd'hui en Algérie? Le problème vient-il des textes sacrés ou des personnes? Je pensais que l'histoire de ces moines et des musulmans dont ils partageaient la vie pouvait fournir des éléments de réponse.

Enfin, dis-je au général, les écrits de son frère, publiés après sa mort, m'avaient touché. Jeune soldat en Algérie pendant la guerre d'indépendance, Christian avait découvert en ces musulmans qui l'entouraient un peuple plus priant et attentif à Dieu que ne l'étaient ceux qui se disaient chrétiens en France. Il avait cherché à élargir son christianisme pour y faire une place à l'islam, et y trouver « les notes qui s'accordent ». C'était un artisan d'unité, et non un diviseur. Le christianisme de Christian de Chergé m'intéressait.

Un mois plus tard, Robert m'envoyait les noms et les adresses des proches des autres moines, ainsi que ceux des membres de sa propre famille qui voulaient bien me rencontrer. En deux ans, je pus ainsi m'entretenir avec les parents des sept religieux défunts pour mieux comprendre qui étaient ces hommes et pourquoi ils étaient partis en Algérie. Mais parler avec les proches des moines, c'était se limiter à ne rencontrer que la moitié de leur famille, car tout trappiste en a deux : ses parents selon la chair, dont il se sépare, et la nouvelle famille qu'il adopte quand il entre dans l'Ordre. Il prend un nouveau prénom [4], symbolique de sa nouvelle identité dans le Christ. L'abbé devient son père, et les moines ses frères. Il renonce aux richesses de ce monde pour revêtir l'habit monastique. À sa mort, les quelques affaires personnelles qui lui restent – livres, documents, écrits – appartiennent à l'Ordre.

Les sept moines défunts partis en Algérie venaient de trois monastères français différents : Notre-Dame d'Aiguebelle, dans la vallée du Rhône, près de Montélimar ; Notre-Dame de Tamié, situé dans les montagnes de Savoie, non loin du lac d'Annecy ; et Notre-Dame de Bellefontaine, dans la plaine agricole d'Anjou. En séjournant dans chacun des monastères où leur vocation avait pris corps, je fis l'expérience du rythme et du style de vie trappistes, et, par la bouche de leurs anciens frères, j'appris encore davantage sur ces hommes et leur existence à « l'Atlas [5] ».

Je commençais aussi à mieux comprendre pourquoi le mode de vie trappiste trouvait un certain écho en moi. L'une des raisons en est la simplicité. Faire moins, et non davantage, et faire ces choses plus intensément : ce sont là des valeurs constamment menacées dans un monde qui offre toujours plus : plus d'activités, plus de choix, plus de moyens de communication. Autant de distractions souvent futiles ! Les trappistes ont réduit leur vie à une simple triade : prière, étude et travail manuel. Ils ont fait un choix radical : aimer et louer Dieu à la manière cistercienne. Cette voie est faite

_____

(4) Cette tradition est en recul dans l'Ordre cistercien-trappiste. L'accent est mis davantage, aujourd'hui, sur le caractère essentiellement baptismal de la vie monastique. Ceci explique pourquoi seulement trois frères, Bruno, Luc et Amédée, abandonnèrent les prénoms donnés à leur baptême [NDT].

(5) À Tibhirine et dans l'Ordre cistercien-trappiste, le monastère de Notre-Dame de l'Atlas était souvent appelé, plus simplement, « l'Atlas ». C'est dans ce sens qu'il faut comprendre l'expression tout au long de ce livre [NDT].

d'obéissance, d'humilité et de charité, pratiquées en communauté de travail, avec des frères unis en Jésus-Christ. Ce sont des gens pragmatiques, silencieux et frugaux, qui vivent essentiellement du travail de la terre.

L'autre trait de la vie trappiste qui m'a séduit est son équilibre : solitude et communauté, méditation et action, amour et ascèse. Les moines sont en effet rompus à une ferme discipline, tant au plan communautaire qu'au plan personnel, même s'ils parlent surtout d'« obéissance à Dieu ». De fait, ils vivent en communauté selon un rythme de travail et de prière qui façonne leur vie quotidienne. Chaque frère a librement choisi cette discipline afin d'exceller en l'art d'aimer, lequel nécessite de libérer l'âme des scories de la convoitise, de la méchanceté, de la colère, de l'égoïsme et de tout ce qui fait obstacle à la vie communautaire. C'est une ascèse qui aide chacun à devenir le réceptacle accueillant de l'Esprit de Dieu. Voici donc quelques-unes des raisons pour lesquelles j'ai finalement trouvé que la culture monastique cistercienne ressemblait à l'une de ces plantes rares qu'on ne remarque pas, dont les propriétés médicinales sont connues seulement d'un petit nombre, alors qu'elles pourraient profiter à tant d'autres !

Les mobiles de l'enlèvement des moines et la cause de leur mort demeurent, à ce jour, un mystère. Je ne prétends pas l'élucider, mais seulement raconter une histoire d'amour et de réconciliation vécue dans un climat de peur et de haine.

1re partie

DES MOINES
EN TERRE D'ISLAM

(1843-1989)

I. DEUIL

Et tu trouveras certes que les plus disposés à aimer les croyants sont ceux qui disent : « Nous sommes chrétiens ». C'est qu'il y a parmi eux des prêtres et des moines, et qu'ils ne s'enflent pas d'orgueil.

Coran 5, 82

Sous un certain angle, la basilique Notre-Dame d'Afrique ressemble à un chameau géant, accroupi, contemplant les collines couvertes de pins d'Alep et d'eucalyptus qui forment comme un amphithéâtre tout autour du port d'Alger. Son cou élancé est une élégante tour byzantine reliée à un vaste corps de briques rouges, surmonté d'une énorme coupole dorée. Pendant plus de cent ans, ses reflets lumineux rappelèrent au monde l'ambition de l'Europe chrétienne de venir civiliser la terre que les Arabes appellent le *Maghreb* * – « là où le soleil se couche ». Les nouveaux venus s'acquittèrent fort bien de leur tâche. Au point que les Français, arrivant dans la baie d'Alger en bateau, ne manquèrent jamais d'éprouver ce sentiment rassurant d'un retour en territoire connu, conforté et magnifié par l'extraordinaire beauté du site. Alger fut en effet longtemps le Nice de l'Afrique du Nord, la perle méditerranéenne de la France, avec ses promenades le long de la mer, ses cafés animés, ses superbes jardins, ses dames élégantes et son

27

architecture impériale. La Grande Poste, la rue de la République, la place Delacroix : autant de lieux qui rassuraient par leur air vaguement familier.

Cependant, à la fin du printemps 1996, Alger ressemblait à une clocharde en haillons. Jadis admirée pour la blancheur éclatante de sa Casbah, accrochée aux flancs des Monts du Sahel, « la Blanche », comme on l'appelait alors, respirait désormais la déconfiture et la faillite, avec ses immeubles insalubres, menaçant ruine, ses hordes de chats de gouttière et ses rues remplies d'ordures en décomposition. Les trois églises qui avaient été des mosquées avant l'arrivée des Français étaient redevenues des lieux de culte musulman. Notre-Dame d'Afrique est l'un des derniers bastions d'une présence chrétienne qui se chiffre en centaines de personnes dans un pays de 29 millions de musulmans.

En cet après-midi du dimanche 2 juin, une foule en deuil s'était rassemblée sur les marches pour voir sept cercueils pénétrer dans la basilique. Il y avait là de simples paysans coiffés de bonnets, des ouvriers brûlés par le soleil dans leurs vestes mal taillées, et, disséminés ici ou là, quelques hommes et femmes d'origine européenne. Chaque cercueil était recouvert d'une gerbe de roses rouges, porté par quatre hommes de la Protection civile en tenue de sortie traditionnelle, celle du sapeur-pompier français : demi-guêtres blanches, uniforme gris orné de bandes rouges au pantalon, couronné d'un casque argenté aux proportions toutes médiévales, brillant comme un miroir. Des soldats armés de kalachnikovs patrouillaient les alentours de la basilique et d'autres étaient postés sur les toits. Tuer les gens qui se rendaient aux funérailles de leurs victimes était l'une des tactiques préférées des terroristes.

À l'intérieur de l'imposante rotonde, les cercueils en rejoignaient un autre : Mgr Léon-Étienne Duval, comme beaucoup le diront plus tard, avait été, lui aussi, victime du massacre. Le très aimé cardinal, âgé de 92 ans, avait œuvré de toutes ses forces, pendant cinquante ans, à la réconciliation entre Européens et Arabes. Les moines, se plaisait-il à dire, étaient les « poumons » de l'Église en

Algérie. Leur petite communauté dans les montagnes de l'Atlas alimentait en oxygène spirituel à la fois chrétiens et musulmans. Lorsqu'il avait appris que les moines avaient été mis à mort, il avait confié à ceux qui se tenaient à son chevet qu'il se sentait « crucifié », et il s'était éteint une semaine plus tard.

Derrière l'autel se tenait la « Vierge noire » – ainsi appelée en raison de son visage de bronze noirci par les ans. Elle contemplait l'assemblée depuis le sommet du tabernacle carrelé de bleu. Peints sur la coupole au-dessus de sa tête, on pouvait lire ces mots : « Notre-Dame d'Afrique, priez pour nous et pour les musulmans! » Ce jour-là, ses prières s'avéraient plus que jamais nécessaires. L'abbé général des trappistes, le père* Bernardo Olivera, était l'un des nombreux représentants de l'Église à s'adresser à l'assemblée. Ses paroles touchèrent les cœurs.

Que peut dire un moine de ses frères moines? Je sais, tout comme eux, que notre charisme dans l'Église est de nous taire et de travailler, d'intercéder et de louer Dieu. Mais nous savons aussi qu'il y a des moments pour parler comme il y a des moments pour garder le silence.

La voix cachée des moines a retenti silencieusement dans les cloîtres de Notre-Dame de l'Atlas durant plus de cinquante ans. Cette même voix s'est convertie au cours des deux derniers mois en un cri d'amour qui a résonné dans le cœur de millions d'hommes et de femmes croyants et de bonne volonté. Nos sept frères de Tibhirine, Christian, Luc, Christophe, Michel, Bruno, Célestin et Paul se sont aujourd'hui transformés en porte-parole de tant de voix étouffées et de personnes inconnues qui ont donné leur vie pour un monde plus humain. Nos sept moines me prêtent aujourd'hui leur voix, à moi aussi.

Le témoignage des moines, tout comme celui de tout croyant chrétien, ne peut se comprendre que dans la prolongation du témoignage du Christ lui-même. Notre vie à la suite du Christ doit manifester sans aucune ambiguïté la gratuité divine de la bonne nouvelle de l'Évangile que nous désirons vivre : une vie donnée, offerte, n'est jamais perdue; on la retrouve toujours en Celui qui est la Vie.

Il nous faut entrer dans le monde de l'autre, qu'il soit chrétien ou musulman. En effet, si l'« autre » n'existe pas comme tel, il n'y a pas d'espace pour le véritable amour. Laissons-nous désinstaller et enrichir par l'existence de l'autre. [...]

Nos frères moines sont aussi un fruit mûr de ce peuple algérien qui les a reçus et a estimé leur vie durant tant d'années de présence et de communion. Pour cette raison, une parole de remerciement de notre part s'impose. Église d'Algérie, vous tous Algériens, adorateurs du Dieu unique : un grand merci pour le respect et l'amour que vous avez manifestés à nos frères moines.

D'autres homélies furent données par le cardinal Lustiger, venu de Paris, l'archevêque d'Alger, Henri Teissier, et le cardinal Francis Arinze, envoyé personnel du pape Jean-Paul II. À la fin de la célébration, de hautes personnalités du gouvernement algérien, des membres du corps diplomatique, et des centaines d'Algériens ordinaires, présents dans l'immense assemblée, défilèrent devant la photographie posée sur chacun des cercueils des moines. Beaucoup de ceux qui les avaient connus personnellement embrassèrent leurs photos et, devant ces visages souriants, murmurèrent, les larmes aux yeux, un dernier adieu. Au dehors, on entendit quelqu'un déplorer, à demi-mots, que la cérémonie ait été trop pompeuse et grandiloquente pour des hommes qui avaient vécu humblement parmi de simples paysans.

Après la cérémonie, un journaliste de l'hebdomadaire *L'Express* interrogea Pierre Claverie, l'évêque à la mâchoire carrée et au franc-parler légendaire, venu en voisin depuis son diocèse d'Oran : « Le gouvernement français a demandé à ses ressortissants, il y a trois ans, de quitter l'Algérie. Pourquoi donc l'Église reste-t-elle ici alors qu'elle est confrontée à un tel danger ? Ne vous exposez-vous pas inéluctablement au martyre ? »

« Non, répondit Mgr Claverie. C'est vrai qu'il y a certains groupes ici qui ne nous acceptent pas, mais l'Église est algérienne, et non française, et elle existe dans le droit algérien depuis 1964. Le

30

gouvernement peut certes refuser de renouveler nos visas quand il veut, mais il ne le fait pas parce que les chrétiens sont ici respectés, même si nous ne sommes qu'une toute petite communauté. Ceux qui veulent partir peuvent le faire. Ceux qui restent tiennent à assurer la présence de l'Église ici. Si nous partons, ceux qui veulent la purification ethnique et religieuse seront les grands gagnants. Un bon berger n'abandonne pas son troupeau quand arrivent les loups. »

En France, des cérémonies commémoratives eurent lieu un peu partout à travers le pays. Beaucoup de questions restaient sans réponse. Pourquoi avait-on assassiné les moines ? Quel était cet islam qui tuait des hommes de Dieu au nom même de Dieu ? Et qu'étaient donc allés faire ces chrétiens en pays musulman ?

II. DEUX MOHAMMED

La bonté pieuse ne consiste pas à tourner vos visages vers le Levant ou le Couchant. Mais la bonté pieuse est de croire en Allâh, au Jour dernier, aux Anges, au Livre et aux prophètes, de donner de son bien, quelque amour qu'on en ait, aux proches, aux orphelins, aux nécessiteux, aux voyageurs indigents et à ceux qui demandent l'aide et pour délier les jougs, d'accomplir la prière et d'acquitter l'aumône.

Coran 2, 177

À quel moment commence l'histoire de la mort des moines ? À partir de l'expédition du Comte de Bourmont en 1830 pour punir le dey* d'Alger d'avoir donné un « coup d'éventail » au consul de France, conduisant ainsi l'Algérie à devenir, bon gré mal gré, territoire français ? Ou bien faut-il remonter encore plus loin en arrière, au VIIe siècle, quand les Arabes déferlèrent sur l'Afrique du Nord pour convertir les Berbères* chrétiens à l'islam ? Doit-on, au contraire, s'en tenir à une période plus récente, les années 1880, lorsque l'anticléricalisme français poussa les moines trappistes à chercher des contrées plus hospitalières dans la Slovénie des Habsbourg, puis, cinquante ans plus tard, fuyant l'athéisme communiste, à trouver refuge en Algérie ?

Mais ce ne sont là qu'histoires d'historiens, et l'histoire qui va suivre est une histoire d'amour. Il en est qui sont prêts à mourir, et d'autres à tuer, pour leur amour : amour de Dieu, amour de la loi divine, amour de la justice. Mais peut-on aimer Dieu et haïr les hommes ? L'amour chrétien est-il vraiment différent de l'amour des musulmans ? En cet été 1959, un officier mince et sérieux, portant des lunettes épaisses aux montures d'écaille – qui lui donnaient un air de hibou pensif – se débattait sans doute avec toutes ces questions. Il est vrai qu'il avait, plus que tout autre militaire français, de sérieuses raisons de s'interroger : le Lieutenant Christian de Chergé était séminariste, et un musulman venait de lui sauver la vie.

« Les événements », comme on appelait en France cette sale guerre qui durait depuis cinq ans, laissaient espérer une victoire militaire mais craindre une défaite politique. Le colonialisme n'était plus de saison. En 1956, le Président Eisenhower avait obligé la France et la Grande-Bretagne à rappeler les troupes qu'elles avaient envoyées pour intervenir dans la crise de Suez, épisode qui laissa finalement le canal aux mains des Égyptiens. Une partie de la gauche française comparait alors la présence de l'armée en Algérie à l'impérialisme soviétique dont les tanks venaient d'écraser impitoyablement le soulèvement hongrois. Pourtant, même au cœur de ce conflit affreux qui divisait à la fois chrétiens et musulmans, Christian de Chergé succomba au charme de l'Algérie.

Il était en poste, en qualité d'officier d'état-major, dans la vieille ville berbère de Tiaret, célèbre pour ses chevaux arabes et ses lumineuses peintures sur céramique. À neuf cents mètres d'altitude, à l'extrémité méridionale de la chaîne de l'Ouarsenis, Christian pouvait contempler les flèches de calcaire et de marne qui dominaient les plaines de blé et de luzerne ; elles se perdaient, au sud, dans les immensités désertiques du Grand Erg. Au nord de Tiaret, le silence serein des denses forêts de cèdres qui couvraient le massif avait inspiré un poète arabe : la région n'était rien moins que « l'œil du monde ».

L'Algérie avait séduit un grand nombre de Français au cours des années. Pour la plupart, c'était la splendeur de ses paysages qui les

33

avait enchantés. Ce *Far West* cinq fois plus grand que la métropole était riche de contrastes, et sa beauté sauvage invitait à l'aventure. Ses espaces à perte de vue étaient chose inconnue dans une Europe au peuplement infiniment plus dense. Et cet univers si différent n'était pas tellement loin : à deux heures d'avion de Marseille, facilement accessible grâce aux Douglas DC-3 qui assuraient des vols réguliers. À vrai dire, la côte algérienne est la sœur jumelle de la Côte d'Azur. Des montagnes calcaires se jettent dans la mer au gré des arabesques d'une frontière maritime accidentée, ponctuée de petites criques et d'échancrures. Les régions côtières septentrionales sont autant arrosées par la pluie que Paris, et les neiges hivernales ne quittent jamais les sommets des montagnes de Kabylie. À mille cinq cents kilomètres au sud, de vastes déserts de sable connaissent des températures pouvant atteindre jusqu'à 60 degrés à l'ombre, faisant fondre les pneus sur les routes goudronnées. Christian de Chergé s'enthousiasma pour le pays, en particulier pour ses habitants, Berbères et Arabes, bien plus accueillants, fidèles à la prière et respectueux de Dieu que ne l'étaient généralement les Européens.

Le nouveau venu avait été envoyé dans une Section administrative spéciale (SAS*), l'une des six cents zones de pacification rurale créées après la destruction de milliers de villages par les bombardements. Des familles terrorisées et sans toit, représentant plus de 2,6 millions de personnes, étaient ainsi « regroupées » sous contrôle français, dans un double but : priver les rebelles de ressources et de soutien de la part de la population, et protéger de toute vengeance et représailles les Algériens qui se voulaient neutres ou amis de la France.

Les soldats de la SAS remplissaient le rôle d'administrateurs, d'enseignants, de médecins et d'ingénieurs, construisant logements, hôpitaux, écoles et mosquées. L'armée française organisait, armait et rémunérait des Algériens pour protéger les récoltes, les routes principales et les services publics. Les *fellaghas**, ou *fells* – c'est ainsi que les soldats appelaient les rebelles – se montraient surtout téméraires la nuit, quand des sentinelles baissant la garde risquaient de se faire égorger ou de retrouver leurs attributs masculins au fond de leur gosier.

Créer la confiance, tel était l'essentiel de la stratégie militaire. Pour réussir, il fallait rassurer la population locale et la convaincre que la France resterait en Algérie. « Si vous restez pour nous protéger, nous serons à vos côtés » : voilà ce qu'entendaient souvent les officiers de la SAS de la part des musulmans. Beaucoup d'Algériens avaient combattu aux côtés des Français lors de conflits précédents. Dans les conseils locaux de gouvernement, discutant de l'avenir avec des officiers français en quête de contre-arguments à la propagande des rebelles, les Algériens arboraient leurs décorations militaires et partageaient leurs souvenirs de courageuse camaraderie forgée au creuset de batailles vécues au coude à coude durant les deux guerres mondiales ou au Vietnam.

Les tracts révolutionnaires du Front de libération nationale (FLN*) rappelaient sans cesse à la population que l'on ne pouvait pas faire confiance à la France, qu'elle avait toujours trahi ses engagements et qu'elle ne changerait pas. Pour convaincre le peuple du contraire, les unités militaires évitaient au maximum les mutations. Les appelés faisaient toute la durée de leur service dans la même unité de la SAS pour apprendre les coutumes locales et créer une atmosphère de stabilité.

Plus pasteur que guerrier, l'officier de la SAS était placé dans une position délicate. On attendait de lui qu'il aide les musulmans à se « sentir français ». Cela impliquait de se tenir à l'écoute de leurs problèmes et de faire un véritable effort pour les aider sur le plan fiscal et dans le domaine de la santé, tout en assurant leur sécurité. Cependant, s'il demandait à l'armée de dédommager des villageois dont les moutons avaient été décimés par les bombardements français, on ironiserait probablement sur sa naïveté, ou bien on le traiterait de sympathisant des rebelles.

Pour prendre la mesure de ces réalités, Christian de Chergé, tout fraîchement arrivé, avait reçu la responsabilité temporaire de commander une section de trente *mokhazni**. Ces Algériens irréguliers étaient chargés de le protéger quand il faisait ses rondes et rendait visite aux chefs de village, bien qu'aucun officier français digne de ce nom ne dût donner l'impression qu'il avait besoin de gardes du corps.

Comme à son habitude, le Lieutenant de Chergé ne portait aucune arme à la ceinture ce jour d'août 1959, tandis qu'il se déplaçait à pied avec Mohammed. Ce n'était pas le rang social de ce dernier, garde champêtre de sa commune, qui était à l'origine de leur relation de mutuelle estime. C'était leur amour commun de Dieu. Christian avait en effet découvert en Algérie une liberté qu'il n'avait jamais connue en France. Les musulmans étaient pénétrés d'un profond sens de la présence divine. Il pouvait, avec eux, parler sans retenue de sa foi, contrairement à ce qui prévalait en métropole, où les discussions spirituelles et théologiques mettaient les gens mal à l'aise. Christian, dans ses lettres, ne manqua pas de faire part à sa mère de ces longues promenades à cœur ouvert, durant lesquelles Mohammed le chagrinait parfois lorsqu'il disait : « Vous, les chrétiens, vous ne savez pas prier. On ne voit jamais de soldats français prier. Vous dites que vous croyez en Dieu, mais comment pouvez-vous ne pas prier si vous croyez en Dieu ? » C'était une question à laquelle Christian avait du mal à répondre.

Le jeune Français et son aîné musulman étaient tout à leur conversation, au cours de l'une de leurs marches habituelles à travers la campagne, quand des *fells* surgirent d'on ne sait où. C'était une de leurs désagréables habitudes, facilitée par la présence de cavernes et de grottes innombrables dont le massif calcaire était criblé. Mohammed s'interposa entre Christian et les fusils pointés vers sa poitrine. Il protesta, soulignant que ce soldat était un homme de Dieu et un ami des musulmans. Les *fells* se retirèrent sans faire de mal au Français. Le lendemain, on retrouva Mohammed égorgé près de sa maison, dans la bourgade d'Aïn Saïd, où il habitait avec sa femme et ses dix enfants.

La générosité d'esprit de Mohammed contrastait avec la colère que Christian trouva dans sa paroisse à Tiaret. La ville respirait encore l'atmosphère insouciante des colonies. Sa grand-place, bordée d'arcades en pisé ocre, abritait les bâtiments gouvernementaux de la préfecture, des kiosques et des cafés, où flânaient et flirtaient les soldats. Les « incidents » – c'est ainsi que les Français appelaient pudiquement les assassinats – avaient été peu nombreux à Tiaret, comparés à d'autres endroits. Mais les apparences de normalité trompaient de moins en moins la population européenne, dont la peur d'être un jour abandonnée par la métropole croissait au contraire de jour en jour.

Chaque matin, Christian se levait sans joie pour servir la messe présidée par le curé du lieu, Ferdinand Lledo, un Catalan d'origine. Ce dernier était en proie à la colère divine. Il refusait de lire à ses confrères les lettres pastorales de son évêque à Alger, Mgr Duval, dont les messages prônant la justice et l'autodétermination pour tous les Algériens lui étaient anathèmes. La simple évocation du général de Gaulle le rendait fou furieux. « Trois départements français, et il va tout simplement les liquider ! », s'emportait-il en chaire tous les dimanches. Il ne faisait aucun mystère de son aversion pour les Arabes et pour les chrétiens qui montraient quelque intérêt pour l'islam.

Le père Ferdinand Lledo était de ceux qui, dans le clergé, pensaient que l'amour de la patrie n'était rien moins qu'un devoir pour les chrétiens. Mais la patrie que partageaient Européens et musulmans n'était pas l'Algérie. C'était la France. La France, disaient-ils, avait apporté ordre et raison en ce lieu qui n'était jadis qu'un repaire de pirates : elle avait délivré cette ancienne province ottomane de guerres intestines interminables, elle avait construit des infrastructures et introduit la médecine moderne pour soulager les indigènes de leur misère et de leurs maladies.

Se battre pour l'Algérie française, c'était se battre pour la civilisation chrétienne. Ainsi, *Le Petit Bônois,* publié par le clergé de Bône, n'hésitait pas à déclarer : « Abandonner l'Algérie aux rebelles dominés par le marxisme revient à la livrer aux communistes. » Les champions de l'Algérie française défendaient la civilisation occidentale non seulement face au marxisme athée mais aussi devant le danger, également menaçant, du fanatisme musulman : « Abandonner l'Algérie fera disparaître les dernières traces de civilisation chrétienne en Afrique du Nord. Ceci est inacceptable. L'Église a un rôle missionnaire. Et c'est un scandaleux mensonge de présenter l'islam comme une forme de moralité, ou comme une civilisation qui ne serait pas inférieure à la nôtre. » Enfin, le journal rappelait à ses lecteurs que « haine, pillage et sauvagerie sont les traits caractéristiques de toutes les races primitives ».

Accablé par la confusion spirituelle qu'il ressentait autour de lui, Christian de Chergé trouva son réconfort dans les « merveilleuses exceptions [6] ». Mohammed avait été pour lui une lumière dans un paysage ayant perdu tout sens moral, et où « la guerre rend stériles les terres et aussi [...] les cœurs », comme il le nota plus tard. « Parvenu à l'âge d'homme et affronté, avec toute ma génération, à la dure réalité du conflit de l'époque, il m'a été donné de rencontrer un homme mûr et profondément religieux qui a libéré ma foi en lui apprenant à s'exprimer, au fil d'un quotidien difficile, comme une réponse de simplicité, d'ouverture et d'abandon à Dieu. »

De Mohammed, « cet homme illettré qui ne se payait pas de mots » et qui avait « la charge de ses dix enfants », personne ne sait grand-chose. « Peut-être est-ce mieux ainsi. Comme les évangélistes, nous ne le connaissons que par le fruit qu'il a donné », remarque Étienne Baudry, grand ami de Christian depuis leurs années d'études à Rome, et devenu, plus tard, abbé du monastère de Bellefontaine. « Mohammed était sûrement un saint. Je ne crois pas que Christian se soit jamais senti coupable du sacrifice de son ami. Je pense qu'il considérait le geste de Mohammed comme un acte d'amour, librement posé. Mais il n'y a pas l'ombre d'un doute que cet événement a profondément marqué sa vocation. »

Le supérieur de Christian à Tiaret, lui aussi, entrait dans la caté-

---

(6) L'expression est de Christian de Chergé, dans un témoignage donné à la Toussaint 1985 [NDT].

gorie des « merveilleuses exceptions ». Le colonel André Lalande était un héros militaire, quoiqu'entré dans la légende à l'occasion d'une défaite. Il avait été l'un des premiers partisans du mouvement de la France libre du général de Gaulle et avait participé activement à la libération de son pays en 1944. Il s'était fait un nom à la tête d'« Isabelle », le dernier bastion à s'être rendu aux Vietminh procommunistes lors du siège de Dien Bien Phu en mai 1954.

Le colonel Lalande était également un chrétien convaincu. Il partageait le respect de son jeune lieutenant à l'égard de la population musulmane. Lui aussi était frappé par leur piété, ainsi que par la solidité et la loyauté de son contingent de *harkis**, qui faisaient partie des 250 000 musulmans servant sous le drapeau français, une tradition de collaboration remontant à la création de l'unité des zouaves* berbères qui avaient combattu avec les Français dans les années 1830. Comme Christian, Lalande éprouvait de la sympathie pour les musulmans et s'était lié d'amitié avec le *muftî** de Tiaret. Un jour, le colonel invita Christian à venir faire sa connaissance. Le *muftî* parla avec une extrême politesse des antagonismes entre christianisme et islam, et conforta Christian dans ses propres intuitions, selon lesquelles les relations entre les deux religions portaient le poids de préjugés mutuels accumulés au cours des siècles. « En tout cas, pour lui comme pour beaucoup d'entre nous, la relation à Dieu demeurait le lieu où s'enracinaient toutes les libertés, et où toutes les audaces pouvaient s'imposer, y compris celle de la désobéissance à un ordre fondé sur l'injustice », écrivit-il à un ancien camarade de guerre, des années plus tard.

La torture et les exécutions sommaires étaient interdites sous le commandement du colonel Lalande. Deux ans avant que Christian ne commence son service militaire en Algérie, ces pratiques étaient devenues systématiques et largement répandues. La 10ᵉ Division parachutiste du général Jacques Massu avait reçu carte blanche en janvier 1957 pour restaurer l'ordre à Alger. La capitale avait été le théâtre d'un cycle accéléré de violences et de représailles, qui avait commencé avec l'exécution en juin 1956 de deux rebelles détenus à la prison de Barberousse, dont l'un était infirme. En guise de réponse, le commandement des rebelles avait donné l'ordre d'attaquer à volonté les Européens. Quarante-neuf personnes avaient été tuées ou blessées en trois jours. Un mystérieux Comité des quarante avait ensuite été constitué pour faire exploser un pâté de maisons arabes en représailles pour chaque Européen tué, et ainsi de suite jusqu'à l'arrivée du général Massu. Ce dernier s'était chargé de la pacification avec répugnance, qualifiant cette mission policière de « sale boulot ».

Il y avait eu des fuites et la métropole avait appris que des unités spéciales utilisaient des décharges électriques pour « accélérer les interrogatoires ». Les révélations les plus choquantes concernaient ces citoyens français – communistes et sympathisants du FLN – à qui l'on attachait, disait-on, des électrodes au pénis et aux lobes des oreilles, ou à qui on introduisait ces instruments de supplice dans le rectum. Après six mois de tortures, de ratissages et d'exécutions sommaires, les hommes du général Massu avaient anéanti le réseau terroriste. La bataille d'Alger avait été gagnée au prix de seulement cinq vies françaises. Mais, sur le chemin de la victoire, l'armée avait perdu le soutien de l'opinion publique.

Avec l'aval du colonel Lalande, le Lieutenant de Chergé et d'autres officiers, qui partageaient la même opinion, usèrent de leur autorité pour empêcher la torture et les exécutions sommaires de prisonniers. Ces hommes se sentaient tenus de vivre conformément aux exigences de l'Évangile autant que de faire respecter la Déclaration des droits de l'homme. Surnommés « les insolents », ils étaient convaincus qu'aucun bien ne pouvait sortir du mal, malgré l'argument selon lequel la torture sauvait des vies innocentes en empêchant des bombes d'exploser. Ils savaient bien que ces actes de cruauté suscitaient de nouvelles vocations terroristes.

« Les insolents » enregistrèrent un soutien moral de poids en la personne de Mgr Léon-Étienne Duval. Christian l'avait rencontré pour la première fois à Notre-Dame d'Afrique le jour de l'an 1960, alors qu'un prêtre venait d'être assassiné et qu'une embuscade s'était avérée particulièrement meurtrière pour le FLN. En cette occasion, la compassion exprimée par Mgr Duval à l'égard des deux parties du conflit marqua profondément Christian, ainsi que ses idées sur la question de l'obéissance. Il rappela au jeune lieutenant de vingt-deux ans que l'obéissance était la « gardienne de toutes les vertus » à condition qu'elle repose sur la foi. Il était préférable d'obéir à Dieu plutôt qu'aux hommes. L'obéissance chrétienne réclamait intelligence et discernement ; elle ne pouvait être purement mécanique. Il n'était jamais permis à un chrétien de faire le mal, même s'il était prescrit par un supérieur. La véritable obéissance supposait « une communion de pensée avec celui qui commande ».

Durant la campagne antiterroriste du général Massu, Mgr Duval scandalisa la population européenne. Il avait publiquement condamné la violence perpétrée de part et d'autre, mais il dénonça tout particulièrement les exécutions sommaires, les punitions collectives et la torture pratiquée par certaines unités de l'armée française. Ses ennemis, de plus en plus nombreux, rebaptisèrent l'évêque « Mohammed Duval », ce qui ne fit que renforcer sa renommée dans l'opinion publique arabe.

On ne pouvait imaginer candidat plus improbable que Mgr Duval au rôle de champion de la dignité musulmane dans cette rude mêlée de l'Algérie française. N'était-il pas ce clerc réservé – glacial même, de l'avis de certains – venu des lointaines montagnes de Savoie ? Trop frêle pour travailler à la ferme familiale où il avait grandi, il avait été envoyé à l'Université grégorienne de Rome. C'est là qu'il s'était plongé dans une lecture approfondie de l'œuvre de saint Augustin, source d'inspiration majeure pour la suite de sa vocation sacerdotale. Il était retourné en Savoie pour devenir professeur de philosophie et de dogmatique au grand séminaire d'Annecy. Sous l'occupation nazie, le père Duval, alors vicaire général du diocèse, avait été à l'origine de l'aide apportée par la Résistance à des familles juives cherchant refuge en Suisse. En dépit des nombreux amis qu'il comptait dans le maquis, il avait toujours refusé de les rejoindre. Son col romain, ne manquait-il pas de leur rappeler, faisait de lui l'héritier d'un appel universel à servir et respecter tout homme, quel qu'il soit.

Son adhésion à ce message d'amour sans frontière valut rapidement de sérieux problèmes au père Duval de la part des colons européens quand, en 1947, il fut nommé évêque de Constantine, dans le diocèse français le plus à l'est de l'Algérie. Les pieds-noirs* étaient de rudes gaillards à la tête dure, qui, pour la plupart, avaient rejoint l'Algérie pour échapper à diverses formes de désastres politiques ou économiques. La première vague avait été constituée d'éléments politiquement indésirables, contraints d'émigrer après le soulèvement de Paris en 1848. L'Alsace-Lorraine avait ensuite fourni des bataillons d'immigrants peu désireux de vivre sous la domination allemande consécutive à l'humiliation de la France à Sedan en 1870. D'autres encore étaient arrivés quand le phylloxera avait dévasté l'industrie viticole française.

Partout en Europe, l'Algérie était présentée, par les Français, comme un de ces territoires nouveaux où l'on pouvait aisément faire fortune, mais relativement peu d'entre eux s'étaient laissé tenter par l'aventure. Ils savaient qu'il y avait des marécages dans la Mitidja, qui causaient des épidémies de malaria et de choléra ; des pillages par des autochtones, victimes d'escroqueries foncières ; et un travail éreintant qui les attendait, dans un pays où l'on suffoquait en été et gelait en hiver. En 1917, après 87 ans de colonisation, les pieds-noirs d'origine française ne représentaient que 25 % de la population européenne. Des Espagnols, des Maltais, des Italiens, des Grecs, des Anglais, quelques Allemands, et des personnes d'autres nationalités avaient été séduits par l'offre de quatre hectares de terrain, de quelques outils agricoles et d'une paire de bœufs pour contrebalancer la population musulmane indigène, qui augmentait rapidement du fait des progrès de la santé publique réalisés par les Français. Ce surnombre de colons d'origine étrangère par rapport aux pieds-noirs venus de l'Hexagone avait conduit Anatole France à observer de manière acerbe :

« Nous avons spolié, chassé, et traqué les Arabes pour peupler l'Algérie d'Italiens et d'Espagnols. »

Le premier sermon de Mgr Duval en tant qu'évêque de la ville sainte musulmane de Constantine fit l'effet d'une douche froide à l'assemblée européenne réunie à la cathédrale : « Il faudrait être aveugle pour ne pas être effrayé, d'une part, par l'étendue de l'injustice sociale et, d'autre part, par les conséquences qu'elle entraînera », prévint-il, horrifié par le contraste entre les conditions de vie de la population arabe et celles des Européens. « Un jour, mes frères, vous me reprocherez de n'avoir pas assez parlé, de ne pas vous avoir avertis, de ne pas vous avoir crié votre devoir. » Mgr Duval parlait de ce « devoir » avec la tranchante simplicité d'un couteau bien aiguisé.

« Sans respect, il ne peut y avoir d'amour » : telle était la règle d'or du nouveau prélat. Il la répétait souvent aux fidèles et au clergé. L'amour vraiment fraternel, et non l'amour purement sentimental, était l'essence même de sa foi. L'amour du prochain conduisait à l'amour de Dieu. Aimer Dieu, c'était aimer toutes ses créatures. Mais l'amour fraternel était primordial, insistait Mgr Duval, car il était le moyen le plus sûr et le plus direct d'aimer Dieu. Il appliquait lui-même sa règle d'or de manière simple et quotidienne. L'évêque exhortait aussi ses frères prêtres à observer envers tous les règles les plus élémentaires de politesse. Ainsi leur demandait-il de s'adresser aux musulmans de la même manière qu'ils parlaient aux Européens, c'est-à-dire en les vouvoyant plutôt qu'en les tutoyant, le tutoiement étant normalement réservé aux amis proches, aux enfants et aux animaux.

En 1954, Mgr Duval fut nommé archevêque d'Alger, ce qui fit de lui le responsable suprême de la communauté chrétienne en Algérie française. Il heurta de front les fidèles européens à l'occasion de son investiture en la cathédrale Saint-Philippe, au pied de la Casbah. Comme s'il pressentait l'imminence d'une catastrophe, le nouveau venu mit en garde son auditoire. « Les musulmans et les juifs savent que notre christianisme réclame de nous que nous les aimions, eux aussi. Aimer Dieu veut dire aimer tous ses enfants comme des frères. Les musulmans et les juifs savent que lorsque nous n'obéissons pas à ce commandement, nous trahissons notre idéal de chrétiens. » Et de préciser, dans une lettre pastorale écrite peu après : « Un évêque catholique se doit à tous. Sinon, il serait le chef d'une secte. »

Quand la lutte pour l'indépendance fut lancée par le FLN neuf mois plus tard, beaucoup de pieds-noirs pouvaient se prévaloir de racines remontant à quatre ou cinq générations, jusqu'en 1848, époque où l'Algérie était déjà découpée en départements et administrée comme un territoire français à part entière, au même titre que le Vaucluse ou la Loire-Atlantique. Ces pieds-noirs avaient pris l'habitude de faire face aux soulèvements des gens du pays et autres « incidents », tout autant qu'ils s'étaient habitués à leurs préjugés contre les « Arabes paresseux ». C'est la raison pour laquelle, quand douze assassinats à travers le pays furent signalés aux commissariats de police tout au long du jour de la Toussaint 1954, personne n'y trouva rien d'anormal. Il fallut un an – et seulement après les terribles massacres de Philippeville, où 125 Européens trouvèrent la mort – pour que la France prenne conscience que ces événements étaient plus graves que les « troubles » habituels.

« Le mépris, nota l'écrivain et dramaturge français Jules Roy, était l'essence même de la mentalité coloniale », ce qui conduisit finalement les Algériens à se battre pour leur indépendance. En 1961, son livre, *La Guerre d'Algérie,* se vendit à 100 000 exemplaires dès la première semaine. Pied-noir lui-même, l'auteur y criait sa colère et sa douleur. Son ouvrage décrivait les attitudes et le discours des Européens qui rendaient toute réconciliation impossible : « Les Arabes sont une sale race, et notre erreur a été de les traiter avec humanité. Ils ne sont bons à rien, on ne peut rien leur confier sans se faire voler [...]. Par hasard, quelquefois, il s'en trouve un d'honnête et d'intelligent avant que le fanatisme le replonge dans les ténèbres générales. [...] Le dieu des Arabes ne devait rien avoir de commun avec le dieu des chrétiens qu'on visitait une fois par semaine, avec une chemise propre, une cravate et une certaine circonspection. Qu'était-ce donc que cet autre dieu que des bâtards en guenilles invoquaient en se prosternant en plein champ […]? […] La fièvre prenait à la ferme la régularité d'un rite. Les Arabes, disait-on, n'en souffraient pas. […] "Ce sont des gens qui ne vivent pas comme nous…" […] Leur bonheur, oui, était ailleurs, un peu semblable, qu'on me pardonne, à celui des bêtes de la ferme. »

Les laïcs n'étaient pas les seuls qui apprirent à détester Mgr Duval pour sa défense de la dignité des « bâtards en guenilles ». Beaucoup de ses prêtres avaient eux-mêmes été baptisés dans les eaux des préjugés coloniaux de l'Algérie française. L'« amour universel » et la « justice pour tous », s'ils devaient inclure Arabes et musulmans, ne se trouvaient pas dans leur catéchisme. Comme les « événements » qui avaient nécessité le déploiement de 500 000 soldats faisaient boule-de-neige et que la situation devenait chaque jour plus sanglante et incontrôlable, Mgr Duval fut surnommé « l'évêque des musulmans » parce qu'il continuait à répandre le message subversif de la nécessaire amitié entre chrétiens et musulmans et de l'égalité de leurs droits.

L'amitié entre Européens et musulmans était au cœur de la vocation de Mgr Duval. Mais l'amitié n'était pas possible si les uns se pensaient supérieurs aux autres. À l'automne 1956, deux ans et demi avant que le général de Gaulle ne prononçât le mot jadis impensable d'« autodétermination », l'évêque avait diffusé auprès de ses prêtres une lettre pastorale expliquant : « Le problème primordial est celui de la cohabitation ; il peut s'exprimer ainsi : assurer une juste égalité entre les individus en évitant qu'une communauté n'écrase l'autre […]. Dans l'établissement des rapports nouveaux entre la France et l'Algérie, il faudra tenir compte de la nécessité de donner progressivement satisfaction à la volonté d'autodétermination des populations d'Algérie. »

Durant les sept années que dura le conflit, Mgr Duval ne cessa d'insister sur le caractère apolitique de la vocation sacerdotale : « Il faut éviter toute confusion entre la religion et la politique. » Ces deux réalités étaient, selon lui, condamnées à pâtir d'un lien trop étroit. La politique tendait à « dénaturer » la religion, et la religion risquait d'introduire un certain nombre de « malentendus » en politique [7]. Cependant, suivant en cela Pie XI, il distinguait la « politique des partis » de la « grande politique ». Ses frères prêtres étaient priés de ne pas sortir de leur rôle pastoral et de rester à l'écart de toute politique partisane. Car aucune de ces organisations politiques ne pouvait prétendre parler au nom de Dieu. La vocation sacerdotale, insistait-il, était de protéger la dignité de tous. L'Église devait aussi se préoccuper du bien commun et des problèmes posés par le fait de vivre ensemble. Elle ne pouvait pas prêcher la bonne nouvelle de l'Évangile et se montrer indifférente à l'injustice.

Mais le message apolitique de Mgr Duval était lui-même perçu comme politique par ses critiques. L'Église d'Algérie était déchirée. Le clergé attaché à l'Algérie française vivait les sympathies de son pasteur pour les droits des musulmans comme une trahison en temps de guerre. À leurs yeux, les prêtres qui protégeaient des sympathisants du FLN, ou leur fournissaient une assistance médicale, se rendaient complices de meurtriers et trahissaient la France. Mgr Duval et ceux qui le suivaient jugeaient, quant à eux, que les partisans de l'Algérie française trahissaient l'Évangile.

Le lot quotidien de Mgr Duval était un mélange empoisonné de mépris de la part de ses paroissiens, de campagnes de calomnies, de profanations de ses églises et de menaces de mort. Mais les épreuves et les souffrances ne faisaient que renforcer sa détermination. L'évêque aimait ce genre de combat. De haute stature, le teint pâle, toujours très digne, de penchant autoritaire, ce « Mohammed » avait des airs de prince de l'Église, mais d'un genre différent. Il

---

(7) Pour plus de précisions, se reporter à Marie-Christine Ray, *Le Cardinal Duval, Un homme d'espérance en Algérie,* Cerf 1998, p. 107. Le cardinal se référait en particulier au rôle, à ses yeux négatif, joué en France par l'Action française dans l'entre-deux guerres [NDT].

était profondément conservateur, bien que radical dans sa manière de vivre l'Évangile.

En matière liturgique, Mgr Duval était de ceux qui estimaient que la splendeur des célébrations devait refléter la grandeur de Dieu. Comme les musulmans alentour, il pensait que l'homme devait se sentir petit devant son Créateur. D'ailleurs, les sacrements n'étaient pas la propriété du clergé, modifiables au gré des idées en vogue ou de préférences personnelles. La messe devait être présidée conformément aux instructions de l'Église. Il aimait à citer saint Augustin : « Ce qui est petit est petit, mais c'est une grande chose que d'être fidèle dans les petites choses. » Mais Mgr Duval était aussi un révolutionnaire qui croyait au pouvoir de transformation de l'amour fraternel. Sa fréquente exhortation à « honorer Dieu » constituait le pivot unificateur de son radicalisme et de son conservatisme. En effet, Dieu est honoré quand sa création elle-même est honorée. Le christianisme de Mgr Duval trouvait un écho chez les musulmans.

L'évêque ne manquait pas de rappeler à son clergé qu'un prêtre doit avoir « un pied dans l'Église et un pied dans la rue ». Car dans la rue étaient les pauvres et les exclus, chers au cœur de Dieu, et dans l'Église se trouvaient la force d'une vie communautaire et la Parole de Dieu. Comme il convient à un prince de la rue, Mgr Duval traversa les épreuves grâce à ses cigarettes Boyard sans filtre et au soutien de nombreux croyants. « Sans ma cigarette du soir, j'aurais fini à l'asile », confia-t-il à une journaliste, des années plus tard. La solidarité vécue avec d'autres chrétiens qui partageaient sa fidélité à l'Évangile fortifia également son courage. Cette solidarité incluait la majorité de ses frères prêtres d'Alger, ainsi que l'aumônier en chef de l'armée, François de L'Espinay, surnommé « le baron », les Sœurs clarisses, les Pères blancs de la Casbah, les Sœurs blanches de Birmandreis, et les moines trappistes de Tibhirine, dont le médecin, Frère Luc, soignait tous ceux qui avaient besoin de lui, sans poser de question.

Durant les sept années de guerre, le monastère de Notre-Dame de l'Atlas avait été au cœur d'une région rude et jamais pacifiée, à seulement cent kilomètres au sud d'Alger. La ville toute proche de Médéa était occupée par l'armée française, mais les montagnes alentour fourmillaient de petits villages et de cachettes pour les rebelles, qui avaient pour habitude de mettre le feu aux champs des Européens. L'armée, en représailles, lâchait du napalm sur les montagnes du Tamesguida.

Les pieds-noirs étaient jaloux – méfiants même – des trappistes. Pourquoi leurs récoltes n'étaient-elles jamais brûlées ? Ces moines étaient-ils comme les prêtres rouges qui sympathisaient avec les rebelles marxistes ? Le monastère n'était jamais touché pendant les combats, et des groupes de jeunes musulmans campaient parfois non loin de ses murs. Les bombardements sur les hauteurs obligèrent de nombreuses familles arabes à descendre dans la vallée. Beaucoup d'entre elles trouvèrent refuge auprès des moines, dans leurs bâtiments inutilisés, et les hommes leur prêtèrent main-forte pour travailler autour du monastère. C'est ainsi que, du feu, naquit le village de Tibhirine.

Ce village de Tibhirine allait porter en lui les semences de l'espoir, que les flammes de la colère détruisaient partout ailleurs. Mgr Duval aurait souhaité que Français et Algériens, après l'indépendance, vivent et travaillent ensemble pour construire un pays nouveau, fondé sur le respect mutuel. Toutefois, les irréductibles tenants de l'Algérie française nourrissaient d'autres intentions. L'armée et les pieds-noirs avaient soutenu le général de Gaulle pour conserver le territoire algérien dans le giron de la République française, mais le nouveau chef de l'État avait déçu leurs espoirs.

Le fruit amer de cette désillusion fut la création, durant l'hiver 1961, de l'Organisation armée secrète. Connu sous le nom d'OAS*, ce groupe clandestin de civils français ulcérés et de militaires révoltés construisit son discours et son action sur la base d'un étrange mélange de néonazisme et d'idéologie chrétienne dont la vocation était de « sauver le monde ». Et s'ils ne pouvaient pas gagner la partie, ils détruiraient tout ce qui pouvait l'être. Un graffiti typique de l'OAS annonçait : « Nous tuons qui nous voulons, quand nous voulons, où nous voulons. »

Au cours des cinq mois précédant le référendum sur l'auto-détermination, prévu pour le 5 juillet 1962, la violence atteignit son paroxysme. Les assassins de l'OAS tuaient une personne toutes les six minutes. Leurs victimes incluaient des Européens qui ne payaient pas leur quote-part à l'organisation secrète ou qui étaient des sympathisants du FLN, des représentants des pouvoirs publics français, et des musulmans qui se trouvaient au mauvais endroit au mauvais moment. Les membres et sympathisants de l'OAS firent exploser les réserves de pétrole près d'Oran, sabotèrent les centrales électriques, incendièrent la bibliothèque de l'Université d'Alger, et abattirent au hasard, dans leurs lits d'hôpital, des patients arabes.

L'assassinat d'hommes et de femmes arabes obéissait à une logique démoniaque : l'OAS voulait susciter des représailles de la part des musulmans pour convaincre le million de citoyens français qu'il n'avait d'autre choix que de partir ou de mourir. « La valise ou le cercueil » était l'ultime et funeste message de l'OAS, qui s'étalait sur les murs d'Alger, d'Oran et d'autres villes. L'objectif n'était pas simplement de causer des dégâts matériels, mais d'effrayer la population européenne au point de la faire partir, afin de priver l'Algérie des ressources humaines et des bras nécessaires à la reconstruction du pays après l'indépendance. De ce point de vue, la stratégie de l'OAS fut une incontestable réussite.

Cependant, malgré l'épouvantable héritage de destructions et d'assassinats légué par l'OAS, les Français découvrirent, non sans surprise, que les Algériens pouvaient pardonner rapidement. Ils furent reçus à bras ouverts aussitôt après l'indépendance, en tant que touristes ou pour aider à la reconstruction du pays. Les Algériens distinguaient deux France. Il existait une « mauvaise » France et une « bonne » France. La « bonne » France était celle de Charles de Gaulle, de Mgr Duval et de Jeanne d'Arc. Dans les années qui suivirent, plus de quinze mille coopérants se rendirent en Algérie, recrutés en France et dans d'autres pays par le nouveau gouvernement. Des ingénieurs, des enseignants, des comptables, du personnel administratif, des médecins, des travailleurs sociaux, et même des policiers, s'engagèrent pour aider la nation naissante à prendre un nouveau départ.

L'Algérie des années soixante était une Algérie de l'espoir, ambitieuse et ouverte. Sa nouvelle constitution déclarait l'islam religion d'État mais garantissait la liberté religieuse. Mgr Duval, ainsi que d'autres membres de l'Église qui avaient défendu la cause de l'indépendance, obtint la nationalité algérienne. Le clergé catholique, comme les *imams** musulmans, reçut une allocation mensuelle du ministère des Affaires religieuses. L'Église était appelée à tenir une place importante dans la nouvelle Algérie, tant qu'elle respectait la sensibilité musulmane, ce qui signifiait, avant tout, qu'elle n'essaie pas de convertir des musulmans. Les autorités s'engagèrent, quant à elles, à diffuser à la radio, chaque année, les célébrations, en français, de Noël, de Pâques et de Pentecôte, pratique fidèlement respectée encore aujourd'hui.

L'Église d'Algérie devint un précieux partenaire dans le processus de développement du nouveau pays, sous la houlette de Mgr Duval. Néanmoins, le nombre de chrétiens installés en Algérie continua à décliner. L'archevêque d'Alger devait sans cesse rappeler à ses visiteurs venus de France que l'Église n'était pas une fin en soi. Sa mission en terre musulmane était de présence et de partage. Ses membres devaient être des signes vivants de l'amour de Dieu, collaborant fraternellement avec les musulmans. Les plus durs à convaincre en la matière n'étaient pas tant les musulmans que les chrétiens de France.

En septembre 1963, Mgr Duval fut profondément peiné quand l'abbé général des trappistes, Dom Sortais, vint lui annoncer qu'il allait demander au Saint-Siège de supprimer la communauté Notre-Dame de l'Atlas. Neuf moines sur dix s'étaient prononcés en faveur d'une telle démarche. C'était à l'énergique abbé général que revenait la prérogative de fermer l'un de ses monastères s'il jugeait cette décision conforme aux intérêts bien compris de l'Ordre. Néanmoins, Mgr Duval était le responsable suprême du diocèse affecté par cette annonce et laissé exsangue après le départ d'Algérie de 900 000 Européens paniqués durant les quatre mois qui avaient suivi les accords d'Évian de mars 1962.

Mgr Duval, généralement des plus réservé, fit des remontrances appuyées à Dom Sortais, lui reprochant d'abandonner l'Église d'Algérie, qui venait tout juste de subir une terrible hémorragie. Le monastère était très important car il était la seule mission consacrée à la contemplation. Les musulmans attachaient beaucoup d'importance à la prière. Le Coran* considère les moines comme spécialement dignes de respect et leur présence accroissait le prestige de l'Église. Il était également important pour les chrétiens d'avoir un lieu de retraite pour la contemplation, la prière et le ressourcement. La communauté chrétienne était déjà démoralisée et déroutée. Mgr Duval souhaitait que l'abbé général reconsidère sa décision.

Mais Dom Sortais n'était pas homme à se laisser détourner de ce qu'il considérait comme son devoir. Le 13 novembre, il officialisa sa demande de fermeture de Tibhirine en écrivant à la Curie romaine : « Le 2 octobre dernier j'envoyais […] un dossier concernant la fermeture de notre monastère de N. D. de l'Atlas en Algérie. […] Son Excellence Mgr Duval […] dit son estime pour notre Ordre et son désir de voir le monastère continuer à vivre. Je comprends les raisons mises en avant par Mgr l'archevêque d'Alger, mais ces raisons, élogieuses pour nous, laissent entier notre problème. La solution […] consisterait, à mon sens, en la reprise de notre monastère par quelques prêtres. » Le soir même, Dom Sortais, fatigué par l'accumulation des soucis liés à sa lourde charge, fut terrassé par une crise cardiaque. Avec lui fut enterré son projet de fermeture de Tibhirine.

Une année plus tard, Mgr Duval s'imagina devoir encore batailler pour la survie de son monastère : Jean de la Croix, le nouvel abbé de Notre-Dame d'Aiguebelle, lui rendait visite pour parler de l'avenir de ce petit avant-poste monastique. Il ne restait plus que quatre moines à Tibhirine. À quoi servait ce monastère ? Jean de la Croix consulta le clergé et les religieuses du diocèse. Il parvint à la conclusion que le prieuré était, de fait, important pour l'Église d'Algérie, qui, pour survivre, devait devenir une Église au service de tous. Pour les chrétiens, c'était une source où ils puisaient de nouvelles forces. Pour les musulmans, les moines témoignaient de la réalité de la piété chrétienne. « Il vaudrait mieux fermer un monastère en France que fermer Tibhirine », conclut Jean de la Croix au terme de son entretien avec l'évêque d'Alger.

En 1964, le monastère cher à Mgr Duval était plus que le poumon de l'Église. Il s'inscrivait dans la lignée d'une présence chrétienne déjà très ancienne. Au IVe siècle après Jésus-Christ, l'Algérie faisait partie de la province romaine de Numidie et avait donné le jour à saint Augustin, évêque d'Hippone. La foi de Mgr Duval était éclairée par cet ancien compatriote, qu'il appelait le « docteur de l'amour ». L'archevêque d'Alger trouvait dans les paroles de l'évangéliste Jean le fondement de la foi d'Augustin et de la sienne : « Dieu est amour : celui qui demeure dans l'amour demeure en Dieu, et Dieu en lui. »

III. UN NOUVEAU MAILLON
DANS LA CHAÎNE

Ils ont dit : « Soyez juifs ou chrétiens, vous serez donc sur la bonne voie. »
— Dis : « Non, mais nous suivons la religion d'Abraham et Ismaël et Isaac et Jacob et les Tribus, et en ce qui a été donné à Moïse et à Jésus, et en ce qui a été donné aux prophètes, venant de leur Seigneur : nous ne faisons aucune distinction entre eux. Et à Lui nous sommes Soumis. »

Coran 2, 135

« Relis donc les évangiles! Lis saint Matthieu! Tu connais la parabole des talents : il t'est demandé de faire fructifier les dons que tu possèdes. Tu as tellement de qualités à mettre au service des autres pour que ce monde soit meilleur! Ne va pas t'enfermer je ne sais où! Serais-tu devenu fou? » D'abord incrédule, le général de Chergé était maintenant furieux envers ce fils venu rendre visite à ses parents dans le château familial de l'Aveyron en cette année 1968.

Sa mère, Monique, était en pleurs. Les protestations parentales ne changeraient rien à la décision de cet enfant qui se sentait appelé à une vocation particulière dans l'Église. Ses remarquables qualités intellectuelles et sa personnalité chaleureuse en auraient fait un parfait père jésuite dans l'enseignement, un excellent curé de paroisse, voire un évêque. Bref, tout sauf ce qu'il venait de leur annoncer! Devenir moine trappiste était comme entrer en prison. Ils n'avaient pas réalisé que Christian voulait être prisonnier de Dieu. Que dire de son choix du lieu : la lointaine et misérable Algérie, pays des souvenirs douloureux!

D'autres dans la famille se demandaient, eux aussi, quelle mouche avait bien pu piquer Christian, mais Monique de Chergé avait moins de raisons de s'étonner, car son fils lui avait déjà fait part de son désir de servir Dieu en Algérie. Dans ses lettres, le jeune officier de la SAS avait révélé à sa mère – et à elle seule – son amitié pour Mohammed. Il avait décrit les sentiments qui l'habitaient après cette rencontre : désormais, quand il entendait l'appel du muezzin à la prière, lui aussi se sentait appelé. En dépit de la peine immense qu'elle éprouvait à l'idée de devoir se séparer du fils qui lui était spirituellement le plus proche, Mme de Chergé était heureuse pour lui. Elle porta des lunettes noires pendant une semaine pour cacher ses larmes, mais au fond d'elle-même elle savait que la décision de Christian était la bonne. Elle lui avait toujours enseigné qu'il n'y avait rien de plus précieux qu'une vie de prière, ni de vocation plus élevée que celle de moine.

Monique de Chergé, née Lasteyrie, descendait également, par sa mère, du marquis de Lafayette. C'était une catholique convaincue dont la foi vive et la piété marquèrent ses six fils, ses deux filles et son mari officier. Les plus anciens souvenirs de Christian remontaient à sa petite enfance quand, à l'âge de quatre ans, à Alger, durant la Seconde guerre mondiale, il apprenait ses prières sur les genoux de sa mère avec ses frères et sœurs. Pour la plupart des Français en Algérie, les Arabes appartenaient à un autre monde. Ils vivaient souvent côte à côte et partageaient les mêmes autobus et les mêmes tramways. Pourtant les autochtones demeuraient des êtres à part, considérés davantage comme du bétail que comme des êtres humains.

Toutefois, malgré sa vie protégée d'enfant de militaire, Christian avait été frappé par la ferveur et la régularité de la prière musulmane. Tout le monde s'arrêtait à l'appel du muezzin, priant même parfois dans la rue ou sur le marché. Monique de Chergé rappelait toujours à ses enfants qu'il ne fallait pas se moquer des Arabes, car ils méritaient le respect : « Ce sont des gens pieux qui croient au même Dieu que nous. Il n'y a qu'un seul Dieu. » Son père avait également de la considération pour eux. Le Chef d'Escadron de Chergé était responsable d'un groupe d'artillerie composé à la fois de Français pieds-noirs et de Français de souche algérienne. Cette unité faisait partie du corps expéditionnaire de la France libre qui mena l'assaut contre l'Italie avec la 5ᵉ Armée du général Mark Clark. Ces hommes robustes furent les premiers à se frayer un chemin à travers la Ligne Gustav allemande et les premiers à bombarder Rome.

De tous les enfants, Christian était celui qui prenait le plus au sérieux les résolutions de début d'année scolaire que chacun devait se fixer au cours de la retraite de rentrée des classes. Son frère aîné, Robert, précise cependant : « Il n'était pas pour autant "confit en dévotion". Il ne faut pas exagérer sa piété durant son enfance. »

À la Libération, le Commandant de Chergé fut nommé à Paris. Il y fit une partie de sa carrière, logeant sa famille dans le quartier élégant du Faubourg Saint-Honoré. Il fut nommé général après avoir été directeur des études du 2ᵉ cycle à l'École supérieure de guerre. Malgré des affectations ailleurs dans l'Hexagone et en Allemagne, il fit en sorte que Christian et ses frères puissent suivre le cursus traditionnel de la « bonne » éducation catholique en fréquentant le collège Sainte-Marie, réservé aux garçons et tenu par les pères marianistes, rue de Monceau. Un des professeurs de lettres classiques de Christian se souvient d'un élève « agréable, intelligent, souriant et sympathique ». Il se rappelle aussi un fin négociateur. Un jour, alors qu'une sortie était prévue pour les quinze meilleurs élèves de sa classe, Christian protesta et réussit à défendre la cause de ceux dont la participation avait été écartée. Pour son père, qui s'amusait à donner à chacun de ses enfants des surnoms correspondant aux sept merveilles du monde, Christian était le « phare d'Alexandrie ». Mais Guy de Chergé l'appelait aussi parfois l'« archiduc de la susceptibilité ».

Tous les garçons de la famille de Chergé participaient au mouvement scout catholique, au sein duquel la patrouille de Christian finissait toujours en tête, ou seconde, dans les compétitions. Participer à la chorale était une obligation, et Christian montra des dispositions certaines pour le chant religieux. À l'âge de seize ans, il annonça que plus tard il serait prêtre.

Mais il s'arrêta vite de parler de son projet. Son père lui conseilla en effet de garder sa vocation sacerdotale pour lui jusqu'à ce qu'il soit un peu plus mûr et assuré de cet appel. Guy ne voulait pas que son fils se sentît lié plus tard par des propos de jeunesse. Il connaissait suffisamment Christian pour savoir qu'il pourrait, en conscience, renoncer à des projets professionnels, comme le droit ou l'enseignement, mais qu'il aurait beaucoup plus de difficulté à revenir sur un engagement religieux. Pour autant, Guy de Chergé n'avait rien contre la religion en général, ou le christianisme en particulier, ni contre la croyance en un Créateur suprême, mais il doutait que, parmi les prétendants à la Vérité absolue, un seul la détienne tout entière. Son scepticisme devant les certitudes nées d'une ferveur religieuse excessive le rendait tolérant et ouvert à toutes les grandes traditions spirituelles de l'humanité. À ses yeux, elles n'étaient que des chemins différents qui conduisaient au même but. Le Bouddha, le Christ, Allâh, Yahvé : il n'avait rien contre eux. « Évitons simplement de nous entre-tuer pour des questions de noms », avait-il coutume de rappeler à ses enfants. Le catéchisme du général se résumait essentiellement aux bonnes œuvres et au respect des personnes, quelles qu'elles soient.

Un des officiers qui combattit au sein de sa 3e Division d'infanterie algérienne pendant la campagne d'Italie écrivit au sujet du Chef d'Escadron de Chergé : « Polytechnicien, il se révéla d'une grande intelligence, d'un grand courage physique, et d'une grande prestance. Il aimait ses hommes et en était proche. Il s'attachait à appeler chacun par son nom. Il était respecté de tous. Au front, il était en tenue de combat, comme tout le monde, mais toujours impeccable. Il avait un tic : il était tout le temps en train de redresser les épaules, comme à la manœuvre à pied. Quand on le saluait, il vous rendait votre salut de façon impeccable, comme si vous aviez été le général lui-même ; il marquait ainsi le respect qu'il avait pour ses hommes. Pendant le dur hiver 1944, [...] les Allemands nous tiraient régulièrement au 150. Personne ne traînait dans le coin. Le commandant de Chergé, lui, faisait les cent pas devant la maison, la baguette de bambou sous le bras, comme s'il avait voulu dire aux Allemands : "Vous voyez, moi, vous ne me faites pas peur !" »

Courage physique et marques de respect : ces qualités, Christian saurait en témoigner plus tard quand, à son tour, il se retrouverait en situation de responsabilité, dans un autre type de combat. Avant même l'âge de dix-huit ans, Christian avait déjà prouvé qu'il possédait la vive intelligence et le même goût du défi que son père. Il rafla les premiers prix à Sainte-Marie de Monceau, alors même qu'il avait fait un choix particulièrement difficile : au lieu de se contenter de suivre un seul cursus, soit scientifique soit littéraire, il avait décidé de préparer les deux baccalauréats simultanément.

Le secret du jeune Christian s'était mué en conviction d'adulte clairement assumée : après avoir réussi ses examens en 1955, il annonça qu'il voulait entrer au séminaire des Carmes à Paris. Avec ses six années d'études exigeantes – deux en philosophie, suivies de quatre en théologie – les Carmes était l'un des meilleurs séminaires sur le plan intellectuel, véritable pépinière d'évêques français et d'intellectuels catholiques.

Mais le brillant lycéen dut d'abord faire face à un échec personnel imprévu. Alors qu'il s'était distingué tout au long de ses années d'enseignement secondaire, il fut recalé aux épreuves du baccalauréat. « Il s'était beaucoup développé physiquement durant son année de terminale – il était plutôt fluet auparavant – et, avec les efforts consentis pour ses examens, je crois qu'il était tout simplement épuisé en fin d'année », explique son frère Robert.

Pour se présenter à nouveau au baccalauréat, Christian redoubla au Lycée Carnot, établissement public construit dans les premières années de la IIIᵉ République. Il y fut, encore une fois, tête de classe, mais, en plus, il progressa dans des domaines qui échappent à toute notation. Le brillant élève avait reçu une leçon d'humilité. Il découvrit également la valeur d'un monde plus mélangé socialement et idéologiquement que ce qu'il avait connu dans l'enseignement catholique.

Après sa troisième année de séminaire, Christian interrompit son cursus de six ans pour effectuer ses vingt-sept mois de service militaire, alors obligatoire pour tous les jeunes Français de sexe masculin. En janvier 1959, après trois mois de formation de base, il intégra la prestigieuse École de cavalerie de Saumur pour six mois. Grâce à son classement parmi les meilleurs élèves officiers de réserve de sa promotion, il put choisir un service auprès des populations civiles. En janvier 1961, il retourna à Paris pour terminer ses trois dernières années de séminaire.

Le séminaire des Carmes donne sur une cour paisible, au jardin bien entretenu, dans l'ensemble plus vaste constitué par l'Institut catholique, rue d'Assas, non loin du Quartier latin. Une simple plaque en pierre, au milieu d'un lit d'impatiens rouges, entre le double escalier qui conduit du jardin aux bâtiments, rappelle : « *Hic ceciderunt »,* « Ici ils tombèrent ». Avant la Révolution française, c'était un couvent de carmes. Pendant la Terreur, il fut transformé en prison, pour détenir jusqu'à six cents membres du clergé. Sur les mêmes marches que montait et descendait Christian tous les jours, 115 prêtres avaient été fusillés ou passés à la baïonnette pour avoir refusé de prêter serment à la nouvelle constitution républicaine.

Dès son arrivée aux Carmes, Christian fit impression auprès de ses pairs et de ses professeurs par son ouverture d'esprit et son intelligence toute en nuances. Il était de ceux à qui les étudiants confiaient leurs doutes, alors que lui-même se confiait fort peu aux autres. « Il avait un rayonnement particulier », se souvient

Mgr Jacques Perrier, aujourd'hui évêque de Lourdes. « C'était quelqu'un de profond. Il y avait quelque chose de différent en lui, qu'il est difficile de décrire avec précision. » Un autre ami de cette époque aux Carmes le qualifiait de « chevalier de l'esprit », car ses valeurs étaient celles du courage, de la courtoisie, de la loyauté, et il se faisait un devoir de défendre les plus faibles.

C'était aussi un conciliateur, un homme de paix, qui, un jour, confia à l'un de ses camarades étudiants que, s'il n'était pas devenu prêtre, il aurait embrassé la carrière diplomatique. Aux Carmes, il trouva des catholiques en complète opposition avec lui sur la question algérienne, mais cela ne l'empêchait nullement de discuter avec eux sans hostilité. Christian ne cherchait jamais à convaincre les autres de leurs erreurs : il préférait élever le débat pour trouver des terrains d'entente au-delà des divergences de surface.

À Rome, le 11 octobre 1962, le pape Jean XXIII déclara ouvert le concile Vatican II, qui aboutirait, trois ans plus tard, à des changements majeurs au sein de l'Église catholique. Ce même jour, une des sœurs de Christian, Ghislaine, entra dans une nouvelle congrégation, les Sœurs de Saint-François-Xavier (communément appelées « xavières »), dont l'un des charismes consistait à vivre avec les pauvres et les exclus de la société. Ces religieuses avant-gardistes ne portaient pas l'habit, mais des vêtements ordinaires, comme les gens dont elles partageaient les conditions d'existence. Christian prit la défense de sa sœur devant sa mère, qui regrettait que sa fille n'ait pas choisi une communauté plus traditionnelle. « Mon frère était conservateur par bien des côtés », se rappelle Ghislaine. « Il aimait beaucoup le chant grégorien, les grandes cérémonies, et se passionnait pour la généalogie. Mais, en matière de théologie, il était très moderne et ouvert aux penseurs contemporains, qu'ils soient chrétiens ou non. Il se méfiait des frontières et des limites. »

Après son ordination en 1964, Christian fut nommé au Sacré-Cœur de Montmartre. Son rêve avait toujours été de servir une paroisse modeste et fraternelle, en vivant parmi ceux qui devaient lutter pour joindre les deux bouts. Mais voilà qu'il lui était demandé d'œuvrer pour une église riche, attachée au faste et à la hiérarchie, et que dirigeait une personnalité énergique autant qu'autoritaire : le père Maxime Charles. Travailler sous les ordres du père Charles pendant six ans représentait, pour Christian, un acte d'obéissance disciplinaire. Le Sacré-Cœur serait l'endroit où il apprendrait à souffrir tout en gardant le sourire.

Nulle expérience ne fut plus mortifiante, pour Christian, que la conclusion d'un colloque international des religions monothéistes, organisé en 1967 par le père Charles, sur le thème : « La prière, activité essentielle de notre temps ». Plusieurs milliers de personnes étaient venues des quatre coins du monde pour assister à cette conférence. Les représentants israélites, orthodoxes et protestants présentèrent d'imposantes synthèses émanant de leurs délégations respectives. Quand vint le tour du père Charles, la brièveté de ses observations s'avéra embarrassante. Il présentait la prière comme un processus communautaire à travers lequel l'Église jouait un rôle de guide et de formateur. Christian eut la désagréable impression qu'il voulait dire que les catholiques s'y connaissaient mieux que quiconque en matière de prière, et qu'il suffisait de venir au Sacré-Cœur pour en juger soi-même. « Je ne crois pas que le père Charles ait songé une minute à inviter des musulmans. Une telle initiative était impensable », observe Hubert, l'un des jeunes frères de Christian, qui se trouvait ce jour-là dans la foule rassemblée salle Pleyel – si nombreuse qu'elle bloqua un moment la circulation dans la rue du Faubourg-Saint-Honoré.

Le père Charles s'était jeté corps et âme dans la croisade contre ces démoniaques frères jumeaux qu'étaient l'athéisme moderne et le communisme, créatures sectaires qu'avait combattues avec détermination l'Église catholique d'avant Vatican II. Son jeune chapelain de vingt-sept ans brûlait d'une passion tout aussi dévorante pour servir une Église différente, telle qu'elle se dévoilerait officiellement en décembre 1965. Cette Église serait celle d'un christianisme « inclusif » : œcuménique et universel, respectant « les éléments de grâce et de vérité » dans les autres traditions religieuses, dont l'islam.

Christian adhéra immédiatement et sans réserve à l'esprit d'ouverture manifesté dans la constitution pastorale du concile Vatican II, *Gaudium et spes,* parfois résumée par quelques formules choc : « Le Saint-Esprit se manifeste où il veut », ou « Le Royaume de Dieu est plus vaste que l'Église ». L'Église catholique rénovée se voulait accueillante à tous les hommes de bonne volonté. Elle devait s'affranchir des particularismes culturels pour devenir vraiment universelle : ni nationale, ni européenne, ni occidentale. Le « dialogue » et « l'écoute » étaient devenus les mots-clés d'une Église plus ouverte et respectueuse des diverses façons dont l'Esprit Saint révélait Dieu aux hommes, y compris les non-chrétiens et les athées.

En 1969, un an après avoir bouleversé sa famille avec sa décision de devenir moine trappiste, Christian partit pour la Drôme, dans la vallée du Rhône. C'est là, au monastère Notre-Dame d'Aiguebelle, fondation cistercienne de plus de huit cents ans, qu'il entra comme novice au service de Dieu.

Aiguebelle. Peut-être faut-il arriver au début du printemps pour goûter vraiment la paix tranquille de cette vieille abbaye*, blottie au creux d'une petite vallée boisée, à la croisée des routes de Grignan, d'Allan, de Montjoyer et de Roussas, à quelques kilomètres au sud-est de Montélimar. Au mois de mars, l'air pur qu'on y respire sent bon la terre fraîchement labourée. La campagne alentour n'est que douceur et sérénité.

En regardant au nord, depuis Roussas, le clocher sombre de la tour à horloge du monastère se détache sur le ciel comme le bec d'un gigantesque pic-vert, au milieu d'un bourgeonnement de chênes, de châtaigniers, de platanes et de caroubiers. Une fois quittée la route de Montjoyer, des iris violets bordent le chemin d'accès au monastère. Le visiteur passe alors devant le portail de l'entrée principale, continue entre mur de clôture et paroi rocheuse, puis contourne l'église et l'infirmerie. Enfin, il monte jusqu'à l'hôtellerie, qui domine la vallée depuis un terre-plein verdoyant.

Tout au bord de ce promontoire, tourné vers le chemin d'accès, un christ imposant accueille, bras ouverts, le nouveau venu. Une profusion de roses trémières, de mimosas, de lilas, de romarins sauvages, de phlox, d'iris violets et d'oliviers d'un vert chatoyant envahit de couleurs exubérantes l'univers bien ordonné du monastère. Non loin de là, un petit ruisseau longe une grotte abritant une statue de la Vierge Marie : Aiguebelle, Notre-Dame-des-Belles-Eaux.

Les gens de passage ne sont pas autorisés à pénétrer dans le cloître. Seuls le bâtiment des retraitants et l'église sont ouverts à tous. L'atmosphère fraîche et silencieuse de celle-ci fait penser à un vaste cellier, avec ses voûtes et son plafond bas, reposant sur de solides arches romanes de part et d'autre de sa longue nef. Les offices* y sont toujours célébrés, quotidiennement, par un groupe d'hommes en coules blanches, aux crânes rasés. Enveloppés d'une forte odeur d'encens, ils louent Dieu sept fois par jour dans un même élan intérieur.

Mais pourquoi Christian avait-il choisi les trappistes, quand tous ceux qui le connaissaient pensaient qu'il était mieux fait pour un Ordre plus en contact avec le monde ?

« Peu après cette annonce, j'ai eu un grave accident de la route qui m'a obligé à rester à l'hôpital d'Amiens pendant plusieurs mois », se rappelle son frère Hubert. « Christian était à Montmartre à l'époque, mais il me rendait visite aussi souvent qu'il pouvait se libérer de ses obligations au Sacré-Cœur. Nous avons eu de longues conversations à cœur ouvert et je me suis senti beaucoup plus proche de lui après. Il n'y a pas l'ombre d'un doute que son choix d'un Ordre monastique a été totalement déterminé par son désir de retourner en Algérie. Si les trappistes n'avaient pas eu de monastère là-bas, il aurait rejoint une autre famille religieuse. »

Christian pensait qu'être jésuite serait trop facile, et il trouvait, d'ailleurs, la Compagnie de Jésus trop intellectuelle. Il avait la même opinion des bénédictins. Il voulait de la terre sous ses ongles, un jardin, un endroit pour se dépenser physiquement. Il détestait l'intellectualisme. Les trappistes, avait-il expliqué à Hubert, étaient « plus manuels ». Christian aimait cet aspect de la vie cistercienne, parce qu'il connaissait ses démons intérieurs, la violence qui l'habitait. Tout bébé déjà, il se mettait dans des colères bleues, ce qui impressionnait ses parents. S'il n'obtenait pas ce qu'il voulait, il se jetait par terre en hurlant, devenant raide comme une planche, et s'évanouissait. Avec les années, cette violence se transforma en rage de convaincre.

« Vous pouviez voir qu'il luttait pour se maîtriser quand quelqu'un n'était pas d'accord avec lui sur une question qu'il jugeait importante », se rappelle Hubert. « Il avait un sens très fort de l'absolu, et il savait que c'était dangereux. Le travail physique était important car il lui permettait de mieux contrôler ses pulsions. Il était aussi très attaché au vœu de stabilité*. Il voulait appartenir à une communauté liée à un lieu précis, vivant en harmonie avec ses frères pour montrer ce qu'était l'amour de Dieu. C'était là le sens de sa foi. »

Les frères que Christian avait rejoints, en septembre 1969, avaient fait des vœux conformes à la stricte observance de la Règle de saint Benoît : « *Écoute, mon fils, l'enseignement du maître, ouvre l'oreille de ton cœur ! Accepte volontiers les conseils d'un père qui t'aime et fais vraiment tout ce qu'il te dit. En travaillant ainsi à obéir, tu reviendras vers Dieu. En effet, en refusant d'obéir par manque de courage, tu étais parti loin de lui.* » Ainsi commence cette règle, que saint Benoît qualifie de « petite règle pour débutants », afin de mettre le moine sur le droit chemin. L'esprit de la Règle reflète la mentalité de son auteur et de son époque.

Benoît de Nursie naquit vers 480, en un temps où Dieu et la foi comptaient, et où les évêques, par leur pouvoir spirituel, faisaient plier les princes de ce monde. Une centaine d'années plus tôt, l'empereur romain Théodose s'était soumis à l'autorité morale de l'Église. Ambroise, l'évêque de Milan, lui avait ordonné de faire pénitence publiquement pour avoir tué des citoyens innocents de Salonique en représailles à l'assassinat de son gouverneur. « L'empereur est dans l'Église, et non au-dessus d'elle », avait-il écrit à Théodose lorsque son crime avait été découvert.

La fin du Vᵉ siècle était aussi une époque chaotique. Rome avait été mise à sac par les Wisigoths et les Vandales. Épidémies et famines se succédaient. L'hérésie arienne, qui mettait en cause la divinité de Jésus, considéré comme subordonné au Père, ne cessait de gagner du terrain. Un empire romain christianisé tentait, non sans mal, de remplacer l'organisation temporelle décadente par un nouvel ordre spirituel. Dans cette atmosphère de fin du monde, où régnaient confusion et sauvagerie, un homme que saint Grégoire appela le « patriarche des moines d'Occident » écrivit une règle dont la diffusion et la mise en pratique fournirent progressivement des îlots de stabilité, de culture et de piété à travers toute l'Europe.

Tout ce que nous savons de Benoît nous vient de saint Grégoire, qui écrivit un livre sur les grandes figures de l'Église dans l'Italie du VIᵉ siècle [8]. Benoît était issu d'une famille aristocratique et fut envoyé à Rome pour y étudier la rhétorique et les belles-lettres. Dès l'âge de vingt ans, lassé de la vie dissolue menée dans la capitale, il se retira dans la solitude contemplative, au fond d'une grotte de la région de Subiaco, à l'extérieur de Rome. Pendant trois ans, le jeune homme vécut en ermite et se montra plus désireux de servir Dieu que de rechercher les honneurs de cette vie.

Ce désir de participer à l'œuvre de Dieu [9] lui attira rapidement des disciples et le conduisit à établir des écoles « pour apprendre le service du Seigneur ». La première fut construite à Monte Cassino, en Italie centrale. Il pensait que la meilleure façon de

---

(8) *Dialogues du pape Saint Grégoire le Grand sur les miracles des Pères d'Italie* [NDT].

(9) L'« œuvre de Dieu », dans la Règle de saint Benoît, est, avant tout, participation à la liturgie des heures – les sept prières communautaires chantées au chœur – mais se prolonge dans toutes les activités de la journée : travail manuel, accueil, lecture, repas et repos [NDT].

servir le Très-Haut était de pratiquer la charité fraternelle dans une communauté à la recherche de Dieu. Une telle vie n'était qu'une manière parmi d'autres de suivre le Christ, ni meilleure ni plus méritoire. Toutefois, cette voie convenait aux âmes comme la sienne, qui essayaient de parfaire leur amour de Dieu dans la soumission à une discipline particulière. Par la sainte obéissance à Dieu, procédant de l'amour et non de la crainte, le moine était libéré de la servitude du péché et des préoccupations égoïstes. Débarrassé de toute attache extérieure, pratiquant l'ascèse de la charité, dans l'humble service du prochain au sein d'une communauté de frères, le disciple de Benoît pouvait atteindre la purification du cœur qui conduit à l'union mystique avec Dieu.

Benoît mourut en 547. De son école pour le service du Seigneur, trente ans plus tard, il ne restait que ruines après le passage de l'envahisseur lombard. Les moines avaient fui, et le monastère de Monte Cassino demeura abandonné pendant plus de deux cents ans. De saint Benoît, hormis la biographie hagiographique de saint Grégoire, il ne subsiste désormais que ce document qui, aujourd'hui encore, le fait vivre dans le cœur des moines.

La Règle, écrivit Benoît, est destinée aux moines qui choisissent la forme de vie la plus exigeante, celle qui purifie au creuset de la vie communautaire sous l'autorité d'un abbé. Si tous les frères font vœu d'obéissance au responsable qu'ils ont élu, ce dernier se soumet aussi au Christ, qui vint au monde pour faire la volonté du Père. La mission de l'abbé est de guider tous les membres de la communauté, avec patience et tact, pour que leur désir d'obéir à l'Évangile monte aussi naturellement que la pâte sous l'effet du levain. L'attitude que doit adopter l'abbé, l'ascèse requise pour les moines, la manière de chanter les psaumes, la quantité de nourriture et de boisson à servir aux repas, l'accueil des hôtes, le travail manuel, le maintien du silence, ainsi que d'autres détails réglant le quotidien de la vie monastique, toutes ces questions sont traitées dans les soixante-treize chapitres de la Règle. De même pour les grands thèmes spirituels de l'humilité, des bonnes œuvres, de l'obéissance et des dispositions intérieures. Le but de Benoît était d'aider les moines à progresser vers une plus grande intégrité morale.

Saint Benoît était particulièrement prévenu contre deux catégories de moines errants. Le premier type était celui des « gyrovagues ». Ces religieux vagabonds n'étaient, à ses yeux, que des parasites qui n'appartenaient à aucune communauté fixe. Ils voyageaient de monastère en monastère, profitant du devoir d'hospitalité. De tels moines, estimait saint Benoît, étaient essentiellement « esclaves de leurs désirs ». Leur motivation était suspecte s'ils restaient plus de trois jours, ou s'ils demandaient de l'argent. Ensuite, il y avait ceux qui justifiaient leurs propres « pensées » et « décisions » en les décrétant « saintes » et qui évitaient ce qui leur déplaisait en considérant ces choses comme défendues. Benoît les appelle les « sarabaïtes ». Ces derniers vivaient souvent en petits groupes de « deux ou trois, ou même seuls », sans responsable et sans structure monastique clairement établie. De tous les moines, c'étaient les pires car ils prétendaient agir au nom de Dieu alors que leur tonsure était « un mensonge envers Dieu ».

La Règle fut-elle rédigée par Benoît en personne ? N'a-t-il pas seulement rassemblé des documents écrits par d'autres ? Ces soixante-treize chapitres ne lui furent-ils pas attribués plus tard par ses disciples ? Autant de questions dont les spécialistes discutent encore. Mais ce débat n'affecte en rien la vie de ceux qui pratiquent encore la Règle de saint Benoît : ils sont les héritiers d'une tradition collective qui s'est toujours fort peu souciée des problèmes de droits d'auteur. Au contraire, l'humilité revendiquée comme vertu invitait, au VIᵉ siècle, à l'anonymat. Plus exactement, la créativité était vécue comme une manifestation de la gloire de Dieu, auteur de la vie, source de tous les dons. Seuls des cœurs orgueilleux et arrogants pouvaient oser revendiquer d'être à l'origine d'une œuvre artistique ou littéraire. Le processus d'écriture s'insérait alors dans une chaîne de révélations successives et cumulatives qui permettaient à l'humanité tout entière de progresser vers la Vérité bien plus efficacement que par de médiocres efforts isolés dominés par l'ego. En vivant le message des évangiles, chacun à sa manière, saint Antoine, saint Basile ou saint Benoît faisaient partie de cette chaîne de témoins qui remontait à Abraham. Il leur importait peu de savoir quelle place ils y occupaient. Ce qui comptait avant tout, c'était d'être un maillon dans la chaîne qui les unissait au Christ.

L'Ordre que Christian venait de rejoindre en septembre 1969 était en pleine mutation. L'assemblée de Vatican II, au terme de trois années de délibérations qui s'étaient terminées en 1965, avait introduit un esprit plus égalitaire dans l'Église catholique et une nouvelle ouverture aux autres religions. Pour les cisterciens de la stricte observance, le message de Vatican II fut compris ainsi : « Unité n'est pas uniformité ». Les abbés devinrent plus autonomes et furent autorisés à introduire des changements dans le cadre de directives définies au cours des chapitres généraux, qui rassemblent, tous les trois ans, les supérieurs de l'Ordre. Après Vatican II, le pouvoir décisionnaire bascula au profit de cette assemblée collégiale au détriment de l'abbé général qui, jusqu'alors, possédait un droit de veto. Ce dernier devint alors une sorte de représentant délégué plutôt qu'un commandant en chef. Il serait désormais chargé de veiller à la mise en œuvre des décisions du chapitre général et joue-rait un rôle plus pastoral auprès de l'ensemble des communautés.

Mais ces changements n'allèrent pas sans résistances ni lenteurs au sein de l'Ordre. À Aiguebelle, par exemple, on discuta de la réduction du nombre de psaumes à chanter aux vigiles, de quinze à six. Les anciens trouvaient qu'un certain relâchement avait déjà été introduit avec la modification de l'horaire de l'office de nuit, passé de deux heures du matin à quatre heures. Prime, la prière qui suc-cédait aux laudes, avait été éliminée alors que cet office avait pour but d'empêcher les moines de se recoucher avant tierce. Autoriser l'accès des femmes, même les épouses des retraitants, dans l'église et l'hôtellerie était un autre sujet de controverse.

Pour autant, à l'époque où Christian entra à Aiguebelle, le

cloître n'était pas la prison que certains imaginaient. Avant Vatican II, ni un décès, ni une maladie, ni un mariage dans la famille d'un moine ne constituaient une raison valable pour s'absenter du monastère. Chaque frère pouvait recevoir au maximum quatre lettres par an. Sous l'actuel abbatiat de Dom André Barbeau, les moines d'Aiguebelle peuvent voir leurs familles trois fois par an, mais ce sont elles qui doivent venir au monastère.

La vie trappiste était encore très austère lorsque Christian arriva dans la Drôme. Il n'y avait pas de chauffage central. Les moines dormaient tout habillés dans des box ouverts, et non dans des cellules. L'absence de viande aux repas, symbole de pauvreté, était strictement observée. Les emplois étaient le plus souvent manuels. Pratiquement tous les moines travaillaient aux champs, et il y avait encore deux catégories de moines, bien que Vatican II eût aboli officiellement toute distinction.

La tradition de moines laïcs, appelés « frères convers », était apparue au Moyen Âge afin de permettre à des hommes sans formation intellectuelle, mais pieux, de rejoindre la communauté monastique. Ils ne connaissaient pas le latin, langue liturgique officielle jusqu'en 1965, et, le plus souvent, n'avaient pas de belles voix, ce qui les excluait du chœur. On ne leur demandait pas de participer aux offices, sauf le dimanche, et même à cette occasion, il leur était interdit de chanter. L'Ordre considérait que l'on pouvait louer Dieu en tout lieu, et de bien des manières, et les convers exprimaient leur attachement au Seigneur par leur travail.

N'ayant pas fait d'études, les convers ne pouvaient être ordonnés. Ils logeaient et prenaient leurs repas à part, ne se mêlant pas aux « moines de chœur » qui, eux, s'adonnaient à la louange de Dieu. Pour ces derniers, il s'agissait d'une sorte de mariage d'amour passionné qui exigeait de se rendre sept fois par jour à l'Église pour chanter des hymnes d'adoration. Après Vatican II, le latin ne fut plus exigé pour la psalmodie, et les convers furent intégrés à la communauté en qualité de « simples » moines, mais ils ne pouvaient toujours pas chanter.

La règle du silence fut, elle aussi, assouplie. « *Faisons ce que dit le Prophète : Je me surveillerai pour ne pas pécher de ma langue [...]. La mort et la vie sont au pouvoir de la langue* », rappelle Benoît à ses disciples. Les moines, avant le concile Vatican II, communiquaient entre eux par signes et n'avaient d'entretiens qu'avec l'abbé. La pratique du silence absolu chez les trappistes remontait aux années 1660, quand l'Abbé de Rancé [10] avait instauré dans son monastère de la Trappe, en Normandie, une réforme très stricte des observances.

Relâchement des mœurs et corruption de la règle monastique avaient fini par gagner l'Ordre des cisterciens depuis sa création en 1098 à Cîteaux, en Bourgogne. Les dons de terres et d'argent consentis par de riches seigneurs de la noblesse soucieux de racheter leurs péchés avaient abouti, au fil des années, à un système malsain de contrôle du pouvoir temporel sur la nomination des abbés. Ces derniers étaient maintenant plus intéressés par les bénéfices à tirer des propriétés monastiques dont ils avaient la charge, et par l'honneur de plaire au roi, que désireux de louer Dieu en menant une vie de pauvreté et de travail manuel.

« La Trappe » attira un grand nombre de nouveaux postulants quand elle restaura la prière, le silence et la clôture. Pendant le siècle qui suivit, bon nombre de monastères cisterciens se rallièrent à ce modèle d'austérité, et ils furent reconnus collectivement sous le nom officiel d'Ordre cistercien de la stricte observance (OCSO). Plus couramment, on continua d'appeler ces moines les « trappistes ».

Père Jean de la Croix savait que Christian avait hâte de rejoindre l'Algérie, pour prendre sa place dans la longue chaîne des témoins d'Afrique du Nord. Dès leur première rencontre, ce grand abbé à lunettes, toujours très droit, et doté d'une barbe à la Raspoutine,

---

(10) Pour plus d'informations sur l'Abbé de Rancé, se reporter au livre d'Anna Maria CANEVA, *Le Réformateur de la Trappe. Biographie de l'Abbé de Rancé*, Nouvelle Cité 1997 [NDE].

comprit que le jeune prêtre distingué qu'il avait devant les yeux n'était pas un novice ordinaire. On l'avait informé de ses capacités intellectuelles exceptionnelles et de la qualité de ses études théologiques à Paris. Aussitôt arrivé à Aiguebelle, Christian expliqua clairement à son abbé qu'il voulait faire son vœu de stabilité à Tibhirine.

Notre-Dame d'Aiguebelle était le bateau de ravitaillement qui lui permettrait d'atteindre l'Algérie. C'était la « maison-mère » de Tibhirine. Aiguebelle possédait six « maisons-filles », toutes fondations réalisées par des moines issus de ses rangs, décidés à vivre ailleurs une vie monastique différente. Quatre de ces monastères se trouvaient en France : Notre-Dame des Neiges, Notre-Dame des Dombes, Notre-Dame du Désert et Notre-Dame de Bonnecombe. Deux se situaient en Afrique : Notre-Dame de Koutaba, au Cameroun, et Notre-Dame de l'Atlas. Ce dernier avait été fondé par des moines qui avaient eux-mêmes suivi les pas de plus anciennes générations de trappistes partis d'Aiguebelle pour l'Algérie.

Quand les premiers soldats français débarquèrent à Sidi Ferruch, près d'Alger, en 1830, ils choquèrent la population locale par leur absence de piété. Où étaient leurs marabouts* et leurs lieux saints ? Pourquoi les militaires français ne priaient-ils jamais ? Les autochtones ne savaient pas que les soldats français étaient sous les ordres d'officiers qui avaient jadis combattu avec Napoléon pour diffuser les idées révolutionnaires, qui prônaient la libération de toutes formes d'inégalités féodales, de domination cléricale et de superstitions religieuses.

Les occupants français réalisèrent rapidement que l'absence de prêtres et de signes religieux les privait du respect des musulmans, et compliquait leur tâche de pacification. La résistance s'organisa autour de l'Émir Abdelkader, jeune chef religieux de vingt-quatre ans, guerrier valeureux et homme d'État. Mélange de George Washington et de Khalil Gibran, Abdelkader fut le premier dirigeant arabe à rassembler et discipliner des clans rivaux pour défendre efficacement toute une région contre les envahisseurs, jetant les bases de ce qui deviendrait plus tard la nation algérienne. À la signature du traité de la Tafna en 1837, au lendemain de la première d'une série de défaites infligées par les troupes d'Abdelkader, les officiers français l'entendirent déclarer : « Si vous étiez chrétiens, comme vous le prétendez, vous auriez des églises et des prêtres. Nous serions les meilleurs amis du monde, car notre livre saint, le Coran, nous enseigne de vivre en paix avec les chrétiens. »

Six ans plus tard, les trappistes d'Aiguebelle, réputés pour leur savoir-faire agricole, furent chargés de rendre cultivable une terre que les colons français, majoritairement citadins, avaient du mal à défricher. Les moines étaient perçus comme d'infatigables travailleurs, des hommes de paix et de contemplation, qui se distinguaient des missionnaires par leur absence de prosélytisme. Leur piété et leur travail, pensait-on en haut lieu, feraient d'eux d'excellents ambassadeurs pour accomplir l'œuvre civilisatrice de la France.

Pour pouvoir mieux impressionner les musulmans, les trappistes reçurent 900 hectares de terrain dans la plaine de Staouéli, à l'ouest d'Alger, où l'armée française avait vaincu les mercenaires turcs qui défendaient Alger en 1830. Le premier groupe de douze moines arriva en 1843 et fut rapidement secondé par d'anciens soldats et des ouvriers arabes pour le travail de défrichage. Ce monastère avait placé sous sa première pierre de vieux boulets de canon récupérés sur les champs de bataille, faisant de la croix l'alliée officielle de la charrue et de l'épée. « La charrue, l'épée et la croix » deviendraient le mot d'ordre de la France et la triade stratégique pour asseoir son autorité sur le nouveau territoire.

Une tâche immense attendait les trappistes. Leur contrat de dix ans avec le gouvernement exigeait d'eux le défrichage des 900 hectares de terrain couverts de broussailles et de palmiers nains bien enracinés, et la plantation chaque année d'un millier de nouveaux arbres, après quoi ils deviendraient propriétaires de leur domaine. En moins de sept mois, ils plantèrent 2 500 arbres, commencèrent à cultiver 24 hectares de terrain, et se lancèrent aussi dans l'élevage, tout en priant huit fois par jour. Ces progrès rapides furent payés au prix fort : sept moines moururent en moins de deux ans, de dysenterie, du choléra ou d'épuisement.

Au cours des trente années suivantes, Aiguebelle envoya quatre-vingt-quinze moines à Staouéli. D'autres vinrent des abbayes trappistes de Bellefontaine, de Melleray, de Bonnecombe, des Neiges, et d'autres encore. La communauté compta jusqu'à cent moines. « La Trappe », comme les autochtones appelaient alors Notre-Dame de Staouéli, s'imposa comme une entreprise agricole modèle. Ses vignobles furent les premiers à pouvoir être commercialisés, et ses vins acquirent d'emblée une réputation d'excellence. La renommée de la Trappe ne fut pas seulement économique et commerciale : ses voisins musulmans apprécièrent la générosité de la communauté lors des famines de 1847 et 1867, quand les moines distribuèrent de la nourriture aux populations locales qui mouraient de faim.

En fait, les trappistes surent se faire apprécier des généraux français agnostiques aussi bien que des musulmans les plus religieux. Les autochtones étaient favorablement impressionnés par leur vie de prière, leur pratique du jeûne et par leurs bonnes œuvres. De son côté, le gouverneur général français, le Maréchal Thomas Bugeaud, observa avec satisfaction que « rien ne se rapproche plus de l'organisation militaire que l'organisation religieuse ». La Trappe commença à être considérée comme un lieu saint par les musulmans, que l'on pouvait souvent voir incliner la tête lorsqu'ils passaient devant les portes du monastère. Des années plus tard, après sa reddition à la France et une longue période de captivité, Abdelkader, enfin libre, rencontra fortuitement Dom François Régis, le premier abbé de Staouéli. En apprenant qu'il avait devant lui le fondateur de « la Trappe », Abdelkader fit cette remarque : « J'ai entendu parler de vous il y a longtemps parce que mes hommes connaissaient votre monastère. Vous les receviez toujours comme s'ils étaient vos propres frères. »

L'affinité entre musulmans et moines chrétiens semblait naturelle. Ils se ressemblaient beaucoup. Un Arabe dans sa longue robe à capuchon, appelée *'abâya* *, ne se distinguait pratiquement pas d'un moine dans sa coule blanche de prière. Sans son scapulaire noir, la tunique grossière des trappistes ressemblait fort à la *gandoura* * ordinaire portée par les paysans. Le moine et le musulman communiaient tous les deux dans la régularité formelle et communautaire de la prière. Comme les autochtones, le fils de saint Benoît n'existait qu'en qualité de membre d'une famille élargie ; seul, il n'était rien. Ses frères avaient survécu collectivement pendant mille quatre cents ans grâce à la solidarité du monastère, de l'Ordre et de l'Église. L'architecture du cloître traduisait l'intériorisation de l'espace. Comme le voile et le *gourbi* * algérien, cette maison en briques de paille séchée centrée sur sa cour intérieure, le monastère trappiste présentait au monde une façade protectrice qui préservait le secret des cœurs. Ces deux univers séparaient hommes et femmes pour la prière et les activités quotidiennes. Enfin, le musulman traditionnel, fût-il berbère ou arabe, attachait, comme saint Benoît, une extraordinaire importance à la vertu d'hospitalité. À vrai dire, c'était plus qu'une vertu : l'accueil était un devoir sacré.

Le 15 janvier 1971, seize mois après son arrivée à Notre-Dame d'Aiguebelle, un « nomade de Dieu [11] », âgé de trente-trois ans, débarqua à nouveau sur la terre qu'il avait foulée de ses bottes militaires dix ans plus tôt. Mais un moine trappiste en Algérie n'avait rien d'un nomade ordinaire, attaché qu'il était à son oasis monastique, dans un désert de pauvreté, de dépendance et d'exil volontaire. « Le moine se veut résolument contestataire », écrivit Christian dans sa première lettre circulaire à sa famille et ses amis, car « c'est dans l'insignifiance de sa vie qu'il se veut et qu'il se sait *"signe"* ». Mais les quarante jours du Christ dans le désert constituaient-ils un motif suffisant pour se retirer du monde ? Ses amis les plus proches étaient tout aussi déconcertés que les

---

(11) L'expression est de Christian de Chergé. Cf. sa « Chronique de l'espérance » de 1974, publiée dans *L'invincible espérance*, Bayard éditions/Centurion 1997 [NDT].

membres de sa famille. Christian refusait plutôt d'être lui-même, pensaient-ils.

Peu de personnes savaient que l'arrière-grand-tante de Christian, Marie de Chergé, avait nourri son imagination. Elle avait rejoint les Sœurs auxiliatrices des âmes du purgatoire en 1880, comme novice auprès des pauvres et des malades. Trois ans plus tard, mère Marie-Saint-Bernard, de son nom de religion, avait été nommée supérieure de la communauté des Sœurs auxiliatrices dans la zone ouvrière de Montmartre, où Christian servirait plus tard des paroissiens plus aisés. En 1892, avec plusieurs religieuses, elle fut envoyée en mission dans la ville de New York. Elles y fondèrent des maisons d'auxiliatrices au bas de la 7e rue et dans la 86e rue du quartier Est, et se consacrèrent à améliorer le sort des Afro-américains. « Il n'y a pas de mots pour décrire leurs conditions de vie, leur total dénuement », écrivit une sœur à sa famille parisienne. Elles montèrent des troupes scoutes, enseignèrent la couture, la cuisine, la lecture et l'écriture, et organisèrent des fêtes pour *Thanksgiving* [12] et Noël.

À Saint-Louis, mère Marie-Saint-Bernard fonda une communauté pour aider les femmes d'origine européenne qui travaillaient à l'usine. Les sœurs furent choquées par le curieux mélange de religiosité et de préjugés qu'elles découvrirent chez ces ouvrières « blanches ». « Les noirs n'étaient pas acceptés dans les Églises blanches. Ils étaient comme des brebis sans berger, criant : "Ô homme blanc, quelle est ma place en ce monde ?" », écrivit mère Marie à sa supérieure de Montmartre. Elle continua à œuvrer dans le même sens à San Francisco, participa aux secours au moment du tremblement de terre en 1906, retourna en France, puis effectua une dernière mission à Shanghai, où elle mourut en 1913.

Comme sa tante, Christian allait repousser les frontières de son Église et dépasser les limites de son éducation pour devenir un nomade de Dieu. Il avait décidé de renoncer à la sécurité d'un statut et d'une carrière respectable de prêtre en France – avant

---

(12) *Thanksgiving* est une fête nationale américaine à caractère religieux célébrée le quatrième jeudi de novembre [NDT].

un épiscopat que son père lui voyait promis – pour l'insécurité et l'obscurité d'une vie cachée en Algérie. Il avait choisi un pays nouvellement indépendant, dont la culture était méprisée par beaucoup de Français, et où il ne serait jamais qu'un invité, totalement dépendant du bon vouloir de ses hôtes. Christian se considérerait désormais comme un « mendiant de l'amour ».

À Tibhirine, le jeune et fougueux « mendiant de l'amour » trouva tout ce qui manquait au Sacré-Cœur de Montmartre : une vie de simplicité et de pauvreté. « Je suis donc arrivé dans ces monts de l'Atlas, écrivit Christian à un ancien camarade de l'armée, [...] au milieu d'une population pauvre mais souriante, fière et sans rancune, croyante et respectueuse du religieux quel qu'il soit, pourvu que l'arrière-boutique corresponde à la vitrine. »

Il découvrit également une communauté monastique éprouvée. Six supérieurs temporaires, nommés par Aiguebelle, s'étaient succédé en neuf ans, depuis l'indépendance de l'Algérie. Huit moines, qui avaient fait vœu de stabilité ailleurs, étaient prêtés par des monastères français. Quatre venaient de Timadeuc, en Bretagne, et quatre d'Aiguebelle, en réponse à un appel de Mgr Duval, qui souhaitait une présence accrue de contemplatifs pour fournir l'oxygène spirituel à son Église depuis son unique « poumon » monastique. Deux frères seulement avaient vécu au monastère au temps de l'Algérie française et avaient fait leur profession solennelle* à Tibhirine, liant toute leur vie à cette communauté. Avec moins de six moines stabilisés à Notre-Dame de l'Atlas, minimum requis pour procéder à l'élection d'un supérieur sur place, les frères avaient assisté à un ballet de supérieurs *ad nutum* * nommés seulement pour des périodes transitoires, et aux ordres de l'abbé d'Aiguebelle. Ils avaient, malgré tout, commencé à relever le défi d'une meilleure connaissance de l'islam et d'un accueil fraternel de leurs voisins algériens.

« On se sentait secoués comme dans un panier à salade », se souvient Jean-Pierre, l'un des moines de Timadeuc. « Nous étions ballottés entre la vie cloîtrée traditionnelle, d'un côté, et plus d'ouverture à la population environnante, de l'autre. » Christian comprit assez vite que son ardeur à vivre à l'unisson avec des musulmans et à chercher « les notes qui s'accordent » entre les deux religions prenait parfois des formes trop personnelles aux yeux de ses nouveaux frères.

Un verset du Coran parlait le langage de Christian. « *Allâh est la Lumière des cieux et de la terre. Sa lumière est semblable à une niche où se trouve une lampe. La lampe est dans un récipient de cristal et celui-ci ressemble à un astre de grand éclat; son combustible vient d'un arbre béni : un olivier ni oriental ni occidental dont l'huile semble éclairer sans même que le feu la touche. Lumière sur lumière. Allâh guide vers Sa lumière qui Il veut. Allâh propose aux hommes des paraboles et Allâh est Omniscient.* » Christian aimait ce passage. Il voulait utiliser de l'huile de production locale pour les lampes monastiques. Mais il allait trop vite pour certains de ses frères. Ceux-ci étaient plus âgés, avaient été formés dans une Église préconciliaire, et n'avaient commencé à réfléchir au sens d'une présence chrétienne en milieu musulman qu'à partir de 1964. L'arrivée d'un jeune novice plein d'énergie, sûr de lui et impatient, en irritait plus d'un. Pourquoi voulait-il apprendre l'arabe [13]? Leur vie était vouée au silence! Peut-être devrait-il songer à devenir prêtre pour le diocèse d'Oran ou d'Alger, commencèrent à grommeler certains frères.

En août 1972, Christian expliqua à la communauté, dans un document écrit, les raisons de sa présence à l'Atlas, l'impact spirituel qu'avait eu sur lui son ami Mohammed en donnant sa vie pour le protéger, et sa préférence, si un tel choix s'imposait un jour, de quitter le monastère plutôt que l'Algérie. « En cette voie de louange et d'intercession, j'aimerais rejoindre très spécialement d'autres hommes de

---

(13) Frère Jean-Pierre Schumacher observe cependant que, dès 1964, il y eut des cours d'arabe suivis par la communauté tout entière, sous la direction d'un imam du voisinage d'abord, ensuite avec l'aide d'un membre de l'équipe diocésaine du centre de formation des Glycines, à Alger. Déjà, le « Notre Père » en arabe avait été appris [NDT].

prière parmi lesquels j'ai accepté d'enfouir ma vie, simplement parce que c'est l'un d'entre eux qui m'a adressé cet "appel à la prière" en notant que les chrétiens de ce pays n'avaient pas su donner l'exemple en ce domaine. J'ai su, du même coup, que cette consécration de ma vie devrait passer par la prière en commun pour être vraiment témoignage d'Église. Dans le sang de cet ami a commencé un pèlerinage vers la communion des saints où chrétiens et musulmans partagent la même joie filiale... » Les frères étaient divisés quant à savoir si Christian avait vraiment sa place dans leur communauté. Jean de la Croix se montra réceptif et discerna dans les motivations de Christian une grâce providentielle pour la communauté. Il lui accorda deux ans d'absence pour aller étudier à l'Institut pontifical d'études arabes et d'islamologie [14] à Rome [15].

Le *palazzo di San Apollinare*, près de la *piazza Navona*, serait la nouvelle demeure de Christian. Il se jeta à corps perdu dans un programme intense d'études sous la direction du père Maurice Borrmans, un spécialiste de la religion musulmane et de la langue arabe. Les matinées étaient consacrées à quatre heures d'arabe littéraire, et les après-midi à deux heures d'étude de l'islam. Au printemps, le samedi après-midi, le Professeur Borrmans et ses étudiants se retrouvaient pour des séminaires informels à la campagne, où ils comparaient les textes du Coran et ceux de la Bible. L'islam

---

(14) L'Institut pontifical d'études arabes et d'islamologie, connu sous le nom de P.I.S.A.I. (*Pontificio Istituto di Studi Arabi e d'Islamistica*), est un centre d'études et de recherches qui a pour but de promouvoir le dialogue interreligieux avec les musulmans en le fondant sur la connaissance approfondie de la langue arabe et des sciences islamologiques. L'institut doit sa fondation aux missionnaires d'Afrique – Pères blancs – qui, en 1926, ouvrirent, à Tunis, une école pour la formation des témoins de l'Évangile en pays arabes et en milieu musulman, l'Institut des belles-lettres arabes (IBLA). En 1964, par la volonté du pape Paul VI, l'institut fut transféré à Rome, d'abord au *palazzo di San Apollinare*, puis, en 1990, au *viale di Trastevere* [NDT].
(15) Selon Jean-Pierre Schumacher, c'est la communauté elle-même qui prit l'initiative d'envoyer Christian de Chergé au PISAI. Dom Jean de La Croix donna ensuite son aval [NDT].

et l'Ancien Testament, ils en étaient tous d'accord, se ressemblaient beaucoup.

« Vatican II, explique le père Borrmans dans son bureau rempli de livres, donnant sur le *viale di Trastevere*, ouvrit des perspectives pour Christian, avec son insistance sur l'œcuménisme […], avec le respect des différences et l'acceptation de la diversité sans prosélytisme. Plongé en milieu musulman, il était dans une situation particulièrement favorable pour mettre en œuvre l'esprit de ce concile. » Ses lunettes à monture métallique et ses touffes de cheveux blonds cendrés confèrent au visage ridé et amical du professeur Borrmans un air de lassitude toute philosophique, conséquence de trente années de lutte patiente contre les incompréhensions et les distorsions malintentionnées. Le but de son combat est de parvenir à davantage de clarté, d'honnêteté et d'humilité entre les représentants érudits de l'islam et leurs homologues chrétiens dans leurs lentes et difficiles tentatives pour réparer les dégâts causés par des siècles d'invectives réciproques.

Christian n'avait pas de temps à perdre. Il voulait toujours aller plus loin et plus vite, cherchant à ouvrir de nouveaux horizons, à réconcilier l'Évangile et le Coran. « C'était un aventurier mystique qui était convaincu que les musulmans étaient sauvés par leur islam et que l'islam avait quelque chose à dire aux chrétiens. Il y a d'autres personnes dans l'Église qui s'interrogent, elles aussi, sur la place de l'islam dans le plan de Dieu, note le père Borrmans. Certaines pensent que Mahomet fut envoyé pour réaffirmer l'unicité de Dieu et que l'islam est la punition envoyée aux chrétiens pour s'être battus autour du mystère de la Trinité. Christian était curieux de savoir comment Dieu voyait l'islam. »

Christian voulait étudier les écrits des grandes figures païennes, chrétiennes, juives et musulmanes qui avaient vécu en Algérie. Il intitula son mémoire « L'Algérie devant Dieu », mais il mettait ses lecteurs en garde : « Il ne s'agira pas de répéter ici ce qui a déjà été dit ailleurs […] en se contentant de donner aux mêmes faits une interprétation vaguement religieuse. Il serait encore moins justifié de présenter l'évolution religieuse du Berbère à travers les âges comme un phénomène marginal, sans interaction avec les autres domaines » : « géographie physique et économique », « régime politique et socialisation ». L'islam, selon lui, se refusait à opérer de telles distinctions entre religion et politique, vie spirituelle et comportement moral, ou encore entre institutions sociales et communautés confessionnelles. De ce fait, toute étude de l'Algérie qui négligerait le rôle fondamental de la religion s'avérerait forcément incomplète. « Procéder ainsi, au nom d'une "désacralisation" qui nous est devenue lentement familière avec la mort de la chrétienté et, ici ou là, la séparation Église-État, c'est, dans le cas précis de l'Algérie, déformer le "problème" en négligeant ce qui reste, tout au long d'une histoire extraordinairement mouvementée, la donnée essentielle d'une *continuité* absolument originale. »

À l'origine, il y avait eu l'animisme berbère. Il s'était enrichi ensuite des influences juive (du IIe au IVe siècle), chrétienne (du IVe au VIIe siècle) et musulmane (du VIIe siècle à nos jours). Christian avait compris que l'originalité de l'Algérie résidait dans une histoire vécue de bout en bout « sous le regard de Dieu ». Jusqu'à l'indépendance, y avait-il eu élément plus important que cette continuité à se définir et à se construire par rapport à Dieu ? Christian tenait là l'axe majeur de son étude.

Sa recherche ne s'apparentait ni à « une étude de sociologie religieuse » ni à « l'histoire d'une âme berbère ». Il s'agissait plutôt de la reconstitution d'une chaîne de textes issus de différentes périodes de l'histoire algérienne, et qui témoignaient de la culture d'un peuple constamment tourné vers Dieu. Cette tradition avait enfanté l'évêque et théologien catholique saint Augustin au Ve siècle ; la reine juive Kahena, héroïne de la résistance berbère contre les invasions arabes de la fin du VIIe siècle ; Abdelkader, le chef de guerre, homme d'État et mystique soufi* au XIXe siècle ; et Ibn (Ben) Badis au XXe siècle. Ce dernier, réformateur musulman rigoriste, détestait la manière dont les Français formaient leurs propres imams pour contrôler la politique locale et prêcher que la soumission à la France était la volonté de Dieu. Il militait également contre la décadence de l'islam en condamnant l'usage de l'alcool et du tabac, la danse et le sport, et surtout le maraboutisme, vénération populaire des saints de l'islam, à qui les paysans attribuaient des pouvoirs miraculeux de guérison. Cette dévotion dégénérait trop souvent, selon lui, en culte de la personnalité et détournait le peuple de l'adoration exclusive de Dieu.

Que ce soit durant la période berbère préchrétienne, pendant les premiers siècles de l'Église d'Afrique du Nord, ou sous les occupations musulmanes successives, il y avait une continuité dans le sacré, une représentation du monde qui ne séparait jamais « le politico-social et le religieux ». « Les Algériens, notait Christian, ont toujours fait de cette association un levier puissant de leur quête d'autonomie, quel qu'ait pu être, à travers les âges, le cadre dogmatique dans lequel ils ont vécu leur quête d'une unité placée sous le signe de la fidélité au terroir et à ses valeurs propres, et tout aussi bien, leur recherche instinctive d'une communion avec l'au-delà leur garantissant la souveraine liberté des peuples que l'esclavage et la mort n'ont pu vaincre. »

Les quatre-vingt-dix ouvrages que Christian lut pendant son séjour à Rome furent passés au crible d'une recherche centrée sur la physionomie spirituelle de l'Algérie. Cela le conduisit de saint Cyprien et saint Augustin au grand mystique musulman réformateur du XIIᵉ siècle, Abou Madyan de Tlemcen, et à l'Émir Abdelkader, dont les quinze années d'habile résistance aux armées françaises lui avaient valu un grand nombre d'admirateurs à travers le monde.

Christian aimait ce qu'Abdelkader avait écrit au sujet de Dieu dans ses *Écrits spirituels* [16] : « Si tu penses qu'Il est ce que croient les diverses communautés – musulmans, chrétiens, juifs, mazdéens, polythéistes et autres –, Il est cela et Il est autre que cela ! Et si

---

(16) Christian de Chergé cite la première phrase de cet extrait des *Écrits spirituels* d'Abdelkader dans un exposé aux XVIIᵉ Journées Romaines organisées par le PISAI du 31 août au 7 septembre 1989 [NDT].

tu penses et crois ce que professent les Connaisseurs par excellence – prophètes, saints et anges –, Il est cela et Il est autre que cela ! Aucune de Ses créatures ne L'adore sous tous Ses aspects ; aucune ne Lui est infidèle sous tous Ses aspects. Nul ne Le connaît sous tous Ses aspects ; nul ne L'ignore sous tous Ses aspects. [...] Chacune de Ses créatures L'adore et Le connaît sous un certain rapport et L'ignore sous un autre. [...] Dès lors, l'erreur n'existe pas en ce monde, si ce n'est de manière relative. »

Christian savait bien que l'Algérie était le fruit d'une histoire de conquêtes et de conflits, d'adaptation et d'assimilation de différentes expressions de la foi : animisme, panthéisme, donatisme [17], maraboutisme et monothéisme. Mais c'était un homme à l'affût des convergences. Comme celui d'Abdelkader, son Dieu était plus grand que le cœur des hommes, les rapprochant au lieu de les diviser. L'Algérie qu'il avait découverte avait « un visage ridé par l'âge, bariolé par des "fonds de teint" successifs, déformé par la réalité du quotidien ». Mais Christian voulait regarder au-delà des rides et du maquillage pour voir ce qui comptait aux yeux de Dieu.

---

(17) Le donatisme, fondé par l'évêque d'Afrique du Nord Donatus, naquit de la question du traitement à appliquer aux apostats des persécutions de l'empereur romain Dioclétien (303-305). L'Église se montra miséricordieuse et réintégra les prêtres et les évêques qui se repentaient de leur faiblesse passée. Les donatistes s'y opposèrent et affirmèrent que les sacrements donnés par les apostats n'avaient pas de valeur. De nombreuses localités d'Afrique du Nord eurent, de ce fait, deux clergés parallèles, l'un catholique et l'autre donatiste. Les donatistes furent influencés par les écrits de Tertullien et de Cyprien. Augustin d'Hippone mena campagne contre cette hérésie durant tout son épiscopat, mais elle ne disparut pas complètement : l'invasion des Vandales lui permit de survivre jusqu'à la conquête musulmane. De nombreux historiens estiment que le schisme facilita le basculement de la région à l'islam [NDA & NDT].

IV. ANNÉES DE CRISE

Car ma maison s'appellera « maison de prière pour tous les peuples ».

Isaïe 56,7

Christian retourna à l'Atlas au cours de l'été 1974, impatient de vivre sa vie de prière monastique en terre d'islam. Son supérieur, Jean-Baptiste, lui confia la responsabilité de l'hôtellerie, service qui consistait à accueillir les visiteurs et les retraitants. La maison de Dieu possède de nombreuses demeures, et le jeune frère arabisant était la personne idéale pour y introduire amis chrétiens et voisins musulmans, pauvres et étrangers. L'hospitalité était au cœur de la Règle : « Tous les hôtes qui arrivent seront reçus comme le Christ. En effet, lui-même dira : "J'étais un hôte et vous m'avez reçu". »

Il n'était plus d'usage que l'abbé vienne laver les mains et les pieds des visiteurs à leur arrivée, mais Christian s'assura que l'hôtellerie, avec ses dix lits et sa modeste chapelle, soit un lieu où musulmans, chrétiens et hommes de bonne volonté se sentent vraiment chez eux. Seuls les touristes en quête de gîtes bon marché n'étaient pas les bienvenus.

Les hôtes de Tibhirine étaient des plus variés. Ils venaient des quatre coins de l'Algérie. Les Sœurs de la charité, les salésiens, les

Petites sœurs de Jésus, et les Sœurs protestantes de Grandchamp se rendaient souvent au monastère pour un temps de repos et de réflexion. Des prêtres et des amis montaient régulièrement en voiture depuis Alger. Familier de la communauté, Gilles Nicolas, curé de la ville de Médéa toute proche, et professeur de mathématiques à l'université, sympathisa vite avec Christian. Des jésuites, des Pères blancs, des missionnaires laïcs, des techniciens étrangers travaillant sur les chantiers publics, des étudiants d'Afrique subsaharienne et des coopérants d'Europe de l'est logeant à Médéa fréquentaient également l'hôtellerie. Il y avait aussi des musulmans. Ils venaient profiter de la tranquillité du lieu et prier, sachant qu'ils seraient accueillis comme des frères, « chercheurs de Dieu » eux aussi. Christian mit un point d'honneur à faire en sorte que ces derniers se sentent vraiment à l'aise et puissent faire retraite.

Le bâtiment réservé aux retraitants était séparé du cloître lui-même, mais il fallait passer le portail d'entrée pour y accéder. Contrairement à la plupart des moines qui assumaient plusieurs emplois, Christian n'occupait que ce poste et se montrait donc toujours disponible pour les visiteurs. Connaissant à la fois le Coran et la Bible, sensible aux Écritures de chacune des deux traditions, le jeune novice fut rapidement consulté par chrétiens et musulmans en quête d'accompagnement spirituel. Il acquit progressivement la réputation d'un homme capable d'aider les autres à comprendre comment la croix et le croissant pouvaient cohabiter dans la maison de Dieu.

Un jour, une musulmane vint le voir avec son futur mari, qui, lui, était chrétien. Elle était déchirée à l'idée de paraître trahir sa communauté d'appartenance. « Christian nous a accueillis dans son bureau. C'était sobre, c'était pauvre […]. Nous lui avons parlé de notre mariage, de mes inquiétudes. Il nous a lu des passages du Coran et de la Bible, avec un sourire, et nous trouvions des correspondances. Je ne voulais pas trancher. Je voulais que nos deux religions marchent ensemble. "Fils d'Abraham, disait-il, nous sommes différents, mais nous pouvons vivre notre piété ensemble." […] Il parlait doucement, les mains l'une sur l'autre. Il nous regardait avec tendresse. "De quoi avez-vous peur?" Je disais : "Je retourne ma veste." "Quelle veste? Nous ne sommes qu'une enveloppe autour d'une âme. Cette peau, il faut la laisser. Il faut écouter Dieu." Il avait une noblesse de cœur et d'esprit. Il évoquait l'Algérie dans toute sa splendeur. "Faites les choses pas à pas. En arabe, il n'y a pas de futur. Le futur appartient à Dieu. Laissez Dieu vous guider!" Puis il nous a raccompagnés à la porte, nous chargeant de fruits et de légumes. Il m'aidait à mieux connaître et aimer mon pays. »

Christian continua d'écrire régulièrement à Maurice Borrmans, son ancien directeur de recherche à Rome. « Une vie comme la nôtre, qui accorde une place si visible à certains des piliers* de l'islam, suscite un regret [chez nos amis musulmans] : "Dommage qu'ils ne soient pas musulmans!", mais ce regret dissimule peut-être aussi une question : "Comment peuvent-ils être ce qu'ils sont sans être musulmans?" [...] On me demande : "Croyez-vous que le Coran vient de Dieu?" ; "Que disent les chrétiens du Prophète?" »

Christian aurait voulu que les autres moines partagent sa manière d'aborder cette recherche commune de Dieu avec les musulmans. Il n'était pas le seul à être venu en Algérie pour vivre une communion spirituelle avec l'islam : Jean-Pierre et Amédée s'intéressaient, eux aussi, aux musulmans et au monde arabe, mais en tant que personnes, et non comme objets d'une quête intellectuelle et spirituelle systématique. Cependant, les motivations premières étaient parfois différentes. Luc était venu à Tibhirine pour mener une existence simple au milieu des pauvres, et ceux-ci lui avaient demandé de soigner leurs malades. D'autres s'étaient mis au service des besoins spirituels de la communauté chrétienne d'Algérie. Certains se voulaient les successeurs du monachisme originel de saint Antoine. Enfin, il y avait ceux qui souhaitaient vivre leur vocation dans la simplicité et l'humilité. Dans une lettre à un ami, Christian avait comparé ses frères à « un beau bouquet de fleurs des champs : [...] chaque fleur n'a rien d'extraordinaire, mais l'ensemble est seyant ».

Le risque, pourtant, était que Christian se trouve un jour exclu du bouquet.

Christian adopta beaucoup de coutumes locales, trop au goût de nombre de ses frères. Pendant le *ramadan,* qu'il considérait comme le carême musulman, il jeûnait comme ses voisins, de l'aube au crépuscule, tout en maintenant ses horaires réguliers de travail. Il suivit également la tradition qui consiste à retirer ses chaussures avant de pénétrer à l'intérieur d'une mosquée, en enlevant ses sandales dans la chapelle. Enfin, il souleva un tollé, lors d'une rencontre de prêtres, lorsqu'il proposa d'exprimer la prière chrétienne en termes plus familiers aux musulmans, projet catégoriquement rejeté au motif qu'il créerait un malaise. Il reconnut plus tard, dans une lettre à un ancien camarade du séminaire, qu'il s'était montré trop audacieux : « Et voici piétinée la plus belle fleur du jardin d'un moine qui, une fois de plus, aurait mieux fait de se taire. Mais cette fleur, même piétinée, reste un trésor dans la nuit de la foi. »

À l'automne 1975, il y eut d'autres événements beaucoup plus alarmants, à l'extérieur de la communauté. À la mi-octobre, un ordre vint de la gendarmerie demandant d'évacuer le monastère dans les huit jours. La même injonction avait été faite aux chrétiens de l'église de Santa-Cruz à Oran, de la basilique Notre-Dame d'Afrique à Alger, et de la cathédrale de Saint-Augustin à Annaba. Les moines avaient déjà commencé à trier leurs livres dans la bibliothèque et à brûler leurs papiers quand ils apprirent que, finalement, ils pourraient rester. Mgr Duval avait été reçu à la présidence – M. Boumédiène avait beaucoup de respect pour lui et appréciait la présence chrétienne en Algérie. Le cardinal avait ensuite rendu visite au colonel Benchérif, commandant la gendarmerie, et l'ordre avait été annulé.

L'année suivante, le 19 novembre 1976, une nouvelle constitution algérienne proclama officiellement la révolution socialiste. Les terres cultivables furent organisées en coopératives de style soviétique. Le régime se voulait socialiste et islamique. Il instituait l'islam religion d'État, tout en tolérant la liberté de croyance. Le gouvernement Boumédiène avait nationalisé à la fois les écoles privées musulmanes et catholiques. Prêtres et religieux chrétiens avaient la charge de 42 000 élèves chaque année dans des écoles souvent prisées par les parents d'élèves en raison de la qualité de leur enseignement et de leur formation morale. La nationalisation des établissements scolaires confessionnels fut d'abord ressentie comme un rude coup porté à l'Église. Certains membres du clergé retournèrent en France, mais la plupart continuèrent à enseigner en tant que salariés du gouvernement algérien.

Les nationalisations obligèrent les chrétiens restés en Algérie à réfléchir encore une fois au sens de leur foi. Mgr Duval vit là une nouvelle étape poussant l'Église à vivre un amour vraiment gratuit, qui n'attend rien en retour. « L'Église va être réduite à l'essentiel », confia-t-il aux moines au cours d'une de ses visites à Tibhirine. Le plus important, pour les chrétiens, n'était pas leur patrimoine immobilier mais « l'esprit de fraternité vécu chaque jour ». L'Église n'était pas présente en Algérie seulement pour servir les besoins des baptisés, mais pour être un signe de l'amour de Dieu pour tous les hommes, sans exception. Chaque communauté chrétienne aurait à vivre sa foi différemment dans les années à venir. Les religieux et religieuses qui le pourraient travailleraient dans la santé publique, pour l'éducation nationale ou au service des collectivités locales. Les moines, quant à eux, prieraient et garderaient mémoire de Dieu.

En juillet, survint un mystérieux assassinat. Gaston Jacquier, l'évêque auxiliaire de Mgr Duval, marchait dans les rues d'Alger quand un homme s'approcha de lui par-derrière et planta un couteau dans une de ses artères fémorales. L'incident fut officiellement condamné et présenté par la presse comme l'œuvre isolée d'un fou. Pourtant, réfléchissant de plus près à ce qui venait d'arriver, certains ne purent s'empêcher de penser qu'un malade mental n'aurait pas agi avec autant de précision en visant l'intérieur de la cuisse de sa victime. De plus, le fou en question s'était enfui en montant dans une voiture qui, comme par hasard, se trouvait là.

Après la mort du père Jacquier, Mgr Duval demanda au clergé de son diocèse de ne plus porter d'habits religieux en public ni d'arborer de croix. Plus tard, ce fut au tour des cloches des églises de ne plus sonner pour ne pas offenser certains extrémistes.

Paradoxalement, l'année où l'Église d'Algérie parut la plus menacée fut aussi celle qui vit l'avenir du monastère devenir plus assuré. Le 1er octobre 1976, Christian fut invité par ses frères à s'engager définitivement, sept ans après avoir rejoint l'Ordre. Il prononça son vœu de stabilité en présence d'amis venus de toute l'Algérie. Son ancien abbé à Aiguebelle, Jean de la Croix, fit le voyage depuis la France pour l'occasion. Christian promit de servir Dieu jusqu'à la fin de ses jours, au sein de la communauté de Tibhirine. Il demanda pardon à ses frères pour ses entêtements et les offenses dont ils avaient pu parfois faire les frais en raison de sa quête trop personnelle d'une vocation particulière.

Pour autant, Christian se refusait à confondre attitude d'obstination et fidélité à un engagement, car il voulait que sa recherche d'une communion avec l'islam soit comprise par la communauté à laquelle il se liait. Le jour suivant, il présenta à ses frères un long texte écrit, résumant ses convictions personnelles, que certains d'entre eux trouvèrent déroutant, voire révolutionnaire. De fait, pour un moine moins connaisseur de l'islam, certaines réflexions de Christian pouvaient inquiéter. « La louange monastique et la prière musulmane ont une parenté spirituelle qu'il faut apprendre à célébrer davantage. Sous le regard de Celui-là qui seul appelle à la prière et nous demande sans doute d'être ensemble le "sel de la terre". De plus, certaines grandes valeurs de l'islam sont un stimulant indéniable pour le moine, dans la ligne même de sa vocation ; ainsi du don de soi à l'Absolu de Dieu, de la prière des heures, du jeûne, de la soumission à sa Parole, de l'aumône, de l'hospitalité, de la conversion, de la confiance en la Providence, du pèlerinage spirituel… en tout cela, [il faut] reconnaître l'esprit de sainteté dont nul ne sait ni d'où [il vient] ni où [il va]… »

À la demande de Jean de la Croix, quatre autres moines, qui

étaient officiellement rattachés à des monastères français, firent leur vœu de stabilité à Tibhirine. Ceci porta à sept le nombre de frères stabilisés à Notre-Dame de l'Atlas. La possibilité d'une élection pour désigner un prieur parmi les moines en Algérie était enfin ouverte, les constitutions de l'Ordre exigeant un minimum de six frères stabilisés pour qu'un tel scrutin puisse avoir lieu. Un tel vote mettrait fin à la valse des supérieurs temporaires nommés par la maison mère d'Aiguebelle et lui garantirait son autonomie.

Pourtant, procéder à des élections n'était pas le souci majeur de Christian. Trouver un sens à l'insécurité qu'ils vivaient le préoccupait beaucoup plus. « Personnellement, j'éprouve le désir de placer le surcroît d'incertitude où nous vivons sous le signe d'un surcroît de confiance et d'abandon », écrivit-il alors à un ami. Pour lui, l'insécurité était « une grâce de choix, la plus inconfortable pour qui ne songe qu'à dormir, la plus propre à la vigilance ».

En 1978, le père de Christian mourut, sans avoir accepté la vocation de son fils de se donner à Dieu en milieu musulman, dans un pays dont lui-même ne gardait que de mauvais souvenirs. La seule visite de Guy de Chergé à Tibhirine, à l'occasion de la profession solennelle de Christian, l'avait certes convaincu que son fils était vraiment heureux là-bas. Cependant le général resta persuadé jusqu'à la fin de sa vie que la voie choisie par Christian avait abouti au gaspillage de ses qualités prometteuses. Peu avant le séjour qu'il fit à Paris durant l'hiver 1978 pour présider aux funérailles de son père, Christian avait fait les démarches pour obtenir la nationalité algérienne, ce que son père avait qualifié d'« idiotie ».

Au printemps, Christian écrivit à un ami et lui expliqua le sens de sa demande de naturalisation : « L'appel entendu me vouait à être cet étranger qui n'a plus de "chez lui" sur la terre parce qu'il lui a fallu "quitter son pays et sa parenté" pour aller vers cet ailleurs que Dieu montrait. Et le même appel m'a voué à la stabilité dans ce monastère pour incarner avec tous les habitants de ce pays cette Cité de Dieu où doivent disparaître toutes frontières de patries, de races et de religions. » Christian ne reçut jamais de réponse de l'administration algérienne.

Il y eut d'autres déceptions pour Christian cette année-là. Celui qui avait été son père dans la vie monastique était, lui aussi, malade, et perdit la vue suite à un glaucome. Jean-Baptiste, le supérieur nommé, qui venait de Port-du-Salut en Mayenne, était l'un des rares trappistes à croire en sa quête. « Si Dieu est le centre, disait-il souvent, alors ceux qui s'en rapprochent ne peuvent que se rapprocher les uns des autres aussi. » Christian vécut son remplacement par l'abbé d'Aiguebelle comme un retour en arrière.

Dans son esprit, Jean de la Croix représentait le monachisme français traditionnel, un christianisme de la richesse et du pouvoir, symbolisé par la mitre et l'anneau, vénérant la hiérarchie et d'un esprit moyenâgeux. Pourtant, le nouvel abbé apporterait un soutien sans faille à Christian pendant six ans. Il savait que cette vocation si forte était exactement ce dont la communauté de Tibhirine avait besoin pour retrouver le sens de sa présence en Algérie. Il comprenait aussi très bien la frustration de Christian. Jean de la Croix avait parfaitement saisi que le don de Mohammed avait été pour l'ancien officier de la SAS une sorte de révélation de l'amour de Dieu, et qu'il voulait évangéliser ses frères à partir de cette bonne nouvelle surgie de l'islam. « C'était, après tout, un fils de militaire. Il possédait toute la discipline et toute la détermination d'un bon officier », observa Jean de la Croix, des années plus tard.

Sa vocation originale était désormais reconnue de tous, mais peu se montraient désireux de s'y associer personnellement. En outre, Christian intimidait nombre d'anciens. Sa vaste culture, sa solide formation intellectuelle, ses connaissances en arabe et en islamologie étaient très prisées partout en Algérie auprès de ceux qui, comme lui, cherchaient les « notes qui s'accordent ». Jean de la Croix en fit son protégé, voyant en lui le futur responsable de Notre-Dame de l'Atlas. Une fois par semaine, il le laissa présenter un point de vue musulman sur des sujets tels que la mort, la prière, Adam et Ève, ou la Vierge Marie. Toutefois, la réserve persistante de ses frères finit par semer le doute dans l'esprit de Christian. Était-il à sa place dans cette communauté? Pourrait-il vivre sa vocation passionnée tout seul, sans ses frères?

Christian avait déjà pris contact avec les Fraternités monastiques de Jérusalem, un institut fondé après Vatican II, en 1975. Ces Fraternités se voulaient œcuméniques et ouvertes au dialogue avec tous les « enfants d'Abraham », juifs et musulmans. Les moines et moniales de Jérusalem vivaient dans « le désert des villes ». Ils travaillaient à mi-temps, hors clôture, dans des usines, des sociétés d'emballage, des écoles ou sur des marchés. Ils avaient à cœur d'inscrire leur vocation dans le cadre de l'Église locale diocésaine. Christian commença à se demander s'il ne devrait pas établir une nouvelle fondation de ce type en Algérie.

En novembre 1979, Jean de la Croix autorisa Christian à faire une retraite à l'Asekrem, à l'ermitage de Charles de Foucauld [18]. Cet autre nomade de Dieu avait également été séduit, à la fin du XIXᵉ siècle, par les peuples du Maghreb, avec leurs dogmes simples et leur prière fervente. Trappiste hors norme, à la recherche d'une vie solitaire en fraternité avec les pauvres, il avait finalement choisi de vivre l'Évangile parmi les plus humbles des enfants de Dieu en Algérie. Sa quête l'avait conduit jusque dans le Sud algérien, à Tamanrasset, où vivaient les nomades touaregs. Là, l'ancien officier agnostique de Saumur s'était mué en moine mystique, distribuant médicaments et nourriture à tous ceux qui frappaient à sa porte. « Je veux, écrivit-il à l'une de ses cousines, habituer tous les habitants, chrétiens, musulmans, juifs et idolâtres, à me regarder comme leur frère, le frère universel. Ils commencent à appeler la maison "la Fraternité", et cela m'est doux. »

À trois jours de marche de son ermitage-forteresse à Tamanrasset se trouvait l'Asekrem, plateau isolé de rochers balayés par le vent, à plus de deux mille mètres d'altitude, surplombant le désert

---

(18) Charles de Foucauld a été béatifié le 13 novembre 2005. Pour plus d'informations, lire René Bazin, *Charles de Foucauld, explorateur du Maroc, ermite au Sahara,* Nouvelle Cité 2004 [NDE].

environnant, d'où surgissaient, anarchiques, des pics de granit et de basalte, connus sous le nom de montagnes du Hoggar. En 1911, Foucauld construisit une petite cabane de pierre pour prier, méditer et se sentir plus proche de Dieu au sommet de la plus haute montagne d'Algérie.

C'est là que, recueilli dans la même solitude sainte que son prédécesseur trappiste, Christian médita et pria pour discerner la volonté de Dieu. Devait-il quitter le monastère et tout recommencer, ou au contraire tenir bon et rester, dans l'espoir que les choses finiraient par évoluer ? À plus de 1 500 kilomètres au sud de Tibhirine, dans le Sinaï de l'Algérie, au sommet d'une montagne désertique et rocailleuse, sans eau ni un brin de végétation, il consigna par écrit sa « complainte à l'espérance » la veille de la nuit de Noël 1979.

Nuits de la foi en agonie…
Le doute est là et la folie
D'aimer tout seul un Dieu absent et captivant.
[…] Ce que j'espère, je ne le vois…
C'est mon tourment tourné vers lui.
Toute souffrance y prend son sens,
Caché en Dieu comme une naissance,
Ma joie déjà, mais c'est la nuit.

Le 11 janvier 1980, le rédacteur du journal du monastère nota que Christian était revenu « souriant, barbu et amaigri ». Il avait aussi repris pied, confirmé dans sa vocation de moine trappiste. Mais la paix retrouvée restait fragile. « Je compte sur ta prière, écrivit-il à une correspondante en décembre 1980, car le bonhomme est souvent tiré à hue et à dia. […] Qu'il soit au moins fontaine de miséricorde, et qu'il ne se fatigue pas d'espérer, très loin, très seul, qu'il ait aussi le courage des petits moyens qui incarnent l'espérance dans la patience du quotidien. »

Peu après le retour de Christian au monastère, des membres d'une confrérie soufie de Médéa vinrent lui rendre visite. Le jour de Noël, ils avaient été conduits au monastère par Jean-Pierre, qui avait fait la connaissance de l'un d'entre eux quelques semaines auparavant. Ils souhaitaient participer au nouveau groupe dont ce dernier leur avait parlé : le Lien de la paix.

Le Lien de la paix n'était pas une idée de Christian, mais il en avait été un ardent partisan depuis le début, quand son ami Claude Rault [19] avait lancé cette formule au printemps 1979. Ce Père blanc qui enseignait l'anglais à Touggourt, plusieurs centaines de kilomètres au sud, avait suggéré de réunir les chrétiens dispersés à travers le pays qui cherchaient à mieux comprendre l'islam. Celui qui appelait les musulmans à se prosterner cinq fois par jour était-il le même que le Trois-en-Un des chrétiens ? Beaucoup d'entre eux se demandaient comment une religion dont les Écritures semblaient si hostiles aux incroyants pouvait produire chez les gens ordinaires des cœurs aussi généreux, tolérants et accueillants que ceux qu'ils avaient découverts dans leur vie quotidienne.

« Nous nous sentons tous appelés par Dieu à faire quelque chose ensemble avec vous », dit l'un des soufis à Christian lors de leur première rencontre. « Mais nous ne voulons pas nous engager avec vous dans une discussion dogmatique. Dans le dogme ou la théologie, il y a beaucoup de barrières qui sont le fait des hommes. Or nous nous sentons appelés à l'unité. Nous souhaitons laisser Dieu créer entre nous quelque chose de nouveau. Cela ne peut se faire que dans la prière. C'est pourquoi nous avons voulu cette rencontre de prière avec vous. » Christian abonda en ce sens. Le Lien de la paix – en arabe : *Ribât al-Salâm* * – fut ensuite connu sous le simple nom de *Ribât*. Ces rencontres entre chrétiens et musulmans se transformèrent en réunions semestrielles à partir de l'automne 1980. Les échanges s'organisèrent autour de thèmes choisis à l'avance : l'alliance, l'amour fraternel, la Vierge Marie,

---

(19) Depuis le 26 octobre 2004, Claude Rault, ancien provincial des Pères blancs d'Algérie et de Tunisie, est évêque du diocèse de Laghouat, dans le Sud algérien [NDT].

Jésus, l'Esprit Saint, les différents noms de Dieu. L'islam en compte quatre-vingt-dix-neuf, et l'un d'eux est « le Très Patient ».

La patience n'était pas la qualité majeure du nouvel abbé d'Aiguebelle, qui devait effectuer sa visite régulière à Tibhirine à l'automne 1981. Jean-Georges Tyszkiewicz était originaire de Varsovie, un Radziwill par sa mère et descendant d'une des grandes familles aristocratiques polonaises. Quand les Russes avaient réoccupé Varsovie, vers la fin de la Deuxième guerre mondiale, il avait été accusé de collaboration avec les nazis et emprisonné à la Lubyanka de Moscou pour y être fusillé. Mais, contacté par sa grand-mère, le pape Pie XII avait obtenu une commutation de peine auprès de l'ancien séminariste géorgien qu'était Staline. Après la guerre, Tyszkiewicz s'était installé à Alger, où il avait créé une entreprise de négoce très lucrative avant de faire l'expérience d'une conversion personnelle, qui l'avait conduit à devenir moine. En tant qu'abbé d'Aiguebelle, il avait la réputation d'être un homme autoritaire et dominateur, qui aimait donner des ordres.

Il connaissait déjà Tibhirine. Il avait commencé son noviciat à Notre-Dame de l'Atlas en 1952, était parti puis revenu en 1966 en qualité de supérieur. Il était maintenant de retour pour une visite de routine dans sa maison-fille. Ces visites régulières étaient l'occasion pour le Père-immédiat [20] de discuter des sujets de préoccupation avec chacun des moines en particulier et de se faire une idée de la vitalité de la communauté. Plusieurs frères contrariés se plaignirent du « prosélytisme » de Christian – c'est ainsi qu'ils percevaient ses causeries hebdomadaires sur l'islam, données dans le cadre des chapitres. Utiliser des réunions obligatoires pour parler d'un tel sujet à un auditoire captif constituait, selon eux, un abus de pouvoir, puisque ces rencontres étaient normalement consacrées,

---

(20) Le Père-immédiat, dans l'Ordre cistercien de la stricte observance, est l'abbé de la maison-mère chargé d'effectuer les visites régulières auprès de ses maisons-filles, tous les deux ans, conformément aux statuts de l'Ordre [NDT].

trois fois par semaine, à traiter de questions communautaires purement internes.

Au cours d'une rencontre avec tous les frères, Dom Tyszkiewicz exprima publiquement son étonnement concernant les démarches de Christian pour obtenir la nationalité algérienne, remettant implicitement sa loyauté en question. Christian fut piqué au vif, ce qui déclencha un échange que les participants qualifièrent de particulièrement « houleux ». Christian quitta la pièce, rouge de colère, et l'abbé ordonna qu'il n'y ait plus de cours d'islamologie en clôture. Dorénavant, toute discussion ou conférence sur l'islam devrait avoir lieu à l'hôtellerie exclusivement. Le discernement de Jean de la Croix était indirectement contesté. Il avait été l'allié de Christian et avait autorisé ces courtes séances d'initiations hebdomadaires, malgré les préventions de certains frères.

Christian défendait une idée nouvelle. Il était convaincu que toutes les personnes authentiquement en recherche devaient s'entraider dans leur quête commune et apprendre les unes des autres les diverses voies spirituelles conduisant à Dieu. Il était enchanté de la manière dont les soufis considéraient les différentes religions. Chacune, disaient-ils, était « une perle magnifique reliée à d'autres perles magnifiques par le fil divin [...] toutes différentes apparemment, mais contribuant chacune à rehausser l'éclat incomparable du collier que Dieu a donné à l'humanité ». Pour les frères qui avaient reçu une éducation plus traditionnelle, comme Roland, fils de policier de Notre-Dame des Neiges, les références continuelles à l'islam étaient aussi pénibles à entendre que le crissement d'une craie sur le tableau noir. Ils n'étaient pas venus au monastère pour entendre parler d'une religion qui n'était pas la leur. Ils se demandaient où tout cela allait les mener. Avec toute sa culture, ses capacités intellectuelles et l'énergie de la jeunesse, Christian intimidait. Certains anciens craignaient qu'il ne finisse par leur demander de porter un *qamis* * blanc comme le Prophète, et qu'ils ne soient entraînés dans une folle aventure spirituelle. C'est pourquoi plusieurs frères hésitaient quant à l'opportunité de rendre leur monastère autonome. Ils craignaient que, si Christian était élu prieur, il ne reste plus aucun garde-fou aux initiatives intempestives de leur frère islamophile.

Jean de la Croix était conscient de ces inquiétudes. Néanmoins, il faisait confiance au bon sens de Christian, qui saurait fixer le cap à la communauté sans imposer ses vues personnelles. Le chapitre général de l'Ordre, qui avait lieu tous les trois ans, devait se tenir en 1984 à Holyoke, dans le Massachusetts, aux États-Unis. Il savait que si le monastère n'avait pas élu son prieur avant cette réunion, l'assemblée des abbés douterait inévitablement de l'avenir de cette petite communauté hors normes en pays musulman. Une commission *ad hoc* serait alors formée pour statuer sur sa pérennité. L'avis de cette commission ne faisait aucun doute : elle serait composée de personnes ne connaissant rien à la situation algérienne, et elle recommanderait à coup sûr la fermeture de Notre-Dame de l'Atlas.

Compte tenu de cette menace, le nouvel Abbé d'Aiguebelle, Dom Bernard Lefèvre, autorisa la tenue d'une élection deux mois avant le chapitre général, prévu pour mai. Par ses conseils et ses insinuations quant au risque de suppression de Tibhirine si un scrutin n'était pas organisé immédiatement, Jean de la Croix parvint à persuader une communauté hésitante à procéder au choix d'un prieur. Mais, parmi les onze moines, seulement neuf, stabilisés à l'Atlas, pouvaient voter. Encore fallait-il soustraire de ce nombre trois absents, pour cause de mauvaise santé.

Ne restaient donc que Jean de la Croix, le supérieur *ad nutum* stabilisé en septembre 1979, et six autres électeurs : Jean-Pierre, un Lorrain à la personnalité calme et équilibrée, venu de Timadeuc suite à un appel en 1964 pour relancer Tibhirine après la tentative de fermeture par Dom Sortais l'année précédente ; Amédée, un prêtre né à Alger, son diocèse d'ordination, de bonne composition et le plus ancien au monastère ; Luc, un médecin sans façons, arrivé à Tibhirine un mois après Amédée, en août 1946, et qui montrait peu d'intérêt pour l'islam en tant que tel – il confia un jour à un frère que la lecture du Coran était, pour lui, aussi ennuyeuse que celle d'un horaire de train ; Aubin, venu de Timadeuc, et Roland, arrivé en 1974, qui avaient maintenant leur stabilité à Tibhirine. Le sixième moine à pouvoir participer à la consultation était Christian.

Le 31 mars 1984, autour de la table carrée de la salle du chapitre, commença l'élection sous l'œil des deux scrutateurs prévus par les constitutions pour veiller à son bon déroulement. À trois reprises, il fallut écrire des noms sur les petits morceaux de papier servant de bulletins, qui étaient ensuite pliés en quatre avant d'être transmis aux scrutateurs pour être dépouillés. Au troisième tour, une majorité se dégagea finalement. Christian serait le nouveau supérieur de Notre-Dame de l'Atlas, accomplissant ainsi le secret dessein de Jean de la Croix. À quarante-sept ans, le prieur de Tibhirine était le plus jeune d'une communauté de onze frères.

Avec son sens de la méthode et de l'organisation, Christian fit l'inventaire concis de ses ressources, une sorte de résumé de la situation, comme le ferait tout bon officier à l'intention d'un commandant fraîchement arrivé à la tête d'une nouvelle unité.

Il y avait des dates-clés à connaître, à commencer par le 7 mars 1934, jour du départ pour la France des trappistes de Rahjenburg, en Slovénie. Quatre ans plus tard, jour pour jour, six moines de Slovénie et six autres d'Aiguebelle s'étaient installés, sous le patronage de Notre-Dame de l'Atlas, à Tibhirine – un nom berbère signifiant « les jardins potagers ». L'endroit avait été choisi pour sa beauté, son isolement, sa tranquillité et son climat favorable.

Lorsque la communauté avait atteint le nombre de vingt moines, le monastère avait reçu le statut d'abbaye, élisant ainsi, en 1947, son premier abbé, Dom Bernard Barbaroux. Ce dernier avait eu pour successeur Dom Jean-Marie Fricker, qui était retourné en France après l'indépendance en 1962. Une période plus incertaine de supérieurs intérimaires avait suivi, avec des tentatives de fermeture de la part des autorités religieuses – Dom Sortais, en 1963 – ou civiles – la gendarmerie, en 1975. Trois semaines avant l'élection de Christian, après d'âpres discussions, les frères avaient voté pour changer le statut de l'abbaye. Elle était redevenue simple prieuré, ce qui convenait mieux à un monastère doté modestement de quatorze hectares de terrain et de onze frères en communauté.

La moyenne d'âge des moines était de soixante-cinq ans. Six d'entre eux vivaient à Tibhirine depuis plus de dix ans. Le nombre maximum autorisé par les autorités algériennes était de douze. Avec seulement neuf frères stabilisés, il restait le seul monastère masculin du Maghreb. Tous étaient ordonnés, à l'exception de deux. Ils vivaient du produit de leur jardin, de la vente du miel et des dons des retraitants à l'hôtellerie. Le budget était équilibré, et, depuis 1983, le monastère et ses terres appartenaient officiellement à l'Association des communautés religieuses de l'Algérie.

La trappe de Tibhirine faisait partie d'une Église d'Algérie dont le clergé de plus de deux cents membres était très dispersé à travers le territoire, et assez cosmopolite. Il comptait des Espagnols, des Belges, des Canadiens, des Italiens et des Hollandais, qui vivaient tous en immersion dans un environnement musulman. Les moines pratiquaient leur devoir d'hospitalité de diverses façons. Il y avait un petit dispensaire ouvert à tous, où Luc soignait chacun gratuitement et sans poser de questions. La porterie était l'endroit où les voisins venaient souvent téléphoner, demander de l'eau, se faire écrire une lettre, ou encore vendre ou troquer quelque chose. L'hôtellerie hébergeait en moyenne cinq hôtes par jour tout au long de l'année. La moitié des retraitants étaient des laïcs, parmi lesquels on comptait parfois quelques étudiants africains du Centre de formation professionnel de Médéa. Un visiteur sur dix était algérien. L'hôtellerie était également un lieu de dialogue entre chrétiens et musulmans.

V. RIBÂT

Si Allâh avait voulu, certes Il aurait fait de vous tous une seule communauté. Mais Il veut vous éprouver en ce qu'Il vous donne. Concurrencez-vous donc dans les bonnes œuvres. C'est vers Allâh qu'est votre retour à tous; alors Il vous informera de ce en quoi vous divergez.

Coran 5, 48

Un jeune visage souriant, celui de Mohammed, était le premier signe d'accueil réservé aux invités quand il ouvrait pour eux les grandes portes en fer bleues donnant accès au monastère. Inclinant légèrement la tête, la main posée sur le cœur, le charmant gardien de Tibhirine souhaitait la bienvenue aux voitures qui arrivaient tout au long de la journée.

Les deux étages de l'hôtellerie, de couleur ocre, qui seraient la demeure des visiteurs pour trois jours, avaient un air de pauvreté, bien entretenus mais fatigués par le temps. Des vasques de soucis et de géraniums bordaient le chemin d'accès. Le cadre des fenêtres, d'un bleu ciel défraîchi, éclaircissait un peu la façade décrépite d'un bâtiment couvert de grandes taches sombres causées par les fuites d'une gouttière défaillante. En face de la porte d'entrée, de l'autre côté de l'allée de terre, des marches descendaient le long d'un talus couvert de lierre, conduisant à une cour extérieure ombragée par de gigantesques cèdres et de formidables pins d'Alep. De là, les visiteurs pouvaient se rendre à la chapelle, près de laquelle se trouvait une statue de la Vierge Mère, bras ouverts en signe de bienvenue et regard discrètement tourné vers la terre.

En mai 1989, Bruno était le frère hôtelier, visage officiel de l'hospitalité cistercienne envers les étrangers. C'était à lui que revenait la mission d'attribuer les chambres aux uns et aux autres, et d'expliquer aux hôtes les règles de la maison. Ces derniers étaient tenus de faire leur lit eux-mêmes et de nettoyer leur chambre à leur départ. Toute conversation à haute voix était proscrite. Les repas se prenaient en silence – bien qu'à Tibhirine on se montrât assez libre sur ce point. Chaque hôte avait sa serviette, qu'il rangeait chaque fois dans un casier portant son numéro de chambre. Tous étaient conviés, le moment venu, à débarrasser la table et à faire la vaisselle. Chaque pièce était meublée d'un lit en bois, d'un bureau et d'une chaise, et équipée d'une bassine pour la toilette. Sur le bureau se trouvait l'horaire des offices, labeur essentiel et régulier des trappistes.

Vigiles : 4 h 00
Laudes : 7 h 30 (7 h 15, l'été)
Tierce : 9 h 15 (l'été, dans la salle du chapitre)
Sexte : 12 h 30 (eucharistie intégrée, sauf les jeudis)
None : 14 h 45 (15 h 45, l'été)
Vêpres : 18 h 00 (les jeudis, eucharistie intégrée)
Complies : 20 h 00

À la différence des moines, la présence des hôtes à ces offices n'était pas obligatoire. Ces derniers pouvaient librement se promener dans le jardin d'agrément, derrière l'hôtellerie et autour du cimetière. Seul le potager leur était interdit, réservé à ceux qui y travaillaient. Si des hôtes voulaient participer à quelque tâche dans le jardin avec les frères, il y avait toujours moyen de s'arranger. À tous ceux qui le pouvaient, il était demandé de participer aux frais du séjour. Tout en bas de la feuille, on pouvait lire ce rappel : « Nous attachons beaucoup d'importance au silence extérieur, qui nous permet de vivre le silence intérieur. » La durée de la retraite ne pouvait excéder deux semaines.

La quinzaine d'hommes et de femmes qui montaient en voiture à travers la montagne n'était pas inconnue du monastère. C'était le dixième anniversaire du *Ribât*. Depuis leur première réunion en mars 1979, le groupe se retrouvait à l'hôtellerie deux fois par an. Petites sœurs de Jésus, Sœurs de Saint-Augustin, Pauvres clarisses, Frères maristes, Pères blancs, prêtres séculiers et participants laïcs occasionnels faisaient, tous les six mois, le long voyage vers Tibhirine. Ils venaient des quatre coins de l'Algérie, parcourant parfois de très longues distances : cinq cents kilomètres depuis Oran et Arzew, à l'ouest ; trois cents kilomètres depuis Batna, à l'est ; et plus encore depuis les oasis de Ghardaïa et de Touggourt, dans le désert du sud.

Après leur rencontre avec Christian en janvier 1980, à son retour de l'Asekrem, les soufis avaient été les premiers musulmans à participer au *Ribât*. Mais dans l'esprit de certains catholiques, dialoguer avec des soufis n'est pas dialoguer avec l'islam. Le soufisme, à leur avis, ne fait pas partie de l'univers musulman ordinaire. Il est considéré comme une hérésie dans certains pays du monde islamique à cause de sa croyance en un Dieu d'amour, accessible à qui essaie d'entrer en communion avec lui. La sincérité du cœur est la caractéristique essentielle du soufi, dont la vie est animée non seulement par le désir de plaire à Dieu mais aussi de s'unir à lui.

Pour nombre de musulmans, cette manière de penser peut conduire à l'idée, dangereuse à leurs yeux, que l'amour de Dieu est la première condition à remplir pour prier, pratiquer l'aumône, jeûner, ou accomplir tout autre acte de piété recommandé par le Coran. Raisonner ainsi est aussi absurde que croire qu'à l'armée il faut aimer son supérieur avant de lui obéir. Certes, un soldat peut être conduit à apprécier celui qui lui donne des ordres, et, quand il en est ainsi, il s'exécutera avec un surcroît de détermination, allant même jusqu'à anticiper les décisions hiérarchiques. Mais un régiment ne fonctionne pas sur la seule base de l'amour. Et il en va de même pour la société civile. L'obéissance à la loi divine possède une valeur intrinsèque parce qu'elle garde le croyant sur le droit chemin. Les règles à observer rappellent aux musulmans les devoirs élémentaires dont ils doivent s'acquitter envers Dieu et leur prochain. La satisfaction de s'y conformer procure la paix intérieure. Ainsi, est musulman celui qui, en tout, demeure soumis [21].

Pire encore, le soufi est un mystique qui flirte avec un concept blasphématoire : Dieu serait en quelque manière « semblable à nous », et donc accessible en vue d'une communion spirituelle. C'est pourquoi nombre de chrétiens considèrent les soufis, de tous les musulmans, comme les plus proches d'eux. Les soufis croient également en la possibilité de « connaître Dieu », même si, à la différence des chrétiens, cette connaissance ne doit rien à la médiation du « Fils ». Conscients de cette affinité par trop confortable avec les soufis, les membres chrétiens du *Ribât* invitèrent des musulmans ordinaires de la région à se joindre au groupe.

Dix tulipes blanches décoraient la table dans la pièce commune de l'hôtellerie. Les hommes et les femmes assis autour d'elle étaient rassemblés par la simple conviction que Dieu avait un immense désir d'entrer en communion avec ses créatures, et ses créatures avec Dieu. La piété, la charité et les gestes d'amitié de leurs frères musulmans constituaient à la fois, pour les participants chrétiens, un défi et une confirmation de leur propre foi. L'accueil que ces musulmans leur avaient réservé était une invitation à vivre l'Évangile très concrètement dans la vie quotidienne. Leur amitié n'était-elle pas un signe éloquent de la présence de l'Esprit Saint à l'œuvre

---

(21) Le mot *islam* vient de la racine *s-l-m,* qui, en arabe, signifie à la fois « soumission » (*i-s-l-a-m*) et « paix » (*s-a-l-m-a*). Le musulman est celui qui se conforme à la volonté de Dieu et parvient ainsi à la paix intérieure [NDA].

dans le cœur de tout homme? L'amour de Dieu pour l'homme est reflété dans son désir de voir les hommes s'aimer les uns les autres. Tous les enfants de Dieu n'ont-ils pas quelque chose à révéler de leur Créateur, chacun à sa manière? Comment sortir des effroyables égarements du passé, quand les peuples se méprisaient et s'entre-tuaient au nom de leurs religions? Le plus grand obstacle à la paix n'est-il pas le rejet de ceux qui sont différents? Les participants voulaient faire le point sur ce que le *Ribât* avait été pour chacun au cours des dix dernières années.

Quelques-uns d'entre eux avaient entendu Claude Rault, l'initiateur de ces réunions, raconter l'histoire qui lui avait permis de réaliser jusqu'où l'amour fraternel pouvait aller. Il enseignait l'anglais depuis des années à Touggourt. Il avait pris l'habitude de quitter sa salle de cours dès la fin de l'heure pour éviter d'être entraîné dans des discussions trop personnelles avec ses étudiants. En effet, certains auraient pu interpréter de telles conversations comme du prosélytisme. Cependant, une jeune fille qui admirait sa manière d'enseigner parvint un jour à le retenir avant qu'il ne s'éclipse comme à son habitude. Elle lui dit qu'il devrait devenir musulman. Le Professeur Rault se montra honoré d'une telle remarque, mais expliqua qu'il ne pouvait prendre pareille décision. L'étudiante lui proposa alors de troquer sa place au paradis. Le simple fait qu'une musulmane puisse suggérer d'aller en enfer pour sauver un chrétien des flammes éternelles était, pour le fondateur du *Ribât,* une preuve tangible que l'amour peut jeter des ponts entre des gens très différents. D'autres, autour de la table, firent part de leur propre expérience.

Sœur M., infirmière auprès de personnes âgées, vivait seule à Bir el Ater. Le *Ribât* l'encourageait à vivre le lien avec ses frères algériens dans le sens d'une « unité toujours plus profonde » : « Ce qui prime, ce sont les gens concrets plus que leur islam. » T., prêtre d'Oran, voulait « refaire le point sur l'islam et la tradition musulmane ». Le *Ribât* était pour lui à la fois « lien et aiguillon », « fil et aiguille ». À ses yeux, il était « important de garder cette

102

inquiétude » du questionnement et de la recherche à l'écoute des musulmans. En même temps, cela l'aidait à « résister aux courants contraires actuels » marqués par « une agressivité permanente ». Sœur H., qui travaillait dans la Casbah d'Alger, dans une bibliothèque spécialisée accueillant beaucoup de jeunes Algériens, pensait qu'elle avait progressé grâce au *Ribât*. « Le *Ribât* a fait évoluer mon regard à mon insu. Avant, je me sentais agressée par l'appel à la prière du muezzin ; maintenant, j'adhère à cette prière ; cela ne me dérange plus ; je suis pacifiée. »

Sœur R. était d'Arzew. Elle constatait que le *Ribât* lui avait permis de « revenir à l'essentiel de la foi » et « à exprimer la foi d'une manière qui ne fait pas de mal à l'autre ». « On n'a pas le droit de s'approprier certaines choses de la foi, du salut. Le Christ, mystère de Salut, est un chemin de découverte. Il est encore inconnu en sa totalité. Les rencontres sont une école, et une joie en Église. L'appel à la prière invite à me recentrer sur Dieu : "Rassemble mon cœur pour qu'il Te craigne !", "Seigneur, accueille leur prière !". »

Ils avaient tous rencontré différents visages de l'islam : l'islam orthodoxe, et l'islam mystique ; l'islam aux vues larges et généreuses, et l'islam des interprétations étroites et littérales. Tous avaient éprouvé l'arrogance de ceux qui utilisaient le Coran comme le petit livre rouge de Mao. C'était surtout le fait d'intellectuels et d'étudiants. Ces musulmans-là considéraient que leurs Écritures n'étaient rien moins qu'une photocopie de la Parole de Dieu. Elles ne contenaient aucune ambiguïté, et quand ils citaient des versets coraniques, ils parlaient au nom de Dieu.

F. était un prêtre jésuite. Il travaillait au Centre culturel français à Tlemcen et ne participait qu'occasionnellement au *Ribât*. Il rapporta son expérience, qui confirmait les leurs.

« Je n'ai jamais été plus heureux qu'en travaillant à Tlemcen. Les gens simples vous adoptent sans façon. La pauvreté de notre Église ici nous sert. Libres de toute richesse, sans hiérarchie excessive ni sécurité, nous pouvons vivre proches des gens et partager leur pauvreté. Ma foi n'a pas d'appui autre que ce qui est dans mon cœur. En cela, je ne suis pas différent de vous. Je pense que nous sommes comme l'Église des premiers siècles avant qu'elle ne devienne religion d'État. Franchement, quand je vais à Rome et que je vois toute cette pompe, ces monuments et cette opulence, j'en suis malade. Ce n'est pas ça, le christianisme ! »

L'islam rigide et intolérant, dont ils avaient tous fait l'expérience, lui rappelait le christianisme du XVIᵉ siècle. Il raconta l'histoire de son ami Rachid pour illustrer le genre de folies dont sont capables ceux qui s'enivrent de leur propre suffisance vertueuse, lisent les Écritures en y piochant les citations fragmentaires qui leur conviennent, et s'instituent, dans leur zèle aveugle, grands inquisiteurs de la Parole de Dieu. Rachid avait été un enfant « normal » et sympathique. Il avait même aidé F. à apprendre l'arabe. Au bout d'un certain temps, il l'avait présenté à sa famille, où F. se sentait comme chez lui. Mais après avoir effectué son service militaire, Rachid était revenu à la maison complètement changé.

« Peut-être que son supérieur lui avait fait un lavage de cerveau, je ne sais pas. Tout ce que je sais, c'est qu'ensuite, je n'ai jamais réussi à lui parler. Il était complètement fermé. C'était toujours : "le Coran dit que…", comme si le Coran était Dieu lui-même. »

« Rachid a commencé à harceler sa sœur parce qu'elle ne portait pas le voile. Elle a refusé de se soumettre, lui faisant observer que le Coran n'était pas seulement un catalogue de règles à observer. Finalement, Rachid a été tellement contrarié par la désobéissance de sa sœur qu'un jour il l'a aspergée d'essence et a mis le feu. Tout son corps a été brûlé. Nous avons fait le nécessaire pour l'envoyer d'urgence dans un service spécialisé en France. Elle a survécu grâce à un traitement médical approprié là-bas. »

L'agressivité et l'intolérance, ils en étaient tous d'accord, émanaient essentiellement des intellectuels et de la jeune génération. Leur islam légaliste ressemblait fort au judaïsme des pharisiens, qui avaient reproché à Jésus de guérir les malades le jour du sabbat. Les soufis, pensaient-ils, jouaient un rôle un peu comparable, dans l'islam, à celui de Jésus dans le judaïsme de son temps : ils mettaient l'accent sur l'esprit de charité plutôt que sur l'obéissance rituelle et formaliste. L'islam des gens ordinaires était, à leur avis, plus proche, dans son intention, du soufisme. Pour le petit peuple, toujours humble et sans prétention, la foi était une affaire personnelle entre Dieu et soi. Le plus important était d'avoir bon cœur et de montrer un esprit généreux. Le groupe pensait que le soufisme pourrait peut-être corriger les aspects trop légalistes de l'islam de la même manière que le christianisme l'avait fait pour le judaïsme.

Certains participants comparaient l'islam au protestantisme, du fait de sa relative absence de hiérarchie, de son insistance sur la relation directe entre Dieu et le croyant, et de son respect pour la réussite matérielle comme signe de bénédiction du Tout-puissant. D'autres, au contraire, trouvaient que l'islam ressemblait au catholicisme, avec son goût pour le rituel et la récitation, ainsi que son culte des saints dans les milieux populaires. D'ailleurs, il n'y avait pas si longtemps, l'Église catholique était régie par de nombreuses règles, dont certaines prônaient une séparation stricte entre hommes et femmes. Cette dernière observation émanait de Christian, qui avait irrité plusieurs de ses frères trappistes lorsqu'il avait autorisé les Petites sœurs de Jésus à utiliser les bâtiments inoccupés de Tibhirine pour leurs retraites estivales.

Le prieur de Tibhirine conclut : « On finit toujours par rencontrer l'autre au niveau où on le cherche. » Sa remarque, se souvient Claude Rault dans son compte rendu, entraîna l'ensemble du groupe à réfléchir sur l'attitude profonde de chacun dans la rencontre avec l'islam – la qualité de leur écoute et de leur regard sur l'autre : « Dans toutes ces rencontres, nous soulignons l'importance du cœur, de l'attente, de l'écoute… de l'attention à l'Esprit. »

Le deuxième jour, leurs amis musulmans arrivèrent. Comme d'habitude, un sujet de discussion avait été choisi à l'avance : l'humilité.

« Le *Ribât* est né la même année, le même mois, que la révolution islamique en Iran, rappela Claude Rault aux visiteurs. Et il rêve toujours de révolution! Parce que ce rêve n'est pas de nous, Dieu a permis que nous rencontrions des frères qui l'ont partagé, nous interdisant, jour après jour, de nous laisser enfermer dans une définition de l'islam qui ne rendrait pas justice à ce qu'ils vivent avec nous, au nom de leur foi. Il était bon que cet anniversaire soit vécu sous le signe de l'humilité. »

Sœur M. constatait l'humilité de ses voisins immédiats. « L'humilité, je la trouve très fort dans l'entourage. Cette simplicité, cette sérénité, cette patience dans les épreuves me sont de plus en plus une présence de Dieu, une transparence. La soif d'amitié aussi, qui témoigne d'un cœur simple, "sans artifice" dirait le Seigneur. Dans le paradis, les élus doivent avoir le visage de ces gens si simples : un visage humble, désarmé, qui attend tout de son Dieu. Après vingt ans à Bir el Ater, c'est une immense action de grâce qui m'habite. J'ai été aimée par cette population, j'ai reçu énormément et ne sais comment rendre grâce à Dieu. » Sœur O., qui habitait dans le quartier de Kouba, à Alger, avait été personnellement victime de réactions extrémistes après les émeutes d'octobre 1988. Elle ne pouvait plus sortir dans la rue avec sa croix sans que des jeunes gens la traitent publiquement d'« infidèle » : « Le thème de l'humilité m'a aidée à garder une ligne non-violente bien que je sois tentée de réagir par rapport à une certaine agressivité. »

Sœur H., enseignante, avait une classe difficile. C'était la seule femme et la seule étrangère de son établissement, et elle se sentait isolée et harcelée. Elle était tentée de réagir, de protester. « Comment vivre la non-violence? Est-ce que, dans le Coran, il y a des versets qui parlent de l'humilité envers les hommes? », demanda-t-elle à M., l'un des musulmans du groupe.

« Dieu est en chacun de nous, répondit-il, donc c'est la même chose : l'humilité, elle est envers Dieu mais aussi envers tous les hommes. Peut-être connaissez-vous le verset du Coran qui dit : "Ne détourne pas ton visage des hommes, ne foule pas la terre avec arrogance : car Allâh n'aime pas le présomptueux plein de gloriole. Sois modeste dans ta démarche, et baisse ta voix, car la plus détestée des voix, c'est bien la voix des ânes." Beaucoup de ces jeunes qui rendent la vie difficile aux chrétiens sont des ânes qui ne savent que braire. Le chemin à suivre pour aller à Dieu, c'est l'humilité. Celui qui se souvient de Dieu en toute occasion ne peut être ni arrogant, ni violent. Se souvenir de Dieu le matin et le soir, cela veut dire tout le temps. "Ils se prosternent" est le geste suprême de l'humilité. »

« Mais j'imagine que ces gens-là prient. Ils lisent le Coran. Pourquoi ce comportement ? »

« Oui, mais leurs cœurs sont remplis de colère et de haine et ils détournent le sens des Écritures pour qu'elles servent leur propre cause, répondit M.. Le Coran précise qu'"Allâh ne modifie point l'état d'un peuple, tant que les [individus qui le composent] ne modifient pas ce qui est en eux-mêmes". Les faux croyants professent leur foi avec les lèvres mais pas au fond de leur cœur. »

Claude Rault rappela à Sœur H. l'une des sentences des Pères du Désert : « Une âme pleine de douceur vaut mieux qu'un moine dominé par la passion et la colère. » Il ajouta : « La vérité qui écrase n'est pas vraie, il faut qu'elle soit humble. Il faut être vrai dans l'attitude. Jésus dit : "Je suis doux et humble de cœur." Bien souvent, c'est la parole de vérité avant tout. Mais trop de vérités sont des "assommoirs" et ne peuvent donc convaincre. »

L'idée selon laquelle la vérité ne se laisse découvrir qu'au prix de l'humilité fournirait le thème de la prochaine réunion. Mais, s'interrogèrent les participants, comment faudrait-il en présenter l'intitulé pour leurs amis musulmans ? *Al haqa* se traduisait par « le vrai », tandis qu'*al haqiqa* voulait dire « la vérité ». La première formulation renvoyait à la vérité comme attribut de Dieu, alors que la seconde exprimait le mystère même de la divinité. Le groupe opta finalement pour *al haqiqa* et préféra à « Conduis-nous *vers* la vérité » la formule : « Conduis-nous *dans* la vérité ».

« Oui, la vérité de Dieu est toujours à découvrir, elle n'est jamais donnée toute cuite. » Christophe [22] venait de se lancer dans la conversation, avec la passion qui le caractérisait lorsque de tels sujets étaient abordés. « La Bible, comme le Coran, doit être lue comme un tout. Ancien et Nouveau Testaments. C'est comme une mâchoire. Vous avez besoin de la mâchoire supérieure et de la mâchoire inférieure pour mastiquer. On ne doit jamais se satisfaire de lire un texte isolé de son contexte global. C'est la seule manière de pouvoir espérer comprendre la Parole de Dieu. Nous devons chercher la vérité qui vient de la vie, de la rencontre des gens, et de l'amour : des vérités qui nous font progresser, pas celles qui ne font que titiller notre intellect. »

Christophe Lebreton avait découvert, depuis son arrivée à Tibhirine en 1987, que les vérités de la vie quotidienne l'obligeaient à porter un regard neuf sur le contenu de sa foi. Lui aussi avait été touché par l'hospitalité de ses voisins, et avait été conforté dans sa perspective de croyant par leurs propos et pensées toujours référés, dans leur simplicité, à Dieu. Ses convictions religieuses ne s'embarrassaient pas de complications doctrinales, mais s'enracinaient profondément en Jésus-Christ. L'Incarnation était le moyen que Dieu avait choisi pour permettre à ses créatures de connaître son amour. Cet amour trouvait son expression dans une relation d'ami, de parent, d'époux, de médecin, d'enseignant, de protecteur, et, pour les âmes suffisantes, de provocateur. La vie chrétienne était d'abord, selon lui, une vie d'amitié à partager avec les autres. Suivre Jésus, c'était aimer comme lui. Aimer comme lui, c'était devenir un ami. En français, le lien entre le verbe *aimer* et les substantifs *ami* et *amitié* est très clair : leur commune racine est le mot-clé *amour*.

« Il y avait, depuis sa plus tendre enfance, quelque chose de particulier chez lui. Il était d'une nature généreuse et se montrait

---

(22) Frère Christophe assistait au *Ribât* en « auditeur libre » à cette époque, car sa demande d'admission date du jeudi 9 juin 1994, après l'assassinat d'Henri Vergès [NDT].

toujours attentif aux besoins des autres », se souvient la mère de Christophe. Chaleureuse et douce comme une grand-mère, Jehanne Lebreton, assise dans son salon, face aux montagnes ardéchoises, près de Montélimar, se rappelait, peine et joie mêlées, la jeunesse de son fils. « Mais il avait aussi un penchant très contemplatif. Quand Christophe était coopérant en Algérie au début des années 1970, il s'était rendu au monastère de Tibhirine et avait été conquis par sa beauté et sa simplicité. »

Les Lebreton étaient originaires de Blois, dans la vallée de la Loire, où le père de Christophe dirigeait une coopérative d'élevage de taureaux. Sa mère était une catholique profondément croyante, mais Christophe fut le seul de ses douze enfants à entrer dans les ordres. Ce dernier ne se passionna jamais pour le droit, qu'il étudiait à l'Université de Tours quand des milliers d'étudiants investirent les rues de Paris en 1968. Comme les émeutes algériennes de 1988, le soulèvement parisien commença sous la forme d'une protestation contre les mauvaises conditions d'études à l'université et se termina par des exigences de réformes pour plus de justice sociale. Christophe se joignit aux manifestants, mais réalisa ensuite qu'il ne savait pas exactement ce qu'il faisait là, au milieu de cette foule anonyme : « Emporté dans le tourbillon de cette psychologie de masse, j'ai senti un vide total, une absence de sens et de projet », écrivit-il plus tard. Ce fut un tournant dans sa vie, qui le conduisit à combattre sous une autre bannière.

Ce fils de bonne famille devenu rebelle antibourgeois, après avoir flirté avec le marxisme, commença à passer ses étés à travailler aux côtés de l'abbé Pierre. Avec sa cape noire reconnaissable entre toutes, son béret, ses lunettes épaisses et sa démarche claudicante, héritage d'une blessure dans la Résistance, ce prêtre était devenu un héros national très populaire. Après la Deuxième guerre mondiale, il s'était battu, seul contre tous, afin que la bureaucratie parisienne trouve des logements pour des milliers de sans-abri. Dans un pays où Dieu n'a aucune existence officielle, où aucun représentant des pouvoirs publics ne prête serment sur la Bible ou n'ose invoquer le nom de Dieu en public, ce « curé » caracole en tête des sondages depuis des dizaines d'années [23]. En travaillant avec les sans-logis et les anciens détenus dans les camps d'Emmaüs de l'abbé Pierre, Christophe développa un sens aigu de la présence de Dieu parmi les pauvres. Ils étaient modestes, ne manquait-il pas de faire observer à ses parents, et seulement les humbles de cœur pouvaient approcher Dieu.

Christophe avait choisi le monastère savoyard de Tamié plutôt que celui d'Aiguebelle dans la Drôme parce que ce dernier lui semblait trop imposant et que vivre de la fabrication d'alcool lui posait problème. Mais Tamié, dès le début, le mit également mal à l'aise. La communauté ne vivait pas assez pauvrement. Les moines étaient censés mettre leurs pas dans ceux du Christ. Mais la vie au monastère était trop confortable et la nourriture trop bonne. Il n'aimait pas non plus le silence, spécialement aux repas. Il jugeait cette pratique peu fraternelle. Il refusait également de vouvoyer l'abbé, préférant le tutoyer. C'était une question de simplicité. Quand les téléphones sans fil firent leur apparition dans les années 1980, il se débarrassa du sien. Ces appareils n'avaient rien de monastique. Les pauvres n'en possédaient pas, insistait-il. Pourquoi les moines en auraient-ils besoin ? De plus en plus perplexe, l'abbé décida d'envoyer le novice pour une évaluation chez un psychiatre. Ce dernier parvint à la conclusion que Christophe n'avait aucune espèce de trouble psychique : le problème venait plutôt de la communauté.

En 1975, un an après son entrée à Notre-Dame de Tamié, le jeune novice de vingt-cinq ans demanda à partir pour Notre-Dame de l'Atlas, où les moines vivaient davantage la pauvreté évangélique telle qu'il la comprenait. Mais dix mois plus tard, il était de retour à Tamié. L'entente avec les onze frères de Tibhirine, la plupart beaucoup plus âgés que lui, n'avait pas été meilleure. En outre, l'Ordre continuait de douter du bien-fondé d'une communauté

(23) Que l'abbé Pierre ait été rejoint dans les sondages par le footballeur Zinédine Zidane, Français d'origine kabyle, est également très intéressant [NDA].

110

en terre musulmane. De ce fait, Christophe avait l'impression que son départ pour l'Algérie avait été un « faux appel ». Il expliqua un jour à un ami qu'il n'avait suivi, en cette occasion, que son propre désir intérieur. Lorsque, dix ans plus tard, il se sentit à nouveau appelé, il y avait, cette fois-ci, un besoin objectif : le monastère était devenu autonome, Christian avait été élu prieur, et il cherchait de nouveaux frères pour vivre un vrai projet communautaire unissant anciens et plus jeunes.

Entre Christophe et Christian, il y avait une certaine affinité, ou, peut-être, des traits de caractère communs. Tous deux étaient issus de familles nombreuses et avaient été élevés par des mères profondément croyantes. Chacun avait montré, dès le plus jeune âge, un attrait pour le sacerdoce. Les deux hommes étaient d'une grande sensibilité, et devaient lutter contre leur tendance à s'emporter facilement. Enfin, ces deux intellectuels partageaient une même méfiance à l'endroit des discours théoriques sur la vie : ceux-ci dégénéraient trop souvent, à leurs yeux, en discussions abstraites et doctrinales vainement polémiques.

Depuis 1984, les comptes rendus détaillés du *Ribât* finissaient tous sur le bureau de Maurice Borrmans à l'Institut pontifical d'études arabes et d'islamologie, où beaucoup de chrétiens arabisants du groupe avaient reçu leur formation. Christian rendait visite au père Borrmans chaque fois qu'il était de passage à Rome. Les deux hommes continuaient d'entretenir une relation très cordiale même si le spécialiste du monde arabe rappelait parfois au moine de l'Atlas que sa communion avec l'islam était d'autant plus facile qu'il rencontrait seulement ceux qui étaient disposés à dialoguer avec des chrétiens. Pointant du doigt les dossiers accumulés sur la table, tout en arborant le sourire charmeur dont il avait le secret, Christian ne manquait jamais de taquiner son ancien professeur : « Pourquoi te fatigues-tu à lire ces piles d'articles et d'études ? Vis avec les musulmans et communie à ce qu'ils ont dans le cœur ! »

Mais comment communier au plus profond, lui rétorquait son

ancien directeur de recherche, si les esprits étaient encombrés de mensonges et de sottises? « Le cerveau affecte le cœur. Je suis dans une ornière. Je dois donner des cours, diriger des publications, et discuter avec des gens qui prétendent que le christianisme est polythéiste! Je dois m'adresser à des personnes sans aucune humilité qui ont sacralisé l'islam. "L'islam dit ceci", "l'islam dit cela", comme s'ils parlaient pour Dieu en personne! Toi, tu es là-haut sur la montagne en compagnie de mystiques soufis qui te ressemblent. Moi, je n'ai pas la chance de vivre ce partage spirituel avec des chercheurs de Dieu comme toi... »

Le père Borrmans avait la même opinion des voisins immédiats du monastère. Il les appelait « les pauvres de la Bible ». « Ce sont des gens à la foi simple, sans aucune prétention intellectuelle. Ils ne s'embarrassent pas de considérations théologiques. Pourquoi Dieu a-t-il choisi les pauvres et les enfants pour délivrer son message? Les riches croient pouvoir se passer de Dieu, et les savants pensent avoir réponse à tout. »

Christian avait compris ce que d'autres dans l'Église en Algérie avaient découvert aussi : le savoir s'enfle souvent d'orgueil tandis que l'amour, lui, édifie toujours. « Le dialogue qui s'est ainsi institué a son mode propre, essentiellement caractérisé par le fait que nous n'en prenons jamais l'initiative. Je le qualifierais volontiers d'existentiel. Il est le fruit d'un long "vivre ensemble", et de soucis partagés, parfois très concrets », observa Christian dans sa communication aux Journées romaines bisannuelles, à l'automne 1989. Ces rencontres avaient été organisées pour la première fois en 1956 pour permettre aux chrétiens vivant en pays musulman de faire connaissance et de mettre en commun leur expérience. Après de nombreuses années passées en terre d'islam, les participants étaient tous arrivés à la conclusion que leur environnement particulier avait eu des conséquences positives pour leur foi. L'islam les obligeait à devenir de meilleurs chrétiens. Ils notaient souvent qu'ils devaient vivre le cinquième évangile, l'évangile de la vie vécue et non seulement de la parole prêchée. Le dialogue est « rarement d'ordre strictement théologique », expliquait encore Christian dans sa communication romaine. « Nous fuyons plutôt les joutes de ce genre. Je les crois bornées. » Les petits gestes de la vie quotidienne partagée s'avéraient plus féconds : « Un verre d'eau offert ou reçu, un morceau de pain partagé, un coup de main donné, parlent plus juste qu'un manuel de théologie sur ce qu'il est possible d'être ensemble. »

Christian était un intellectuel, mais il considérait la vertu de l'exemple comme le préalable indispensable pour donner crédit à la parole. Après avoir été élu prieur, il avait fini par pratiquer cet art de la vie partagée avec ses frères. Ceux-ci lui avaient enfin donné leur confiance, malgré leurs appréhensions. Désormais, il devait leur faire confiance, lui aussi. Le cardinal Duval répétait souvent : « Répandez la confiance autour de vous! Ce sera le moyen de la récupérer pour vous-même. » La confiance que les frères avaient exprimée en élisant Christian prieur pour six ans avait rendu ce dernier plus confiant encore en eux. Il se montra beaucoup plus patient et compréhensif. Il leva un peu le pied, réalisant qu'il ne pouvait pas se jeter à corps perdu dans le dialogue avec ses voisins musulmans si, dans le même temps, il ne parvenait pas à comprendre les attentes de ses propres frères. « On assista à une osmose de part et d'autre », se rappelle Claude Rault. Christian fit l'effort de mieux connaître chacun des frères pour mieux apprécier toutes les fleurs du bouquet communautaire. En réponse à ces efforts, son désir de marcher vers Dieu en compagnie des musulmans et de faire sentir à leurs voisins qu'ils faisaient partie de la grande famille du monastère commença à faire son chemin dans l'esprit des moines.

Il y avait un côté pratique à cette démarche. Les moines possédaient un tracteur, mais ils devaient emprunter une charrue. Ils troquèrent l'utilisation de leur chargeur de batterie contre des œufs. Les villageois ne mangeaient pas de porc et prirent donc l'habitude de donner aux moines les carcasses des sangliers qu'ils avaient abattus. Christian assouplit la règle interdisant la consommation de viande en clôture [24] pour honorer ce geste de partage. Parfois les hommes du voisinage étaient invités à prendre un repas avec les moines au réfectoire. Quant aux réunions du *Ribât*, les frères les considérèrent d'abord comme une excentricité de leur prieur mais finirent par les accepter comme étant une des dimensions de sa vocation.

Christian vivait sa foi dans un esprit très radical, mais il ne chercha jamais à imposer aux autres ses propres convictions. La religion ne servait à rien, disait-il, si elle n'aidait pas les hommes à vivre ensemble.

---

(24) Dans la Règle de saint Benoît, seule la consommation de bipèdes est autorisée (chapitre 39, verset 11), et dans l'Ordre des cisterciens de la stricte observance, toute forme de viande est proscrite. Dans l'Antiquité et au Moyen Âge, le poisson était généralement moins cher que la viande rouge, produit de luxe. Il n'en va plus ainsi dans l'Europe du XXIᵉ siècle – c'est bien plutôt l'inverse – mais les trappistes sont restés fidèles à cette vieille tradition qui se voulait signe de pauvreté. Ce choix alimentaire obéit également à l'idée selon laquelle les nourritures carnées ne favoriseraient pas la maîtrise de la sexualité [NDT].

VI. SOUS LE REGARD DE LA VIERGE

Et la vierge Marie qui avait préservé sa chasteté ! Nous insufflâmes en elle un souffle de vie venant de Nous et fîmes d'elle ainsi que de son fils, un signe pour l'univers.

Coran 21, 91

Le bruit sous les fenêtres de l'appartement de l'abbé Jean Scotto était assourdissant. Des milliers de fidèles s'étaient rassemblés pour la prière du milieu du jour, se déversant dans la rue, où des haut-parleurs transmettaient les paroles de l'imam à quelques centaines d'autres personnes, prosternées sur le trottoir. Leur nombre impressionna Jean-Marc Thévenet, qui arrivait tout juste de France où les églises faisaient rarement le plein. Philippe Hémon et Paul Favre-Miville l'avaient accompagné depuis l'abbaye Notre-Dame de Tamié pour l'ordination de Christophe. Philippe était un grand ami du futur prêtre depuis leur noviciat, effectué ensemble en Savoie, à l'époque où Dom François de Sales était supérieur – Jean-Marc étant son successeur. Seul Paul était venu dans l'intention de demeurer à Tibhirine définitivement, pour y vivre un monachisme plus simple et plus pauvre qu'à Tamié. Tous les trois avaient choisi de s'arrêter à Alger pour déjeuner avec le légendaire abbé Scotto avant de faire la centaine de kilomètres qui les séparait du monastère de Tibhirine.

115

La scène qui se déroulait sous la fenêtre de sa cuisine rappelait de vieux souvenirs à Jean Scotto, qui, en présence de ses visiteurs, en avait les larmes aux yeux. L'ancien curé de Bab el-Oued avait fermement pris la défense des Algériens, avec Mgr Duval, dans leur combat pour le droit à l'autodétermination. Il avait même abrité des sympathisants du FLN pendant la guerre et avait été traité par l'armée française de « prêtre rouge ». Comme Mgr Duval, il avait reçu la nationalité algérienne après l'indépendance.

Quand les premières élections municipales avaient eu lieu en 1967, le quartier de Belcourt, qui avait vu grandir le jeune Albert Camus dans un environnement plutôt populaire et européen, était devenu majoritairement musulman. Cependant, ses habitants avaient demandé à l'abbé Scotto de devenir leur représentant au conseil municipal. Son équipe de campagne l'avait fait élire avec ce slogan : « Vous pouvez voter pour cet homme : il ne vous volera ni votre argent ni votre femme. » Fort de ses 100 % de voix obtenues, ce fils d'immigrés italiens, avec son franc-parler, sa barbe taillée au carré et son physique d'entraîneur de boxe, petit mais pugnace, était devenu le premier représentant de Belcourt dans la nouvelle équipe municipale élue après l'indépendance. L'abbé Scotto était convaincu que cette immersion dans la société musulmane était saine pour l'Église. Il disait souvent qu'elle la sauvait du nombrilisme stérile auquel elle succombait trop souvent ailleurs.

Cet homme simple et modeste n'éprouvait aucun attrait pour les signes extérieurs de la hiérarchie ecclésiastique. Nommé évêque de Constantine, à la vue de sa nouvelle résidence épiscopale, il avait été embarrassé d'hériter un logement si spacieux et confortable. « On aurait pu s'y promener en vélo », expliqua-t-il à un journaliste français. Il donna donc l'évêché au Croissant Rouge algérien. « Il ne faudrait pas qu'on donne l'impression qu'être évêque, c'est avoir un bel anneau en or, une belle crosse, une quantité de mitres, voire une Mercedes. [...] Au bout de tant de siècles, l'Église est devenue une puissance et il lui est difficile d'y renoncer. Pourtant, il faut répondre à l'autre attente. Et je ne désespère pas. »

Le pouvoir algérien aurait été bien inspiré de suivre l'exemple de l'abbé Scotto. Car la fascination pour les voitures de luxe et autres symboles de réussite sociale, dans un pays croulant sous le poids de la misère et secoué par les espoirs déçus de la jeune génération, ne faisait que renforcer l'agitation politique que les frères de Tamié découvraient dans les rues de Belcourt.

Les indices de l'échec économique, en décembre 1989, n'échappèrent pas aux trois hommes, tandis qu'ils gravissaient, dans la vieille 4L Renault cabossée du monastère, les Monts du Sahel, ce balcon de grès aux couleurs de sable jaune dominant la baie d'Alger. Ils traversèrent d'abord les quartiers ombragés d'Hydra, de Birmandreis et de Birkhadem avant de descendre en direction du sud dans les vignobles et les cultures maraîchères de la Mitidja. Cette vaste plaine alluviale, jadis marécage infesté de moustiques, avait été transformée par les pieds-noirs en terre agricole fertile, produisant des vins et des agrumes vendus dans toute l'Europe. Ils prirent ensuite la N1 vers l'ouest, au milieu de vignes abandonnées et de canaux d'irrigation mal entretenus au nord de la plaine, passèrent Boufarik, berceau de la boisson gazeuse Orangina, puis se dirigèrent plein sud vers Blida, la cité des roses qui abrite encore une prison d'origine française et qui s'ouvre sur la chaîne de l'Atlas s'étendant vers le Maroc. Tout au long du parcours, ils aperçurent des chantiers d'habitations et de mosquées inachevés. L'impression de stagnation et de dégénérescence était palpable.

De Blida, ils empruntèrent un chemin escarpé à travers les gorges de la Chiffa, légendaire repaire de bandits et de singes de Barbarie, pour rejoindre Médéa. Cette ville sainte de 100 000 habitants s'appelait autrefois Lambdia et faisait partie de la province romaine de Maurétanie césarienne. Aujourd'hui, Médéa donne son nom à tout le plateau environnant, le Médéa, dont les terres semi-arides descendent par paliers successifs vers l'immense désert qui s'étend jusqu'au Niger et au Mali. Le programme de développement industriel du FLN dans les années 1970 transforma l'économie agricole de Médéa en une zone de fabrication de produits pharmaceutiques et d'usines de ciment, complétée par un embryon de recherche dans le domaine nucléaire. C'était aussi une ville réputée pour son conservatisme, où la mixité n'avait jamais été introduite dans les établissements scolaires. Les filles et les garçons avaient toujours fréquenté des écoles séparées, les femmes se couvraient la tête et ne quittaient la maison que pour se rendre au bain maure, au marché ou à la mosquée. « Nous ne nous sentions pas menacés à l'époque », se souvient Jean-Marc. « L'agitation qui régnait dans les rues et les mosquées n'avait pas encore pris pour cible les étrangers. Lorsque nous nous rendions au marché, les gens se montraient toujours très amicaux. »

Un orage hivernal et leur arrivée tardive avaient caché aux nouveaux venus la beauté du paysage autour du monastère. Ils le découvrirent seulement le lendemain matin, à six heures, tandis qu'ils se préparaient pour les laudes. En regardant vers le nord, depuis la terrasse de pierre fissurée sur laquelle donnaient leurs chambres, ils pouvaient admirer, de l'autre côté d'une vallée encore noyée dans la brume, la beauté sauvage des montagnes du Tamesguida, couvertes de pins. Dans la lumière matinale rendue cristalline par les pluies de la veille, les crêtes se détachaient sur le bleu profond de l'azur.

Soudain, un cri déchira le silence, à la grande surprise de Philippe : « *Allâhu akbar, Allâhu akbar; achhadu an lâ ilâha ill'Allâh.* » « Dieu est plus grand, il n'y a pas de Dieu sauf Allâh… Courez à la prière! Courez vers le salut! » Réalité inconnue de lui jusqu'alors, Philippe se trouvait dans un monastère où les cloches de l'église et l'appel à la prière du muezzin cohabitaient à l'intérieur de la même clôture. « J'ai entendu monter dans le ciel la voix du muezzin, belle, priante, pacifiée, pacifiante… il est vrai, Dieu habite d'abord la louange de son peuple! », écrivit-il plus tard dans son journal.

Deux ans auparavant, la campagne de construction de mosquées lancée par le gouvernement avait atteint les portes du monastère. Le site proposé se situait juste en face de la grande entrée. Les moines accueillirent cette provocation avec un humour teinté d'ironie, car les ouvriers demandèrent rapidement de pouvoir stocker leur matériel à l'intérieur des murs du monastère pour qu'il ne soit pas volé durant la nuit! Après que la dalle de fondation fût coulée, l'argent vint à manquer et Christian proposa aux frères de mettre à la disposition de leurs voisins, pour la prière, la salle de réception attenante au dispensaire, qui n'était pas utilisée. Le bâtiment était directement accessible depuis la route, et les villageois pouvaient ainsi aller et venir en toute liberté.

L'union des prières musulmane et chrétienne était le symbole d'une réalité à laquelle Christian tenait beaucoup : la communion de tous les enfants de Dieu, qui est au cœur du divin. Mais la rumeur courut que certains musulmans s'interrogeaient sur les véritables raisons de cette générosité. Cette apparente bonté n'était-elle pas seulement tactique pour subtilement saper la foi des croyants? Dans l'Église, les initiatives de Christian n'étaient pas non plus acceptées par tous. On murmurait que les musulmans n'étaient guère disposés à respecter la diversité d'expression de la foi en un même Dieu. Mais Christian donnait toujours la même réponse : l'amour du Christ n'impose pas la réciprocité et ne se limite pas à une catégorie de personnes. Il est gratuit.

Cette gratuité caractérisait l'amitié de beaucoup de musulmans algériens venus à Tibhirine ce 1er janvier 1990 pour l'ordination de Christophe, présidée par l'archevêque d'Alger, Henri Teissier. C'était une époque où les extrémistes islamistes* crachaient sur les chrétiens qui portaient une croix en public, menaçaient les propriétaires de bars-tabac, et harcelaient les femmes aux robes trop courtes. Ce n'était pas sans risque que ces musulmans s'étaient rendus au monastère. Ils se joignirent aux vingt-sept membres de la famille Lebreton dans la vieille cave à vin que Christian avait contribué à transformer en chapelle dans les années 1970.

Tous ces visages familiers étaient rassemblés dans l'intimité chaleureuse créée par des murs de pierre ornés de carreaux aux motifs floraux bleu pâle, derniers vestiges des anciennes cuves à vin. Tout le monde n'avait pu venir de France, en particulier

Jean-Bernard Beghetti, cet ami marseillais handicapé, familier de l'abbaye de Tamié, qui fut accueilli trois fois à Tibhirine, en d'autres occasions. Mais il y avait Joseph Carmona, curé à Hussein-Dey, qui avait connu Christophe à l'époque de son service comme coopérant à Alger. Il avait joué un rôle crucial en persuadant Jean de la Croix, alors nouvel abbé d'Aiguebelle, de ne pas fermer le monastère en 1964. Le père Carmona lui avait déclaré sans ambages qu'il ne pourrait plus continuer son ministère en Algérie sans le monastère. Il y avait aussi le directeur du séminaire que Christophe avait fréquenté à Blois, et Mme Marie-Thérèse Brau, l'incorrigible fumeuse de pipe toujours aussi généreusement au service des handicapés de la capitale algérienne, et avec qui Christophe avait travaillé dans les années 1970. La moitié de ceux qui se tenaient dans la chapelle n'étaient autres que ses amis musulmans d'Alger ou de Médéa, et ses voisins ou associés de Tibhirine : Mohammed, Moussa, Ali, Ben Ali, Salim, et d'autres. Tous participaient à la célébration, entrecoupée de paroles en arabe. La famille Lebreton, occupait, quant à elle, l'autre moitié des places.

« Veux-tu devenir prêtre, collaborateur des évêques, accomplir fidèlement le ministère de la Parole, t'unir davantage au souverain prêtre Jésus-Christ ? » demanda l'évêque.

« Oui, je le veux, avec la grâce de Dieu. »

À la fin de l'échange, Christophe s'agenouilla et mit ses mains entre celles de Mgr Teissier.

« Promets-tu de vivre en communion avec moi et mes successeurs, dans le respect et l'obéissance ? »

« Oui, je le promets. »

« Que Dieu lui-même achève en toi ce qu'il a commencé. »

Le chantre entonna alors la litanie des saints, suivie de la prosternation. Puis vint le moment de l'imposition des mains par Mgr Teissier, geste répété par le père Carmona et les autres prêtres présents. Vêtus de leurs étoles blanches ornées de formes géométriques rouges d'inspiration berbère, tous transmirent ainsi sacramentellement la grâce de Jésus-Christ, l'unique médiateur et grand prêtre entre Dieu et les hommes.

Dans son homélie, l'archevêque fit quelques remarques liées au contexte original de l'ordination de Christophe. « Il y a une certaine inconscience à célébrer solennellement cette ordination dans un pays musulman. Nous sommes, avec le sacerdoce, vraiment au niveau du spécifique chrétien le plus étranger aux perspectives de l'islam. Celui-ci, en effet, ne reconnaît, en principe, pas de médiation entre Dieu et l'homme, sauf l'intercession ultime du prophète pour les membres de sa communauté. Nous allons donc vivre ensemble une conviction proprement chrétienne. Le Christ est le Médiateur entre Dieu et les hommes. L'Église tout entière reçoit du Christ cette médiation pour elle-même d'abord, mais aussi pour le monde entier. Le sacerdoce ministériel la met en œuvre dans la communauté. En apparence nous vivons donc une réalité spirituelle sans relation à l'islam. En réalité, ce que Christophe va maintenant recevoir est en lien profond avec la vocation de notre Église à être l'Église d'un peuple musulman. La médiation du Christ est universelle. Le sacerdoce ministériel que Christophe vivra sera au service de cette médiation universelle. C'est pour l'Église d'Algérie, mais aussi pour tout le peuple d'Algérie et pour tout le peuple de l'islam que Christophe va recevoir le sacerdoce. Il doit vivre l'eucharistie de tout le peuple, le service de la Parole pour tout le peuple, celui de la réconciliation, de l'unité ou de la Mission, pour tout le peuple. Nous sommes prêtres de la communauté chrétienne, mais la communauté chrétienne est sacerdotale pour tout le peuple des hommes. C'est dans cette perspective universelle que nous voulons maintenant demander à l'Esprit de Dieu, pour Christophe, le sacerdoce ministériel de l'Église du Christ. »

Mgr Teissier termina en citant une réflexion de Christophe : « Le prêtre est appelé à servir le don de Dieu, afin que tous y aient part. Ce don traverse l'islam et agit au cœur de la foi de ses croyants. » L'archevêque demanda ensuite au nouveau prêtre de dire un mot de conclusion. « C'est encore tout chaud… Je suis plutôt débordé par le Don de Dieu. C'est normal, car Dieu est plus grand que notre cœur! Heureusement, vous êtes là! Nous sommes un seul cœur. Le cœur, c'est le cœur de l'Église; c'est le cœur d'une maman, qui est toujours très grand; c'est le cœur de Marie; c'est le cœur de l'Église débordée par l'amour de Jésus. J'ai une seule chose à vous dire, c'est le "je t'aime" de Jésus. Nous avons tous besoin de ce "je t'aime" pour vivre. Ce "je t'aime" n'est pas seulement pour nous [chrétiens] mais pour tout le monde. Et je vois là-bas Mohammed et Ahmed… Il est pour ce pays qui en a tant besoin, ce cœur de l'Église aimant pour nous qui sommes là et pour tous ceux qui nous entourent. »

Christian invita l'ami de Christophe, Philippe Hémon, à revenir l'année suivante, et finalement chaque année. Il savait que ses frères se sentaient isolés. Le contact avec quelqu'un venu de France était bon pour le moral. Philippe avait profité de son séjour de deux semaines pour discuter avec chacun des moines et leur avait donné des nouvelles de l'Hexagone. Il avait aussi des compétences en matière liturgique.

Les psaumes sont le cœur de l'office divin, et le chantre de Tamié maîtrisait parfaitement l'art de la psalmodie. Or, un des problèmes à Tibhirine en 1989 était le manque de savoir-faire pour renouveler la liturgie, qui n'avait pas été modifiée depuis les années 1960, quand le père Ælred, lui aussi de Tamié, avait introduit la liturgie en français. Célestin était un organiste accompli et un chanteur à la voix magnifique, mais, à cinquante-six ans, ayant rejoint l'Ordre seulement sur le tard, il n'avait pas suffisamment intériorisé l'interprétation proprement monastique de la psalmodie. Frère Jean-Pierre, fort de ses trente ans d'expérience au chœur, aurait pu guider la communauté dans ses choix de répertoire mais il manquait d'assurance pour décider tout seul du cap à tenir.

Philippe avait d'abord pensé qu'une simplification de la liturgie s'imposait pour s'adapter au potentiel forcément limité d'une petite communauté. Mais il s'était vite rendu compte qu'il faisait fausse route. La prière des heures était le cœur de la vie communautaire. Ses frères étaient des « priants parmi d'autres priants », vivant comme leurs voisins dans un monde extrêmement austère. Plutôt que d'appauvrir la liturgie en la simplifiant, il comprit qu'il devait au contraire l'enrichir. Il se mit à réécrire à la main certaines feuilles d'offices qui avaient été ronéotypées à l'encre bleue et s'avéraient maintenant à peine lisibles, même si les moines savaient presque tous les psaumes par cœur.

La totalité de ces cent cinquante poèmes attribués au Roi David est chantée sur une période de quinze jours dans tous les monastères de tradition bénédictine à travers le monde, même si la Règle de saint Benoît propose en fait un rythme deux fois plus soutenu, sur une semaine seulement. Si les Pères du Désert pouvaient réciter tout le psautier en une journée, leurs héritiers moins zélés pouvaient bien le chanter en sept jours, pensait saint Benoît. La Règle suggère une distribution particulière et précise des psaumes, mais laisse à chaque communauté le soin d'adapter le dispositif à sa convenance. « *Avant tout, nous insistons sur ce point : si l'ordre des psaumes donné ici ne plaît pas à quelqu'un, il peut choisir un autre ordre qu'il juge meilleur.* » Les hommes n'ont pas été créés pour la Règle, c'est la Règle qui a été conçue pour les hommes, qui doivent donc faire preuve de modération, de bon sens et d'une certaine souplesse dans son application.

Philippe Hémon est comme une bouche d'incendie : petit de taille, mais sous haute pression. Il relate sans fard sa première expérience de vie en milieu musulman. L'arrachant à son travail d'expertise liturgique et à ses échanges fraternels en communauté, Christian l'emmena un jour rencontrer quelques-uns de leurs voisins soufis à Médéa, membres du *Ribât*. « L'islam est radical dans sa foi et sa piété, observe Philippe. Obéir veut dire obéir. Les chrétiens peuvent parfois sombrer dans le jésuitisme. Nous sommes doués pour rationaliser nos refus d'obéir immédiatement, ou trouver des exceptions. [...] J'ai été très impressionné par leur spiritualité profonde et leur connaissance des évangiles. Cette rencontre m'a renvoyé à quelque chose de fondamental. Il n'y a qu'un Dieu. Ils m'ont obligé à élargir ma compréhension de Jésus [...] pour y faire une place à l'islam. Nous avons beaucoup de dieux en Occident – l'argent, le pouvoir, la beauté physique, la démocratie. Mais toutes ces choses viennent de Dieu. La foi est un don. En Algérie, on construisait des mosquées partout [...], ce qui montre que la foi existait sans mosquées. La foi existait dans leurs maisons de pisé – sans hiérarchie, sans église, sans médiateurs. Les chrétiens se perdent trop facilement en considérations dogmatiques ou théologiques. Tout concept impose des limites. Le dogme limite. La doctrine limite. Ce qui importe, c'est ma relation à l'autre. »

Jean-Marc, qui avait accompagné Philippe à Tibhirine, fut frappé par les allées et venues autour du monastère. Amédée prêtait des outils et notait bien qui avait emprunté quoi. Il y avait beaucoup de gens qui traînaient autour du dispensaire de Luc et dans la cour extérieure. « L'atmosphère générale était celle d'une famille élargie ; on se sentait à l'aise », se rappelle Jean-Marc. « Christian était une personne entière. Il repoussait toujours plus loin les frontières. Il était en avance sur son temps en se battant pour un christianisme du cœur, vraiment universel, qui n'excluait personne [...], un christianisme de l'amitié, de la confiance et de la générosité. »

Christian ne pouvait pas imaginer vivre sa foi sans être uni à ceux qui l'entouraient et qui, eux aussi, cherchaient Dieu. Le moine est un homme de prière. Mais Christian, dont la vie avait été sauvée par un musulman qui s'était sacrifié pour lui par amour, ressentait comme une nécessité impérieuse de s'associer, d'une manière ou d'une autre, à la prière de ses voisins, même si son expression était différente. « À la limite, je ne me sentirais pas le droit de vivre en "moine [25]" ici », confia-t-il à un ami. Parfois, il parlait de sa « com-

---

(25) Le mot « moine » vient du grec « *monos* », qui signifie « un ». Plus qu'à l'unité intérieure, promise à tout baptisé, le mot fait référence au charisme particulier du célibat, attesté dès les origines de l'Église (Mt 19,12 et 1 Co 7,33). Mais l'Église latine, dans son droit canon définit les communautés monastiques comme des

munauté de surcroît », une communauté à laquelle il se sentait lié aussi étroitement qu'à ses frères moines. La réconciliation en Dieu n'était pas quelque chose à vivre dans un futur lointain mais une exigence à réaliser dès aujourd'hui.

Toutefois, pour ceux qui vivaient tous les jours avec lui, Christian semblait quelquefois placer la réconciliation avec ses voisins musulmans avant celle qu'il avait à vivre avec ses frères en communauté. Certains se sentaient mal-aimés par leur prieur, durant ce premier mandat. On le trouvait parfois brusque et froid. Les frères ne venaient qu'en second, se plaignaient les insatisfaits. Christian devenait le saint Bernard de l'Algérie. Ses avis et conseils étaient recherchés par un grand nombre, au-delà du voisinage immédiat. Il connaissait toutes les communautés religieuses à travers le pays et se montrait, en particulier, plein de sollicitude à l'égard des Petites sœurs de Jésus et d'autres congrégations féminines qui vivaient en petites communautés de deux ou trois, isolées dans le *bled**. Quand il n'était pas en voyage, il était occupé à recevoir des hôtes, à s'acquitter de son abondante correspondance, ou à accueillir des visiteurs musulmans. Mais en dépit de cette irritation occasionnelle, les frères réélirent Christian, en mars 1990, pour un second mandat, dès le premier tour de scrutin.

Six mois plus tard, le 5 octobre 1990, plus de 150 personnes montèrent à Tibhirine pour une journée complète de célébrations en l'honneur du neuvième centenaire de la naissance de saint Bernard. Tout au long de l'année, un frère avait été désigné pour

---

« instituts plus ou moins intégralement ordonnés à la contemplation » (CIC, can. 674), expression reprise par l'Ordre cistercien de la stricte observance dans le chapitre 2 de ses constitutions. Ces définitions – en particulier le mot « contemplation » – étrangères à la Règle de saint Benoît qui, elle, parle concrètement de prière, de travail et d'hospitalité, ont eu pour effet de définir le moine exclusivement par sa « séparation du monde », faisant parfois oublier que même les ermitages des Pères du Désert comprenaient deux pièces : celle du moine et celle de l'hôte. De ce point de vue, les options du prieur de Tibhirine – accueil et dialogue – semblent conformes à la tradition monastique chrétienne, sans même parler de ses formes missionnaires au Moyen Âge [NDT].

lire, au réfectoire, des extraits des célèbres sermons sur le *Cantique des cantiques*. Pour le mystique cistercien, ce livre de l'Ancien Testament est une allégorie de l'amour de Dieu pour ses créatures. Semblable à l'union passionnée entre l'homme et la femme, il est érotique et possessif, triomphant même de la mort. « *Qu'il me baise des baisers de sa bouche. Tes amours sont plus délicieuses que le vin.* » Dieu n'est pas seulement un ardent soupirant, il réclame également de sa bien-aimée la connaissance d'elle-même. « *Si vous ne vous connaissez pas, dit-il, sortez.*" Cet Époux tonne contre sa bien-aimée, explique l'abbé de Clairvaux dans son ample exégèse, [...] parce qu'il veut la purifier en l'effrayant, et la rendre capable, par ce moyen, de la vision après laquelle elle soupire. Car celle-ci est réservée à ceux qui ont le cœur pur. » Ainsi, la lecture de saint Bernard avait assaisonné les repas des moines pendant un an.

L'anniversaire de la plus grande figure de l'Ordre fut aussi marqué par une heure de méditation à la chapelle. Chaque frère commenta un passage des Écritures. Une exposition soignée fut par ailleurs organisée dans l'aile qui avait été construite à la fin des années 1930, toujours appelée « le nouveau bâtiment ». C'est là que Christophe fit une présentation audiovisuelle de l'histoire de Notre-Dame de l'Atlas et de l'Ordre cistercien devant plus d'une centaine d'invités, musulmans pour la plupart, qui s'étaient déplacés par solidarité et amitié pour les moines.

Les visiteurs apprirent que saint Bernard ne faisait pas partie des premiers fondateurs de Cîteaux en 1098. Ce monastère avait été créé par des moines mécontents de l'évolution de l'Ordre bénédictin. Ils avaient fait le long voyage jusqu'à cette région sauvage et marécageuse de Bourgogne afin de revenir à une pratique plus rigoureuse de la Règle de saint Benoît. Après la mort de ce dernier au VIe siècle, la Règle avait connu une large diffusion. Au XIe siècle, le roi de France, Louis le Pieux, avait exigé que toutes les abbayes l'adoptent. Mais sa pratique fut vite corrompue par les donations, les coutumes locales et les nécessités économiques. Progressivement, les monastères acquirent des serfs qui devaient payer la dîme pour cultiver les terres offertes aux moines par certains seigneurs. Ils se transformèrent de plus en plus en administrateurs avant tout préoccupés par l'organisation et la supervision du travail d'autrui. Ils trouvèrent de moins en moins de temps pour prier, étudier et copier les textes liturgiques, et délaissèrent le travail manuel, s'écartant du genre de vie proposé par saint Benoît.

Dans ce contexte, certains moines mécontents de la situation partirent à la recherche de contrées inhospitalières à défricher et à cultiver, car ils pensaient qu'ils n'étaient vraiment fidèles à leurs vœux qu'en travaillant à la sueur de leur front. La poignée de frères du monastère de Molesme qui s'établit dans la plaine de roseaux bourbeuse de Cîteaux voulait se distinguer de ses frères bénédictins vêtus de noir. Les nouveaux cisterciens étaient des optimistes qui visaient la perfection. Pour l'office divin, ils portaient des coules blanches, bien accordées à leur dévotion mariale et à leur quête de pureté angélique. Mais quand ils travaillaient aux champs, on les reconnaissait à leur tunique en laine écrue recouverte d'un scapulaire foncé.

La troisième maison-fille de Cîteaux fut fondée à Clairvaux, en Champagne, par un jeune homme de vingt-cinq ans appelé Bernard. Son zèle à propager la réforme monastique entraîna une expansion spectaculaire de la nouvelle organisation. À elle seule, l'abbaye de Clairvaux donna naissance à soixante-huit autres communautés. À la fin du XIIᵉ siècle, plus de 350 monastères cisterciens couvraient le continent européen de l'Irlande à la Baltique. Bernard de Clairvaux devint rapidement une des personnalités les plus en vue de la chrétienté. Sa campagne en faveur d'une seconde croisade pour libérer Jérusalem des infidèles, ainsi que son ardente défense de l'autorité papale contre les nouvelles hérésies chrétiennes, qui se propageaient partout en France, attacha à son nom le souvenir d'un christianisme militant et belliqueux.

Christian était partagé au sujet de ce saint patron de l'Ordre. Il n'aimait pas cette exaltation religieuse militante et sectaire. Le chapitre III de la lettre de Bernard de Clairvaux soutenant les Templiers, cet Ordre de moines-soldats créé pour protéger les pèlerins en

Terre sainte, est devenu anathème pour les chrétiens d'aujourd'hui, plus pacifiques. Dans son message aux « chevaliers du temple », louant « leur nouvelle milice », Bernard écrivait : « Mais les soldats du Christ combattent en pleine sécurité les combats de leur Seigneur, car ils n'ont point à craindre d'offenser Dieu en tuant un ennemi et ils ne courent aucun danger, s'ils sont tués eux-mêmes, puisque c'est pour Jésus-Christ qu'ils donnent ou reçoivent le coup de la mort, et que, non seulement ils n'offensent point Dieu, mais encore, ils s'acquièrent une grande gloire. » De tels propos sont difficilement conciliables avec le désir professé par les cisterciens d'observer strictement les enseignements du Christ. Reconnaissant ses excès, ses faiblesses et ses égarements, Bernard fit la guerre à ses propres démons. Les musulmans appellent ces combats intérieurs le « grand *djihâd* * ». L'humilité de l'abbé de Clairvaux fut déclarée victorieuse en 1174, quand le pape Alexandre III canonisa le prêcheur de la croisade.

Christian faisait parfois allusion à la réputation quelque peu ternie de saint Bernard, essayant de l'excuser en replaçant ses écrits dans leur contexte historique. Son époque était celle où la chrétienté définissait l'identité européenne, reléguait les juifs et les musulmans au statut d'« infidèles » et vouait les hérétiques chrétiens à la torture pour que leur abjuration les sauve des flammes de l'enfer.

Sur le mur opposé à celui consacré à l'exposition temporaire de saint Bernard se trouvaient d'autres panneaux, permanents, qui racontaient l'histoire de l'Ordre, ainsi qu'une photo de l'un des héros spirituels de Christian : le Mahatma Gandhi. À côté de son portrait, on pouvait lire une question délicate posée par cet homme de Dieu au cœur doux : « Comment celui qui prétend détenir la vérité absolue peut-il vraiment dialoguer ? »

Ora et labora. Prière et travail, dit-on, sont les deux mamelles qui nourrissent la vie monastique. Entre les sept offices quotidiens, les moines devaient entretenir le monastère, accomplir toutes les tâches domestiques ordinaires et gagner leur vie. C'était grâce au jardin que les frères subvenaient à leurs besoins. En été, seul le vent rendait les températures de quarante degrés supportables pour travailler au milieu des rangées d'aubergines, de tomates, de poivrons, de pommes de terre, de fèves, de courgettes et autres légumes constituant la base du régime alimentaire des moines. Les pommes, les abricots et les poires du verger fournissaient le dessert des frères. Le raisin de leur petit vignoble était envoyé à une coopérative voisine qui en assurait la transformation. L'oliveraie était négligée depuis 1979, car la force musculaire de la communauté vieillissante n'avait plus permis de faire tourner le pressoir, qui avait jadis produit 5 500 litres d'huile par an. La lavande était cultivée, puis séchée et vendue à la porterie, ainsi que le miel des ruches.

Quatre cents kilos de miel brun foncé étaient produits chaque saison. Cet « or trappiste » était très prisé dans toute la région, où les habitants savaient faire la différence entre le miel naturel et celui fabriqué en donnant du sucre aux abeilles. L'apiculture était une des occupations favorites de Christian. Les colonies d'abeilles lui rappelaient les communautés monastiques. Comme le bon moine, le bon miel, était *sine cera* – sans cire. « Sans cire, sincère... » : Christian aimait jouer sur les mots. « Heureux les hommes au cœur sincère, car ils verront Dieu. » Ainsi, à l'exemple des abeilles, les moines accomplissaient leurs tâches respectives pour le bien de toute la communauté.

À la différence des abeilles, les frères de Tibhirine étaient responsables d'au moins deux ou trois services, que leur confiait leur prieur. Christophe en avait trois. Il avait été nommé maître des novices, mais ne comptait qu'une seule âme à diriger. Philippe Ranc, officier issu de la prestigieuse école militaire de Saint-Cyr, hésitait encore entre la vie monastique et une carrière universitaire. « Philippe voulait toujours étudier et voyager », se souvient un frère. « Un moine est quelqu'un qui vit pour louer Dieu. Il est ou chaud ou froid, mais jamais tiède. » Christophe aidait aussi à l'organisation de la liturgie, mais son activité préférée était de travailler au jardin, dont il était le responsable en titre.

Ce n'était pas la moindre des charges, car il s'agissait de la principale source de revenus du monastère. Dans les bonnes années, les activités agricoles pouvaient rapporter jusqu'à deux millions de dinars, soit vingt-cinq mille euros. Mais c'était là surtout qu'il pouvait retourner la terre et « mouiller sa chemise » avec ses associés musulmans, tissant ainsi les liens d'amitié qui étaient l'aboutissement de sa foi. « Je t'aime » : l'amour est amitié, et l'amitié est amour. Le potager était devenu son école, sa chapelle et le lieu où il pouvait découvrir les manières de faire et de penser d'Ali, de Moussa, de Youssef, de Ben Ali, de Mohammed, de Salim et des autres.

Tel un immense tablier de cuisine, le potager déployait ses cinq hectares sur une pente qui descendait du cloître jusqu'à la vieille école au bout du chemin en terre, situé en contrebas. La seule voie d'accès à Tibhirine était la route de Médéa. Elle serpentait à travers la montagne densément boisée, derrière le monastère, le long de l'entrée de l'hôtellerie, du dispensaire et de la maison du gardien, qui avait autrefois servi à presser les olives et à ranger le matériel agricole. Plus bas, la route aboutissait à une bifurcation. Un chemin conduisait par l'ouest au village proprement dit. L'autre se transformait plus loin en voie sans issue, en bas du jardin, au pied de l'ancienne école primaire bâtie par les moines dans les années 1960 pour éviter aux enfants du voisinage de faire à pied, tous les jours, les six kilomètres aller-retour qui les séparaient de Médéa.

Un mur délabré entourait le potager. À l'ouest, il rejoignait la palissade extérieure de la maison du gardien. À l'est, il faisait tout le tour jusqu'au cimetière et au « nouveau bâtiment ». Ce dernier avait été ajouté en 1938, lorsque le deuxième groupe de trappistes avait pris possession de la villa construite par des colons anglais qui avaient fait faillite. L'arrivée de nouveaux frères, de France et de Slovénie, avait nourri de grands espoirs, et ceux qui avaient connu Staouéli commencèrent à rêver d'une communauté de cent moines à Tibhirine. Mais leur nombre n'excéda jamais quarante.

On avait envisagé une immense chapelle au rez-de-chaussée du nouveau bâtiment, mais ces projets avaient été abandonnés depuis longtemps. Le premier étage était utilisé seulement pour les grandes occasions. De là, les invités bénéficiaient d'une vue panoramique sur le Tamesguida – un mot berbère signifiant « montagne de feu », qui avait abrité, des siècles durant, bandits et rebelles. Gêné par le luxe de ce patrimoine immobilier inutile, et l'impression de grandeur qu'il dégageait dans un environnement aussi pauvre, Christian priait souvent pour que cette construction disparaisse d'une manière ou d'une autre. En 1990, elle ne comptait qu'un seul occupant : la vache d'Ali, dont la passion inopportune pour les légumes verts était diversement appréciée.

Ali était le bras droit de Christophe au jardin. Il était salarié du monastère depuis la guerre et avait commencé à dix-huit ans en aidant Amédée à la buanderie. Ali aimait son statut. Il en allait de même pour son fils, Moussa – ou Moïse – qui entretenait le verger. Christian leur avait pourtant proposé de devenir des « associés », ce qui aurait fait d'eux des partenaires à part entière dans cette petite entreprise agricole. Il aurait voulu éliminer ainsi les dernières traces de colonialisme qui survivaient dans cette habitude d'embaucher des ouvriers algériens pour travailler dans le jardin.

Cette proposition parachevait l'initiative de Mgr Duval, vingt-cinq ans auparavant, lorsqu'il avait persuadé l'Ordre de donner au nouveau gouvernement trois cents hectares de terrain acquis pendant la domination française – n'en gardant que douze pour le monastère. En 1988, quatre des ouvriers avaient accepté cette nouvelle responsabilité d'associés. C'était une manière d'atteindre, dans le domaine économique, le but de la présence chrétienne en Algérie tel qu'il avait été résumé par le cardinal : présence, prière et partage. À la présence et à la prière à Tibhirine, Christian avait ajouté un vrai partenariat dans l'organisation et la distribution des fruits du travail. Chaque associé recevait la moitié d'un hectare à cultiver, et cette parcelle changeait au bout de quelques années pour que ce bail gratuit ne se transforme pas insensiblement en propriété privée. Les moines fournissaient à chacun les semences, l'engrais et l'eau. En retour, chaque associé devait comptabiliser très précisément ce qui était vendu, et reverser la moitié de ces recettes au monastère.

Le plus éprouvant pour la patience de Christophe, dans cette nouvelle forme de partage, était de changer les habitudes des associés. Il devait continuellement leur rappeler qu'ils ne pouvaient pas dire à leurs amis de venir se servir dans le jardin à volonté. Ces comportements avaient du mal à disparaître. L'absentéisme au travail était un autre problème. Enfin, Jean-Pierre avait la responsabilité du transport des légumes au marché. Il leur inculqua la notion de produits de qualité : il ne fallait plus cacher les tomates abîmées ou trop petites sous celles qui étaient grosses et appétissantes. Le rôle de Mohammed gagna en importance lorsqu'il succéda à Ali, parvenu à l'âge de la retraite en 1990. Ce dernier, pour mieux profiter de son tout dernier statut, se vit offrir une chaise longue.

Certains avaient déconseillé aux moines d'embaucher Mohammed comme gardien. Cette responsabilité, leur avait-on fait remarquer, le mettrait dans l'inconfortable position de devoir dire non à ses amis. Il pourrait également lui être reproché par d'autres musulmans de protéger des étrangers. Les frères ne regrettèrent jamais d'avoir ignoré ces avis. Contrairement aux préjugés circulant sur les « Arabes », les moines trouvaient Mohammed étonnamment franc et sincère. Il savait dire ce qu'il pensait, mais toujours avec tact et courtoisie. À ces qualités s'ajoutaient son sens aigu des responsabilités et un art consommé de diplomate pour obtenir des visiteurs le respect de l'étiquette monastique.

Veillant sur le monastère, à des centaines de mètres au-dessus des bâtiments, se tenait un autre gardien, au sommet du Rocher d'Abdelkader. Une femme. Vers elle montait le chant du *Salve regina* chaque soir, au terme de l'office de complies, avant l'heure du coucher. Pour les musulmans alentour, elle s'appelait Lalla Maryam, Mère Marie, la Vierge Mère de Jésus, qui, par une naissance miraculeuse, avait donné au monde un saint prophète, pur de tout péché.

Au cours des années, les musulmanes des villages voisins avaient, par leurs allées et venues régulières, tracé un chemin au milieu de la dense forêt de chênes-lièges. Elles allaient demander aide et bénédiction pour leurs enfants malades ou l'heureux dénouement de leurs grossesses. Celles qui peinaient à concevoir devaient sans doute penser que Lalla Maryam possédait des pouvoirs particuliers en la matière. C'était une des rares statues à la représenter enceinte.

Un jour, les villageois découvrirent que l'on avait sectionné les deux avant-bras de Lalla Maryam et creusé son ventre au burin. Quand ils eurent vent de cette profanation, les moines se sentirent atteints au plus profond d'eux-mêmes, comme si l'on avait violé leur propre mère.

2e partie

UN TOURMENT PARTAGÉ

(1988-1994)

VII. RÉVOLUTION

Ô hommes! Adorez votre Seigneur, qui vous a créés vous et ceux qui vous ont précédés. Ainsi atteindrez-vous à la piété.

C'est lui qui vous a fait la terre pour lit, et le ciel pour toit; qui précipite la pluie du ciel et par elle fait surgir toutes sortes de fruits pour vous nourrir, ne Lui cherchez donc pas des égaux, alors que vous savez tout cela.

Coran 2, 21-22

Pour les colonels qui dirigeaient l'Algérie dans les années 1980, le Chili était la référence idéale. Le régime militaire du général Pinochet permettait de justifier leurs choix politiques auprès des étrangers. La dictature était nécessaire pour créer un environnement stable; ce dernier permettrait alors le développement économique et, plus tard, l'avènement de la démocratie. Comme ses prédécesseurs français, la classe dirigeante considérait que le peuple algérien n'était pas mûr pour le suffrage universel. Mais si le Chili était devenu un modèle de réussite économique, le FLN, parti unique, géra l'Algérie de la pire des manières. Ses dirigeants favorisèrent l'industrie lourde au détriment de la manufacture légère et de l'agriculture; ils se reposèrent trop exclusivement sur les immenses réserves de pétrole et de gaz du pays, stratégie qui

137

les prit au dépourvu lorsque les prix de l'énergie s'effondrèrent ; l'écart entre l'élite des privilégiés et les masses ne fit que se creuser. Comme guidé par une prémonition désespérée quant à la gravité de la maladie du système politique, le président algérien, l'ancien colonel Chadli Bendjedid, effectuait une visite du complexe pharmaceutique de Médéa le jour où éclata le soulèvement.

On l'appela d'abord la « révolte du couscous » ; plus tard, la « révolution d'octobre ». L'agitation commença le 4 octobre 1988 au matin quand des étudiants de l'Université d'Alger se mirent à manifester bruyamment leur mécontentement au sujet des repas de la cantine. Cet incident mineur se transforma en une protestation suffisamment importante pour obliger la police à intervenir, armée de gourdins, sur les hauteurs du campus de Ben Aknoun, qui surplombe la mer.

La nouvelle fit aussitôt le tour d'Alger, grâce au « téléphone arabe ». C'était un événement qu'un clan, une faction ou un groupe pouvait rapidement exploiter au profit d'un dessein caché. Plus tard dans l'après-midi, une autre foule, constituée cette fois d'adolescents, se rassembla dans l'ancien quartier ouvrier européen de Bab el-Oued, près du port, et commença un véritable saccage. Des policiers anti-émeutes s'interposèrent pour protéger le centre commercial à la mode de Riad el-Feth, où les produits étrangers n'étaient abordables que pour les *tchi-tchis* *. La rumeur se répandit que des étudiants avaient été tués. Les quatre campus de l'Université d'Alger se déversèrent dans les rues de la capitale. Incendies et pillages engloutirent rapidement tout le secteur du boulevard colonel-Amirouche, où des lieux symboliques de l'État furent détruits avec une particulière délectation : magasins et hôtels du pouvoir, Banque d'Algérie, bureaux d'Air Algérie et commissariats.

Dès la tombée de la nuit, des chars d'assaut et des véhicules blindés avaient pris position dans le centre d'Alger. Le jour suivant, des collégiens, âgés de douze à quatorze ans, se jetèrent dans la mêlée. Saisis de colère, ils attaquèrent les tanks à coups de cocktails Molotov, de pierres et même à main nue. Quarante d'entre eux périrent. Le gouvernement du Président Chadli Bendjedid déclara l'état d'urgence. L'Armée du peuple reçut l'ordre d'ouvrir le feu sur tout groupe de plus de dix personnes, et un couvre-feu sévère fut imposé. Les insurgés décrétèrent une grève générale, puis, pour faire bonne mesure, incendièrent le quartier général du FLN et le ministère de la Jeunesse et des Sports, réputé incapable de fournir des activités aux jeunes.

Deux jours plus tard, les « barbus », avec leurs *arakias* * et leurs longs *qamis* blancs à cols chinois, chers aux musulmans pieux, firent leur apparition dans les rues, se mêlant aux jeunes aux cris de : « Mort à Chadli! » Dès le quatrième jour, les imams prirent la tête du mouvement, et le 10 octobre, après six jours d'agitation, les islamistes comptèrent leurs premiers martyrs.

Les disciples de l'Imam Ali Belhadj avaient quitté la mosquée de Kaboul à Belcourt, ainsi nommée à cause de sa popularité auprès des héros algériens qui étaient partis se battre contre le communisme aux côtés de leurs frères afghans. Leurs pantalons bouffants et leurs turbans en laine étaient à la mode parmi les jeunes militants qui arboraient le regard implacable du guerrier musulman. Hurlant « Dieu est grand! », « Finie la corruption! », « À bas ce gouvernement mécréant! », ils décidèrent de défier la Sûreté Nationale en défilant en direction de son QG du boulevard Amirouche. Une barricade s'opposa à leur progression. Des coups de feu furent tirés. Dans la panique et l'horreur, trente-six personnes trouvèrent la mort et des centaines d'autres furent blessées. Personne ne put dire d'où les premiers coups étaient partis.

Au terme d'un bain de sang qui dura six jours, le gouvernement compta 150 morts et 2 000 blessés. La Ligue algérienne de défense des droits de l'homme (LADDH) affirma que 500 personnes avaient péri dans les affrontements. Des milliers d'autres furent sommairement arrêtées. Certains dénoncèrent le retour de la torture, et la vérité de ces allégations fut démontrée dans les *Cahiers noirs d'octobre,* publiés par le Comité national contre la torture. Décorée de carrelages mauresques, l'élégante villa Susini, ancienne chambre de torture française qui surplombe la Méditer-ranée, résonna à nouveau des cris sinistres qui s'échappaient du fond des cellules, au sous-sol. Le pouvoir avait montré qu'il n'hésitait pas à tuer ses propres enfants. L'Armée du peuple avait fait son devoir.

Les révoltes étudiantes étaient devenues monnaie courante tout au long des années 1980 : Tizi-Ouzou, Alger, Oran, Sétif et Constantine avaient toutes connu des accès de fureur estudiantine. La suppression de la langue berbère, les manifestations de gauche contre la présence de mosquées sur les campus, le harcèlement policier, la pénurie de manuels scolaires et la médiocrité des repas servis dans les cantines universitaires déclenchèrent des soulèvements qui exprimaient des frustrations beaucoup plus profondes.

Les conditions de vie ne cessaient de se détériorer. Des appartements de deux ou trois pièces pouvaient abriter jusqu'à douze ou quinze personnes, où les familles dormaient à tour de rôle. Les ascenseurs étaient toujours en panne. Les ordures étaient jetées par la fenêtre et pourrissaient dehors, s'entassant dans une puanteur de plus en plus insupportable. Trouver un moment et un endroit pour vivre sa sexualité devenait presque impossible. Les produits de base venaient toujours à manquer dans les magasins d'État : le lait en poudre pouvait disparaître des rayons pendant un mois, et le sucre, le beurre ou les oranges le mois suivant. À l'automne 1988, il n'y avait plus de semoule pour faire le couscous. Elle était distribuée prioritairement au bétail pour compenser la pénurie de fourrage et assurer les recettes à l'exportation. Un seul article ne manquait pas : la testostérone.

Le plus frustrant pour les étudiants était de constater que les diplômes des universités d'État n'avaient aucune valeur. L'espoir d'un avenir radieux fondé sur le pétrole et les études gratuites s'était transformé en sentiment de trahison. Les meilleurs emplois allaient à la jeunesse dorée des milieux privilégiés ou à des experts étrangers. C'était comme si les jeunes Algériens ordinaires n'étaient pas dignes de se voir confier des responsabilités importantes. Le message imprimé sur un T-shirt à la mode résumait leur désespoir : « Pas de travail, pas d'argent, pas de fille! »

D'une certaine manière, les étudiants avaient de la chance, même s'ils ne trouvaient pas de travail. Dans ces années-là, seuls 25 % des collégiens étaient acceptés au lycée. Dans des villes surpeuplées à cause de l'exode rural [26], il n'y avait tout simplement pas assez de place pour tenir la promesse d'une éducation intellectuelle gratuite pour tous.

Les jeunes qui n'avaient pas accès à l'enseignement secondaire et universitaire vivaient dans la rue, où ils tuaient le temps appuyés contre les murs des immeubles. C'est pourquoi on se mit à les appeler les *hittistes** . Le hittisme, dérivé du mot « *hit* » qui veut dire « mur » en algérois, était la seule carrière ouverte aux désœuvrés de la nouvelle génération, qui tirèrent ingénieusement parti de leur situation d'exclusion pour se lancer dans le *trabendo** . Ni complètement marché noir, ni totalement contrebande, le *trabendo* organise le trafic de passe-droits en tous genres, le troc de biens et services, et l'obtention d'articles tels que cigarettes, vêtements de bébé, matériel dentaire ou billets d'avion. Il y avait toujours des occupations possibles dans les domaines traditionnels du vol et de la drogue, mais ces activités étaient plus risquées. La police harcelait régulièrement les adolescents dans la rue, sous prétexte de combattre l'absentéisme ou l'économie souterraine.

« Si tu fais pas partie de la haute société, on veut pas de toi. Si t'es chômeur et jeune, on te considère comme quelqu'un de dangereux. T'as aucun droit. Tu peux pas sortir pendant la journée, t'as pas le droit d'aller en boîte, la nuit. T'as qu'un seul droit : aller te cacher et étouffer dans ton coin », expliqua un adolescent à un journaliste français qui suivait les émeutes. « Je suis comme une vache. Je sers seulement à manger, à dormir et à chier. » Cette population désespérée, qui n'avait rien à faire du matin au soir et aucun endroit où aller, se mit à inventer des jeux sinistres. L'un d'entre eux

---

(26) 18 % de la population vivaient en zone urbaine en 1954, 31 % en 1966 et 50 % en 1987 [NDA].

consistait à s'accrocher aux pare-chocs arrière des autobus. Mais le but n'était pas de se déplacer gratuitement. Il s'agissait de coincer un quignon de pain dans le pot d'échappement pour l'imprégner au maximum de fumée, afin de le manger ensuite et de pouvoir ainsi se droguer au monoxyde de carbone. Les estomacs des jeunes révoltés leur rappelaient qu'ils étaient plus que du bétail.

Les exclus buvaient du « *zombretto* », cocktail de limonade, de valium et d'alcool à brûler. Ils hurlaient leur désespoir pathétique lors des matches de football au stade du 5 juillet, seul endroit où ils pouvaient scander librement leur complainte aux officiels du gouvernement assis dans la tribune présidentielle. « *Ranâ day'in! Ranâ day'in!* » Des milliers de personnes reprenaient en chœur et sans scrupule ce refrain : « Nous sommes perdus! Nous sommes perdus! » On les avait abandonnés. Leur unique salut venait de « Madame Courage » et d'autres drogues dont ils criaient les noms pour que le monde entier les connaisse : « 6.15, artane, phostan, nausinon, *zetla* [27] ou l'exil! » L'État paternaliste était responsable de ce cri d'un peuple devenu orphelin.

L'entourage du Président Chadli ne pouvait pas reléguer les événements d'octobre au rang d'un simple mouvement d'humeur d'étudiants ingrats et toujours mécontents, ou de hooligans acharnés qui n'avaient jamais levé le petit doigt pour libérer leur pays. Des personnalités de premier plan du mouvement islamique étaient dans la rue. L'islam était la religion officielle, la religion du peuple, et ses dignitaires avaient quitté les mosquées pour exprimer leur soutien aux étudiants.

Pour cette raison, Ali Belhadj était un homme dangereux. Il était devenu le porte-parole de la jeunesse. Il partageait leur colère. C'est pourquoi le gouvernement l'avait inclus dans la délégation des imams convoquée pour servir d'intermédiaire auprès de la population après les affrontements. Le Président Chadli devait absolument

---

(27) *Zetla* est la traduction de *haschisch* en arabe [NDT].

convaincre les chefs religieux qu'il existait une voie pacifique pour réaliser le changement demandé par la rue.

Les sermons du vendredi d'Ali Belhadj dans les quartiers pauvres de Kouba, de Belcourt et de Bab el-Oued avaient fait de lui l'idole de la jeunesse déshéritée d'Alger. Il les captivait. À trente-deux ans, il était encore l'un des leurs. Il savait les faire rire et pleurer, et même réfléchir. Les interventions de l'imam à la frêle silhouette et au visage imberbe étaient un mélange de colère indignée, de vibrante émotion, de raisonnements posés, d'humour et de sarcasme. Il alternait le parler argotique populaire et l'arabe littéraire éloquent. Le livre vert des maximes de l'« Imam Ali », ainsi que ses cassettes, étaient diffusés à travers toute l'Algérie et l'Afrique du Nord, jusque dans les dix-huitième et vingtième arrondissements de Paris, où ils connaissaient un vif succès auprès des immigrés du Maghreb.

Ali Belhadj était un enfant de la guerre. Il était né à Tunis en 1956 de parents originaires de Béchar, dans le désert de l'ouest algérien. Son père avait été tué en combattant les Français. À l'âge de neuf ans, il avait perdu sa mère. Élevé par son oncle maternel à Alger, il était devenu, plus tard, professeur dans le primaire, où il enseignait l'arabe classique, langue sacrée du Coran, révélée à Mahomet par l'ange Gabriel. À vingt ans, il était déjà un prédicateur à succès, célèbre pour ses diatribes passionnées contre les autorités et leur politique « de prestige, de luxe et de gaspillage ».

Ali Belhadj avait passé cinq années en prison pour avoir sympathisé avec Moustafa Bouyali, un révolutionnaire islamique du milieu des années 1980. Cet ancien *moudjâhid,* vétéran de la guerre contre la France, était un homme de foi, mais à la culture limitée. Il était surtout connu pour sa sincérité, son patriotisme et son attachement à l'islam. Il était aussi écœuré par l'arbitraire et la corruption qu'il voyait partout autour de lui. Lorsque son frère fut assassiné par la police, son amertume se transforma vite en violence. Il prit le maquis et se trouva au cœur du mouvement de guérilla islamique qui, depuis sept ans, harcelait impunément les services de sécurité. Pour n'avoir pas signalé un rendez-vous qu'il avait eu avec Moustafa Bouyali, Ali Belhadj fut incarcéré au motif qu'il menaçait la sécurité de l'État. Il refusa une grâce présidentielle au cours de sa quatrième année de détention, préférant purger la totalité de ses cinq ans de peine. Il ne voulait pas accepter de cadeau de la part de dirigeants corrompus, qui méprisaient leur propre peuple. L'Imam Ali avait mis à profit son séjour en prison pour étudier la parole de Dieu et ainsi s'armer pour combattre la *hogra**, cet humiliant dédain affiché par le pouvoir algérien qui rappelait l'attitude arrogante des colons français à l'égard des Arabes.

Le Coran était la passion d'Ali depuis qu'il avait douze ans, époque à laquelle il avait été pris sous l'aile de différents *cheikhs** qui, tous, avaient conclu que le malaise affectant le monde arabe avait une seule et unique cause : les musulmans s'étaient écartés des voies du Coran et des traditions du Prophète. Ils avaient laissé les valeurs laïques et matérialistes de l'Europe envahir leur culture. La victoire contre la France, qui avait coûté la vie au père d'Ali, restait inachevée. Il fallait ajouter à l'expulsion physique une éviction intellectuelle et culturelle.

Dans sa cellule, Ali ne dormait que deux heures par jour, et consacrait tout son temps à la lecture. Il dévora les ouvrages d'Ibn Taymiyya, un réformateur et exégète traditionaliste dont les écrits sont à l'origine du *wahhâbisme** rigide pratiqué aujourd'hui en Arabie Saoudite. Au XIIIe siècle, ce théologien musulman prônait déjà le retour à un islam pur et dur pour contrer la corruption morale qui avait causé, selon lui, les défaites de la *Oumma** devant les Mongols. Les écrits des Égyptiens Hassan al-Bannâ et Sayyid Qutb, fondateurs des Frères musulmans, influencèrent considérablement Ali. Déjà dans les années 1920 et 1950, ces penseurs musulmans avaient essayé de débarrasser l'islam des idées marxistes et matérialistes. Leurs mouvements avaient fait campagne pour une alternative théocratique aux politiques de dirigeants musulmans épris avant tout du système de gouvernement laïc à l'européenne.

144

« Socialisme, démocratie, dictature, dirait plus tard Ali à son jeune auditoire, sont le fumier que l'on trouve dans les poubelles de l'esprit humain. » « Pour nous au contraire, en islam, écrivit-il dans le journal islamiste *al-Munqidh* un an après sa sortie de prison, la liberté est enchaînée par la *charî'a* * et non par le droit ni [...] par le souci de ne pas nuire à autrui. D'un côté en effet, le droit est changeant et de l'autre, la liberté devient une illusion : elle est entravée par l'État [...]. La liberté absolue, au sens où l'entend la démocratie, contredit la condition de l'être soumis à Dieu. »

Sorte de Robespierre algérien, Ali Belhadj était, pour ses admirateurs, l'incarnation de la vertu, un modèle d'austérité, d'humilité et d'incorruptibilité. Il vivait très simplement, n'avait pas la télévision et préférait son vélomoteur à la voiture. « Dans la rue, le héros ne s'arrête pas pour manger une pizza », nota fièrement un de ses jeunes partisans. Ali Ben Mohammed Belhadj Habib Ben Salah vivait avec sa belle-mère, sa femme et ses quatre enfants dans un deux-pièces du quartier pauvre de Kouba, à Alger. L'Imam Ali était un homme de compassion, qui prenait le temps de s'asseoir sur les pas-de-porte pour parler avec les petites gens. Même s'il ne pouvait rien pour eux, son attention les réconfortait.

En février 1989, quatre mois après la concertation entre le gouvernement et les imams, une nouvelle constitution fut adoptée. Faisant table rase du monopole politique du FLN depuis 1962, elle instaurait des droits oubliés depuis vingt-sept ans. La liberté d'expression et de réunion, la liberté de conscience, le droit de former des syndicats indépendants et de faire grève étaient explicitement accordés pour la première fois depuis l'indépendance. Une *perestroïka* algérienne voyait le jour.

Mais le changement était-il bien réel, ou s'agissait-il seulement de cacher un vieux système sous un nouveau vernis ? Beaucoup s'interrogeaient. Le pouvoir était habile, surtout quand il s'agissait de conserver le contrôle de la manne pétrolière. Les différentes tendances du FLN n'étaient-elles pas simplement en train d'affirmer publiquement leur existence ? Par ailleurs, le mouvement islamiste, théocratique et réactionnaire, effrayait les Occidentaux par ses méthodes et sa rhétorique antimodernistes. La démocratie algérienne devait donc vaincre, par des moyens non démocratiques si nécessaire, ce mouvement plus inquiétant que la survie d'une dictature de parti unique.

L'été 1989 vit le peuple de la République populaire algérienne avoir enfin voix au chapitre. Une loi autorisant la création de nouveaux partis ouvrit les portes à une compétition politique inédite depuis l'époque de l'Algérie française. Le Parti social-démocrate, le Parti pour le renouveau algérien, le Parti national algérien, le Mouvement démocratique pour le renouveau de l'Algérie, le Parti national pour la solidarité et le développement, le Mouvement démocratique algérien, le Parti des travailleurs algériens, l'Organisation socialiste des travailleurs étaient quelques-uns des partis – une quarantaine, en tout – qui se jetèrent dans la bataille. Les défenseurs d'un ordre politique islamique devaient se battre contre des socialistes, des communistes et des libéraux de toutes les nuances idéologiques.

Les islamistes avaient un programme clair et simple : l'établissement d'une théocratie. Un État islamique bien gouverné peut fonctionner démocratiquement, mais dans les limites fixées par la loi de Dieu, et non celle des hommes. Une démocratie islamiste ne cherche pas à honorer l'expression des droits ou des volontés individuelles, mais à obtenir la confiance et l'assentiment du peuple pour exercer le pouvoir au nom de Dieu. Elle invoque le droit divin comme le faisaient les rois sous l'Ancien régime en France, qui pouvaient ainsi compter sur une autorité morale garantie par l'Église. Un État islamique est fondé sur la responsabilité de son conseil consultatif, le *majlis ach-chûrâ* *, pour agir en qualité d'interprète de la parole de Dieu telle qu'elle est révélée dans le Coran et fut pratiquée par le Prophète. Le pouvoir ainsi défini doit être exercé dans un esprit de justice. Les critiques et les avis du peuple sont les bienvenus, mais le *majlis ach-chûrâ* ne peut en tenir compte que dans la limite des interprétations autorisées par la loi coranique, appelée *charî'a.* Aucun référendum populaire n'est autorisé pour interpréter la loi. Elle est déterminée par une sorte de « Conseil constitutionnel » où siègent des experts religieux. L'État islamique est donc un gouvernement du peuple (« *chûrâcratie* ») par la *charî'a,* mais pour Dieu.

Sous cette vaste bannière, plus d'une douzaine de courants se réclamant de l'islam politique s'unirent pour former le Front islamique du salut (FIS*), exprimant une conviction commune : la nouvelle république devait s'appuyer sur les directives divines et non sur une base aussi fragile que l'incertaine raison humaine. La nouvelle constitution n'était pas du goût des dirigeants du FIS. Elle n'était pas fondée sur la loi de Dieu, la *charî'a.* Seule une société acceptant d'assumer sa responsabilité devant Dieu pouvait se targuer d'être morale. Mais le texte décrié leur donnait la possibilité de promouvoir pacifiquement leur vision d'une société juste. Avec l'aide de Dieu.

Le 29 octobre 1989, Dieu envoya un message au pouvoir algérien. L'ancienne ville romaine de Tipasa, un des lieux de week-end préféré des Algériens aisés, fut secouée par un tremblement de terre. On compta quatre-vingt-quatre morts et des centaines de blessés. Le FIS fut le premier à dépêcher des secours, grâce à son réseau de mosquées qu'il mobilisa rapidement à travers tout le pays pour acheminer de la nourriture, des vêtements et des couvertures. Les lieux de culte fournirent aux familles des défunts une aide s'élevant jusqu'à quinze mille dinars, soit plus de cent euros.

Deux semaines plus tard, le vendredi 10 novembre, la mosquée Es Sunna, à Bab el-Oued, était pleine à craquer. Ali Belhadj se lança dans une diatribe appuyée, expliquant à son auditoire la signification profonde du séisme. Il s'agissait d'une punition divine et d'une menace, car le pire était encore à venir. Les inégalités sociales criantes et la décadence morale – prostitution, alcoolisme, drogues, désintégration de la cellule familiale – remontaient toutes à une seule source : l'élite corrompue et impie qui dirigeait le pays.

« Notre soi-disant élite parle de socialisme et d'égalité [...], d'être "par le peuple" et "pour le peuple". Mais ils sont riches et vous êtes pauvres. Nous croyons en Dieu et son Prophète, pas en leurs contes de fées et leurs absurdités. Nos dirigeants ont gouverné si longtemps par le mensonge et la ruse qu'ils ne savent plus où le soleil se lève, ni quelle est la couleur du ciel. Ils sont tellement empêtrés dans le vomi de leurs tromperies qu'ils pensent pouvoir nous berner. »

La classe dirigeante parlait français, avait adopté le droit et le système politique français, vivait dans les anciennes villas coloniales sur les hauteurs d'Alger, dans la fraîcheur des quartiers élégants d'Hydra, d'El-Biar et de Birmandreis ; leurs enfants fréquentaient les écoles françaises, et ils maintenaient des relations chaleureuses avec les autorités gouvernementales françaises.

« Ils sont comme les Français avant eux. Ils croient que Dieu peut être séparé de la vie, qu'il suffit de lui rendre visite une fois par semaine à la mosquée. Ils ont adopté l'idéologie de ce qu'ils appellent les Lumières, pensée française qui est fondamentalement grecque, et qui consiste à affirmer insolemment que l'homme est la mesure de toute chose. Tout vient de Dieu. La pensée séculière sépare l'esprit de l'homme de celui de Dieu. L'islam enseigne que c'est le devoir de l'homme d'être humble et de servir Dieu selon ses commandements. »

« Le *djihâd* de 1954 doit continuer, conclut Ali. Ceux qui sont morts pour l'islam il y a trente ans ont été trahis. »

Dans les mois qui suivirent le tremblement de terre, le FIS continua son *djihâd* pacifiquement. Ses militants de base firent du porte à porte en distribuant des vêtements et de la nourriture aux pauvres de Belcourt, d'El-Harrach, de Kouba, de Bab el-Oued, d'Hussein-Dey, et d'autres quartiers d'Alger. « C'est de la part d'Allâh... Une voix pour le FIS, c'est une voix pour Allâh », répétaient-ils d'un ton paisible et révérencieux. Le jour des élections municipales tenues dans tout le pays, les islamistes se munirent de lampes-torches pour aller aux urnes, afin de parer aux pannes d'électricité très fréquentes. Mettez toute votre foi en Allâh, mais attachez quand même votre chameau, disait le Prophète...

Ali Belhadj avait raison. La destruction de Tipasa avait été un présage annonciateur d'événements plus impressionnants encore. Moins de neuf mois plus tard, un nouveau séisme, politique cette fois-ci, allait ébranler le gouvernement. Le 12 juin 1990, pour la première fois en vingt-huit ans, eut lieu une élection libre multipartite. Le résultat laissa le FLN en état de choc : le FIS venait de rafler 93 % des suffrages dans les villes de plus de cinquante mille habitants. Il contrôlait vingt-huit des trente agglomérations les plus peuplées, dont Alger, Oran, Constantine, Tlemcen et Médéa. Cette dernière avait donné pratiquement 100 % de ses voix au parti islamiste. Le minuscule village de Tibhirine avait fait de même. Aussi Ali proposa-t-il que Médéa devienne la capitale du futur État islamique, dont la naissance ne pouvait qu'être imminente.

Trois jours après la victoire, l'Imam Ali gravit les marches du *minbar* * de la mosquée Ben Badis de Kouba. Il parla de manière posée et avec modestie. « Les élections ont été remportées grâce à la volonté de Dieu et du peuple. [...] On n'a pas donné une claque au FLN, on a donné une claque à ceux qui ont trahi le FLN. [...] Les élections ne sont pas une victoire de la démocratie, mais de l'islam. [...] Le chemin sera dur. Très dur. Ils ne nous pardonneront pas nos erreurs, eux qui en ont tant commis. »

Dans le journal du FIS, *al-Munqidh,* Ali Belhadj railla la démocratie. « La démocratie est un mot grec, inconnu dans la langue du siècle béni [28]. [...] Le mot [...] n'est pas défini avec précision. [...] Il est difficile de trouver au XXᵉ siècle une idéologie sociopolitique – libéralisme, socialisme, communisme, voire fascisme et nazisme – qui ne prétende incarner la démocratie authentique [...]. Dans cette confusion, on ne discerne aucun appel à des critères moraux et spirituels [...]. La démocratie impie considère que l'homme construit son destin indépendamment de son Créateur. [...] De

(28) « La langue du siècle béni » est évidemment, pour Ali Belhadj, l'arabe [NDT].

fait, les apôtres du laïcisme [...] n'ont cure de leur appartenance à l'islam et œuvrent dans les pays des musulmans en général, et en Algérie en particulier. »

Mais la victoire du FIS ne rassurait pas complètement ses chefs. Les résultats restaient, pour eux, décevants. Le parti de Dieu n'avait pas reçu l'approbation unanime qu'ils attendaient. Plus de 2 millions d'électeurs n'avaient pas voté pour les islamistes. De plus, beaucoup de ceux qui avaient donné leurs voix au FIS l'avaient fait avant tout parce qu'ils en avaient assez du FLN. La *fitna* *, cette plaie qu'est la division au sein de la communauté des croyants, avait montré le bout de son vilain nez. Si un régime islamique pouvait être établi par les urnes, n'était-il pas possible, aussi, d'y mettre un terme de la même manière ? Les islamistes n'étaient pas unis sur cette question.

Le parti avait mis sa confiance en Dieu, mais aussi en son organisation. Le FIS reposait sur un réseau bien organisé de plus de dix mille fraternités – des associations islamiques, fondées par un imam ou par un simple laïc, qui s'occupaient des pauvres, des handicapés ou des personnes âgées. Les fraternités avaient poussé comme des champignons après la chute des prix du pétrole au milieu des années 1980, qui avait eu pour effet de réduire encore davantage les capacités de l'État à assurer les services sociaux de base. 20 millions d'Algériens étaient âgés de moins de trente ans, soit les deux tiers de la population, et ils étaient en mal d'espérance, après des années de promesses non tenues par le FLN.

Le FIS répondait aux attentes des plus démunis. Les permanents du parti assuraient le transport des personnes âgées, des équipes de travailleurs sociaux s'occupaient des nécessiteux, certains de ses membres géraient des écoles et des hôpitaux, et fournissaient des logements. Face à la déliquescence des pouvoirs publics, incapables d'assurer le bien-être des citoyens, l'organisation islamiste était devenue un État dans l'État. Comme les puissantes machines politiques américaines qui jadis tiraient leur force de leur aptitude à servir les besoins de la foule des immigrés pauvres et désorientés qui gagnaient Boston, New York et Chicago, le FIS s'appuyait sur les masses déracinées qui avaient quitté le *bled* – l'arrière-pays algérien – pour tenter leur chance dans les villes.

Pendant dix-huit mois, le FIS donna aux Algériens un avant-goût du royaume de Dieu sur terre. C'était un mélange de puritanisme vieillot et de moralisme étroit, résolument francophobe, antisémite, antimaçonnique, anticommuniste, antilibéral et « anti- » beaucoup d'autres choses. Certains musulmans apostats faisaient partie, eux aussi, des réprouvés, comme les dirigeants de la Tunisie et de l'Égypte. L'ancien président tunisien, Habib Bourguiba, était un jour allé jusqu'à boire du vin sur une chaîne de télévision nationale pour montrer que Dieu ne mettrait pas fin à ses jours pour autant.

Dans la ville de Tipasa, il était interdit aux hommes de porter des shorts plus courts que des bermudas, et les femmes devaient choisir des robes qui descendaient au-dessous des genoux. À Oran, la très populaire musique *raï** fut bannie à cause des allusions sexuelles contenues dans ses textes et de ses références à la drogue. Les autorisations de vente d'alcool arrivant à expiration ne furent pas renouvelées dans les villes contrôlées par le FIS. Les salons de beauté furent obligés de fermer : ils n'étaient que commerces de vanités visant à exciter la bête tapie en tout homme. La mixité fut interdite dans les écoles et pour le sport, mais pas dans les transports publics où la ségrégation parut trop compliquée à mettre en œuvre. Les règles régissant le port du *hidjâb** furent laissées à la discrétion des autorités locales. Il arriva que des militants prennent eux-mêmes les choses en main. Des excès furent commis ici ou là, mais les pires incidents de harcèlement des femmes, tel que de l'acide jeté sur des filles habillées trop court, survinrent avant la fondation du FIS.

Les journaux français disparurent des kiosques. Cédant à l'air du temps, le gouvernement décréta que les lycées francophones seraient interdits aux non-Européens afin de préserver les musulmans de toute contamination des valeurs de l'Occident dépravé.

Les paraboles, dans les communes dominées par le FIS, étaient toutes tournées vers le satellite Arabsat, qui concurrençait les chaînes françaises, divisant ainsi les familles dans lesquelles l'ancienne génération ne comprenait rien à l'arabe classique ou préférait tout simplement regarder les télévisions européennes.

Les villes contrôlées par le FIS furent rebaptisées « communes islamiques ». Les comptes rendus des réunions municipales furent désormais affichés aux murs des édifices publics. Un nouvel esprit de propreté fit son apparition. On commença à ramasser les ordures dans les rues. Les quartiers appelés « Paris », « Chicago » ou « New York » à cause de leur taux de criminalité élevé et du trafic de drogue ou du marché noir firent l'objet d'un grand nettoyage, eux aussi. On s'attaqua à la corruption. Les pots-de-vin se firent plus rares, même pour de simples services tels que l'obtention d'un certificat de naissance sans avoir à faire des heures de queue, et l'éthique du travail s'améliora parmi les fonctionnaires gouvernementaux dans les communes islamiques.

Le FIS défendait les petites gens. Il organisa des marchés alimentés par des fermiers volontaires pour aider les plus démunis. Les intermédiaires furent contournés et les prix contrôlés par des inspecteurs de l'organisation islamiste. Un kilo de viande qui coûtait normalement trois cents dinars (quatre euros), soit le dixième d'un mois de salaire pour beaucoup, se vendait trente dinars sur un marché tenu par le FIS.

Ceux qui avaient intérêt au *statu quo* ne voyaient pas d'un bon œil la perspective d'un gouvernement dominé par le FIS. Ce dernier visait à briser les confortables monopoles commerciaux des militaires et de leurs amis, que la rue connaissait sous le nom de « général Banane », « général Pneu », « général Farine » et autres sobriquets de ce genre. La hiérarchie contrôlait les lucratives licences d'importation nécessaires pour se procurer tout ce dont l'Algérie avait si grand besoin. En 1990, un tiers de tous les revenus pétroliers et gaziers était englouti dans l'achat de produits alimentaires d'importation.

Les entreprises honnêtes furent encouragées. Le Prophète Mahomet avait lui-même réussi dans le négoce, avec l'aide de sa première épouse, Khadîdja. L'enrichissement était admis s'il était réalisé honnêtement et si les conditions pour faire fortune étaient les mêmes pour tous. Le FIS voulait utiliser l'énergie de la jeunesse et créer un sentiment de reconnaissance sociale parmi ceux qui s'étaient sentis exclus. Les *hittistes* et les petits commerçants votèrent massivement pour le FIS. Par pragmatisme ou par conviction, de nombreux hommes d'affaires fortunés firent de même. Pour les militants islamiques, le soutien au FIS n'était pas motivé par l'obtention de l'eau courante ou d'un logement, comme c'était le cas pour les pauvres. Ils votaient pour affirmer leur nouvelle identité islamique, ce qui permettait de transformer leur exaspération et leur sentiment d'exclusion en une colère moralement et religieusement justifiée.

Deux personnalités façonnaient l'image du FIS dans l'opinion publique. Ali Belhadj, son vice-président, valait au parti une réputation d'incorruptibilité et le soutien passionné de la jeunesse déshéritée. En tant que président de l'organisation, Abassi Madani avait d'autres atouts, plus politiques. Dès février 1989, c'était lui qui avait proposé à Ali d'unir leurs forces pour rassembler les divers mouvements islamiques nés pendant la répression des bouyalistes dans les années 1980.

Abassi Madani apportait une touche de respectabilité décadente enveloppée dans un *qamis*. Alors que la simplicité austère d'Ali Belhadj et sa conception de l'islam ancrée dans la théologie du XIIIᵉ siècle pouvaient faire peur à des sympathisants potentiels dans les classes moyennes musulmanes, Abassi Madani savait les rassurer. Il avait obtenu un doctorat en sociologie à l'Université de Londres, où il s'était spécialisé en sciences comparées de l'éducation. Il avait la réputation d'être relativement attaché aux plaisirs de ce monde : on disait qu'il aimait l'argent, les Mercedes-Benz et les femmes. Il était divorcé, s'était choisi une seconde épouse plus jeune, et les jeunes Algériens ne lui faisaient pas confiance, le considérant comme « trop politique ». Toutefois, il s'exprimait avec clarté, avait le sens de l'humour et donnait au parti des allures plus modérées. D'ailleurs, le FIS n'était pas à proprement parler un parti, mais plutôt une coalition de mouvements islamiques. Mais Abassi Madani voyait les choses autrement : « Il n'y a pas d'alliances en islam. Il y a seulement l'islam. »

Le fondamentalisme politico-religieux en Algérie n'avait pas surgi de nulle part en 1989, comme beaucoup d'observateurs étrangers pouvaient le croire. Le FIS était le rejeton impertinent né d'un mariage d'intérêt entre l'islam et le socialisme, conçu en temps de guerre et élevé dans un climat de rejet. En 1956, la plate-forme du FLN présentée au congrès historique de la Soummam reprenait la proclamation du 1er novembre 1954 appelant à la « restauration de l'État algérien souverain, démocratique et social, dans le cadre des principes islamiques ». Mais quels étaient ces principes ? Qui définissait ce qu'était un musulman ? Qui parlait au nom de l'islam ? Était-ce Ibn (Ben) Badis, qui voulait purifier la religion du Prophète de l'influence des marabouts et restaurer un puritanisme sinistre tout en maintenant une stricte séparation entre religion et politique ? Ou bien était-ce l'Émir Abdelkader, le guerrier mystique qui avait donné du fil à retordre aux Français, et qui avait fondé l'État algérien naissant sur des principes musulmans de tolérance religieuse et de respect des différences ? Les musulmans sunnites* ne possédaient pas de hiérarchie sacerdotale monolithique ni d'autorité incontestable comme le pape pour clarifier les questions relevant de la foi.

Les islamistes à l'intérieur du FLN avaient toujours défendu l'idée que les Algériens devraient savoir parler la langue de leur livre saint. Mais les Algériens de l'après-guerre ignoraient l'arabe classique. Même l'élite francophone cultivée ne parlait que l'arabe dialectal. Il y avait aussi une dimension socio-économique à ce débat. Ceux qui ne parlaient pas français étaient généralement exclus des meilleurs postes dans les universités, dans le gouvernement, dans l'armée et dans l'industrie. Les luttes de pouvoir au sein du FLN, causées par sa double personnalité, aboutirent à faire une concession aux *moudjâhidines* * : une politique d'arabisation fut lancée à la fin des années 1960, qui visait d'abord l'école primaire et devait s'étendre progressivement jusqu'aux universités à partir des années 1980.

Il y avait un problème cependant. Qui enseignerait l'arabe ? Mgr Teissier donna des cours à la sœur du Président Boumédiène et aux femmes de plusieurs ministres. Il fit venir quelques religieuses arabophones du Liban pour prêter main-forte aux pouvoirs publics. Mais cela ne suffisait pas. Le gouvernement algérien partit à la recherche de professeurs en Égypte, en Palestine, en Syrie et dans tout le Proche-Orient, mais ils fournirent plus que leurs connaissances linguistiques. Beaucoup d'entre eux apportèrent dans leurs valises un sens aigu de l'agression culturelle occidentale, doublé d'une croyance en la nécessité de rénover leur religion, non pas en modernisant l'islam mais en islamisant la modernité.

À Médéa, les professeurs égyptiens se firent rapidement une réputation. Ils passèrent pour des maîtres froids et arrogants, imbus de leur mission civilisatrice auprès d'étudiants algériens qu'ils considéraient comme peu évolués. Ces puristes du Caire étaient aussi venus pour rappeler à leurs élèves les rigueurs de la loi coranique. Par exemple, la fabrication des statues était, selon eux, interdite [29], car elle empiétait sur les prérogatives divines.

C'est ainsi que les enseignants écrivirent au ministère des affaires religieuses à Alger pour signaler aux autorités que la statue de la

_____

(29) Les chrétiens des premiers siècles furent influencés par les prohibitions du judaïsme concernant les représentations de Dieu. Les iconoclastes de l'Église d'Orient dénoncèrent l'utilisation des icônes dans la liturgie. Les partisans puritains de Cromwell au XVIIᵉ siècle détruisirent les statues dans les églises anglicanes. Des différences existent aussi parmi les musulmans au sujet des images. Les chiites * iraniens dessinent et sculptent couramment des figures humaines, conformément à leur longue tradition culturelle. Il n'est nulle part écrit dans le Coran que de telles représentations sont défendues, bien que les statues, parce que tridimensionnelles, soient vues d'un plus mauvais œil par les musulmans de stricte observance [NDA].

Vierge au sommet du Rocher Abdelkader, derrière le monastère de Tibhirine, devait disparaître. Le ministère envoya une lettre au *wâlî** de Médéa – équivalent du préfet français en Algérie – priant ce dernier d'enlever la statue. Le *wâlî* répondit qu'il s'exécuterait dès que la statue d'Abdelkader et toutes les autres sculptures d'Alger seraient retirées. « C'est à l'instigation des professeurs que la Vierge fut profanée. Ce sont eux qui incitèrent les étudiants à commettre cet acte. Mais ce n'était pas à la Vierge qu'ils en voulaient, seulement à la statue », insiste père Amédée aujourd'hui. Finalement, les Égyptiens impopulaires furent priés de quitter Médéa. Après leur départ, les voisins aménagèrent un jardin autour de la Vierge et plantèrent des fleurs à ses pieds.

L'islamisation continua, conséquence d'un délicat compromis au sein du FLN. Le parti unique était divisé entre tenants de la sécularisation, dont les préférences politiques allaient du socialisme au républicanisme français en passant par le communisme et le trotskisme, et musulmans traditionalistes, qui voulaient que les valeurs islamiques soient plus largement enseignées et respectées dans la société. Dans les années 1970, le Président Boumédiène commença à remettre en cause la mixité à l'université, à fermer les bars dans la ville sainte de Constantine, et à changer les programmes à l'école pour y inclure l'enseignement de l'islam.

La nouvelle constitution socialiste de 1976 nationalisa les terres agricoles et les biens de l'Église, et déclara l'islam religion d'État. Le ministère des affaires religieuses construisit plus de quatre mille mosquées et centres de formation pour les imams dans les dix années suivantes, dont l'Université islamique Abdelkader de Constantine. Après des années de débats, l'Assemblée nationale adopta finalement, en 1984, le code de la famille, très controversé, conçu pour restaurer les valeurs familiales musulmanes. Cette législation réduisait les femmes au rang de personnes mineures. Elle donnait aux hommes le droit d'interdire à leurs épouses de travailler en dehors de la maison, la possibilité de divorcer sur simple demande, le pouvoir d'empêcher leurs filles de se marier sans l'accord paternel, et instituait l'interdiction pour les musulmanes d'épouser un non-musulman.

Mais l'islam officiel généra son contraire : l'islam souterrain. Ce dernier se développa à l'ombre des caves, des garages, des entrepôts, des morgues et des bâtiments de fortune construits à la hâte sur des terrains vagues, sans permis. Ses prédicateurs étaient souvent des imams dont les compétences se limitaient à une connaissance légèrement supérieure à celle de leur auditoire ou à leurs talents oratoires. Au moins, ils ne dépendaient pas de l'État pour leurs émoluments. Leurs messages n'étaient que variations sur un seul thème : un pouvoir corrompu et arbitraire, séparé de Dieu, avait confisqué la révolution des vrais *moudjâhidines*.

VIII. UNE VISITE DE L'ABBÉ GÉNÉRAL

De même qu'il y a un zèle amer, mauvais, qui sépare de Dieu et mène à l'enfer, de même il y a un bon zèle qui sépare des vices et mène à Dieu et à la vie éternelle.

Règle de saint Benoît, chapitre 72

En ce 4 juin 1991, les aptitudes de Christian à la négociation devaient être mises à l'épreuve. La veille, il avait fait huit cents kilomètres en voiture, de Tibhirine au Maroc, pour ramener Bernardo Olivera, le nouvel abbé général, qui venait de terminer la visite de l'« annexe » de Notre-Dame de l'Atlas, à Fès. Au point de contrôle d'Oujda, au Maroc, les agents de la sécurité algérienne ne voulaient pas les laisser passer, car il y avait eu des incidents à Alger le jour précédent.

C'était depuis Oujda, au-delà de la zone opérationnelle de l'armée française pendant la guerre d'indépendance, que les combattants extérieurs du FLN, sous le contrôle du colonel Houari Boumédiène, avaient lancé des attaques à répétition dans l'ouest algérien. Par un curieux retournement de l'histoire, le Maroc est maintenant devenu un refuge pour les moines français qui attendent de pouvoir un jour repartir en Algérie. En 1988, l'évêque de Rabat avait proposé à Christian de reprendre le monastère de

Fès, qu'une fraternité de Petites sœurs de Jésus était sur le point de quitter. La communauté de l'Atlas comptait seulement onze frères, mais, parce que Christian jugeait la présence monastique en terre d'islam absolument prioritaire et que l'avenir commençait à devenir incertain en Algérie, il avait jugé bon d'accepter la proposition de l'évêque. En 1991, Christian avait demandé à Bruno de devenir le supérieur du groupe de trois moines – Guy, Jean-Baptiste et Pierre – qui fonctionnait comme une « annexe » de Tibhirine, tout en constituant un lieu de repli en cas de besoin.

Dom Bernardo Olivera et son secrétaire attendirent trois heures à la frontière, tout à la fois préoccupés, amusés et admiratifs devant la détermination de Christian à convaincre les militaires de les laisser passer. Bernardo était l'abbé de Notre-Dame des Anges, près de Buenos Aires, lorsqu'il était devenu, à quarante-sept ans, le premier non-Européen à être élu à la tête de l'Ordre cistercien de la stricte observance. Il avait fait la connaissance de Christian à Holyoke, dans le Massachusetts, en 1984, lorsque tous les supérieurs s'étaient réunis pour proposer des modifications aux constitutions de l'Ordre afin qu'elles reflètent davantage l'esprit de Vatican II. Bernardo avait apprécié la façon de penser de Christian et admiré sa sensibilité aux problèmes des pays en développement.

« Il semblerait qu'il n'y ait pas beaucoup d'Argentins qui passent par ici », dit Christian, avec un large sourire, en émergeant pour la dernière fois du poste de sécurité.

« Christian était plein d'enthousiasme. Il était au volant, mais il a parlé tout le long du trajet. Plusieurs fois, j'ai eu peur que nous quittions la route ! Malheureusement, mon français n'était pas très bon à l'époque et je n'ai pas compris grand-chose à ce qu'il disait. » Le visage mince et anguleux de Bernardo, avec son nez aquilin, rayonnait d'une douceur que confirmaient ses manières paisibles et naturelles, ainsi que son rire spontané, tandis qu'il racontait ce voyage depuis le quartier général des trappistes, sur le *Viale Africa*, à Rome.

« Sur la côte, entre Tlemcen et Oran, il y a une crique que

Christian voulait me montrer. Il l'appelait son "petit paradis secret". C'était un endroit à l'écart où il venait prier et se reposer au cours de ses fréquents déplacements à Fès. Il m'a dit que ce lieu était totalement préservé. "Personne ne vient jamais ici", répétait-il fièrement pendant que nous faisions la descente des cinq cents mètres qui séparaient le haut de la falaise de la mer. C'est là, au milieu de son "paradis", que Christian m'a fait découvrir l'un des traits caractéristiques de sa personnalité. Alors que nous mangions notre pique-nique, j'ai regardé autour de moi et j'ai vu un rocher où était gravé : "Hassan aime Fatima". Plus tard, j'ai aperçu une bouteille de Coca-cola, pas très loin. J'ai signalé ces choses à Christian, mais cela ne l'affectait pas. C'était sans importance. C'était son coin à lui. »

Christian serait accusé de naïveté pour sa manière d'appréhender l'islam. Mais, en fait, il choisissait toujours de regarder les choses du bon côté, pour voir au-delà des contrariétés et des difficultés. Il ne voulait pas honorer le mal en lui accordant trop de place dans ses préoccupations. Il se gardait aussi de prononcer des jugements trop généraux sur les gens ou les gouvernements. Il préférait qualifier une action particulière de bonne ou de mauvaise, d'utile ou d'inutile, selon le contexte singulier du moment et du lieu. Il pensait que toute personne pouvait changer, spécialement si l'on s'adressait à ce qu'il y avait de plus noble en elle.

À Alger, ils trouvèrent des barrages routiers et des véhicules blindés qui essayaient, non sans peine, d'imposer le calme. Christian traversa la ville et monta, la nuit même, jusqu'à Tibhirine.

Les fenêtres de la chambre de Bernardo ouvraient sur la terrasse, d'où il pouvait contempler la chaîne du Tamesguida, spectacle qui ne manquait jamais d'enchanter les visiteurs. Aux hôtes qui s'étonnaient que les moines n'aient pas la télévision, Christian répondait qu'ils avaient mieux que ça : ils regardaient les montagnes. Malgré une chaleur estivale de trente-cinq degrés, l'air était sec et le parfum des eucalyptus donnait une impression de fraîcheur. À l'ombre des cèdres, des cyprès, des pins couverts de pignes grosses comme des ananas, des glycines grimpantes, des châtaigniers et des amandiers en fleur, Bernardo découvrait la simplicité d'une vie monastique réduite à l'essentiel. Mais, plus encore, il constatait une réelle pauvreté : « Il était clair qu'avec leur nombre limité de bras, l'accent était mis sur les ressources de la nature. »

Les coins noircis de sa petite cabine de douche rouillée semblaient abriter de mystérieuses formes de vie. Le maigre filet d'eau qui s'écoulait n'invitait pas à prolonger sa toilette. Les faibles ampoules entretenaient une atmosphère lugubre la nuit. Partout, le plâtre s'écaillait. « L'eau et le jardin étaient leur vie. C'est là que s'investissaient leurs forces », se souvient l'abbé général. L'eau était devenue un souci majeur depuis la sécheresse des années 1980. C'était Paul qui avait la charge de maintenir une réserve suffisante pour le jardin. Il avait astucieusement découpé la barrière en métal qui entourait le cimetière des moines et soudé les barres pour en faire une conduite, ce qui avait permis de tirer l'eau de la source située derrière le nouveau bâtiment et de la déverser dans les champs en contrebas. Tous les frères participaient, à des degrés divers, au travail du jardin, surtout pendant la saison des récoltes.

Bernardo était venu apporter son soutien moral à la communauté et s'instruire davantage de leur vie à l'Atlas. Il rencontra chacun des frères individuellement pendant la semaine suivante. Luc, qui n'aimait pas les mondanités, se livra plus volontiers lorsqu'il découvrit leur lien commun. Tous les deux avaient commencé leur vie monastique comme frères convers. Comme Luc, Bernardo avait des compétences en médecine, même si son savoir se limitait aux soins vétérinaires. L'abbé général demanda à Luc s'il avait signé le document sur l'unification, qui, dans l'esprit égalitaire de Vatican II, permettait de faire passer les convers au statut de moines tout en respectant leur forme de vie. Cela ne l'intéressait pas. Il était frère convers depuis cinquante ans et ne voulait pas changer. C'était ce qu'il voulait : être le plus humble des humbles. Têtu, ou orgueilleux peut-être, même dans son désir d'abaissement, Luc n'avait jamais accepté de signer le document libérateur qui l'aurait fait égal en droit aux moines de chœur. Et personne ne l'obligerait à le faire.

Bernardo fut frappé par l'enthousiasme de Christophe pour le travail manuel au jardin, qui était aussi l'école où il apprenait à mieux connaître ses voisins musulmans. Le jardinier était aussi poète et artiste. Ses dessins ornaient les comptes rendus du *Ribât*. Un défi imprévu fit une forte impression sur Christophe. Un jour, dans le potager, l'abbé général lui demanda combien de tractions il était capable de réaliser en se pendant à la barre horizontale qui servait à faire sécher les oignons. Le plus jeune et le plus athlétique des frères de Tibhirine parvint à un total de dix tractions. Il regarda ensuite avec stupéfaction le pâle et maigre Dom Bernardo en réaliser quinze. Le nouvel abbé général avait gagné quelques points au baromètre de l'estime et du respect. Christophe ne savait pas que Bernardo avait, un moment, envisagé de devenir acrobate de cirque avant de rejoindre l'Ordre.

Paul était le frère le plus récemment arrivé de France pour faire son vœu de stabilité à Tibhirine. Il était venu de Tamié pendant l'hiver 1989, et c'était le dernier des moines à avoir fait profession solennelle à l'Atlas. Avec Paul, Bernardo découvrit un solide Savoyard de cinquante-deux ans, déjà chauve, et dont le visage placide et rond cachait un esprit volontaire et décidé, ainsi qu'un humour pince-sans-rire. On disait de lui qu'il avait de l'or dans les mains. Son ingéniosité pour résoudre les problèmes mécaniques et son talent de plombier permettaient au monastère de fonctionner et au jardin d'être irrigué. La foi de Paul avait mûri lentement. En France, il avait été conseiller municipal et le fils serviable du maréchal-ferrant dans le petit village de Bonnevaux. Il fit clairement comprendre à Bernardo qu'il n'était pas un fervent adepte du dialogue interreligieux – non qu'il fût hostile aux autres religions, mais parce qu'il se méfiait de la confusion qui pouvait en découler pour lui. Paul aimait, en toutes choses, la clarté et la précision.

Michel Fleury, Célestin Ringeard et Bruno Lemarchand furent

surnommés « les trois Mages de l'Atlas » par la presse française. Ils avaient fait sensation en 1984 à cause de leur arrivée providentielle à Tibhirine. L'une des premières préoccupations de Christian en tant que supérieur avait été de faire venir davantage de frères à l'Atlas. Les trois moines étaient à Notre-Dame de Bellefontaine lorsqu'ils avaient entendu des prêtres d'Algérie parler des besoins urgents du nouveau prieur trappiste. Plus tard, le trio avait confié indépendamment à leur maître des novices, Étienne Baudry, qu'ils voulaient servir l'Ordre en Algérie. Chacun avait été le voir en l'espace d'une semaine en avril 1984, moins d'un mois après l'élection de Christian.

Un flot de paroles submergea Bernardo dès sa première rencontre avec Célestin. Ses frères l'appelaient « l'homme du contact ». Il avait un besoin incessant de parler et d'être avec des gens. « Merci de parler plus lentement : je ne comprends pas très bien le français », supplia Bernardo, mais sans succès, tandis qu'il écoutait poliment le prêtre de cinquante-sept ans déverser sur lui ses sujets de préoccupation. Célestin était lié très personnellement à l'Algérie depuis l'époque de son service militaire, comme infirmier, pendant la guerre. Après une escarmouche près d'Oran, des soldats de son unité avaient voulu achever un officier *fell* blessé. Célestin leur avait dit qu'il faudrait d'abord le tuer lui! Il soigna le blessé pendant la nuit et le fit envoyer à l'hôpital le jour suivant. Sidi Ahmed Hallouz – c'était son nom – passa le reste de la guerre en prison. Presque trente ans plus tard, il envoya son fils étudier en France. Le jeune homme voulait remercier le Français qui avait sauvé la vie de son père. Après des semaines de coups de fil auprès des prêtres de tout le pays, il s'adressa à l'évêque de Nantes, qui l'envoya à Notre-Dame de Bellefontaine, où Célestin venait de rejoindre le noviciat.

Silencieux, attentif aux autres, humble et obéissant, Michel était « l'homme de l'écoute ». Christian disait qu'il était le moine idéal. Il avait été tourneur à Marseille et membre du Prado, un institut fondé pour vivre l'Évangile aux côtés des pauvres et des sans-abri, en particulier les immigrés. Au Prado, il se lia d'amitié avec des ouvriers nord-africains et fut frappé par leur sens de l'hospitalité, malgré leur extrême pauvreté. À Bellefontaine, Michel se sentit écrasé par la taille, les conventions et la majesté du monastère. « Il était comme David dans l'armure de Saül », se rappelle Étienne Baudry. Dom Bernardo trouva que ce moine au cœur doux, au visage en lame de couteau, et d'apparence modeste, n'avait pas grand-chose à lui dire.

L'abbé général avait déjà rencontré Bruno, le troisième mage, à Fès. L'ancien professeur de français, à la personnalité introvertie, avait trouvé Bellefontaine trop grand, trop imposant et trop assujetti aux contraintes économiques. Comme hôtelier, Bruno n'avait pas été pleinement heureux. Il avait mal supporté d'être constamment appelé au téléphone. À Tibhirine, il avait trouvé la paix et avait écrit à sa famille qu'il voulait y être enterré. C'était « l'homme des fleurs », son plus grand bonheur étant de jardiner.

Amédée était, de tous les frères, le plus ancien à Tibhirine. Comme Christian, il voulait vivre un vrai partage spirituel avec les musulmans, mais pas de la même manière. Il aimait simplement être avec les voisins et ne ressentait pas le besoin d'une approche théologique particulière. Il était très aimé des femmes du village. Rendre visite au père « H'amdi » était un but de sortie. Elles pouvaient s'épancher auprès d'une personne compréhensive, qui écoutait avec beaucoup de compassion. Elles lui apportaient toujours des petits gâteaux, ou des cadeaux de La Mecque si elles revenaient du pèlerinage. Ou bien elles troquaient des œufs contre l'utilisation du chargeur de batteries du monastère. Quelquefois, elles avaient seulement besoin d'argent. Elles savaient qu'Amédée était le trésorier de la communauté.

Certains frères trouvaient qu'Amédée était trop traditionaliste et tourné vers le passé. Les moines ne mettaient pas leur habit religieux quand ils se rendaient à l'extérieur afin de ne pas susciter des remarques agressives de la part de certaines personnes, généralement de jeunes garçons. Mais Amédée, lui, portait toujours son habit pour les fêtes du voisinage, les mariages et les funérailles, événements auxquels il était régulièrement invité. À l'âge de soixante-dix ans, Amédée était un peu dur d'oreille. Durant son entretien avec Bernardo, il passa son temps à régler son sonotone et à répéter : « Je n'ai pas compris. »

Après Amédée et Luc, Jean-Pierre était celui qui possédait les souvenirs les plus anciens de la vie à l'Atlas. Il était arrivé à Tibhirine en 1964 en réponse à l'appel de Mgr Duval, qui cherchait des moines après avoir sauvé le monastère du décret de Dom Sortais qui devait le fermer. Concernant le port de l'habit en public, Jean-Pierre était du même avis qu'Amédée. Il fallait être fier de cet uniforme. Mais il s'arrêta de le porter du jour où il entendit des jeunes, à Alger, murmurer sur son passage le mot « envahisseur », alors qu'il se rendait à Notre-Dame d'Afrique. Être ainsi traité l'indisposait, même si de telles injures étaient rares. La croix, pour les Algériens, était toujours un symbole du colonialisme et des humiliations passées. Jean-Pierre avait participé au renouveau prôné par Vatican II, notamment en liturgie où il avait favorisé la participation des hôtes. Mais il restait attaché à certains aspects de la vie monastique qu'il avait connue quand il était arrivé de France, dans les années 1960. Il y avait alors des dortoirs, et chaque moine dormait dans un petit box, avec seulement un rideau pour respecter l'intimité de chacun. Jean-Pierre se méfiait de certaines réformes qui pouvaient menacer l'esprit de solidarité communautaire, essentiel au monachisme cistercien. Il pensait que ce choix de dormir dans des chambres individuelles, appelées cellules, érodait cet esprit. Au lieu de lire et écrire ensemble au scriptorium*, les frères passaient plus de temps dans leurs cellules. De Jean-Pierre, Bernardo garda le souvenir d'un homme au calme imperturbable.

Avant de quitter Tibhirine, Bernardo fit un rêve. Au cours de cette « visite nocturne », il vit un moine de l'Atlas aux prises avec un frère de l'Ordre qui le tenait à la gorge en le sermonnant durement : « *Primo*, tu perds ta vie face à ce monde musulman qui ne te demande rien et se moque bien de toi, alors qu'il y a tant à faire ailleurs, tant de peuples qui n'attendent que ton témoignage pour accéder à la vie contemplative et venir grossir ta communauté… *Secundo,* pauvre de toi, notre Ordre n'a vraiment que faire d'une fondation comme la tienne ; quel poids mort ! » Avant que le moine haletant puisse répondre, Bernardo se réveilla. Perturbé, il consigna par écrit ses réponses, que Christian utiliserait plus tard dans une allocution devant tous les supérieurs de l'Ordre.

L'abbé général quitta Tibhirine à la mi-juin. Les troubles qui l'avaient presque empêché de passer la frontière, en arrivant, avaient été causés par une intervention de l'armée. Cette dernière avait été chargée de briser une grève générale organisée par le FIS, qui avait été peu suivie.

Enhardis par la large victoire de leur parti aux élections municipales l'année précédente, Abassi Madani et ses alliés au conseil exécutif du FIS (*majlis ach-chûrâ*) pensaient prendre sans difficulté le contrôle de l'Assemblée nationale aux élections prévues pour 1991. Mais le pouvoir législatif procéda à des redécoupages de circonscriptions pour favoriser le vote rural, plus favorable au FLN. Il modifia aussi le mode de scrutin en introduisant un second tour entre les deux candidats arrivés en tête du premier, dans le cas où aucun parti n'aurait obtenu la majorité absolue immédiatement. Ce système s'inspirait de la pratique française la plus courante sous la Ve République.

Quoique les conséquences de tels changements aient largement dépassé les capacités d'analyse de l'électeur de base, qui comprenait déjà à peine le processus électoral, ces manœuvres politiques du FLN fournirent une occasion pour Abassi Madani de défier le gouvernement. Mais les objectifs de la grève générale à laquelle il appelait pour la fin mai n'étaient pas clairs. Tantôt il exigeait la démission du Président Chadli, tantôt il demandait une modification de la loi électorale, ou bien il réclamait que soit fixée une date pour le scrutin. La grève n'était motivée par aucune revendication précise pour les travailleurs ; il s'agissait plutôt d'une démonstration de force dans la rue.

Le FIS estima que la grève avait été suivie à 100 % à Médéa. Mais il en avait été tout autrement à Alger. Mis à part un noyau dur de militants, la population, dans son ensemble, n'avait pas répondu à l'appel de cette grève générale aux objectifs obscurs. Les étudiants des quatre campus de l'Université d'Alger avaient continué à aller en cours et à passer leurs examens. Des militants du FIS avaient fait quelques incursions dans des salles d'examen et subtilisé les stylos de certains étudiants au campus de Bab Ezzouar. La plupart des commerçants avaient ouvert boutique et les fonctionnaires grévistes n'avaient pas été plus nombreux que d'habitude – les salariés étaient régulièrement en grève à Alger…

Le retour de cette fièvre islamique dans la rue divisait les stratèges du pouvoir. S'agissait-il d'une infection, peut-être d'origine saoudienne ou iranienne, réclamant de puissants antibiotiques pour en guérir définitivement ? Ou bien était-on en présence d'un système immunitaire déficient, incapable désormais de faire la différence entre l'organisme à défendre et les virus qui le menaçaient, nécessitant plutôt des anti-inflammatoires, le remède ultime consistant à instaurer une réelle démocratie ? Certains des conseillers du prince préféraient, aux dires des cyniques, un patient continuellement malade et affaibli, pour que les masses, obsédées par leurs propres maux et par leurs peurs, ne soient jamais capables de renvoyer ceux qui étaient censés promouvoir le bien commun en agissant « pour le peuple et par le peuple. »

Les stratèges gouvernementaux étaient toujours divisés entre militaires et civils, entre clans, entre générations, entre sympathisants et opposants du FIS, entre vrais et faux démocrates, entre musulmans sincères et hypocrites, entre arabophones et francophones, et entre ceux qui avaient des comptes bien fournis en Suisse et ceux qui n'en avaient pas. Malgré ces luttes intestines, tous étaient cependant d'accord sur un point : conserver la responsabilité de soigner le malade. Au cours des mois à venir, la presse allait finalement réduire ces différences à un combat entre les « éradicateurs » et les « négociateurs ». Le nouveau slogan gouvernemental était « le changement dans la continuité », ce qui pouvait signifier qu'il fallait garder le même docteur mais changer de traitement, ou bien conserver l'ordonnance mais changer le nom des médicaments.

Les médecins du Fonds monétaire international prescrivaient toujours le même traitement : économie de marché et démocratie. C'était le remède miracle à tous les maux de la planète. Aussi, le pouvoir algérien se devait de contenter cette institution, sans quoi le financement permettant la survie d'un système chancelant serait sérieusement en danger. Quel que soit le traitement adopté – saignées, purge, mise en quarantaine, thérapie de groupe, incantations religieuses traditionnelles ou modernisées – la cure devait toujours être appliquée au nom du sacro-saint processus de démocratisation.

Le FIS avait lui aussi connu la division dans sa quête d'un objectif commun : la création d'un État islamique. « L'islam est la solution » : ils étaient tous d'accord sur le slogan, mais de quel islam s'agissait-il, et par quels moyens devait-on l'instaurer ? Il y avait les traditionalistes, qui rejetaient l'idée de participer au jeu politique, car cela mènerait à la corruption de l'islam. Ils pensaient que la prédication, l'éducation, la solidarité sociale et le témoignage d'une vie droite étaient les meilleurs remèdes. C'était la voie de la *da'wâ,* une démarche intérieure qui stimule et promeut le sens moral, le respect de la religion et la probité. La politique, selon les tenants de cette approche, était responsable de la division maladive (*fitna*) de la société algérienne.

D'autres, les *djazâ'iristes,* ou « légalistes », entendaient mener un *djihâd* plus national qu'universel. Ils considéraient le processus politique initié à la suite des émeutes de 1988 comme la meilleure occasion pour se débarrasser des apostats qui gouvernaient le pays. Éradiquer l'injustice sociale était un devoir sacré, mais les musulmans ne devaient recourir à la violence que s'ils y étaient contraints par d'autres. La *da'wâ* était une bonne chose, expliquait Abassi Madani aux traditionalistes, mais la promotion de la culture musulmane n'était vraiment possible que si elle n'était pas coupée des réalités politiques et économiques.

Les radicaux du FIS, qui rejetaient toute notion de participation au processus politique, étaient souvent des *salafistes**, ou « théocrates ». Ils se considéraient comme les membres d'un mouvement révolutionnaire mondial et leur allégeance n'allait pas à l'État mais à la *Oumma,* cette communauté musulmane originelle qui existait bien avant que naquît la nation algérienne. Parmi eux se trouvaient d'anciens bouyalistes du milieu des années 1980 – dont la fréquentation avait coûté cinq ans de prison à Ali Belhadj – et des vétérans d'Afghanistan qui avaient été formés à Peshawar et avaient combattu l'armée soviétique. La participation aux élections, selon cette faction extrémiste, ne ferait que légitimer un gouvernement illégitime et une conception de la démocratie purement occidentale, et non islamique.

Le courant radical argua du fait que les stratèges du gouvernement ne laisseraient jamais le FIS prendre le pouvoir, même en cas de victoire électorale. Ils dénoncèrent le processus comme une mise en scène hypocrite, qui masquait la réalité du pouvoir caché de l'armée. Ils accusèrent les légalistes de naïveté. Les radicaux ne croyaient qu'au maquis, comme les martyrs du 1er novembre, trente-sept ans plus tôt.

Il manquait à la grève du 25 mai non seulement le soutien de la rue, mais aussi un consensus au sein même de la direction du FIS. Abassi Madani était président, mais il n'était que le *primus inter pares.* Le futur État islamique avait sa propre conception de la démocratie, que le mouvement était censé pratiquer. Le conseil consultatif du FIS, le *majlis ach-chûrâ*, était constitué de quarante membres. Traditionnellement, cette institution collégiale pouvait critiquer et dire ses quatre vérités au calife*, et désormais au président du FIS.

Abassi Madani fut accusé par ses opposants, au sein du conseil, de prendre des libertés qui court-circuitaient le processus de consultation (*chûrâ*) et la recherche du consensus (*idjmâ'**). Ils lui reprochèrent de parler au nom du FIS sans avoir le soutien du conseil. Il y avait dix-sept dissidents dans le *majlis,* opposés à toute stratégie politique. Des intrigues et des contacts supposés entre certains membres anti-Madani et le gouvernement conduisirent à plusieurs expulsions du parti.

Parmi les personnalités mises au ban se trouvait Ahmed Merrani. Il était l'un des premiers fondateurs du FIS, présent, avec Abassi Madani, en 1989, à la mosquée Es Sunna. Il avait connu la guerre d'indépendance, à la Casbah, pendant ses jeunes années. Il parlait français couramment et avait toujours cru que la révolution visait à préserver la religion musulmane et les valeurs morales de l'islam. Au milieu des années 1970, il avait créé une association pour venir en aide aux nécessiteux. Ahmed Merrani pensait que la prédication et les bonnes œuvres (*da'wâ*) étaient les meilleurs moyens pour ramener les gens vers l'islam. Dans les années 1980, il refusa de rejoindre les bouyalistes qui avaient déjà cédé à la violence. « Vous ne pouvez pas rester assis sans rien faire, les bras croisés, mais la *da'wâ* est plus efficace que la kalachnikov. »

Le 1ᵉʳ juin, Ahmed Merrani désavoua son propre parti à la télévision, déclarant que le FIS était sous la coupe de « gamins » qui n'avaient « aucune compétence ni connaissance en matière religieuse ». La rancœur à l'intérieur du parti et la timidité du soutien populaire à la grève fournirent une occasion pour les généraux de mettre un terme au FIS ainsi qu'au « bruit », à la « fureur » et à la « confusion » qui régnaient dans la rue. Dans la nuit du 3 juin, les éradicateurs prirent le patient en mains. Des soldats en voitures blindées chassèrent les manifestants des quatre places que le Premier ministre avait concédées à Abassi Madani comme lieux de rassemblements pacifiques. Grenades lacrymogènes, jets de pierres, coups de feu, ambulances, *youyous, intifâda* : le fantôme d'octobre 1988 terrorisait beaucoup de personnes au gouvernement, qui ne voulait pas voir se répéter ce qui était arrivé trois ans plus tôt.

Les « incidents » du 3 juin firent 55 morts et 326 blessés. Trois mille personnes furent arrêtées. Douze mille salariés, qui avaient utilisé la menace de grève pour faire pression sur le gouvernement afin d'obtenir de meilleures conditions de travail, furent licenciés. Qui avait donné l'ordre de disperser la foule dans la nuit du 3 juin ? Il était venu « d'en haut » : personne ne put jamais en dire davantage.

Constatant qu'il avait été trompé par son propre gouvernement, le Premier ministre Hamrouche démissionna le 5 juin. Il avait dit aux manifestants qu'ils pouvaient se rassembler sur les places tant qu'ils se montraient respectueux de l'ordre public. Un nouveau Premier ministre fut nommé, et l'état d'urgence fut décrété, ce qui impliquait un couvre-feu et d'autres arrestations.

Le 7 juin, Abassi Madani proclama la fin de la grève et la victoire du FIS. Il expliqua dans une conférence de presse, le jour suivant, que la loi électorale avait été retirée, que son parti jouissait toujours d'une existence légale, et que de nouvelles élections auraient lieu le 21 décembre. Mais, grâce à la levée des garde-fous constitutionnels de 1989, suite à l'état d'urgence, les éradicateurs pouvaient commencer à crever l'abcès islamiste qui empoisonnait le jeu politique de la nouvelle et fragile démocratie. Aussi ne laissèrent-ils pas passer une telle aubaine.

Cela commença avec l'étrange affaire de Roger-Didier Guyon, un sympathisant français de la cause islamiste. Connu d'Ali Belhadj sous le nom de « Didi », il fut arrêté, le 12 juin, pour avoir fait venir une cargaison d'armement dans le pays. La presse attribua au numéro 2 du FIS la paternité d'un projet de révolte armée pour « déstabiliser les institutions gouvernementales ». Dans une conférence de presse visant à récuser ces accusations, le leader islamiste, emporté par l'émotion, lâcha ces paroles fatales : « Je suis prêt à faire dans les armes si on m'accuse de cela ! [...] Les lois ? Elles sont à mes pieds, je les piétine. » Le quotidien populaire *Horizons* titra aussitôt en grosses lettres : « Ali Belhadj hors-la-loi », et « Ali Belhadj craque ».

Le jour suivant, des soldats se rendirent dans les villages tenus par le FIS et arrachèrent les pancartes qui proclamaient : « Commune islamique ». Elles furent remplacées par d'autres, sur lesquelles étaient inscrits ces mots : « Par le peuple, pour le peuple ». De nouveaux troubles, incendies et émeutes poussèrent Abassi Madani à menacer le gouvernement d'un *djihâd* s'il n'arrêtait pas ses provocations délibérées.

Le 27 juin, Ali Belhadj refusa de se rendre à une convocation au commissariat de police. Le 30, il fut intercepté au moment où il gagnait les studios de la télévision nationale pour demander le droit de répondre à ses détracteurs. Le même jour, Abassi Madani fut arrêté, lui aussi, au quartier général du FIS, rue Khelifa Boukhalfa, à cent mètres seulement du bureau de Mgr Teissier. Ali Belhadj et Abassi Madani furent, tous les deux, incarcérés à Blida pour menace à la sécurité de l'État.

Beaucoup d'observateurs estimèrent que les dirigeants du FIS étaient tombés dans le piège tendu par les éradicateurs par leurs prises de parole intempestives et que le caractère émotif d'Ali Belhadj avait permis de le manipuler habilement. Mais le pouvoir avait bien des raisons de faire grise mine. Il était devenu le bouc émissaire de tous les maux depuis 1991. L'année avait été riche en déconvenues, à commencer par la guerre du Golfe, en janvier. Le gouvernement avait voulu jouer son rôle traditionnel de conciliateur, comme il s'en était fort bien acquitté, dans le passé, en aidant la France à libérer un journaliste tenu captif au Liban, en 1986. L'Algérie avait aussi été un intermédiaire vital dans la négociation pour relâcher les otages de l'ambassade américaine en Iran, en 1979. Mais la guerre avait radicalisé une large partie de la jeunesse, qui détestait les Saoudiens et les Koweïtiens, trop bien en chair et suffisants. Ceci compliquait la tâche du gouvernement autant que celle de la direction du FIS, qui était prête à exprimer sa solidarité avec le royaume *wahhâbite,* dont le soutien financier était vital. Les jeunes Algériens étaient pour Saddam Hussein. Il était le David arabe tenant tête au

Goliath américain, le Robin des Bois de la *Oumma* menaçant les riches Saoudiens.

La source d'inspiration de la gauche algérienne, l'Union soviétique, se désagrégeait chaque jour un peu plus à la face du monde, confirmant l'exactitude de l'analyse de Piotr Tchaadaev, pour qui le destin de la Russie était de montrer au reste de l'humanité la voie qu'il ne fallait pas suivre. Les prix de l'énergie continuaient à baisser, réduisant d'autant la manne pétrolière à la disposition du pouvoir pour répondre aux besoins pressants de la société. L'échéance des nouvelles négociations avec le Fonds monétaire international se rapprochait. Dernière menace – et non des moindres : les islamistes étaient sur le point d'obliger le pouvoir en place à partager la direction des affaires s'ils venaient à gagner une proportion significative de représentants à l'Assemblée nationale. Pour couronner le tout, un Abassi Madani sûr de lui avait déclaré imprudemment que le FIS ne se sentirait pas tenu d'honorer les engagements pris envers le FMI, ni envers qui que ce soit d'autre. Il avait ajouté que le scrutin tout proche constituerait la dernière élection démocratique en Algérie [30]. La crainte d'une révolution de type iranien commençait à gagner les généraux. Ils avaient vu les dégâts politiques que pouvait causer une religion aux prétentions démesurées.

---

(30) À diverses occasions, Abassi Madani affirma aussi qu'il souhaitait que l'armée soit abolie et que les femmes au foyer soient rémunérées pour leur travail à la maison [NDA].

IX. UN PAYS D'ORPHELINS

N'avons-nous pas tous un Père unique ? N'est-ce pas un seul Dieu qui nous a créés ? Pourquoi donc sommes-nous perfides l'un envers l'autre, en profanant l'alliance de nos pères ?

Malachie 2,10

La haine et la violence dans les psaumes étaient devenues un sujet sensible lors des réunions hebdomadaires du groupe chargé de la liturgie. Ses membres savaient que les références à Israël et aux « ennemis du Seigneur » étaient omises dans la liturgie par certains prêtres d'Alger, qui ne voulaient pas offenser ceux qui ne partageaient pas leur foi.

Dieu, si tu exterminais l'impie !
Hommes de sang, éloignez-vous de moi !
Tes adversaires profanent ton nom :
ils le prononcent pour détruire.

Comment ne pas haïr tes ennemis, Seigneur,
ne pas avoir en dégoût tes assaillants ?
Je les hais d'une haine parfaite,
je les tiens pour mes propres ennemis.

Le psaume 138 pouvait prêter à confusion. Les musulmans ne risquaient-ils pas de se sentir visés par de telles imprécations ?

Christian comprenait très bien l'importance de la violence dans les psaumes. Il considérait cette forme de prière comme un cri vers le Ciel : « Dieu, sois juste pour que je ne me fasse pas justice moi-même ! Je sais que je ne peux pas être juste quand je suis en colère. » Les psaumes ne faisaient qu'exprimer la violence qui l'habitait et qui était une réalité humaine universelle et incontournable. Néanmoins, Christian pensait qu'il n'était pas raisonnable de chanter ces versets enflammés alors que les actes de brutalité ne cessaient de se multiplier alentour.

Sur cette question, les frères étaient tous d'accord : Christian n'était pas assez ferme. La liturgie s'organisait autour de la psalmodie. Il s'agissait d'un patrimoine ancien, hérité des Pères du Désert [31], qui avaient chanté ces poèmes bibliques dès les premiers siècles de l'Église. Y toucher serait une forme de trahison, une négation de leur identité de moines. Oui, les psaumes ne manquaient pas de virulence parce qu'ils étaient en prise avec la vraie vie, pétris de désirs ardents, de peurs et de doutes, ainsi que d'espérance en un amour éternel et en une justice ultime. La communauté ne permettrait jamais que le zèle de Christian ménage d'hypothétiques susceptibilités musulmanes au prix d'une atteinte à ce qui leur était le plus cher. Si certains versets devaient offenser un visiteur, il suffisait de les lui expliquer. Mais ils n'avaient aucune raison de scandaliser les musulmans puisque le Coran affirmait clairement que les psaumes avaient été donnés à David par Dieu lui-même (sourate 4, verset 163). Plus difficile à régler, pour les frères, était la question de leur manière de louer le Seigneur.

Sept fois par jour, les moines expriment leur amour de tout leur cœur, de toute leur âme et, surtout, à pleine voix. Cet amour

---

(31) La psalmodie est, en fait, plus ancienne encore que les Pères du Désert puisque les moines chrétiens tiennent cette forme de prière du peuple juif, qui la fait remonter au moins au temps du Roi David, soit mille ans avant l'ère chrétienne [NDT].

s'extériorise physiquement par un jeu de vibrations harmoniques, de notes et d'accords, évoquant le désir romantique du troubadour qui soupire après la dame inaccessible de son cœur. Comme une précieuse lettre d'amour, les mots de la liturgie sont aspirés vers les régions profondes de l'intériorité. La Parole, ainsi, se fait chair.

L'amour est le fait de chacun, mais le chanter ensemble unit les frères en une communauté donnée à Dieu. Toutefois, depuis que Christian avait nommé Célestin chantre, la louange de Dieu à Tibhirine était devenue une occasion de discorde autant qu'un chemin d'unité. Au sein de l'équipe responsable, Christophe était officiellement chargé de la liturgie, mais Célestin, avec son excellente oreille et ses compétences musicales, demeurait le maître de chœur. Christophe avait dix-huit années de vie monastique derrière lui. Il savait comment les moines devaient chanter. Célestin chantait comme Célestin. Il entonnait trop haut. Sa voix se détachait trop. Les moines sont supposés psalmodier avec sobriété, dans la tradition grégorienne, dont le sens de la mesure impose à la passion de brûler comme une flamme régulière.

Célestin avait toujours fait figure de personnage singulier depuis son entrée dans l'Ordre en 1983. Tout le monde avait alors dit de ce quinquagénaire à la mâchoire carrée et aux cheveux blancs, toujours affairé, qu'il n'avait pas la fibre monastique. Il était excessivement bavard, très émotif, d'un tempérament exubérant, et recevait trop de courrier pour quelqu'un censé se détacher du monde. Il avait mené une vie très active comme prêtre de la rue, au service des marginaux de la société, dans les quartiers sud de Nantes : alcooliques dépendants, prostituées, sortants de prison sans abris, et homosexuels. Toujours sociable et au service des autres, Célestin avait atteint la limite de ses forces après huit années à s'occuper des brebis perdues, à toute heure du jour et de la nuit. Un soir, un homosexuel tenté par le suicide l'appela du fond de son désespoir. Célestin arriva au pied de son immeuble juste à temps pour voir le corps de cet homme s'écraser sur le trottoir. Peu de temps après, il confia à sa sœur : « J'ai donné assez de moi-même aux autres ; maintenant, je vais me donner à Dieu seul. »

À Tibhirine, Christian accepta de faire des aménagements pour Célestin. La Règle ne prescrit pas de traiter tous les moines de la même manière. Le supérieur est censé être un parent raisonnable, qui admet que ses enfants aient des besoins différents, selon leur âge, leur tempérament et leur constitution physique. Célestin avait passé la majeure partie de sa vie sacerdotale en mouvement perpétuel, feu follet volant au secours des blessés de la vie au nom de l'Église. C'est pourquoi Christian ne lui fit aucune remarque lorsqu'il se mit à faire de longues marches hors clôture, après les vigiles et avant le lever du jour, à l'heure où les moines s'appliquent normalement à la *lectio divina* * – lecture et méditation des Écritures. Par ailleurs, il avait gardé l'habitude de parler librement avec les personnes qu'il rencontrait sur la route. Il aimait les gens.

Christian avait l'esprit large, mais certains moines émirent des objections. Jean-Pierre, par exemple, pensait que le vagabondage matinal de Célestin nuisait à l'esprit de la communauté. Il intervint auprès de ce dernier en tête-à-tête. Il lui rappela fraternellement qu'il avait rejoint un Ordre contemplatif, qui, contrairement aux chartreux, mettait l'accent sur la vie en communauté. S'il avait toujours besoin de s'adapter à ce genre de vie, alors ses marches en solitaire l'entraîneraient dans la mauvaise direction et pourraient créer des dissensions entre les frères. Malgré la bienveillance de saint Benoît, il était toujours délicat d'accorder des aménagements à tel ou tel moine sans que cela pose problème en communauté.

Les jours de temps libre, Célestin aimait à emprunter les chemins du Tamesguida pour rendre visite à Robert Fouquez, un ermite bénédictin qui vivait dans les montagnes, de l'autre côté de la vallée. Normalement, pendant toute sa vie au service du Seigneur, le moine trappiste n'a jamais de vacances ni de week-ends. Mais comme Tibhirine était une très petite communauté, extrêmement isolée, Christian avait donné aux frères quarante-huit heures de temps libre personnel par mois [32]. Le sociable Célestin avait trouvé, en Robert, un compagnon capable de comprendre le côté indépendant et libre de sa personnalité. Ce dernier avait reconstruit un cabanon de berger en pierres abandonné, et en avait fait un ermitage hospitalier, où il faisait pousser des fleurs, cultivait des légumes et s'adonnait à l'apiculture. Les gens des environs le considéraient comme un sage, et Célestin partageait leur opinion.

À l'automne 1992, au cours de l'une de ses visites mensuelles, Célestin souffrit de fortes douleurs à la poitrine ; il dut retourner au monastère plus tôt que d'habitude, chancelant et appuyé sur l'âne de Robert. Un cardiologue de Médéa diagnostiqua une légère crise cardiaque. À l'époque, son état ne fut pas pris très au sérieux par Christian, qui mit l'incident sur le compte d'une nervosité excessive.

La résistance physique était l'une des grandes forces de Christian et il ne comprenait pas toujours très bien que d'autres personnes puissent en être dépourvues, ce qui le conduisait parfois à des interprétations erronées. Il ne tombait jamais malade, mangeait peu, dormait encore moins, et restait pieds nus dans ses sandales même en plein hiver. Il pouvait écrire cinquante lettres en une seule journée. Écrire était son devoir et sa passion. Ses frères appelaient Christian « l'homme des relations ».

Le bulletin annuel de la communauté avait pour but de tenir au courant les amis et les familles de la vie dans les montagnes de l'Atlas. À la fin de 1992, Christian cherchait des signes d'espérance dans ce qui avait été une année difficile et troublée.

Le prieur de Tibhirine commença par saluer les destinataires de sa missive par ces mots : « Dans le nom qui nous porte ensemble, paix à vous dont les noms sont inscrits au livre de nos vies ! »

---

(32) Ces journées dites de « désert » ou de « rupture de rythme », sans office autre que les complies, furent instaurées dans d'autres monastères cisterciens, permettant à chaque moine, une fois par mois, de prendre un temps de solitude, de détente et de ressourcement, souvent dans la nature [NDT].

Faisant mémoire d'un certain nombre de « noms » ayant marqué la vie communautaire, Christian évoqua la mort de frère Pierre, emporté par un cancer. Cet « Africain noir et moine blanc » était entré à l'Atlas en 1948 « par fidélité à l'Afrique qui n'avait pas alors d'autre monastère cistercien », puis était parti en 1951 pour fonder un nouveau monastère au Cameroun. Quand il avait appris qu'il était gravement malade, Pierre avait écrit : « Le cancer, c'est ma dernière et si bienheureuse vocation sur cette terre. [...] La vie n'est donnée à l'homme que pour qu'il s'apprivoise peu à peu à Dieu, et se sente finalement dans son climat, immergé en Dieu. »

Christian mentionna Philippe Hémon, de Tamié, qui était venu pour l'ordination de Christophe, en 1990, et dont les visites s'étaient succédé à un rythme régulier depuis lors. Il avait fait un séjour de deux semaines, en 1992, pour aider Christophe et Célestin à « chercher les notes qui [convenaient] à la communauté ». Pour le *Salve regina*, le chant des moines saluant la Vierge Marie au terme du dernier office des complies, Philippe avait concédé, avec bienveillance, qu'il pouvait être interprété de mille manières. Il avait seulement insisté pour que son dernier mot ne fût point escamoté : c'était « un cri, et pas un soupir »; c'était « un nom, et quel nom : *Maria* ».

Leur évêque, Henri Teissier, était aussi dans le livre de leurs vies. Il avait dû, encore une fois, expliquer à des chrétiens en visite pourquoi l'Église restait en Algérie. On lui demandait toujours combien elle comptait de baptisés. La question n'avait aucun sens. L'Église n'était pas une multinationale qui cherchait à gagner des parts de marché. Les prêtres étaient au service de tout le peuple algérien. Dans une méditation récente, Mgr Teissier rappelait : « Quand le peuple souffre, c'est déjà beaucoup d'être là, pour porter ensemble cette souffrance maintenant. Nous n'avons pas à attendre, pour faire quelque chose, que les événements difficiles que nous vivons soient dépassés. » La présence indéfectible de l'Église était d'autant plus significative que la tendance générale était de quitter le pays.

Mohammed était un autre nom dans le livre. Gardien et homme à tout faire, il logeait dans le bâtiment qui abritait jadis la presse à olives. Associé en chef de Christophe, il travaillait au jardin, à la suite de son oncle, Ali, parti à la retraite en 1990, après quarante années, ou presque, de bons et loyaux services au monastère. Mohammed était aussi un membre apprécié du *Ribât*. Christian estimait que son islam avait un nom : « ouverture ». Il était allé en France en 1992, avec Christophe, pour visiter les monastères qui avaient envoyé des frères à Tibhirine. Il avait été impressionné par la piété trappiste et le souci d'obéir à la volonté de Dieu. À son retour, il avait avoué à Christian : « Tu sais, là-bas, j'ai rencontré de vrais musulmans. »

Mohammed était aussi le nom du chef de l'État algérien qui avait été assassiné six mois plus tôt, le 29 juin. Le meurtre du Président Boudiaf sonnait comme un rappel des tensions qui secouaient le pays depuis l'annulation des élections législatives en janvier 1992. L'homme de la rue avait commencé à prêter l'oreille au discours simple et sincère de ce grand vétéran de l'indépendance : « Sa voix sonnait juste lorsqu'il donnait à son programme les noms de probité, de travail, de participation, d'union nationale. La conscience populaire y trouvait des repères. Les jeunes étaient sensibles à ce style direct. » Ces derniers, nota Christian, étaient « de nouveau en terrain vague ».

Le prieur conclut son bulletin en soulignant l'importance du mot « confiance » : « Car enfin la confiance est le nom infiniment noble que l'amour prend en ce monde lorsque la foi et l'espérance se rejoignent pour lui permettre de naître. » Au terme de l'année 1992, la confiance était devenue une denrée rare en Algérie.

« Ceux qui l'ont tué voulaient tuer l'espérance », déclara Mme Fatiha Boudiaf en ouverture de sa déclaration officielle devant la presse le jour des funérailles de son mari. Des millions d'Algériens avaient exprimé leur douleur et leur honte, et il ne faisait aucun doute qu'il avait commencé à gagner la confiance de l'homme de la rue, après cinq mois de combat solitaire contre les vieilles méthodes du régime.

Mohammed Boudiaf avait hérité de nombreux surnoms :
« Mohammed le Sec », « Ramsès II », « le Sphinx », et même
« Lee Van Cleef », en référence à l'acteur américain aux pommettes
saillantes dont le visage impassible et ridé ressemblait étonnamment
au sien. Que l'armée l'ait choisi pour succéder au Président Chadli
était plus facile à comprendre que ses raisons à lui d'accepter la présidence du nouvel exécutif extra-constitutionnel. Le Haut Comité
d'État* était constitué d'un général et de trois civils. Il avait besoin
d'un cinquième membre, si possible une personnalité d'une stature
suffisante pour atténuer les effets pervers d'un coup d'État réalisé,
officiellement, pour préserver la démocratie.

Mohammed Boudiaf était « Monsieur Propre », pur de toute
participation au jeu politique algérien des vingt-sept années précédentes. C'était une figure historique, l'un des neuf membres du
comité qui avait décidé de lancer la révolution depuis un café parisien, près de la Sorbonne, en 1954. C'est là que, dans un acte de
foi absolue et de détermination, la décision avait été prise de libérer
l'Algérie du joug français, alors que les futurs révolutionnaires ne
possédaient qu'une cache d'armes de trois cents fusils. Quand les
généraux contactèrent Mohammed Boudiaf après le premier tour,
en décembre 1991, son nom avait été effacé des livres d'histoire
algériens. Il était totalement inconnu, sauf de la vieille génération
des *moudjâhidines.*

Peu après l'indépendance, en juillet 1962, le FLN sombra dans
des querelles intestines dès que commença à s'effriter le ciment
de la cohésion née de la guerre. Mohammed Boudiaf était socialiste, et il voulait une vraie démocratie, pas une junte militaire.
D'autres pensaient que les Algériens n'étaient pas encore mûrs pour
un système multipartite. Houari Boumédiène, l'homme fort de
l'armée, partageait ce sentiment. Il devint le champion de l'égali-
tarisme islamique. Certains l'appelaient « le moine ».

Fils d'un paysan arabe pauvre, Houari Boumédiène était un
musulman de stricte obédience, qui avait la réputation d'être
réservé, rigoriste, et de ne jamais sourire. Après avoir combattu au

maquis, dans la région de Tlemcen, son autorité ne cessa de s'affirmer, tout au long de la guerre, au sein de l'armée de l'extérieur, cette réserve militaire basée en Tunisie et au Maroc. Il ne courait pas après les honneurs ou les décorations, et méprisait plus encore les disputes futiles des ambitieux. Houari Boumédiène pensait que seule l'armée était suffisamment unie pour transcender le chaos de l'après-guerre, les querelles de personnes et la culture de lutte des clans, qui avaient toujours divisé l'Algérie. Un seul homme était parvenu à surmonter cette maladie de la fragmentation; c'était l'Émir Abdelkader, dont le portrait constituait l'unique décoration de son bureau austère. En 1963, Houari Boumédiène fit alliance avec l'ambitieux et imprévisible Ahmed Ben Bella, qui avait gagné ses galons de sergent dans l'armée française et pensait, comme lui, qu'il fallait un parti unique pour rassembler tous les Algériens, ce qui convenait fort bien à ses aspirations politiques démesurées.

Mohammed Boudiaf avait, un court moment, été mis en prison par Ahmed Ben Bella au motif qu'il dénonçait le choix du parti unique comme mode de gouvernement, malgré les objections de démocrates comme lui, qui voulaient un pluralisme authentique. Il avait aidé à la constitution d'un comité pour la défense de la révolution, pendant la première année de l'indépendance, et, après l'élection d'Ahmed Ben Bella à la présidence, il avait créé son propre Parti de la révolution socialiste, malgré l'interdiction qui pesait sur l'existence d'organisations politiques alternatives. Libéré un an plus tard, en 1964, Mohammed Boudiaf quitta son pays pour la France, puis le Maroc, où il vécut dans l'ombre, avec sa famille, et dirigea une entreprise de fabrication de briques. Un an plus tard, Ahmed Ben Bella était destitué par l'armée et placé en résidence surveillée. En 1980, lui aussi allait choisir de s'exiler.

Lorsque le premier tour des élections législatives du 27 décembre 1991 donna une majorité écrasante au FIS, les militaires se trouvèrent dans la délicate situation d'avoir à choisir entre la quasi-certitude de devoir partager le pouvoir avec les islamistes ou bien l'annulation du deuxième tour fixé au mois de janvier. Le nom de Mohammed Boudiaf commença à circuler : il était l'une des personnalités capables de sauver le gouvernement de cette impasse. Mais, contacté par des journalistes pour commenter le résultat des élections, il affirma : « Le pouvoir a récolté ce qu'il a semé. Les islamistes n'ont plus qu'à prendre le pouvoir, maintenant. »

Quelques jours plus tard, un représentant du gouvernement lui rendit visite, dans son petit village de Kenitra, pour l'informer que le Président Chadli allait démissionner et que les militaires souhaitaient qu'il préside le nouveau comité exécutif provisoire. Il fallait combler le vide politique. Il était le seul à jouir du prestige d'une réputation sans tache et d'un capital de confiance historique qu'il se devait de mettre au service du pays. C'était là son devoir pour sortir l'Algérie du chaos. Mohammed Boudiaf refusa encore une fois. Il argua du fait qu'il avait vécu trop longtemps loin de son pays natal.

Qu'est-ce qui le décida finalement à changer d'avis pour présider un gouvernement militaire, après vingt-sept ans d'un exil précisément causé par son refus de laisser le pouvoir exclusif à l'armée ? Avait-il simplement accepté l'idée selon laquelle les généraux ne voulaient pas s'accrocher au pouvoir, qu'ils ne faisaient que leur devoir en préservant l'Algérie d'une guerre civile ou d'une forme de tyrannie bien pire encore ? À soixante-douze ans, peut-être songeait-il à reconquérir sa place dans l'histoire nationale. Finalement, il n'est pas impossible que sa femme, Fatiha, ait joué un rôle décisif, en le poussant à reconsidérer sa décision. Mohammed Boudiaf était tourmenté et troublé après avoir refusé la proposition pour la deuxième fois. « Peut-être que l'heure est venue », lui avait-elle suggéré. « Tu ne t'es jamais dérobé à tes responsabilités. Tu avais toujours dit que tu retournerais en Algérie si le pays avait besoin de toi. »

Mohammed Boudiaf accepta le poste après la démission du Président Chadli le 11 janvier 1992, le jour même où le Haut Comité d'État annula le deuxième tour des élections. Mais il devint rapidement un problème pour ceux qui pensaient pouvoir le contrôler.

Il n'avait pas de base politique sur laquelle l'armée pouvait faire pression pour l'influencer. Le Président Boudiaf vivait comme dans un monde à part, entouré d'un petit groupe de professeurs émigrés qu'il avait fait venir de Paris et qui, eux non plus, n'avaient pas vécu en Algérie pendant des années. Il était tellement honnête qu'il était impossible de le manipuler. Mohammed Boudiaf endossa les habits du père sévère mais juste qui n'hésitait pas à corriger tous ses enfants.

Faire rentrer le FIS dans le rang était l'affaire la plus urgente. Son président par intérim, Abdelkader Hachani, s'adressa aux électeurs en appelant à une insurrection et demanda à l'Armée du peuple de défendre le mouvement islamique. Les huit mille mosquées soutenant le FIS à travers le pays furent le théâtre de harangues politiques tous les vendredis. Le Président Boudiaf déclara à son Premier ministre : « Je ne veux pas que les prières du vendredi transforment Alger en Téhéran. Il ne doit pas y avoir d'islam politique. » Le nouveau chef de l'État était un musulman pratiquant, mais il avait fait ses études en France dans la tradition républicaine. Une loi interdisant l'utilisation des lieux de culte à des fins politiques fut appliquée avec fermeté. Des cordons de police interdirent l'accès des mosquées islamistes le vendredi, et empêchèrent la prière dans les rues. Des imams provocateurs furent arrêtés au beau milieu de leur sermon. Les forces de l'ordre se heurtèrent à des partisans du FIS et ouvrirent le feu sur des minarets à l'aveuglette. Le petit peuple des quartiers pauvres s'indigna que les gardiens de la paix puissent faire preuve d'une telle impudence blasphématoire.

Début février, certains journaux estimèrent à quarante morts et trois cents blessés le nombre de victimes de ces confrontations à travers le pays, dont la plupart à Alger. L'état d'urgence fut proclamé pour une durée d'un an. Vers la fin du mois de février, il y eut des arrestations en masse. Les élus locaux du FIS et leurs sympathisants furent incarcérés dans les anciens camps de détention français à mille cinq cents kilomètres au sud, où la température pouvait monter à plus de 50 degrés à l'ombre. Environ quinze mille personnes – enseignants, imams, médecins, hommes d'affaires, professeurs, huit cents maires et quatre mille conseillers municipaux – furent détenues sans aucun chef d'accusation, pendant des mois, dans la fournaise désertique d'Aïn Salah, de Reggane, d'Ouargla, d'Horm et d'autres endroits reculés. Début mars, le FIS fut officiellement dissous en tant que parti politique. Fin mars, tous les dirigeants du mouvement étaient sous les verrous ou en exil.

Le FIS n'était pas le seul à devoir apprendre à respecter les nouvelles règles du jeu. Le slogan du Président Boudiaf était : « L'Algérie d'abord ». Il commença à enquêter sur la corruption. Il se mit à constituer des dossiers sur les officiers supérieurs qui étaient propriétaires de droits commerciaux pour l'importation de produits tels que les antibiotiques, le sucre ou les pneus de voiture. Il demanda des éclaircissements sur des irrégularités douanières. Puis ce fut le choc : il fit emprisonner un général. Mohammed Boudiaf était d'une rectitude totale. Autoritaire et isolé, il était pressé d'en finir. Il avait déclaré la guerre au système, mais sans consulter l'armée, sans le soutien d'un mouvement politique et, pensaient certains, sans l'humilité requise.

Il était décidé à rassembler le pays. S'il avait survécu, Mohammed Boudiaf aurait créé un nouveau grand parti. Son Assemblée nationale patriotique aurait pu inclure toutes les autres formations politiques, en faisant du renouveau national le principal enjeu du débat. Il voulait s'adresser aux jeunes et leur faire sentir que l'Algérie était aussi leur pays. « Mon objectif est de créer les conditions pour que nous puissions donner à notre jeunesse les clés de nos prisons. »

Le 29 juin 1992, à la Maison de la Culture d'Annaba, le Président Boudiaf parlait à son auditoire de réconciliation et d'amour du prochain, quand, à ses pieds, il entendit un sifflement. Au moment où il se retournait, il vit une grenade rouler dans sa direction, et un officier des services de sécurité, posté derrière le rideau de scène, lui tira sept balles dans le dos.

Le 1er juillet, par une chaleur torride, une foule d'anciens et de jeunes, de femmes et d'hommes, aux visages défigurés par l'émotion, se pressa derrière le cortège qui était parti de la résidence présidentielle et serpentait lentement le long des treize kilomètres de route sinueuse, jusqu'au cimetière El-Alia, où Mohammed Boudiaf reposerait aux côtés de Houari Boumédiène et de l'Émir Abdelkader.

Les lourdes hélices des hélicoptères de l'armée tournoyaient au-dessus des têtes, tandis que des femmes hurlaient leur douleur lancinante, sous forme de youyous stridents, en une lamentation vieille comme l'angoisse et la peine qu'elles tentaient d'exorciser. Ici où là, fusaient des cris : « Chadli, assassin! » Des jeunes gens écrasaient leur cigarette dans la paume de la main pour ne jamais oublier l'homme qui était devenu le père dont ils avaient tant besoin.

Des journalistes interrogèrent les gens qui attendaient le passage du convoi. « Nous sommes orphelins », commentèrent deux jeunes filles en sanglots. « Nous avons perdu notre père, le père de tous les Algériens. Le peuple a le droit de savoir la vérité, d'avoir un procès sans lynchage, sans revanche [...]. La revanche, ce n'est pas l'islam. » Un jeune homme en sueur et en larmes confirma : « Ils ont tué un père. Ils ont profité de sa dignité et de sa réputation. Cet homme était vraiment intègre, il ne faisait pas partie de la mafia. Il était la fierté de l'Algérie. [...] Le pays était en ébullition, et ils sont allés le chercher pour ramener le calme. Maintenant, ils lui ont tiré dans le dos. » Un vieillard se rappelait en pleurant : « Ils ont éliminé tous les anciens révolutionnaires : Krim, Khider, Boumédiène [...] et maintenant Boudiaf. [...] C'est mauvais signe pour l'Algérie. Qu'est-ce qui nous arrive? »

Un journaliste, de l'hebdomadaire algérien *La Nation,* résuma l'atmosphère entourant le passage du cercueil, sur le boulevard Amirouche : « Un sentiment de profonde angoisse parcourait la foule en désarroi, abattue par le deuil. On pressentait une descente aux enfers. »

« *Ils* l'ont tué. » Ces mots ne cessaient d'être répétés par la foule des gens ordinaires, qui ne croyaient pas un seul instant à la thèse gouvernementale selon laquelle il s'agissait d'un acte isolé, perpétré par un fanatique religieux. Cette explication officielle rappelait étrangement celle avancée pour expliquer le meurtre d'Anouar El-Sadate, en 1981 : le président égyptien avait été assassiné par un militaire, dont on avait dit qu'il était un islamiste appartenant au mouvement des Frères musulmans. Sept semaines après la mort du Président Boudiaf, un comité d'enquête officiel confirma le verdict de l'opinion publique. Mais il se montra incapable de dire qui « ils » étaient. Il parvint seulement à conclure que le concours de circonstances entourant le meurtre ne pouvait guère être l'œuvre d'une seule personne [33].

Au milieu de l'été 1992, la fièvre islamiste parut retomber. En juillet, Abassi Madani et Ali Belhadj furent condamnés à douze ans de prison par un tribunal militaire, à Blida. Le pouvoir des élus locaux officiels du FIS avait été confisqué et remplacé par celui de représentants nommés par l'État. L'appel au soulèvement adressé par les dirigeants du mouvement islamiste aux trois millions d'électeurs qui venaient d'être bâillonnés resta sans écho. Ils ne se révoltèrent ni après la décision d'annuler le deuxième tour des législatives, ni après l'annonce de l'interdiction du FIS. Les forces de sécurité avaient réussi à intimider les sympathisants du parti islamiste et à interdire l'accès des mosquées aux imams trop enflammés. Les jeunes, dans certains quartiers connus pour leur soutien au FIS, étaient régulièrement interpellés pour des interrogatoires. Une bonne partie de l'intelligentsia islamiste était détenue dans des camps ou avait déjà quitté le pays. Mais, comme des gouttes de pluie tombant d'abord doucement, puis de plus en plus fort, jusqu'à devenir une averse, la violence prit de nouvelles formes, avec de nouveaux acteurs aux casiers judiciaires encore vierges.

Le 26 août au matin, une explosion dévastatrice annonça qu'un

---

(33) Les services de sécurité français menèrent leur propre enquête et conclurent que l'assassinat du Président Boudiaf était une opération conjointe menée par la gendarmerie algérienne, les services secrets et d'anciens membres du gouvernement Chadli (*Journal du Dimanche,* 28 août 1993) [NDA].

nouveau palier venait d'être franchi. Une bombe placée sous une chaise de la salle d'attente proche du comptoir d'enregistrement d'Air France, à l'aéroport Houari Boumédiène, fit 9 morts et 120 blessés. Parmi les victimes, beaucoup de femmes et d'enfants. Curieusement, aucun personnel de la sécurité ne fut touché. Des corps en morceaux furent évacués dans des sacs poubelles, après avoir été extirpés du carnage cauchemardesque qui avait maculé de sang et de lambeaux de chair les murs et les plafonds. Le meurtre injustifié de civils, en particulier de femmes et d'enfants, suscita l'indignation générale. Une guerre totale venait d'être déclarée, mais on ne savait pas exactement par qui. Le Premier ministre fit allusion à la possible présence d'une « main étrangère » quand il s'exprima devant la presse.

Un mois plus tard, les auteurs présumés de l'attentat furent arrêtés. Quatre hommes furent condamnés, bien qu'ils aient expliqué au tribunal que leurs aveux avaient été obtenus par la torture. Les accusés étaient d'anciens extrémistes du FIS liés au Mouvement islamique armé (MIA*) d'Abdelkader Chebouti, ex-capitaine de la Sécurité militaire, les services secrets de l'armée algérienne. Il avait rejoint le maquis de l'Émir Moustafa Bouyali au milieu des années 1980, et avait été capturé et condamné à mort, avec six autres compagnons. C'était le seul à avoir bénéficié d'une commutation de peine.

Abdelkader Chebouti avait été l'un des opposants purs et durs à toute participation aux élections législatives de décembre 1991. Il avait qualifié le scrutin de mascarade. Se prêter à un tel simulacre ne pouvait que servir à légitimer les néocolonialistes apostats qui gouvernaient de mèche avec la France. L'analyse d'Abdelkader Chebouti en fit un héros, aux yeux de nombreux islamistes, lorsque ses prédictions se révélèrent exactes. Il se mit à incarner la figure du combattant avisé. Il avait bien anticipé que les élections étaient un jeu que le FIS ne serait jamais autorisé à gagner.

Après l'annulation du deuxième tour des élections, les arguments des dirigeants du FIS hostiles à un soulèvement armé n'étaient plus tenables. Le chemin pacifique vers la théocratie avait été arrêté net.

Initialement, le MIA était le seul groupe armé en place et prêt à se battre. Son organisation était la réincarnation du *djihâd* bouyaliste, qu'il avait rejoint en 1982.

Parmi les deux mille *moudjâhidines* du MIA, on comptait beaucoup de vétérans du premier *djihâd* mené par l'Émir Moustafa Bouyali, au milieu des années 1980. Les noms de la plupart de ses partisans étaient aussi connus de la police, et il était donc difficile, pour eux, de se cacher dans les villes. Abdelkader Chebouti avait anticipé la faillite de la stratégie politique du FIS. Il planifiait ses interventions armées depuis le maquis et avait stocké de la nourriture et des armes dans des caches disséminées au flanc des montagnes autour de Blida et dans la région de Médéa. Un grand nombre des jeunes sympathisants du FIS habitant les fiefs islamistes du sud-est d'Alger le rejoignit.

Mais Abdelkader Chebouti n'était pas seulement perspicace et prévoyant; c'était aussi un grand professionnel, qui ne voulait que des cadres qualifiés. Craignant des infiltrations d'agents de la Sécurité militaire, il appliqua des critères de recrutement très stricts, refusant des milliers de volontaires qui voulaient se battre. À la courte période où il dirigea la guerre sainte contre le *Tâghût**, le despote maléfique, succéda une époque nouvelle marquée par d'autres mouvements d'opposition, plus démocratiques et moins sélectifs.

Le Groupe islamique armé (GIA*) était l'une de ces jeunes organisations. Ses nouveaux émirs acceptaient tous ceux qui voulaient prendre les armes. Ils n'attachaient d'importance qu'au zèle et au courage dont faisaient preuve les candidats. Au début, le test pour s'engager consistait à tuer un policier, tout comme le FLN avait éprouvé ses recrues en combattant les Français. Plus tard, on demanda aux postulants de tuer un membre de leur propre famille.

La grouillante population de jeunes gens dans les quartiers islamistes d'Alger commença à devenir un enjeu important pour l'armée et l'opposition islamiste. Ils étaient condamnés à choisir.

L'armée pouvait leur offrir un emploi, des contrats de deux ans, même si le salaire était dérisoire, et une certaine protection. Plus tard, les militaires feraient aussi miroiter la possibilité d'obtenir des visas à l'issue de la période des services rendus. Toutefois, si un homme rejoignait l'armée, il risquait d'être tué par le GIA quand il rentrait chez lui en permission. Mais s'il ne s'engageait pas dans l'armée, il s'exposait à être suspecté par la police de sympathies pour les terroristes. En 1992, bien des jeunes des quartiers sur-peuplés d'El-Harrach, d'Hussein-Dey, de Baraki, de Kouba, de Belcourt, de Bab el-Oued, de l'Eucalyptus, et d'autres, se sentaient plus en sécurité en prenant parti pour les émirs. Ces gens-là, au moins, savaient « pour quoi ils se battaient ». Auprès des gens de la rue, les *moudjâhidines* avaient la réputation d'être courageux et de faire peur à la police. Mais pour la communauté internationale, le GIA allait, dans les années à venir, se signaler surtout par la sauvagerie et la témérité de ses actes terroristes.

Les jeunes ne manquaient pas de raisons pour se battre. Certains d'entre eux voulaient prendre leur revanche après la répression des émeutes de 1988. D'autres avaient été brutalisés par la police, ou connaissaient, parmi leurs proches, des personnes qui avaient été maltraitées par les forces de sécurité. Il y avait aussi des motivations bassement matérielles et pratiques : gagner de l'argent, profiter des butins de guerre, ou échapper au couvre-feu qui obligeait tout le monde à rester à l'intérieur d'immeubles infects, aux cages d'escalier puant l'urine et les excréments. Une grande variété de recrues vint grossir les rangs des nouveaux *moudjâhidines* : étudiants au chômage, malfrats, drogués, anciens combattants du communisme en Afghanistan, ex-membres du FIS, élus déchus de leurs mandats électifs et néo-convertis au service d'une cause qui donnait un sens à l'existence – se battre pour Dieu, en s'opposant à une tyrannie injuste.

L'idéologie islamiste savait transformer la colère en un zèle capable de tous les sacrifices. Les orphelins de Mohammed Boudiaf trouveraient de nouvelles figures paternelles dans l'autorité morale des émirs qui restauraient l'ordre dans les quartiers ravagés par l'insécurité, la délinquance et la désintégration sociale. Ils fournissaient argent et nourriture à leurs partisans dans les zones les plus pauvres, transformées, en 1992 et 1993, en fiefs où les forces de l'ordre avaient peur de s'aventurer.

Fin 1992, un couvre-feu, de 21 h 30 à 5 heures du matin, avait été étendu à huit *wilâyas* * (ou départements), dont Oran, Tlemcen et Annaba, ainsi qu'Alger et Médéa. L'âge de la majorité pénale, pour les crimes à caractère terroriste, avait été abaissé de dix-huit à seize ans. Le corpulent général Mohammed Lamari, de la Sécurité militaire, avait été chargé de créer une unité antiterroriste d'élite de quinze mille hommes, issus de l'armée, de la gendarmerie et de la police nationale. Ils furent vite appelés les « *ninjas* », et leurs interventions n'avaient qu'un seul but : anéantir la cible recherchée.

Des chercheurs français interrogèrent une vingtaine de familles dans les quartiers pro-FIS d'Alger, dans le début des années 1990, pour mieux comprendre la sociologie de la violence. Ils découvrirent une jeunesse déboussolée et livrée à elle-même, dont les parents venaient de la campagne, où la famille élargie avait autrefois assuré cadre, sécurité et ressources. À la ville, les effets corrosifs du chômage n'avaient cessé de ronger l'autorité patriarcale traditionnelle. La vie communautaire fondée sur la cellule familiale et rythmée par les fêtes religieuses comptait de moins en moins ; les contacts avec les autres membres de la famille devenaient de plus en plus sporadiques ; les pères étaient souvent absents. Le mode de vie urbain avait créé l'impression que les valeurs collectives s'effondraient et qu'elles cédaient la place à un individualisme malsain : « Aujourd'hui, c'est chacun pour soi ; les jeunes sont devenus sans pitié », expliquait un boutiquier de vingt-trois ans. Le multipartisme politique était considéré comme un facteur aggravant : « Nous sommes tous des Algériens, alors à quoi ça sert de créer tous ces partis qui nous divisent ? », observait un lycéen de vingt ans. De toute façon, le processus démocratique n'était pas une initiative algérienne : « Ce n'est pas un hasard ; ça s'est décidé en France », assurait un *trabendiste* de trente ans à son interlocuteur français.

Ils avaient pour héros les grandes figures ascétiques qui ne cédaient ni à la tentation du pouvoir ni à la séduction des richesses, comme Ali Belhadj et d'autres imams « désintéressés ». « Le plus grand *djihâd* est celui de l'âme », notait un chômeur de vingt-trois ans. Pour beaucoup, le terroriste était devenu le défenseur de la communauté, menant un combat légitime contre l'injustice. La véritable élite avait les yeux fixés sur l'au-delà de ce monde. Il y avait de la noblesse à souffrir. Un vendeur de vingt-huit ans faisait observer : « Ce sont les expériences des prisons, de la peur, de la faim, du dénuement et du mépris qui conduisent au paradis. »

Les chercheurs constatèrent aussi un profond fossé séparant les anciens *moudjâhidines,* qui avaient combattu les Français, et les nouveaux maquisards, qui considéraient qu'ils ne faisaient que continuer le *djihâd* de 1954. En avril 1993, l'assassinat d'une femme dans la cité des Eucalyptus scandalisa les vétérans de la guerre de libération, que les jeunes islamistes appelaient dédaigneusement les « vieux ». Karima Benhadj était dactylo à la direction de l'action sociale et des sports de la Sûreté nationale. À la mosquée du quartier, on racontait qu'elle était un indicateur qui travaillait pour la Sécurité militaire et qui avait donné des renseignements sur certains jeunes *moudjâhidines.* Pour l'ancienne génération, rien ne pouvait autoriser le meurtre d'une femme sans défense. Ses enfants vivaient de son salaire. Assassiner des mères de famille dépassait les bornes de ce qui était moralement acceptable.

Les jeunes trouvaient risible le sentimentalisme attardé de ces vieillards et leur idéalisme à l'égard des femmes. Toutes les menaces devaient être éliminées. Pensaient-ils vraiment que les femmes étaient incapables de tuer ? Le FLN les avait lui-même utilisées dans sa campagne de terreur au cours de la bataille d'Alger. Il s'agissait d'une guerre totale, qu'il fallait mener sans pitié. Leurs pères voulaient oublier les violences commises par le gouvernement contre les jeunes islamistes et leurs sympathisants présumés. Marcher dans la rue aux côtés d'un ami portant la barbe pouvait valoir à un jeune homme d'être emmené en prison pour y subir un interrogatoire. Mais pour l'ancienne génération, la nouvelle empruntait un chemin qui plongerait le pays dans une guerre pire que celle qui l'avait opposée à la France. Ils le savaient. L'expérience leur avait appris que la guerre pouvait cacher toutes sortes de crimes, surtout dans une société minée par des inégalités sociales et économiques. Là où les « vieux » voyaient des gamins qui tuaient pour de l'argent, par jalousie ou par goût du sang, leurs enfants ne reconnaissaient que des combattants sincères et dévoués, épris de justice.

Les anciens *moudjâhidines* devinrent donc suspects, eux aussi. Pouvait-on leur faire confiance – même s'ils étaient les parents des nouveaux révolutionnaires? Ils avaient clairement dit ce qu'ils pensaient de la situation : le gouvernement avait laissé les choses devenir incontrôlables. Il s'était montré trop accommodant à l'égard des islamistes, lesquels s'inspiraient d'idéologies étrangères importées du Proche-Orient. Depuis l'annulation des élections en janvier 1992, l'ONM – l'Organisation nationale des *moudjâhidines* – avait apporté un soutien sans faille au gouvernement.

Progressivement, ces vétérans, anciens héros de la guerre de libération, furent suspectés de collaboration avec l'ennemi. Un jeune homme expliquait à l'un des chercheurs français : « Les vieux, il faut s'en méfier, ils entrent dans un café, silencieux, ils regardent personne, ils font semblant de rien écouter mais ils écoutent tout en réalité. Ensuite, ils vont raconter à la police tout ce qu'ils ont entendu, tout ce que tu as dit. S'ils voient un étranger dans le village, ils vont le dire aussi à la gendarmerie. »

Plus qu'une réserve d'indicateurs pour la police, les anciens *moudjâhidines* étaient une source d'embarras pour les islamistes. Ces vétérans avaient risqué leur vie et souffert eux aussi. Ils avaient mené le bon combat. De ce fait, leur soutien contribuait à légitimer le régime. Ce dernier pouvait être accusé d'avoir usurpé la révolution, mais pas les hommes du *bled* qui avaient été traqués et avaient souffert de toutes les privations. Leur maigre indemnité consistait à pouvoir bénéficier de places gratuites dans les transports en commun et d'importer une voiture sans payer de droits de douane. Pourtant, ces *moudjâhidines* authentiques étaient favorables au gouvernement des apostats et néocolonialistes francophiles. L'un d'entre eux se souvenait : « Je suis resté six ans dans ces montagnes, il y avait des jours où je mangeais des feuilles. Notre révolution, c'est pas comme aujourd'hui, leur révolution, c'est quoi ? Ils ont tout maintenant, tu as vu l'eau, elle arrive jusqu'au *douar** maintenant. Nous, on a fait la révolution parce qu'on mourait de faim avant. Là où tu vois les moutons dormir maintenant, c'était notre maison avant. »

Aux yeux des maquisards de la guerre de 1954-1962, la révolution islamique n'avait aucune justification. Les islamistes voulaient seulement le pouvoir. Leur *djihâd* n'était qu'une guerre pour le contrôle du pays, et non pour la justice ou la défense de la foi. N'ayant pas lu les dernières théories des révolutionnaires islamiques, ignorant ce qu'un apostat musulman pouvait bien être, toute cette histoire était pour eux d'une absurdité totale. « Comment des musulmans peuvent-ils lancer un *djihâd* contre d'autres musulmans ? », demandaient-ils.

De fait, comment des croyants pouvaient-ils décider de faire une guerre sainte contre des frères dans la foi ? Par quelle autorité un musulman pouvait-il déclarer que tel autre était un mécréant ? Les militants qui appartenaient au *Takfîr wa-Hidjra** se référaient au Prophète lui-même. Certains membres de ce groupe radical avaient fermement condamné les dirigeants du FIS favorables à la participation aux élections législatives de 1991, jugeant leur position blasphématoire. La démocratie à l'occidentale était une abomination, et elle était étrangère à Dieu.

Le *Takfîr wa-Hidjra* avait été créé en 1967. C'était l'émanation la plus extrémiste des Frères musulmans, eux-mêmes nés dans les chambres de torture égyptiennes. Les Frères musulmans avaient été fondés en 1928 pour lutter contre la sécularisation venant de l'Europe au moyen de l'enseignement de la morale et de la pratique des bonnes œuvres. Leur influence grandissante dans les années 1930 et 1940 leur avait valu d'être persécutés et emprisonnés par les services de sécurité du roi Farouk, ce qui avait encore plus radicalisé le mouvement. Les prisonniers reprochaient à leurs bourreaux de ne pas être de vrais musulmans. Les véritables croyants ne pratiquaient pas la torture, affirmaient-ils, en tout cas pas les bons musulmans comme leur fondateur, Hassan al-Bannâ, assassiné en 1949. De même, ils ne sauraient voler le peuple, promouvoir l'injustice et désobéir aux lois de Dieu. Il était légitime de renverser la tyrannie. C'était la volonté de Dieu que les hommes luttent pour réparer les injustices et combattre l'oppression. Mais comment mener cette lutte?

Le Coran est explicite : il faut combattre l'oppression et l'injustice. Mais qu'est-ce que l'oppression? Par quels moyens un bon musulman doit-il lutter? Les musulmans savent que le grand *djihâd* est le combat pour se conquérir soi-même : pardonner plutôt que se venger, maîtriser ses passions et ses envies, faire la volonté de Dieu pour éviter les tourments de l'enfer. Par comparaison, les luttes politiques et sociales ne sont que de « petits *djihâds* ».

Mais comment le croyant peut-il discerner la forme précise que doit prendre la soumission à la volonté de Dieu? Quand doit-il recourir à la violence? Par quel moyen peut-il savoir s'il s'écoute lui-même ou s'il écoute la voix de Dieu? Le Coran ne cache rien des difficultés pour découvrir le chemin de Dieu. Il indique qu'il comporte des passages clairs et précis, mais aussi des versets plus obscurs :

C'est Lui qui a fait descendre sur toi le Livre : il s'y trouve des versets sans équivoque, qui sont la base du Livre, et d'autres versets qui peuvent prêter à des interprétations diverses. Les gens, donc, qui ont au cœur une inclinaison vers l'égarement, mettent l'accent sur les versets à équivoque, cherchant la dissension en essayant de leur trouver une interprétation, alors que nul n'en connaît l'interprétation, à part Allâh. Mais ceux qui sont bien enracinés dans la science disent : « Nous y croyons : tout est de la part de notre Seigneur! » Mais, seuls les doués d'intelligence s'en souviennent (Sourate 3, 7).

« Qui interprète le Coran à son idée sera jeté dans la géhenne », dit le Prophète Mahomet. La loi de Dieu n'est pas un menu à la carte dans lequel on peut choisir les plats les plus faciles à digérer ou les spécialités les plus agréables au palais. Elle doit être absorbée, mastiquée et digérée dans sa totalité. Le Coran possède une signification littérale et un sens caché, plus intérieur. La véritable intelligence du Livre, dit le Prophète, ne peut venir que de la compréhension des deux. Il y a des lectures traditionnelles pour les gens simples qui veulent des règles faciles à observer. Il y a des analyses allégoriques plus profondes, accessibles aux saints et aux penseurs. La loi donnée dans le Coran ne fournit que des directives générales. Ces dernières sont explicitées et illustrées par la vie et les sentences du Prophète. Il est un abrégé historique de la jurisprudence pour interpréter la loi. Ainsi, l'Écriture (le Coran), les « dits » du fondateur (les *hadîths* *) et ses actes (la *sunna* *) sont interprétés par raisonnement déductif [34] et avec le consensus des juristes musulmans. La responsabilité de ce processus incombe aux experts religieux formés dans les universités coraniques les plus prestigieuses et qui ont obtenu le statut de *muftî*. Seuls ces derniers peuvent publier des *fatwâs* * valides, qui sont des sentences clarifiant des points de droit islamique et pouvant éclairer la conscience des croyants.

Mais pourquoi Dieu, le commandant en chef des humains, aurait-il envoyé un manuel d'instructions qui n'est ni limpide ni compréhensible pour tous ses fidèles? C'est ce qu'il voulait. Si le Livre avait été d'une clarté absolue, les hommes se seraient appuyés

---

(34) Par exemple : « Un juge ne doit pas juger quand il est en colère », dit le Prophète. Par **raisonnement déductif, les juristes concluent** qu'il ne **faut pas** juger quand on a **faim ou lorsque l'on a un besoin pressant** : **tout** ce qui **distrait** d'une délibération **calme et paisible** est **préjudiciable** à un **verdict** juste. **Pour de** vrais sages, toute une vie d'étude et une bonne disposition d'esprit sont nécessaires pour interpréter correctement la loi [NDA].

trop facilement sur lui et seraient devenus paresseux. Telle était l'explication donnée par le théologien perse du XIIᵉ siècle Ibn Umar az-Zamakhchârî. Sans les passages obscurs du Coran, les musulmans auraient négligé ce qui leur fait le plus cruellement défaut : l'étude, la méditation et la réflexion. Les versets ambigus ont valeur de test : ils permettent d'opérer une distinction entre ceux qui sont fermes dans la foi et ceux qui s'égarent à la moindre difficulté. Dieu, avança Ibn Umar az-Zamakhchârî, récompense les efforts de ceux qui s'encouragent mutuellement dans la recherche spirituelle. Grâce à la réflexion et à la méditation, une compréhension plus profonde de soi et du monde devient possible. Aidé de l'inspiration divine, un expert de la loi pourra découvrir l'harmonie qui existe entre ce qui est confus et ce qui est limpide. Cela fortifiera sa foi. Car ce n'est qu'à travers la lecture attentive, l'analyse et la prière du cœur que l'on peut parvenir à la connaissance de Dieu et de son unicité. Ceux dont la foi est superficielle et sans vigueur profitent des passages ambigus. Ils y trouvent « la liberté d'innover sans avoir à harmoniser ces versets avec ceux qui sont explicites ».

Mais Ibn Umar az-Zamakhchârî pensait aussi que l'indétermination n'était pas nécessairement une mauvaise chose. L'existence de versets dont la signification ne faisait pas l'unanimité parmi les érudits impliquait qu'il devait y avoir une certaine latitude d'interprétation de la loi. L'incertitude ouvrait des horizons de progrès, de flexibilité et de changement.

X. POYO

Tout ce que ta main trouve à faire, fais-le tant que tu en as la force.

L'Ecclésiaste 9,10

Croissance et changement, tel était justement le sujet de l'allocution que Christian devait prononcer dans le village espagnol de Poyo en septembre 1993. Demander au prieur d'un monastère minuscule et, à bien des égards, hors normes, perdu en terre musulmane, de faire l'un des principaux exposés du chapitre général, c'était là un pari audacieux de la part de l'abbé général. C'était comme si le président de l'Association internationale de l'industrie chimique osait demander au directeur général d'une obscure PME du fin fond de la Lozère de donner une conférence devant un parterre de PDG de prestigieuses grandes entreprises multinationales comme DuPont, Bayer, British Petroleum ou Rhône Poulenc. Bernardo Olivera avait réussi, à force de patience et d'éloges discrets, à convaincre Christian de prendre la parole devant une assemblée de supérieurs en charge de monastères bien plus prestigieux que le sien, dont certains existaient depuis le XIIᵉ siècle.

L'Ordre des cisterciens de la stricte observance compte 4 400 membres à travers le monde, dans 170 communautés réparties dans 43 pays. La concentration géographique de l'Ordre s'est déplacée très sensiblement depuis le début du XXᵉ siècle, époque où 80 % des monastères se trouvaient encore en Europe. Mais dès les années 1990, seulement 55 % des communautés demeuraient sur le vieux continent. Depuis 1980, vingt-trois des vingt-sept fondations furent réalisées hors d'Europe. La plupart de ces communautés sont de petite taille, composées seulement de six à douze personnes, hommes ou femmes. Le nombre total de moines et de moniales trappistes est en légère diminution, diminution moins marquée pour les femmes, selon les statistiques de 1993.

Poyo, situé dans la partie nord-ouest de l'Espagne, avait été choisi non seulement pour la beauté des montagnes vert éme-raude de la Galice, mais aussi parce qu'il y avait trois monastères dans la région. Ensemble, ils pouvaient accueillir les 170 abbés et abbesses venus des quatre coins du monde pour cette réunion qui se tient tous les trois ans et qui permet de faire le point sur l'Ordre. Dom Bernardo avait donc demandé à Christian de faire une des présentations les plus importantes. L'abbé général reconnaissait ainsi son aptitude à combiner pensée profonde et originalité stimulante. Il savait qu'il inciterait son auditoire à oser une vraie réflexion.

« J'ai reçu l'invitation à vous parler un peu comme un piège! D'abord, j'aurais préféré laisser la parole à notre abbé général… Et puis, il me fallait traiter de "l'identité contemplative cistercienne"; et, pour le dire tout net, je n'aime pas beaucoup cette expression. […] D'abord, parce qu'elle peut laisser sous-entendre que la contemplation se donnerait à posséder comme une identité, comme un état stable. Or, à mon sens, la contemplation est de l'ordre de la recherche, ou elle n'est pas. Elle implique ici-bas une démarche, une tension, un exode permanent. C'est l'invitation faite à Abraham : "Marche en ma présence!" »

Et Christian de rappeler à ses auditeurs la sagesse des mystiques musulmans : « Il n'est pas vraiment soufi, celui qui se déclare soufi. » De même, serait-il vraiment contemplatif, celui qui s'affirmerait tel ? Christian poursuivit : « Au cas où vous souhaiteriez m'identifier plus précisément malgré tout, interrogez donc notre voisin. Pour lui, qui suis-je ? Cistercien ? Connais pas ! Trappiste ? Encore moins. Moine ? Même le mot arabe qui dit la chose n'est pas de son répertoire. D'ailleurs, lui ne se demande pas qui je suis. Il le sait. Je suis un *rûmî**, un chrétien. Voilà tout. Et il y a dans cette identification générique quelque chose de sain et d'exigeant. Une façon comme une autre de rattacher la profession monastique au baptême. Vous verrez aussi qu'en précisant il ne pourra traduire cette réalité que selon ses propres repères religieux : "Il fait la prière, il croit en Dieu, il fait carême et donne aux pauvres… C'est presque comme nous !" »

« J'en reviens à mon idée de laisser la parole à notre frère Bernardo », reprit Christian. « Ce sera pour avouer que le "oui" répondu à sa demande n'était pas sans arrière-pensée. Rien ne s'oppose en effet à ce que je reprenne ici pour vous ce que notre abbé général nous a dit, à Fès comme à Tibhirine, lors de la visite qu'il a effectuée, ici et là, en juin 1991. [...] Un matin, il nous a déclaré : "Cette nuit, j'ai fait un songe !" [...] Dans ce songe, notre abbé général avait vu un moine de l'Atlas aux prises avec un frère de l'Ordre qui le tenait à la gorge en le sermonnant durement : "[...] tu perds ta vie face à ce monde musulman qui ne te demande rien et se moque bien de toi, alors qu'il y a tant à faire ailleurs [...] ; quel poids mort !" »

Christian raconta alors la réponse que Bernardo, sitôt réveillé, avait rédigée dans la nuit et avait communiquée à toute la communauté au matin : « Vous avez la mission d'inculturer le charisme cistercien afin que les manifestations de ce monachisme puissent s'enrichir de ce que vous aurez glané dans la culture locale. » Mais l'abbé général avait ajouté lucidement : « Cette inculturation peut provoquer une réaction de peur, celle de perdre votre identité monastique. » Et de conclure : « Pour ne pas éprouver cette peur, ou pour s'en libérer, la première chose à faire est d'approfondir votre culture monastique. » Et cela, expliqua Christian, était précisément ce qu'ils essayaient de faire à l'Atlas. « Nous découvrons alors que la fidélité exigeante de l'autre nous est un don de Dieu, et donc un objet de contemplation susceptible de nous inspirer des formes nouvelles de communion. »

En réponse à la critique plus fondamentale de l'agresseur nocturne dans son rêve – « tu perds ton temps » – l'abbé général avait précisé la mission des moines de Tibhirine. « Leur mission, c'est une présence, silencieuse, vivante et vitale, celle de Jésus, celle de l'Évangile. C'est aussi un accueil du cœur pour le frère musulman, afin d'être soi-même meilleur chrétien. Car c'est dans cette ouverture à l'islam que s'apprendra leur façon d'être chrétiens ici et maintenant. Inutile de chercher la réciprocité. L'attendre pour continuer de s'ouvrir, ça serait contraire à la gratuité de l'amour. Si elle se présente, ils rendront grâce à celui qui la permet et la donne... Bien sûr qu'il leur faut apprendre quelque chose du monde musulman, car il a des valeurs culturelles et religieuses qui leur sont destinées. Et puis, ils peuvent contribuer à éveiller et motiver la dimension contemplative qui se trouve au cœur de chaque musulman. »

« "L'Algérie vous aide-t-elle à vivre votre consécration, et si oui, en quoi ?", nous demandaient récemment nos évêques », poursuivit Christian. « Eh bien, oui, cela nous aide de nous sentir insérés dans un tissu compact d'humanité, et pourtant "séparés", "dans ce monde-là, et pas de ce monde-là", ni notables, ni références utiles. On est préservé ici de toute "mondanité" ! Cela nous aide d'être contraints de rester petits et dépendants, sans aucune prise sur l'évolution du pays. Et d'être tenus de correspondre à notre "raison sociale" officielle qui est de prière et de travail agricole pour vivre. Et d'avoir sous nos yeux le comportement de nos voisins qui est globalement celui de gens modestes et religieux. Ça serait plus scandaleux de mal nous prêter à notre vocation dans un tel contexte. Ils savent pratiquer le partage. La relation et l'hospitalité comptent beaucoup pour eux. Nous nous y exerçons aussi, en recevant souvent des leçons... Nous les accompagnons dans la situation d'insécurité et de grand désarroi que traverse le pays actuellement. »

Insécurité et désarroi. Cette réalité algérienne suscitait souvent une question de fond chez les visiteurs venus d'Europe : « Comment pouvez-vous vivre dans une maison aussi incertaine? » Christian renversa la question : « Comment pourrait-on rester contemplatif dans une maison trop certaine, trop *benefundata*? Au début de l'Ordre, on a bien quitté une maison stable et cossue, à Molesme, pour un désert appelé Cîteaux "fréquenté par les bêtes sauvages"... »

« Il y a quelques années, dans une très belle lettre pastorale, nos évêques du Maghreb avaient invité leurs fidèles à "accueillir ce qui naît dans les Églises de la région". Nous pourrions oublier, en effet, que notre identité chrétienne est toujours plus ou moins en train de naître. C'est une identité pascale. Comment n'en serait-il pas de même de ce que nous appelons notre "identité cistercienne"? Celle-ci serait-elle encore de l'ordre de la contemplation si elle craignait d'affronter des horizons nouveaux? Ceux de la modernité évidemment, mais tout aussi bien ceux de la quête de Dieu hors des sentiers battus de chrétienté. Et si cette dernière année achève de mourir, n'est-ce pas pour laisser naître une humanité nouvelle qui aura besoin de notre regard confiant et compréhensif pour contribuer à son propre enfantement? »

« "Tournés vers l'avenir, disaient encore nos évêques dans un autre document important, nous attendons les élargissements prodigieux de notre regard sur l'homme et sur Jésus qui naîtront de l'interaction entre les cultures chrétiennes actuelles et les questions posées par les hommes des autres traditions de l'humanité." Dans cette perspective, il pourra devenir évident qu'il n'est plus possible d'installer quelque part un monastère tout construit d'avance, car, plus que toute autre, la vie contemplative se découvre dépendante des conditions "humaines" de vie d'un pays, de sa culture, de son histoire, de ses habitudes, de sa tradition religieuse. »

« Face à un monde envahi par l'athéisme théorique et plus encore pratique, le moine va s'étonner de pouvoir rester fidèle à lui-même, en se découvrant "expert en athéisme" [...]. De même, face aux nouvelles invasions de l'islam, il est bon que le moine s'éprouve "expert en islam" parce que voué à cette soumission à Dieu exemplaire qu'est l'obéissance amoureuse du Fils au Père. En ce sens, Jésus est bien le seul "musulman". »

Quand s'acheva le chapitre général, Bernardo reçut des réactions mitigées. Les uns disaient : « c'était très bien » ; les autres au contraire : « c'était trop ». Cette dernière opinion était surtout le fait des abbés des grands monastères européens. Cependant, certains supérieurs du vieux continent ne partageaient pas cet avis négatif. Ainsi, Dom François de Sales, ancien abbé de Tamié, confia à Dom Bernardo : « Je buvais ses paroles » [35]. Quant aux réactions sur le thème « c'était trop », Bernardo ne parvint jamais à comprendre exactement ce qui était précisément de « trop ». Était-ce le contenu du discours d'ouverture de Christian, son audacieuse conclusion affirmant que Jésus est le seul vrai « musulman », ou bien le fait qu'il fut en vedette à deux reprises encore durant les trois semaines du chapitre général ?

En effet, il avait aussi prononcé une homélie à l'occasion de la messe du 14 septembre, jour de fête liturgique célébrant la Croix glorieuse. Christian rappela à l'assemblée la conversation qu'il avait eue un jour avec un ami soufi concernant, justement, le sens de la croix.

— Et si nous parlions de la croix ?, dit le soufi.

— Laquelle ?, répondit Christian.

— La croix de Jésus, évidemment.

— Oui, mais laquelle ? Quand tu regardes une image de Jésus en croix, combien vois-tu de croix ?

Le soufi hésitait.

---

(35) Dom François de Sales fut abbé de Notre-Dame de Tamié, en France, de 1960 à 1981, puis prieur de la communauté de Mokoto, au Zaïre, de 1982 à 1994. Ceci peut expliquer sa réaction positive au discours de Christian de Chergé à Poyo. Par ailleurs, le monastère de Tamié est l'un des plus petits d'Europe, même s'il connut des vocations exceptionnellement nombreuses et fécondes au XXᵉ siècle [NDT].

– Peut-être trois… Sûrement deux. Il y a celle de devant et celle de derrière.

– Et quelle est celle qui vient de Dieu?

– Celle de devant…, dit le soufi.

– Et quelle est celle qui vient des hommes?

– Celle de derrière…

– Et quelle est la plus ancienne?

– Celle de devant… C'est que les hommes n'ont pu inventer l'autre que parce que Dieu d'abord avait créé la première.

– Et quel est le sens de cette croix de devant, de cet homme aux mains étendues?

– Quand j'étends les bras, dit le soufi, c'est pour embrasser, c'est pour aimer.

– Et l'autre?

– C'est l'instrument de l'amour travesti, défiguré, et de la haine […].

« L'ami soufi avait dit : "Peut-être trois". Cette troisième croix, n'était-ce pas moi, n'était-ce pas lui, dans cet effort qui nous portait, l'un et l'autre, à nous démarquer de la croix de "derrière", celle du mal et du péché, pour adhérer à celle de "devant", celle de l'amour vainqueur. N'est-ce pas aussi bien le juif Itzhak Rabin et le musulman Yasser Arafat dans cette poignée de main bouleversante qu'ils se sont donnés, hier, avec le désir de renoncer enfin à l'épée et de s'essayer au travail pacifique de la charrue sur un même sol? »

Christian fit allusion aux versets du Coran qui évoquent la mort de Jésus. Il les interpréta de manière très personnelle. « Ces versets, c'est la croix des exégètes musulmans. "Ils [les juifs] ne l'ont pas tué en certitude…" Cela, c'est clair : par la mort, même la plus infamante, la vie n'est pas ôtée, elle est transformée. "Ils ne l'ont pas crucifié en vérité […]." Oui, car c'est librement qu'il étendit les bras à l'heure de sa passion; c'est l'amour, et non les clous, qui le tenait fixé à ce gibet que nous lui avons taillé. Et c'est l'amour encore qui nous attirait vers lui lorsqu'il pardonnait à ses bourreaux. »

Christian ne précisa pas à ses auditeurs qu'il avait déjà traduit cette image de Jésus en un nouveau crucifix pour la chapelle de Tibhirine, conformément au vœu de plusieurs de ses frères. L'idée était qu'il soit moins choquant pour les musulmans. À leurs yeux, montrer Jésus ainsi, nu sur la croix, était inacceptable. Cela trahissait un manque de respect pour l'un des plus grands envoyés de Dieu. Ils étaient ainsi confrontés à cette part incompréhensible de la foi chrétienne, cette idée que Dieu puisse s'abaisser au point de devenir homme et qu'ensuite il permette à son propre Fils d'être tué. Le Dieu trine n'a pas sa place dans la représentation musulmane de la divinité, qui affirme avant tout l'unicité de Dieu, unificateur de toutes choses. Allâh est l'intégrateur suprême, et l'islam réglemente toutes les dimensions de la vie. Il n'y a qu'un Législateur, et la révélation coranique régule tout, de l'art de la guerre à la vie familiale et la gestion de l'économie. Il n'y a pas de dieu sauf Allâh, et tout le reste n'est qu'idolâtrie.

Christian avait donc commandé une icône de Jésus en croix à une ermite ardéchoise, Sœur Françoise. Cette icône respectait les sensibilités musulmanes. Le crucifix montrait Jésus sans couronne d'épines, le corps drapé dans une tunique de pourpre royale, les clous transformés en points dorés lumineux, son noble visage regardant droit devant, affranchi de toute souffrance. Au-dessus de la tête du Christ, était écrit, en arabe : « Il est vraiment ressuscité. »

Finalement, pour ceux qui étaient présents à Poyo, ce qui avait été de « trop » était sans doute, aussi, le « petit *djihâd* » qui avait eu lieu contre la motion de synthèse finale. Christian avait été de ceux qui, supérieurs des monastères de création récente dans les « jeunes Églises », considéraient que les conclusions de la conférence négligeaient les réalités des pays en développement et mettaient trop l'accent sur les préoccupations des grandes abbayes européennes. L'insistance sur le vieillissement des communautés semblait dérisoire comparée aux guerres, au terrorisme et à la famine qui sévissaient dans les régions où ils vivaient.

Ces supérieurs minoritaires rédigèrent une motion assez

critique, de deux pages, mettant d'autres enjeux au premier plan. Ils y firent état de leur sentiment commun de déracinement causé par l'éloignement de leur culture d'origine, souvent dans un climat de grande insécurité et d'immense pauvreté. Ils mentionnèrent le besoin pressant d'une formation visant à créer une vision et un langage communs au sein de leurs communautés pluriculturelles. La plupart d'entre eux vivaient dans des situations de remise en cause des valeurs traditionnelles et pensaient que le modèle occidental fascinait à l'excès, surtout la nouvelle génération. L'univers des jeunes Églises se caractérisait typiquement par une population dont le tiers avait moins de quinze ans et était passé directement de l'analphabétisme à l'ère de la télévision sans avoir jamais appris à lire. Les cultures locales perdaient pied, rendant difficile la tâche des jeunes qui ne savaient plus discerner les éléments à conserver dans leurs traditions ancestrales.

Les voix dissidentes des jeunes Églises insistaient sur la nécessité d'une dimension contemplative de l'Ordre conçue comme réalité transculturelle. Ils pensaient que cette réalité revêtait un caractère prophétique, obligeant chacun à se dépasser.

À la suite de cette session du chapitre général, l'Ordre devait se donner comme priorité de développer une « nouvelle anthropologie » pour le XXIe siècle, qui chercherait à accueillir la diversité humaine dans ses expressions culturelles, y compris religieuses.

Tandis qu'il se préparait à retourner à Alger, Christian apprit que deux géomètres français venaient d'être tués à un faux barrage près de Sidi-bel-Abbès, berceau de la Légion étrangère. C'étaient les premiers étrangers assassinés depuis l'annulation des élections dix-huit mois auparavant.

XI. DIEU EST GRAND

Et il y a parmi eux des illettrés qui ne savent rien du Livre hormis des prétentions et ils ne font que des conjectures. Malheur, donc, à ceux qui de leurs propres mains composent un livre puis le présentent comme venant d'Allâh pour en tirer un vil profit!

Coran 2, 78-79

Le 30 octobre 1993, un mois après la réunion de Poyo, le GIA déclara officiellement la guerre aux étrangers résidant en Algérie. L'annonce parvint sous la forme d'une lettre dont l'en-tête portait l'emblème du Coran surmonté de deux épées croisées l'une sur l'autre. « Quittez le pays, on vous donne un mois de délai. Toute personne dépassant ce délai se tient responsable de sa mort subite. » La signature était curieuse : « Abou Meriem », le père de Marie. Le message avait été transmis par trois fonctionnaires du consulat français qui avaient été enlevés dans une des banlieues d'Alger. Ils avaient été relâchés près de la résidence de Mgr Teissier, avec pour instruction de rendre public l'avertissement.

L'ultimatum expira le 1er décembre. La veille, Christian s'était rendu en voiture à Alger pour accueillir Amédée, qui revenait d'un séjour en France. Il passa la nuit, comme à son habitude, à la Maison Saint-Augustin. La villa art déco de couleur crème, au bout du chemin Beauregard, sur les hauteurs d'El-Biar, occupe une place de choix, au sommet de l'amphithéâtre formé par les collines qui entourent le port. En regardant vers l'ouest depuis sa terrasse, il pouvait voir l'hôtel Aurassi, une immense barre de l'ère socialiste construite par les Égyptiens, les flèches de la « mosquée Saint-Raphaël » et le dôme de la « mosquée des juifs », comme on appelait communément ces édifices jadis église et synagogue. Juste en dessous, se trouvaient les luxuriants jardins tropicaux de l'ancien hôtel Saint-Georges, rebaptisé hôtel El-Djazaïr, où les généraux alliés avaient séjourné à la veille du débarquement en Italie. À l'est, il pouvait apercevoir les fiefs islamistes de Mouradia, d'El-Harrach, de Hussein-Dey et l'immense monument de quatre-vingt-dix mètres de haut, en forme de fusée, bâti à la gloire des martyrs de la révolution.

C'était un endroit idéal pour penser à sa mort. Le *wâlî* de Médéa avait essayé de convaincre Christian, seulement deux semaines auparavant, d'accepter une forme de protection. Il avait proposé que la police occupe l'un des bâtiments inhabités du monastère. Christian avait opposé un refus catégorique. Il avait expliqué qu'aucune arme n'était autorisée dans le prieuré. Il avait simplement accepté de fermer les portes à clé à 19 h 30 et de ne plus accepter de visites nocturnes. En fait, il pensait que la présence de gardes attirerait l'attention des terroristes et mettrait en cause le choix de la communauté de ne prendre parti pour aucune des forces en présence – ni pour les « frères de la montagne », expression qui désignait les maquisards, ni pour les « frères de la plaine », c'est-à-dire les militaires. Christian lisait et méditait les écrits d'Etty Hillesum – une jeune mystique juive morte à Auschwitz. Un passage de son journal lui avait beaucoup donné à réfléchir : « Si la paix s'installe un jour, elle ne pourra être authentique que si chaque individu fait d'abord la paix en lui-même, extirpe tout sentiment de haine pour quelque race ou quelque peuple que ce soit, ou bien domine cette haine et la change en autre chose, peut-être même, à la longue, en amour – ou est-ce trop demander ? C'est pourtant la seule solution. »

Malgré son insistance à toujours voir le bon côté des gens et à croire que tout homme peut changer s'il est bien entouré, Christian savait que l'annonce du GIA mettait sa vie en danger. Cette nuit-là, il commença à coucher sur le papier, de son écriture serrée et précise, le testament qui serait publié après sa mort : « S'il m'arrivait un jour – et ça pourrait être aujourd'hui – d'être victime du terrorisme qui semble vouloir englober maintenant tous les étrangers vivant en Algérie, j'aimerais que ma communauté, mon Église, ma famille, se souviennent que ma vie était *donnée* à Dieu et à ce pays. »

Sans doute se souvenait-il aussi que le 1er décembre était ce jour de l'année 1916 où le père Charles de Foucauld avait été assassiné à Tamanrasset par un jeune musulman.

Pendant les deux semaines suivantes, le GIA tint ses promesses. Dans sa guerre totale contre le pouvoir, la violence devait désormais inclure les étrangers. Venir en Algérie nécessitait l'obtention d'un visa, et posséder une telle autorisation gouvernementale signifiait que le régime souhaitait la présence de son bénéficiaire pour une raison ou une autre. Tuer des étrangers ternirait davantage encore l'image de l'Algérie dans le monde. Les aides et les investissements internationaux seraient plus difficiles à obtenir. Le GIA avait fait son devoir en toute moralité : il avait mis en garde les étrangers.

À peu de temps d'intervalle, un homme d'affaires espagnol fut tué par des membres du GIA déguisés en policiers à un faux barrage au sud de Médéa, un négociant en corail italien ainsi que l'épouse russe d'un Algérien furent abattus à Alger, et un employé britannique de Pullman Kellogg fut mitraillé dans une station d'essence à Arzew, immense complexe pétrochimique situé près d'Oran. Un retraité français de soixante-sept ans fut assassiné au moment où il quittait son appartement à Laarba. Cette petite ville au sud-est d'Alger était l'un des trois points du « triangle de la mort », dont le sommet était Alger, avec Boufarik, dans la plaine de la Mitidja, comme frontière sud-ouest. C'est là que le GIA recrutait l'essentiel de ses membres et commettait la plupart de ses meurtres.

Cependant, le massacre des étrangers et autres civils avait besoin d'être légitimé : les nouveaux *moudjâhidines* ne voulaient pas passer pour des hors-la-loi fous furieux. Ils voulaient s'assurer que leurs tueries leur ouvriraient les portes du paradis et non celles de l'enfer, où ils seraient condamnés à boire de l'eau bouillante et du sang en putréfaction. Il fallait qu'une *fatwâ* soit publiée pour justifier le meurtre prémédité de civils sans défense. Mais l'obtention d'un tel décret nécessitait la collaboration d'un *muftî* compétent ou, à défaut, de quelqu'un dont le statut de dignitaire religieux serait largement reconnu.

Cheikh Mohammed Bouslimânî avait le profil recherché par l'émir suprême du GIA, Djaafar al-Afghânî. Âgé de cinquante-sept ans, Mohammed Bouslimânî était le président de l'*Irchâd wa-Islâh*, une association charitable musulmane dont le nom signifiait : « Guidance et réforme ». C'était une figure respectée, qui prônait une société régie par le droit islamique. Il avait été un combattant de la liberté contre la France, avait pris fait et cause pour la politique d'arabisation après l'indépendance, et avait été jeté en prison pour avoir critiqué la nouvelle constitution socialiste de 1976. Il avait contesté la prétention du FLN à être le seul représentant du peuple. Lorsque l'existence de partis politiques pluralistes était devenue légale en 1989, il avait rejoint le Hamas [36] de son ami d'enfance, Cheikh Mahfoud Nahnah, qui s'était fixé pour but de bâtir un État islamique par des moyens pacifiques.

Cheikh Bouslimânî avait été vice-président du Hamas* mais avait fini par quitter ce poste pour se consacrer totalement à la

---

(36) Le Hamas algérien, Mouvement pour une société islamique (*Harakat al-mujtama'al-islâmî*), n'a rien à voir avec le parti palestinien du même nom [NDA].

branche sociale du parti, l'*Irchâd wa-Islâh*. Organisation clandestine à ses débuts, cette association agissait comme une force d'opposition, à travers ses bonnes œuvres, pour protester contre l'omnipotence revendiquée du FLN. L'*Irchâd* était connue pour aider les femmes à sortir de chez elles pour apprendre à lire et se former à de petits métiers. On y trouvait aussi un service de crèches et des conseillères familiales. Les autres activités consistaient à distribuer de la nourriture, à secourir financièrement les orphelins, les pauvres et les personnes âgées, ou à leur trouver un logement. En 1993, s'ajouta également l'aide aux victimes du terrorisme. L'*Irchâd* était active dans quarante-cinq des quarante-huit *wilâyas* d'Algérie grâce à ses 150 000 bénévoles. Mohammed Bouslimânî avait acquis une réputation nationale et internationale en tant que penseur musulman et homme de foi, capable également d'organiser des œuvres de bienfaisance à grande échelle. Une *fatwâ* émanant du cheikh constituerait une prestigieuse caution pour les assassinats de civils perpétrés par le GIA dans sa lutte contre la tyrannie.

Le 26 novembre, au petit matin, quatre hommes pénétrèrent dans la maison de Mohammed Bouslimânî à la périphérie de Blida tandis qu'il récitait les paroles préliminaires pour la prière de l'aube, *subh* *. Comme Christian, il avait été prévenu que sa vie était en danger, et les autorités lui avaient conseillé d'aller vivre ailleurs chez un ami. Mais il avait refusé, préférant rester avec sa femme et ses proches.

Le neveu de Mohammed Bouslimânî courut dehors dès qu'il entendit des hommes sauter au-dessus des murs de la cour. Il cria que son oncle n'était pas là. Les intrus entrèrent quand même dans la maison, mais ne trouvèrent pas le cheikh, qui s'était glissé dans un petit coin de rangement. Alors qu'il s'apprêtait à repartir, le chef du groupe voulut vérifier qu'il avait bien regardé partout, et il aperçut Mohammed Bouslimânî en pyjama, qui essayait de s'échapper par le jardin derrière la maison. Sa femme supplia les ravisseurs de ne lui faire aucun mal. « Ne vous inquiétez pas, jamais nous ne ferions du mal à un cheikh ou à un dignitaire religieux », répondit l'un d'entre eux.

Au départ, l'enlèvement avait pour seul objectif de convaincre l'otage. Djaafar al-Afghânî avait besoin qu'une *fatwâ* soit rendue publique pour légitimer la campagne de terreur orchestrée par le GIA. Mais Cheikh Bouslimânî ne voulait rien entendre. Il ne signerait jamais un décret autorisant le meurtre de civils innocents. La police recueillit plusieurs témoignages de prisonniers du GIA confirmant ce point.

Mohammed Bouslimânî connaissait beaucoup mieux le Coran que ses jeunes kidnappeurs. Ses arguments réfutant l'usage de la violence étaient convaincants, et semaient le doute dans le groupe. De plus, il était prêt à mourir pour ses idées : « Je préfère vous donner tout mon sang plutôt que de rédiger une *fatwâ* qui autoriserait à verser une seule goutte de sang algérien innocent. » Telles sont les paroles qui sont devenues le testament de Mohammed Bouslimânî. Son corps fut retrouvé dans un cimetière des environs, deux mois plus tard : il avait été égorgé.

Si un cheikh estimé comme Mohammed Bouslimânî n'acceptait pas de faire une lecture « à la carte » du Coran pour cautionner les assassinats de civils, peut-être un imam politiquement proche le ferait-il, à condition que ses points forts ne soient pas la théologie mais seulement l'art oratoire ou la bonne prononciation de l'arabe littéraire ? C'est ainsi que le GIA s'adressa à Ikhlef Cherati pour obtenir enfin cette *fatwâ*. Pour de jeunes terroristes sans éducation, il semblait qu'un cofondateur du FIS, professeur de surcroît, saurait distinguer entre ce qui est licite et ce qui ne l'est pas.

Les imams n'ont pas l'autorité requise pour prononcer une *fatwâ* – même un cheikh comme Mohammed Bouslimânî ne l'avait pas. N'importe qui peut devenir imam dès lors qu'il connaît un peu mieux le Coran que ceux qui l'entourent, et le GIA comptait beaucoup de recrues illettrées. Ainsi commença une spirale destructrice d'auto-justification religieuse s'appuyant sur des imams auto-proclamés ou des cheikhs dont l'influence ne dépassait pas le cercle de ceux qui avaient choisi de soulager leur conscience au contact de tels « maîtres » de la loi coranique.

Les frères étaient en état de choc tandis qu'ils chantaient machinalement l'office de none ce mercredi 15 décembre. Une guerre totale venait d'éclater à leur porte la nuit précédente. Les paroles du psaume 44 sonnaient comme une épouvantable description de la réalité.

C'est pour toi qu'on nous massacre sans arrêt,
qu'on nous traite en bétail d'abattoir.
Réveille-toi! Pourquoi dors-tu, Seigneur?
Lève-toi! Ne nous rejette pas pour toujours.

Près du village de Tamesguida, à trois kilomètres du monastère à vol d'oiseau, se trouvait un chantier de construction dirigé par des techniciens yougoslaves. Ils étaient sous contrat avec l'entreprise publique Hidroelektra pour construire un réservoir d'eau alimenté par les sources des montagnes situées en face du monastère. Quatorze d'entre eux regardaient la télévision dans la pièce commune lorsque quarante hommes firent irruption, armés de fusils et de couteaux. On leur ordonna de se déshabiller. On leur attacha les mains dans le dos avec du fil de fer. Les *moudjâhidines* savaient d'expérience qu'un homme terrorisé possède une force surhumaine proportionnelle à la montée d'adrénaline causée par sa peur panique de la mort. Les Yougoslaves furent conduits dans un *wâdî* tout proche et on leur demanda de s'agenouiller.

Quand on retrouva les corps, deux hommes étaient encore vivants. Ils avaient survécu au massacre. Ils racontèrent comment leurs compatriotes avaient été tués : leur bourreau, comme pour se donner du courage, avait crié à chaque fois : « Dieu est grand! » Ils expliquèrent que quatre des leurs avaient échappé à la tuerie. Ils jouaient aux cartes dans une pièce adjacente quand les terroristes avaient fait leur apparition, peu après que les autres avaient été emmenés. Tandis qu'ils étaient attachés, un Bosniaque qui parlait arabe avait déclaré : « Je suis musulman [37]. » On lui avait demandé de réciter la profession de foi musulmane : « J'atteste qu'il n'y a pas de dieu sauf Allâh et j'atteste que Mahomet est son prophète », avait-il répondu. « Ces trois hommes sont musulmans, eux aussi », avait-il ajouté, en montrant ses trois amis catholiques. Les *moud-jâhidines* étonnés avaient laissé les quatre hommes tranquilles. Ils n'avaient pas demandé aux autres de répéter la *chahâda* *.

« Cette fois-ci, le massacre des Innocents a précédé la Nativité », observa l'ami de Christian, Gilles Nicolas, curé de Médéa, qui était monté au monastère pour présider l'eucharistie en l'honneur des douze défunts. Les Croates tenaient une place particulière dans le cœur des moines. La moitié du premier groupe de vingt trappistes envoyés à Tibhirine en 1938 était originaire de Croatie.

Il y avait aussi des Bosniaques, des Polonais et des Hongrois qui étaient venus, puis repartis, pendant toutes ces années de travail sur le chantier, qui avait commencé par la construction d'un tunnel à travers les montagnes de la Chiffa et s'était poursuivi avec le projet hydroélectrique dans la vallée de Tamesguida. Mais les Croates avaient toujours constitué le groupe le plus stable. Ils connaissaient Notre-Dame de la Délivrance, dans la Slovénie voisine. Certains d'entre eux avaient même visité le monastère où les trappistes français avaient élu domicile après avoir quitté la France dans les années 1880.

Les voisins musulmans souffraient également. Ils se sentaient humiliés par ce qui avait été commis au nom de leur religion. « Ça, c'est pas l'islam », ne cessaient de répéter Mohammed, Ali, Moussa et les autres quand ils rencontraient les frères. En guise de preuve, ils citaient un verset du Coran : « Celui qui tue un seul homme, c'est comme s'il avait tué tous les hommes [38]. » L'insulte

---

(37) Il s'avéra plus tard que cet ouvrier bosniaque n'était nullement musulman, mais bien chrétien, comme tous les autres. Sa connaissance de la *chahâda* en arabe avait suffi à tromper les terroristes [NDT].

(38) Cette citation du Coran (5, 32) est, en fait, tronquée. Pourtant, Christian de

était double pour eux : des innocents avaient été tués, et le devoir d'hospitalité envers les hôtes avait été épouvantablement trahi. Ces hommes avaient des familles, et beaucoup d'entre eux n'étaient pas retournés dans leur pays depuis plus d'un an. Ils étaient restés pour finir leur travail malgré les menaces, et ils avaient parfois attendu leur salaire pendant des mois.

Mais, ternissant l'histoire des Croates, il y avait quelques ombres au tableau, dont les moines ignoraient tout. Les « Yougos », comme les appelaient les gens du pays, n'étaient pas simplement des pères de famille qui gagnaient leur vie à la sueur de leur front et loin des leurs. Parmi les techniciens se trouvaient des personnalités plus douteuses, d'anciens prisonniers envoyés comme ouvriers. Il y avait eu des incidents qui avaient terni leur réputation dans la ville ultra-conservatrice de Médéa. Certains d'entre eux avaient harcelé et insulté des femmes de la vallée, et s'étaient bagarré jusqu'à faire couler le sang. Des rumeurs de toutes sortes circulaient à leur sujet : les « Yougos » étaient des pervers qui se saoulaient, faisaient du trafic de cassettes pornographiques et chassaient les singes de Barbarie pour manger leurs cervelles aux vertus aphrodisiaques.

Le 19 décembre, Christian fut à nouveau convoqué chez le *wâlî* de Médéa. Ce dernier lui parla des nouvelles mesures de sécurité. Il recommanda aux moines de s'armer et d'installer des sirènes. Il proposa aux frères de les héberger à l'hôtel Grand Imsala à Médéa. Le gouvernement paierait tous les frais. Les hommes du *wâlî* assureraient le transport des moines chaque jour jusqu'au monastère.

Chergé reprend cette même version, propre au parler proverbial populaire, dans son article réagissant au meurtre des douze Croates de Médéa, paru le 24 février 1994 dans le journal *La Croix*. En réalité, le verset complet est le suivant : « C'est pourquoi Nous avons prescrit pour les Enfants d'Israël que quiconque tuerait une personne non coupable d'un meurtre ou d'une corruption sur la terre, c'est comme s'il avait tué tous les hommes. » Cité dans son intégralité, ce passage est parfois invoqué par les islamistes pour justifier le recours au meurtre. Ces derniers donnent une définition assez large des « corruptions » justifiant la mise à mort des « coupables » [NDT].

S'ils n'acceptaient pas ces aménagements, ils seraient contraints de prendre des vacances prolongées, ou alors de courir le risque d'un suicide collectif. Christian accepta seulement l'installation d'une deuxième ligne téléphonique – un appareil sans fil, dans le dispensaire – et la fermeture des portes un peu plus tôt le soir, à 17 h 30.

La communauté était d'accord avec le *wâlî* sur un point : elle ne voulait pas d'un suicide collectif. Les frères refusaient d'aller à la mort comme des brebis conduites à l'abattoir. Si l'un des moines donnait l'alarme, chacun devait essayer de sauver sa peau. La communauté, après plusieurs jours de réflexion et de prière, arriva à un autre consensus : un départ temporaire sous forme de longues vacances, comme l'avait proposé le *wâlî*, ne permettrait sans doute pas de revenir. Tout au long de leurs années de vie partagée, ils avaient tissé des liens de dépendance mutuelle avec leurs voisins. Les moines étaient conscients qu'ils étaient les témoins d'un christianisme ouvert et respectueux des diverses manières de louer Dieu. Leurs voisins représentaient aussi un islam qui les acceptait et les appréciait pour ce qu'ils étaient. Dans toute l'Algérie, il n'y avait plus qu'une cloche qui sonnait sans offenser quiconque, et c'était dans cette région ultra-traditionnelle de Médéa. Les moines et leurs amis musulmans étaient devenus comme un couple marié qui, malgré les dissemblances, avait pris corps avec le temps, convaincu que la différence était aussi une richesse.

XII. LE PÈRE NOËL

Mon visage est rougi par les larmes ;
et l'ombre couvre mes paupières.
Pourtant, point de violence dans mes mains,
et ma prière est pure.

Job 16,16-17

La veillée de Noël au monastère était presque lugubre en cette douloureuse fin d'année 1993. Le meurtre des Croates était venu assombrir les célébrations annuelles qui, de coutume, réunissaient les musulmans des environs et une poignée de chrétiens. Ces derniers étaient, le plus souvent, des étudiants africains qui travaillaient à Médéa, au Centre de formation administrative, ou bien des techniciens, sous contrat avec l'État, qui participaient à la réalisation d'un projet gouvernemental. La douzaine ou plus d'« ex-Yougoslaves », comme les appelait Christian après l'éclatement de leur pays, faisait partie du paysage habituel de la célébration.

Les Croates, comme tous les participants de la messe de minuit, se présentaient devant la crèche avec un bâton d'encens allumé qu'ils déposaient – un peu maladroitement – au pied de l'enfant Jésus. Luc disait souvent qu'ils ressemblaient aux bergers de Bethléem, avec leurs visages rudes, leurs mains noueuses et la tendresse

217

de leurs regards lorsqu'ils approchaient de la crèche. Après cette commémoration de la Nativité, ils se joignaient aux autres hôtes pour un chocolat chaud à l'hôtellerie, où chacun interprétait des chants de Noël dans sa langue natale ou évoquait des souvenirs de circonstance. Leur nombre ajoutait à l'ambiance des réjouissances, et, à la fin de la soirée, ils repartaient tout souriants, emportant de menus cadeaux tels que lavande, savons ou calendriers.

Il était 19 h 15. Michel venait de sonner l'angélus pour la troisième fois, en clôture d'un office de vêpres célébré tardivement. On ne chanterait pas les complies pour avoir plus de temps pour la messe de minuit, qui était prévue à 22 h 45 et serait intégrée aux vigiles. À l'hôtellerie, deux étudiants d'Afrique noire se trouvaient dans la salle à manger. Ils étaient venus de bonne heure en raison du climat d'insécurité qui régnait dans la région. Gilles Nicolas les avait accompagnés. Ce dernier s'affairait dans la cuisine, lorsque trois individus armés, en uniformes militaires, firent irruption dans l'entrée. « Où est le pape ? », demanda le chef du groupe, qui voulait voir le supérieur. Paul, qui était là, partit aussitôt chercher Christian [39].

Gilles Nicolas engagea alors la conversation avec les intrus. Le plus mûr des maquisards expliqua ce qui l'avait conduit à quitter son métier d'enseignant pour rejoindre les groupes armés. Quant au plus jeune, il posa plusieurs questions au curé-professeur de Médéa, et lui fit remarquer qu'il avait été son élève au lycée.

N'ayant rien entendu, Amédée se rendait à la cuisine pour se préparer une infusion de tilleul afin de mieux dormir avant la messe, quand, sur son chemin, il aperçut un homme armé, en uniforme, qui traversait la cour intérieure, avec Paul et Célestin. Amédée rattrapa ce dernier et lui demanda, à voix basse, ce que voulait le policier. « Tu ne vois pas ? C'est ceux de la montagne ! », lui rétorqua-t-il.

---

(39) Pour mieux comprendre le déroulement des événements qui vont suivre, se reporter au plan du monastère, en annexe, p. 432 [NDT].

L'homme se tourna alors vers Amédée et le saisit par la manche. « Tous à l'hôtellerie! », ordonna-il. Amédée se dégagea et lui faussa compagnie, marmonnant qu'il devait fermer le portail. Tandis qu'il revenait sur ses pas pour rentrer dans le cloître, il rencontra Christian.

« Ils veulent te voir. »

« J'ai bien entendu. Je ne suis pas pressé. »

Amédée se retira dans le cloître et tira derrière lui le grand portail en fer, près de la porterie, jusqu'à ne laisser qu'une petite fente par où surveiller la suite des événements.

Ils avaient bien choisi leur moment, se dit Christian, tandis qu'il se dirigeait vers l'hôtellerie. Ce serait un beau coup médiatique de tuer neuf moines la veille de Noël. Mais il ressentit plus d'indignation que de peur lorsqu'il découvrit que les hommes étaient entrés en armes à l'intérieur des bâtiments.

« C'est ici une maison de paix! Jamais personne n'est entré ici avec des armes », avertit Christian, en s'adressant à l'homme qui lui avait été présenté comme le « chef ». « Si vous voulez discuter avec nous, entrez, mais laissez vos armes dehors. Si ce n'est pas possible, discutons dehors… »

Christian et l'homme se retirèrent à mi-chemin entre le bâtiment de l'hôtellerie et la petite porte de la cour qui donne sur la rue. La Vierge Marie se tenait là, les bras ouverts en signe de bienvenue. Le chef terroriste était grand et mince, pour un Algérien, et son turban afghan accentuait sa haute taille. Il arborait une épaisse barbe islamique, et portait un poignard et une cartouchière. Il ponctuait la conversation d'abondantes gesticulations. Après quinze minutes de palabres, les deux hommes revinrent à l'hôtellerie, où un autre individu les rejoignit. Amédée fut étonné de les voir finalement tous les deux serrer la main de Christian, puis partir.

L'incident était clos dès 20 heures. Paul l'appela « la visite du Père Noël ». Une fois les maquisards repartis, Christian retourna dans son bureau, suivi par Gilles Nicolas. Là il rapporta la conversation qu'il venait d'avoir avec Sayah Attia, le bourreau des Croates et l'émir de tous les terroristes de la région centrale.

« Nous sommes religieux, comme vous, avait commencé Sayah Attia. Nous avons besoin de votre aide, et vous nous la devez. » Il avait trois exigences à formuler. Tout d'abord, Luc devait venir avec eux pour soigner leurs blessés.

« Ce n'est pas possible vu son grand âge et surtout son asthme, avait objecté Christian. Il pourra soigner les malades ou les blessés qui viendront au dispensaire; là, pas de problème, il soigne indifféremment tous ceux qui en ont besoin et ne s'inquiète pas de leur identité. » Sayah Attia avait alors demandé à emporter des médicaments.

« Non. Vous ne pouvez pas en emporter. Mais Frère Luc donne, sur place, le nécessaire à chaque malade. » Il voulait aussi de l'argent : « Vous êtes riches », avait-il dit, « il faudra accepter de nous donner de l'argent lorsque nous le demanderons. »

« Nous ne sommes pas riches, avait protesté Christian. Nous travaillons pour gagner notre pain quotidien. Nous aidons les pauvres. »

« Vous n'avez pas le choix! », avait menacé l'émir.

« Si, nous avons le choix. En tout cas, nous ne pouvons pas vous donner ce que nous ne possédons pas. Demandez aux gens du village! Ils savent que nous vivons modestement, seulement du produit de notre jardin. Vous connaissez le Coran : il y est écrit que les moines vivent humblement. Voilà pourquoi nous sommes proches de nos voisins. »

Surpris par l'intransigeance de Christian, Sayah Attia avait repris le chemin de l'hôtellerie avec lui. Là, l'attendaient deux de ses hommes.

« Nous reviendrons; donne-moi un mot de passe pour moi ou mon envoyé! »

Devant l'hésitation de Christian, l'émir avait conclu : « Eh bien, ce sera "Monsieur Christian". Tout ce que mon envoyé demande de toi, tu dois le donner. »

« Seulement ce dont nous avons parlé, rien de plus. »

« Oui. »

« Vous savez, avait ajouté Christian, c'est la nuit de Noël. C'est le moment de l'année où nous fêtons la naissance de Jésus, fils de Marie, que nous appelons le "Prince de la Paix". »

« Excusez-moi, alors », avait répondu Sayah Attia, soudain embarrassé, « je ne savais pas ». Sur ce, Christian avait serré la main tendue du terroriste, non sans une pensée pour les malheureux Croates égorgés.

Christian était en train de raconter son histoire à Gilles Nicolas quand Célestin fit irruption, complètement bouleversé. Ce dernier expliqua à son prieur qu'il avait été mis en joue alors qu'il était à genoux en train de chercher les fiches de chant dans le petit meuble, à l'entrée de la chapelle, qu'il avait dû marcher à genoux avant qu'un « montagnard », le plus dur selon lui, ne le laisse enfin se relever. Il avait cru un moment sa dernière heure arrivée.

Jean-Pierre aussi avait cru que c'en était fait de lui. Il était dans la sacristie, non loin de Célestin, quand il avait entendu des chuchotements. C'était bien la voix de Célestin, mais à qui s'adressait-il ? Au bout d'un certain temps, Jean-Pierre avait entendu quelqu'un l'appeler par son nom, depuis le cloître : « Jean-Pierre, viens ici !.. » Il s'était retourné et, par la porte, il avait aperçu un jeune homme en tenue militaire, avec une kalachnikov à la main. Il se tenait là, avec Célestin. Soudain, Jean-Pierre avait compris ce qui se tramait. Se dirigeant vers l'intrus, il avait demandé : « Que se passe-t-il ? » Mais le terroriste n'avait pas semblé comprendre sa question, ou peut-être était-il trop préoccupé par Célestin pour répondre. Jean-Pierre en avait profité pour retourner à la sacristie finir son travail. Puis il avait emporté son plateau, avec nappes, calice et burettes, en direction de la chapelle pour préparer l'autel. Le maquisard s'était alors mis à crier : « Viens ici !.. » Jean-Pierre avait obtempéré, craignant que l'homme en armes ne lui tire dans le dos.

Le seul moine à ne pas s'être affolé de la soirée était Luc : il avait dormi durant tout l'épisode [40]. Comme à son habitude, il haussa les épaules quand Amédée lui raconta l'incident.

Après le départ des intrus, la vie monastique reprit son cours habituel. La messe fut célébrée à l'heure dite. Le son des cloches fit sortir Philippe et Christophe de l'une des grosses cuves à vin en béton, sous la chambre de Christian, où ils étaient allés se cacher dès qu'ils avaient entendu crier Célestin. Ils étaient tout étonnés, et un peu honteux, de retrouver leurs frères toujours en vie et participant à la messe comme si rien ne s'était passé.

Christian ne dévoila pas tout de suite à la communauté les demandes précises de Sayah Attia. Il pensait que ses frères avaient bien le droit de passer un jour de Noël paisible, sans inquiétudes supplémentaires. Il leur préciserait les choses lors du prochain chapitre ordinaire, le 26. Ces réunions communautaires se tenaient régulièrement, trois fois par semaine, dans la salle située dans la tour est, qui donnait sur les montagnes. Les chapitres sont les temps d'échanges communautaires des moines, principalement consacrés au commentaire de la Règle de saint Benoît et autres enseignements de l'abbé, ainsi qu'aux informations touchant à la vie du monastère. À Tibhirine, ces partages fraternels étaient l'occasion de passer en revue divers problèmes, comme le manque d'eau, ou de discuter et de réfléchir à des questions qui concernaient toute la communauté. C'était l'heure aussi de demander pardon si l'on avait offensé l'un ou l'autre frère. Tous s'asseyaient autour d'une grande table carrée, recouverte d'un tissu berbère. Une reproduction de la rencontre entre Abraham et ses trois visiteurs au chêne de Mambré, œuvre de Roublev, était accrochée sur un mur nu, au-dessus de Christian, qui présidait. À ses côtés, toujours dans le même ordre, se tenaient assis, dans le sens des aiguilles d'une montre : Luc, Célestin, Christophe, Michel, Paul, Jean-Pierre et Amédée.

---

(40) Le père Fernand Chardon, prêtre du diocèse, ermite et familier du monastère, où il finira par se réfugier à cause du danger, était présent au moment des faits mais ne se réveilla pas non plus [NDT].

La demande de contribution financière était la plus problématique. Les moines savaient, suite à leur conversation avec les terroristes à l'hôtellerie, qu'il s'agissait bien des assassins des Croates. Dès lors, ils ne pouvaient accepter d'être mêlés à leur combat. La majorité des frères voulait partir immédiatement, la nuit même, pour éviter toute compromission. Ils s'attendaient à voir revenir un émissaire de Sayah Attia à tout moment. Fournir une assistance médicale posait moins de problème, à leurs yeux, que donner de l'argent. Le premier geste était de caractère humanitaire, le second était un acte de collaboration.

« Le GIA n'est pas notre patron », protesta fermement Jean-Pierre. Il était venu en Algérie, comme tous ses frères, pour suivre Jésus-Christ. C'était lui, leur Maître, et le Bon Berger n'avait jamais prôné l'abandon du troupeau à l'heure du danger. « Si nous partons de cette manière, nous ne pourrons plus jamais revenir », fit-il remarquer. « Nous aurons rompu le lien de confiance avec les gens du village. » Christian leur fit simplement observer qu'une nuit s'était déjà écoulée et que personne n'était revenu.

Mgr Teissier arriva, trois jours plus tard, pour discuter de la situation. Christian lui avait téléphoné au sujet du vote de la communauté en faveur d'un départ pour un lieu plus sûr, au moins temporairement. Parmi les quatre évêques d'Algérie, celui du diocèse d'Alger était le *primus inter pares* et son autorité suprême sur l'Église algérienne était reconnue à la fois par les musulmans et par les chrétiens. Mgr Teissier était préoccupé de l'impact psychologique qu'un départ précipité pourrait avoir sur la communauté chrétienne en Algérie.

Henri Teissier, évêque d'Oran depuis 1973, était venu à Alger en 1981 pour seconder le cardinal Duval, et il lui avait succédé en 1988. Sa famille était originaire d'Aix-en-Provence et il parlait couramment l'arabe classique. En d'autres lieux, on aurait pu le prendre pour un banquier ou un cadre commercial de compagnie d'assurance.

Assis dans la salle du chapitre, en cravate et costume gris, il s'exprima calmement et sobrement, expliquant qu'il lui fallait du temps pour expliquer la situation au reste de la communauté chrétienne. Les moines étaient trop connus à travers le pays. S'ils quittaient les lieux sans prévenir, cela risquait de déclencher un vent de panique chez les derniers chrétiens. Il s'interrogea aussi sur les effets négatifs auprès des voisins : liens patiemment créés soudain rompus, bonne opinion des moines tout à coup mise en doute. Pouvaient-ils partir de cette manière ? Qu'en était-il de la pauvreté évangélique ? Quelle forme devait-elle prendre en pareilles circonstances ? Ne serait-ce pas un contre-témoignage que de se replier sur Alger ou Fès alors que les familles de Tibhirine, elles, n'avaient aucun moyen de partir ? Le risque était grand de donner l'impression que la pauvreté ne se vivait, dans les monastères, que lorsqu'elle ne coûtait pas trop... En tout cas, si la communauté voulait partir, l'évêque d'Alger souhaitait que ce départ soit « progressif ».

Christian demanda à ses frères de réfléchir à ce que leur évêque venait de leur dire, et de se décider en fonction de ce qui leur procurait le plus de paix intérieure. Ils devaient d'abord le rencontrer en tête à tête, dans la soirée, pour lui faire part de leur décision personnelle, avant de se retrouver, tous ensemble, le lendemain matin, dans la salle du chapitre. Les uns après les autres, les frères se rendirent donc dans le bureau de leur prieur. Tous étaient arrivés à la même conclusion : « Je ne suis pas en paix avec le choix de partir. »

Puis vint le chapitre du matin. Michel, comme à son habitude quand il s'agissait de prendre des décisions importantes, prit le cierge au pied de l'icône de Marie, l'alluma, et le plaça au centre de la table. Christian garda le silence, pour ne pas influencer les frères, ni dans un sens ni dans l'autre. À tour de rôle, ils prirent la parole pour dire quelques mots paisibles de réflexion ou de résolution. Leur vie et l'avenir de la communauté étaient en jeu. Ils sentaient tous que le monastère, d'une certaine façon, protégeait Tibhirine. La violence avait frappé partout dans la région, mais le village lui-même avait été épargné. Bien qu'ils aient voté massivement pour

224

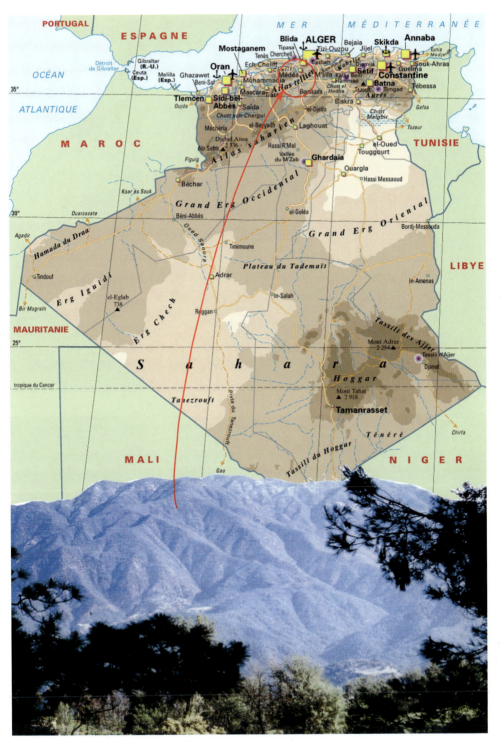

Le massif du Tamesguida, vu du monastère de Tibhirine.

En haut à gauche : Le monastère Notre-Dame de l'Atlas, à Tibhirine ; façade côté jardin.
(Photo : Françoise Boëgeat-Chessel)

En bas à gauche : Statue de la Vierge à l'entrée du monastère.
(Photo : Claude Gamble)

En haut à droite : Entrée latérale où les ravisseurs sont passés en sautant le portail et ont demandé au gardien de les amener à Christian de Chergé.
(Photo : Claude Gamble)

Ci dessus : Les frères réunis en chapitre, à leurs places habituelles (de gauche à droite) : Luc, Célestin, Christophe, Michel, Christian, Paul, Jean-Pierre, Amédée.

En vignette : Christian de Chergé
(Photo : Sœur Edith Genet)

Ci dessus : La chapelle de Tibhirine, dans l'ancienne cave vinicole.

En vignette : Le crucifix de Tibhirine réalisé selon les indications de Frère Christian.

(Photo : Abbaye Notre-Dame d'Aiguebelle)

Ci dessus : Le dispensaire de Frère Luc.
(Photo : Françoise Boëgeat-Chessel)

En vignette : Frère Luc, moine et médecin.
(Photo : Sygma)

Le cloître.
(Photo : Claude Gamble)

La cuisine du monastère.
(Photo : Françoise Boëgeat-Chessel)

Frère Christophe et l'un des associés de Tibhirine.

Le jardin du monastère, avec le système d'irrigation de Frère Paul.
(Photo : Françoise Boëgeat-Chessel)

Terrains cultivables où les moines travaillaient avec les associés du village.
(Photo : Claude Gamble)

L'hôtellerie de Tibhirine.
(Photo : Françoise Boëgeat-Chessel)

À gauche : Frère Michel, sur la terrasse du monastère.

En vignette en haut : Frère Célestin.
(Photo : Gamma)

En vignette en bas : Frère Bruno, supérieur de Fès, en séjour à Tibhirine pour l'élection du prieur de Notre-Dame de l'Atlas, et enlevé avec les six autres frères.

En haut à droite : Frère Paul lors de son dernier séjour en famille, en mars 1996.
(Photo : Françoise Boëgeat-Chessel)

Couloir des cellules où furent enlevés les moines. Les ravisseurs ne franchirent pas la porte du fond conduisant aux chambres des hôtes.
(Photo : Claude Gamble)

Les deux rescapés : Frères Jean-Pierre et Frère Amédée.

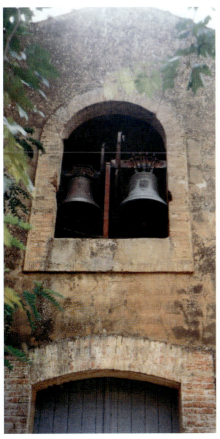

En haut : Les sept coules (vêtements de prière des moines) laissées par les disparus, dont une retrouvée sur un chemin, à 600 mètres du monastère.
(Photo : Françoise Boëgeat-Chessel)

En bas : Les cloches de Tibhirine furent les dernières à sonner en Algérie.

Les cercueils sont portés à la basilique par les hommes de la Protection civile.

Au centre : Les funérailles à Notre-Dame d'Afrique, dimanche 2 juin 1996.
(Photo : Elisabeth Bonpain)

En bas : Mgr Duval, décédé à l'annonce de la mort des moines et dont les funérailles furent célébrées avec celles des moines.
(Photo : Jacques Guérin)

L'enterrement à Tibhirine, mardi 4 juin 1996.
(Photo : Elisabeth Bonpain)

Les sept tombes des frères, au cimetière de Tibhirine, à l'automne 2005.
(Photo : Claude Gamble)

Frère Henri Vergès, Mgr Henri Teissier, Frère Christian de Chergé et Mgr Pierre Claverie, le dernier chrétien assassiné en Algérie.

Les plaques commémoratives des sept moines de Tibhirine, apposées, avec celle des autres martyrs d'Algérie, dans le transept gauche de la basilique Notre-Dame d'Afrique, où repose Mgr Duval.

(Photo : Pierre Laurent)

le FIS, aucun villageois n'avait jamais rejoint le GIA. Si eux, les moines, devaient partir, ils savaient que les militaires occuperaient le monastère. Ils étaient conscients qu'une telle présence armée ne manquerait pas d'entraîner Tibhirine dans la spirale de la violence et mettrait en péril la vie de leurs voisins.

Face à la peur, il y avait le sens des responsabilités, de la vocation et du devoir d'obéissance. Tandis que chaque homme exprimait son point de vue, le vœu de stabilité ne cessait de revenir comme une pierre de touche à toute réflexion. La stabilité ne voulait pas seulement dire qu'ils étaient attachés à un lieu particulier, mais à des personnes : leurs voisins et leurs frères en communauté. L'un d'entre eux rappela l'explication très simple du vœu de stabilité qu'avait donné l'abbé Scotto : « Rester avec nous ici. » Un consensus se dégagea donc contre un départ immédiat. Si nécessaire, ils pourraient tous partir pour Fès, mais la stabilité impliquait qu'ils restent ensemble.

Ils décidèrent cependant que Philippe Ranc, encore novice non stabilisé, devrait retourner à Strasbourg pour terminer ses études au séminaire. Par ailleurs, Paul partirait plus tôt que prévu en Haute-Savoie pour rendre visite à sa mère âgée et prendre quelques semaines de repos. Malgré son calme apparent, il avait été très sévèrement secoué par l'intrusion. Toutes les horreurs de son expérience de la guerre, lorsqu'il était parachutiste, lui revenaient en mémoire. Célestin, quant à lui, avait été terriblement choqué et devait subir des examens cardiaques au plus vite.

Le cardinal Duval téléphona pour exprimer son soutien moral : « Toute l'Église d'Algérie est avec vous! » Christian lui demanda conseil : comment fallait-il se comporter dans une telle situation? « La constance, mon Père, la constance! » Et comment devraient-ils agir envers leurs éventuels visiteurs? « Il faut être ferme avec ces gens-là! » La conversation n'avait duré que deux minutes.

Christian avait déjà préparé une lettre pour l'émissaire de Sayah Attia, au cas où il se présenterait un jour au monastère en son absence.

Frère,

Permettez-moi de m'adresser à vous ainsi, d'homme à homme, de croyant à croyant.

Nous venons de fêter Noël, c'est-à-dire la naissance de Jésus, le Messie, dont le Coran dit qu'il sera, dès le berceau, signe de paix pour les mondes. Et vous êtes venus cette nuit-là. Entrant dans notre hôtellerie, vous vous êtes retrouvés, sans le savoir, dans la salle à manger où nous avions accueilli, les années précédentes, pour cette même nuit de Noël, nos frères chrétiens d'ex-Yougoslavie. Vous pouvez comprendre qu'il nous était impossible de ne pas faire le lien. Comme beaucoup, leur assassinat nous a profondément choqués. Depuis, nous nous attendions à une rencontre.

Vous avez beaucoup insisté sur vos intentions pacifiques. Je veux vous croire. Nous aimerions nous-mêmes que notre communauté ne soit que cela, une image de paix. À la façon de notre frère médecin qui, depuis près de cinquante ans, s'est toujours voulu ici au service de tous, jour et nuit, et encore actuellement, malgré son âge et une santé éprouvée.

C'est bien pourquoi, dans le conflit actuel que vit le pays, il nous semble impossible de prendre parti. Notre qualité d'étrangers nous l'interdit. Notre état de moines (ruhbân) nous lie au choix de Dieu sur nous qui est de prière et de vie simple, de travail manuel, d'accueil et de partage avec tous, surtout les plus pauvres. Nous ne relevons d'aucun gouvernement, d'aucune ambassade, sauf en ce qui concerne les devoirs et les droits de tout immigré. Tous ceux qui nous connaissent peuvent en témoigner. Ces raisons de vivre sont un choix libre de chacun de nous. Elles nous engagent jusqu'à la mort. Je ne pense pas que ce soit la volonté de Dieu que cette mort nous vienne par vous.

Nous avons conscience d'avoir beaucoup reçu de l'Algérie, et, à travers elle, de cet islam qui provoque les croyants à rivaliser dans les bonnes actions jusqu'au Jour de Dieu. Si, un jour, les Algériens estiment que nous sommes de trop, nous respecterons leur désir de nous voir partir. Avec un très grand regret. Je sais que nous continuerons de les aimer tous, ensemble, et vous en êtes.

Quand et comment ce message vous parviendra-t-il? Peu importe!
J'avais besoin de vous l'écrire aujourd'hui. Pardonnez-moi de l'avoir
fait dans ma langue maternelle. Vous me comprendrez.
Et que l'Unique de toute vie nous conduise!
Amin!

Christian envoya une autre lettre à Gérard, son plus jeune frère, celle qu'il avait commencée à écrire à Alger, le 1er décembre, quand le GIA avait déclaré ouverte la saison de la chasse aux étrangers. Les instructions qu'il donnait à Gérard étaient de n'ouvrir cette lettre qu'au jour de sa mort.

À chaque jour qui passait sans émissaire demandant "Monsieur Christian", la peur s'infiltrait plus profondément dans le subconscient des moines pour ressurgir le soir venu. « À la nuit tombante, la peur revenait au-dessus de nos têtes, comme un nuage menaçant », se souvient Jean-Pierre.

Ils souffrirent ensemble, épuisés par la tension nerveuse. Aucun des frères ne pouvait dormir tranquille la nuit. Cependant, les insomnies de Luc étaient causées par son asthme, ce qui l'obligeait à dormir dans son lit en position assise, si toutefois il parvenait à trouver le sommeil. Comme un poumon artificiel, le rythme et les tâches imposés par la vie monastique leur permettaient de surmonter les séquelles du traumatisme subi. « C'est magnifique, cette organisation de la journée et cette régularité », confia Christian à un groupe de sœurs belges, plusieurs mois plus tard, « on continue tout simplement à faire ce que l'on a à faire ».

En février, l'armée rapporta que Sayah Attia était décédé, ainsi que plusieurs de ses hommes. L'émir était responsable de la mort des Croates, qui, à ses yeux, s'étaient rendus coupables d'un double forfait. D'une part, ils étaient restés en Algérie alors que les islamistes avaient demandé aux étrangers de quitter le pays. D'autre part, leurs compatriotes chrétiens en Bosnie avaient tué des musulmans bosniaques. On disait que Sayah Attia avait souffert pendant neuf jours de douloureuses blessures contractées lors de l'assassinat du *wâlî* de Tissemsilt et de son escorte. Pourtant, aucun de ses hommes n'était venu demander de l'aide au dispensaire. Christian avait le sentiment qu'un lien étrange s'était créé entre lui et l'émir lors de la veillée de Noël. Il pensait que son amour fraternel l'avait désarmé. Il avait parlé à son agresseur avec fermeté, mais sans aucune forme d'agressivité. Une rumeur se propagea alors selon laquelle Sayah Attia avait donné son *amân* *, ou garantie de protection, au monastère.

Il y avait beaucoup de sang sur les mains qui avaient serré celles du prieur à la veillée de Noël. Le compte rendu des journaux expliquait qu'il avait été l'émir de la région centre, qui s'étendait de Médéa jusqu'à Tissemsilt, et qu'à ce titre il était responsable de 200 attaques terroristes et de 132 assassinats. Ces derniers incluaient l'assaut d'une caserne de l'armée, qui avait fait dix-huit morts dans les rangs des militaires, le meurtre du chef de la police à Ksar el-Boukhari, l'embuscade tendue à une patrouille de gendarmes près de Médéa, et l'assassinat du *wâlî* de Tissemsilt. La veille de l'intrusion dans le monastère, Sayah Attia avait tué un homme d'affaires espagnol sur la route de Berrouaghia, au sud de Médéa.

Le quotidien *El Watan* qualifia l'ancien contremaître en BTP de « tueur assoiffé de sang, sans foi ni loi ». Il avait été arrêté après la grève de 1991, et jeté en prison pendant trois mois. Un médecin, qui avait vu les corps de l'émir et de ses hommes, fit savoir que leurs nez et leurs oreilles avaient été coupés, signe qu'ils étaient des fils de *harkis*, ces Algériens qui avaient combattu aux côtés des Français, pendant la guerre d'indépendance. Cela n'était pas forcément vrai, car l'armée avait l'habitude de calomnier le GIA en disant que beaucoup de ses membres étaient des fils de *harkis*, une épithète synonyme de « traître » dans l'Algérie de l'après-guerre.

Lorsque Christian apprit, par les journaux, ce qui était arrivé à Sayah Attia, il décida de devenir son intercesseur. Il comprit qu'il était « aussi le gardien de ce frère qui […] devait pouvoir découvrir en lui autre chose que ce qu'il était devenu ». Au cours d'une récollection prêchée à Alger, le 8 mars 1996, Christian donna « trois circonstances atténuantes » qu'il voulait présenter à Dieu en faveur de l'émir. La première était qu'il ne les avait pas égorgés ; la deuxième, qu'il était sorti quand il le lui avait demandé, et qu'il n'était pas revenu chercher Luc alors qu'il aurait eu besoin de ses soins durant ses neuf jours d'agonie. La troisième circonstance atténuante tenait au fait que le terroriste s'était excusé lorsque Christian lui avait signalé que son entrée en armes dans le monastère était d'autant plus choquante qu'elle intervenait en pleine veillée de Noël, moment où l'on fête « la naissance du Prince de la Paix ».

Le fait d'affronter la peur collectivement et individuellement conduisit les frères à vivre en profonde communion les uns avec les autres. Comme leur mère protectrice, Marie, au temps de la visite de l'ange Gabriel, ils avaient écouté et accueilli. Les paroles qu'ils psalmodiaient et les activités qui structuraient leurs journées semblaient les guider, comme si elles leur dictaient le discours à tenir et la conduite à suivre. « Le Verbe prend cette communauté de chair et de sang pour se dire ici, aujourd'hui », écrivit Christophe dans son journal. « Les mots des psaumes résistent, font corps avec la situation de violence, d'angoisse, de mensonge et d'injustice. Oui, il y a des ennemis. On ne peut pas nous contraindre à dire trop vite qu'on les aime, sans faire injure à la mémoire des victimes dont chaque jour le nombre s'accroît. "Dieu saint ! Dieu fort ! Viens à notre aide ! Vite, au secours !" »

Christian comprenait cette difficulté à pardonner. Christophe et lui partageaient à peu près les mêmes idées sur la question. Il n'empêche qu'il fut contrarié quand le *wâlî* lui rapporta que les corps de certains terroristes avaient été traînés par des jeeps à travers Médéa. Le *wâlî* prit la défense de ceux qui avaient agi ainsi. Les terroristes n'étaient, selon lui, que des « bêtes immondes ». Christian exprima son désaccord : avec ce genre de raisonnement, le cycle de la violence ne s'arrêterait jamais. La remarque du *wâlî* blessait Christian au cœur de sa foi. Tous les hommes étaient créés à l'image de Dieu. Dieu était présent en tous ses enfants, tueurs inclus. Il n'était jamais trop tard pour que ses fils et ses filles reviennent au bercail pour devenir des enfants de Dieu. Sans cet amour gratuit, l'engrenage sanglant de la vengeance n'en finirait jamais.

Il savait cela depuis la guerre : sans la foi en la présence de Dieu dans toutes ses créatures, si ténue soit la flamme, les hommes ne pouvaient que perdre leur humanité ; ils devenaient alors de simples étiquettes, des abstractions toujours plus faciles à tuer – « Arabes », « Européens », « musulmans », « chrétiens », « terroristes », « fascistes », et, finalement, « bêtes immondes ». Il le savait aussi comme chrétien : « Si vous aimez ceux qui vous aiment, quelle reconnaissance pouvez-vous attendre ? Même les pécheurs aiment ceux qui les aiment, rappelait Jésus à ses disciples. Au contraire, aimez vos ennemis ! »

XIII. ENTRE LES MAINS DE DIEU

À tout moment, nous subissons l'épreuve, mais nous ne sommes pas écrasés ; nous sommes désorientés, mais non pas désemparés ; nous sommes pourchassés, mais non pas abandonnés, terrassés, mais non pas anéantis. Partout et toujours, nous subissons dans notre corps la mort de Jésus afin que la vie de Jésus, elle aussi, soit manifestée dans notre corps.

2 Corinthiens 4,8-10

À leur manière, simple et intuitive, les gens du village devinaient bien tout ce qui se passait. Ils connaissaient tous les points faibles de chacun des moines, leurs limites et les craintes qui les habitaient. Ils savaient que céder à la peur pouvait être contagieux. « Si vous partez, vous nous privez de votre espoir et vous nous enlevez notre espoir », expliqua Moussa à Christian à l'annonce du départ de Célestin et de Paul pour la France.

Mohammed avait besoin d'être consolé. « Vous, vous avez encore une petite porte par où partir. Pour nous, non : pas de chemin, pas de porte. Ici, c'est le meilleur coin de la *wilâya*, de toute l'Algérie et ils le veulent… » Il était frappé du contraste entre les protestations combatives des marins pêcheurs de Bretagne qu'il voyait à la télévision et la passivité des siens : « L'Algérien est devenu un pauvre, très pauvre. Il est seul. Il n'a personne vers qui se tourner. Le peuple a été détruit. Il ne "réagit" plus. » Quant aux enfants, ils étaient traumatisés : « Ma petite fille de 12 ans m'a demandé un voile… » Christophe était là, partageant sa détresse.

Au cours d'un échange communautaire au chapitre, Amédée affirma que « compassion » et « bonne humeur » étaient les meilleures réponses au moral chancelant de leurs amis algériens. Sa remarque s'inspirait d'un article de Milena Jesenská, que Jean-Pierre lisait au réfectoire depuis la fin du mois de janvier. Il était intitulé : « L'art de rester debout ». « C'est l'essence même de l'angoisse, affirmait cette intellectuelle tchèque morte dans le camp de concentration de Ravensbrück, on ne peut pas rester en place… Simplement, en restant debout, je fais face calmement à ce que je ne connais pas, je me prépare à affronter cet inconnu… Mais pour pouvoir le faire, il faut de la force ; et cette force, l'individu ne l'a qu'aussi longtemps qu'il ne sépare pas son destin de celui des autres, qu'il ne perd pas de vue l'essentiel, qu'il a la conscience profonde d'appartenir à une communauté. »

La lecture de Jean-Pierre touchait une corde sensible. Tous les frères le savaient, chacun à sa manière : la force qui leur permettait de continuer leur venait les uns des autres. Elle leur venait des voisins, sans l'amitié desquels ils ne pouvaient pas rester ; de leur évêque, qui leur rendait régulièrement visite ; des abbés de France, qui appelaient chaque dimanche ; elle leur venait, enfin, de Celui dont ils suivaient les pas. « Ce qui tient, ce qui est plein d'avenir, ce ne sont pas les valeurs chrétiennes que pourrait promouvoir (à nouveaux frais) une institution bien menacée, mais c'est ce petit groupe de femmes et d'hommes reliés à toi », résuma Christophe dans le journal qu'il avait commencé de tenir à partir de l'automne 1993.

C'est avec une immense joie que les voisins accueillirent le retour de Paul, à la veille des quatre-vingts ans de Luc. Il rapportait de Haute-Savoie des pousses de hêtres, du fil à souder, et d'autres choses introuvables en Algérie, ainsi qu'une joie profonde et communicative. « Quelque chose s'était passé en lui pendant son séjour en France, il avait trouvé la paix », se souvient Jean-Pierre.

Christophe, lui aussi, essayait d'accueillir cette paix intérieure : il voyait dans sa fuite vers la cave, la veille de Noël, une nuit de renaissance. Les frères s'étaient mis d'accord, déjà quelque temps auparavant, pour que chacun essaie de se cacher si un cri d'alarme était lancé. Mais il s'était senti embarrassé, ou du moins un peu ridicule, d'être resté tapi dans le noir, des heures durant, après le départ des terroristes, alors que les autres étaient tranquillement revenus à leurs occupations habituelles. L'obscurité et le silence du tonneau vide avaient été « un temps de gestation et une remontée de l'abîme ». Dans ce « sein du tonneau », Christophe était « né à nouveau » pour « devenir petit enfant » : « Tu m'as tiré de la fosse et fait remonter de l'abîme. Pour vivre : par toi, avec toi, à toi et en toi vers le Père. [...] Toi, Ton souci, Ton angoisse, Ton agonie, c'est nous. »

Christian aussi commença à changer. Concertation et consensus remplacèrent sa tendance à décider tout seul. Il choisit de ne plus dormir dans le dortoir à l'étage mais au rez-de-chaussée, dans son bureau, pour être plus proche d'Amédée et de Luc, dont la chambre abritait par ailleurs les réserves de médicaments. Pour tenir compte du sentiment qu'avaient éprouvé certains frères d'être négligés, il prit soin de réserver ses dimanches pour être disponible à ceux qui souhaitaient le rencontrer en tête à tête. Il aimait particulièrement converser avec Luc, à qui l'âge et l'expérience conféraient une sorte d'autorité paternelle. Il avait été l'un des rochers sur lesquels la communauté avait pu s'appuyer pour retrouver son unité après la panique de Noël.

Luc, il est vrai, en avait vu d'autres! Il y avait, par exemple, cette histoire qu'il avait, plus d'une fois, racontée au chapitre, jusqu'à ce qu'elle soit finalement enregistrée.

C'était la nuit tombante, en ce mois d'août 1959, et l'un des moines venait de sonner complies. Dans les dernières lueurs du soir, Amédée aperçut un détachement de soldats français qui entraient dans la cour, derrière la chapelle. Quand il s'approcha pour les accueillir, il se rendit compte que c'étaient des rebelles, en uniformes de parachutistes français. « Nous devons parler à votre supérieur », lui dit le chef. Un imam avait été arrêté par les soldats français à cause de ses sermons provocateurs, à la mosquée de Médéa. En route vers la prison, à Alger, l'imam avait été abattu alors qu'il tentait de s'échapper. Le chef des *fellagas* avait reçu ordre de faire prisonnier l'abbé du monastère en guise de représailles.

Dom Fricker fit preuve de fermeté lorsqu'il se présenta devant le combattant : « Je ne quitterai pas le monastère, vous pouvez me tuer! » Le chef se montra conciliant, mais il était dans une situation impossible. Il avait reçu des ordres et il serait fusillé s'il n'accomplissait pas sa mission. Quelqu'un d'autre viendrait, expliqua-t-il, quelqu'un de moins compréhensif. Dom Fricker demanda à Amédée de réunir tous les autres frères. Matthieu fut le premier à arriver. C'était un Italien, et il était connu pour être un sympathisant de la cause des rebelles. Il se porta volontaire. Puis vint Luc. Depuis des années, ce moine-médecin se déplaçait à domicile pour soigner les gens de toute la région. Toujours flegmatique, il haussa les épaules et décida de partir avec Matthieu.

Le chef de l'unité considéra que deux moines à la place d'un abbé serait une solution acceptable pour son responsable de secteur. « Ne vous inquiétez pas, on ne vous fera aucun mal », précisa-t-il. Matthieu et Luc firent entre quinze et vingt-cinq kilomètres à pied de nuit dans les montagnes qui entourent le monastère, restant cachés pendant la journée. Leur patience et leur humour impressionnèrent leurs ravisseurs, qui leur donnèrent des *'abâyas,* ces longues tuniques portées par les paysans du pays. Ils estimèrent que Luc ferait un bon musulman. Le chef ordonna à ses hommes d'apporter à leurs captifs des fruits frais du marché. Cependant, la marche de nuit, les cachettes inconfortables le jour et le manque de sommeil commençaient à menacer la santé des deux otages. L'asthme de Luc rendait la randonnée particulièrement difficile. Un jour, un nouveau combattant se joignit aux *fells.* Quelle ne fut pas sa stupéfaction lorsqu'il reconnut le médecin de Tibhirine : « Vous êtes fous! Cet homme a soigné les gens dans toute la région, à commencer par moi! » Le commandant ne savait pas qu'il avait enlevé celui qui s'occupait des accouchements et visitait les malades dans tout le secteur de Médéa.

Quinze jours plus tard, le chef des *fellaghas* donna aux deux moines, affaiblis et émaciés, un ticket de bus et l'ordre de témoigner que les Français faisaient usage de napalm. Abandonnés près d'une route, ils n'eurent pas besoin de leur titre de transport, car un camion militaire français les ramassa en chemin et les emmena pour les interroger. Après toutes ces émotions, Matthieu retourna en Italie, et Luc, le frère asthmatique, fit un séjour de trois mois en France pour récupérer.

Christian savait que les habitants des environs étaient attachés, pour des raisons pratiques, à la présence du *toubib* – c'est ainsi que les gens du pays l'appelaient. Le monastère n'en avait que plus de valeur. Les services de Luc étaient prisés de tous. Les hommes lui faisaient confiance, et les femmes avaient même le droit de lui rendre visite seules. Il recevait au moins cinquante patients par jour, qu'il soignait avec simplicité et sans façon. Les femmes pouvaient se montrer parfois exaspérantes, spécialement les plus âgées, qui le harcelaient pour obtenir des vêtements et de l'argent. Cependant, Luc avait la réputation de faire tout son possible pour elles. Il les aidait matériellement, donnait des conseils, et distribuait beaucoup d'eau sucrée pour remédier à leurs divers maux psychosomatiques non identifiés.

Pour les femmes et les jeunes filles, Luc était devenu un confident, un saint homme, un guérisseur, et un bon prétexte pour sortir des limites étouffantes de leurs *gourbis,* ces modestes maisons de terre et de branchages avec leurs cours intérieures entourées de murs. Il portait de vieilles pantoufles, une *taguia* * fripée qui ressemblait plutôt à un bonnet de nuit, et une longue tunique usée. Son apparence modeste et la simplicité de son dispensaire mettaient les visiteurs à l'aise. La franchise de Luc et ses manières directes ressemblaient aux leurs. Tout le monde savait que, derrière un abord parfois sévère, le *toubib* cachait un cœur bon et généreux.

Pourtant, même ceux qui le connaissaient bien avaient été surpris par sa décision de devenir moine. Ce choix était totalement inattendu, et demeure à ce jour difficile à expliquer, sauf à dire que Dieu l'avait appelé. Sa famille était stupéfaite. Son père, fabricant de chaussures à Romans, dont il avait hérité le caractère soupe au lait, s'indigna quand il apprit que son fils avait abandonné une carrière médicale prometteuse.

Grand, mince et beau, avec sa barbe bien taillée, Luc, alors Paul Dochier, était très apprécié par ses pairs à l'École de médecine de Grange Blanche, à Lyon. C'était un excellent étudiant, sociable et plutôt bon vivant. Sans être un libertin, il aimait sortir boire un verre avec des amis, se montrait fort divertissant quand il racontait des histoires, et se passionnait pour le rugby, les voitures, la cuisine et la musique de Chopin.

Luc s'était fait remarquer pour la qualité de ses diagnostics, et il avait été autorisé, avec quelques autres étudiants, à commencer son internat six mois avant l'échéance normale. Quand ses camarades se retrouvèrent, en avril, pour leurs derniers travaux dirigés avant l'obtention de leur diplôme, promotion de 1937, Luc était absent; et personne n'avait la moindre idée où il se trouvait. « Il n'y avait chez Luc aucun signe d'une âme tourmentée ou d'un combat intérieur. En fait, il n'y avait aucun indice extérieur laissant penser qu'il s'intéressait à la question religieuse », se rappelle le Dr Paul Grenot, un ancien camarade de promotion lyonnais qui avait toujours gardé le contact avec Luc et qui lui envoyait régulièrement des stocks de médicaments. « Il nous a tous surpris. »

Quand Luc vint frapper à la porte du monastère d'Aiguebelle, l'abbé lui demanda de terminer d'abord ses études de médecine. Il repartit donc à Lyon, où il acheva son cursus dans un autre hôpital. Puis il s'acquitta de son service militaire et fut envoyé comme médecin à Goulimine, dans le sud du Maroc. En juin 1940, la France tomba aux mains des Allemands, et Luc retourna à Aiguebelle pour commencer sa nouvelle vie de moine. « Quelque chose du Maroc l'attirait. La fascination du désert en faisait partie, mais les gens du Maghreb sont aussi très attachants, avec leur hospitalité chaleureuse et amicale, et leur foi », note le Dr Grenot, pensif, dans le salon ensoleillé de son appartement de retraité, plusieurs dizaines d'années plus tard.

Le gouvernement de Vichy avait passé avec l'Allemagne nazie un accord permettant à un homme en âge de travailler de se substituer à un prisonnier qui avait charge de famille. Au printemps 1943, Luc s'était porté volontaire pour rejoindre un camp de prisonniers, à condition qu'il soit affecté à l'Oflag VI A, situé dans la Ruhr, où son beau-frère, officier d'active, était détenu avec des milliers d'autres prisonniers, français et russes. Luc soigna plus spécialement les Soviétiques, dont les nazis faisaient peu de cas. Pendant son absence, la maison familiale fut incendiée par l'armée allemande. Un portrait au fusain de Luc, dessiné par un soldat russe reconnaissant, est la seule image qui ait survécu du jeune médecin-novice.

Luc retourna à Aiguebelle après la guerre pour devenir le plus humble des humbles : un frère convers. Il y avait d'ailleurs des avantages à cet amour de l'humilité. Le père Dominique, d'Aiguebelle, se souvient bien de lui : « Luc était très indépendant. Il n'avait pas besoin de grand-chose. Son côté bohème n'aimait pas être dérangé par de menus détails comme aller aux offices. Il ne savait pas chanter, et la liturgie n'était pas très importante pour lui de toute façon. Il préférait exprimer sa foi à sa manière, qui était d'être utile aux autres. » Luc voulait servir les plus pauvres des pauvres, qui, dans la France de 1946, étaient les musulmans français d'Algérie. En août, Luc commença à se dévouer auprès du petit peuple de Médéa depuis sa nouvelle demeure à Tibhirine.

Quarante-huit ans plus tard, le 31 janvier, Luc entrait dans le « club des octogénaires ». Henri Teissier monta d'Alger, et Gilles Nicolas de Médéa, pour fêter l'événement. Après le dîner, Christian dédia son *toast* à Luc, « l'homme des contradictions » : un mystique qui avait les pieds sur terre; un frère d'apparence un peu sévère, mais au cœur tendre; un lecteur assidu et cultivé, pourtant resté simple convers; un asthmatique qui passait ses journées à se traîner de son dispensaire à sa chambre, où il stockait ses réserves; un pessimiste qui ne voyait pas un avenir radieux pour l'Algérie, mais aussi un optimiste qui était sûr que la mort consisterait à « se baigner dans la tendresse infinie de Dieu ».

Luc était également un homme aux formules lapidaires, toujours avare de paroles. Son plus grand regret était de ne pas pouvoir faire plus pour les autres; son saint préféré était « le bon larron »; le pire des péchés pour un chrétien, c'était de ne pas croire à la résurrection; être chrétien consistait à « aimer à la perfection »; sa prière la plus chère était de mourir sans haine au cœur.

Les remarques de Luc, ce soir-là, furent d'ordre pratique. Il voulait mettre au point la manière dont il fallait lui administrer les derniers sacrements. En cas de mort violente, il n'y avait « rien à faire ». Si elle était lente, il voulait que ses amis se rassemblent autour de son lit et lui lisent la parabole de l'enfant prodigue, disent le Notre Père, puis ouvrent une bouteille de champagne. Le jour de son enterrement, il souhaitait que l'assemblée écoute une chanson d'Édith Piaf qu'il avait enregistrée sur cassette : « Non, je ne regrette rien ». Luc n'avait aucun regret. Après le dîner, il se rendit à l'hôtellerie, où les voisins avaient préparé encore une autre fête en son honneur.

Cette nuit-là, Christophe s'assit dans sa chambre, les larmes aux yeux, en écoutant les *Danses slaves* de Dvořák, songeant aux réflexions capitulaires de Luc sur Tibhirine et sa mystérieuse capacité à résister à la guerre et au terrorisme. Il avait remarqué, dans le quotidien *La Croix,* une chronique de Christian Bobin, dont il nota les mots dans son journal : « Aujourd'hui les solutions militaires semblent à nouveau prendre le relais. Alors qu'est-ce qu'il faut faire là-dedans? Il faut résister, résister [...]. Résister au mal, c'est résister au monde, et résister au monde, c'est faire de la politique quand les politiques n'en font plus. [...] Il ne s'agit pas d'être optimiste. Il s'agit de ne rien céder à l'esprit morne de ce monde morne, il s'agit de s'appuyer sur la seule force en nous inépuisable, celle de l'enfance. Aucun empire, si puissant soit-il, ne peut durablement tenir devant la faiblesse de l'enfance, devant la vérité de cette faiblesse. [...] Le passage de l'esprit de ce monde à l'esprit d'enfance engage tout, renouvelle tout. »

En février, Robert, l'ermite, commença à dormir au monastère. Un jour, alors qu'il rentrait du marché de Médéa, où il était allé vendre son miel, il avait retrouvé son ermitage entièrement saccagé. Certains accusaient l'armée, d'autres les terroristes. Mohammed rapporta à Christian que la tête d'un jeune garçon avait été retrouvée sur le marché, à Médéa. Quelques jours plus tard, Gilles Nicolas vint célébrer la messe et raconta ensuite aux frères que deux policiers avaient été tués à Médéa, et que des magasins avaient été pillés.

Célestin avait été bien inspiré de retourner en France. Il serait mort si la violente crise cardiaque qu'il eut au moment même où il subissait des examens à l'hôpital de Nantes avait eu lieu à Tibhirine. Ce nouvel accident de santé lui valut un sextuple pontage coronarien. D'être passé si près de la mort lui attira une avalanche de courrier lui souhaitant un prompt rétablissement. Après cette opération spectaculaire qui avait nécessité le prélèvement de six veines des jambes, celles-ci étaient devenues de véritables curiosités médicales, que Célestin exhibait fièrement en toute occasion.

La vie à Tibhirine, pendant ce temps, reprit comme avant. Le jardin continuait à être le lieu de communion avec les voisins. Christophe fut ému quand le fils de Ben Ali, Amin, âgé de quatre ans, l'appela « mon frère ». Mouloud, l'original de Médéa qui aimait porter une couronne de fleurs de sa fabrication, continuait de lui rendre visite. Il était un peu simple d'esprit et avait bon cœur. Les frères étaient touchés par sa façon de venir aux offices à l'improviste. Il se mettait généralement à côté de Christophe et se fendait d'un salut militaire avant de courber la tête en silence.

Il aimait participer au chant, même s'il tenait généralement son psautier à l'envers.

Un jour, Christian avait dit à un voisin que les moines et les villageois étaient « un peu comme l'oiseau sur la branche ». Tous les frères connaissaient la réplique de Moussa : « Tu vois : la branche, c'est vous. Nous, on est l'oiseau. Et si on coupe la branche... » Amédée et Jean-Pierre continuaient à être invités aux mariages, aux enterrements et aux fêtes religieuses dans les villages. Ils étaient surtout très demandés pour les circoncisions et la grande fête du sacrifice d'Abraham, où l'on tue le mouton pour le manger en famille, entre amis et avec les pauvres.

Le nombre des visites au dispensaire n'arrêtait pas d'augmenter, atteignant le chiffre de cent consultations par jour. Il y avait de plus en plus de patients souffrant d'ulcères ou d'hypertension, en plus des maladies habituelles telles que les infections aux yeux et les parasites intestinaux. La file d'attente se formait bien avant l'ouverture du dispensaire à 7 h 30, sauf le vendredi, jour saint des musulmans, et le dimanche, Luc ayant choisi de rester fidèle à la tradition chrétienne du repos dominical. Tous ceux qui se présentaient étaient soignés, sans qu'aucune question ne soit posée concernant leur identité. « Un malade n'est ni un terroriste ni un soldat : c'est un malade », répétait le *toubib* quand certains se demandaient qui étaient les hommes que l'on voyait parfois venir faire soigner leurs blessures.

En mars 1994, une lettre du ministère des Affaires étrangères adressée au nonce apostolique à Alger exigea que le monastère soit fermé pour des raisons de sécurité [41]. Le *wâlî* de Médéa avait fini par abdiquer sa responsabilité en la matière. Les moines lui étaient très reconnaissants pour ses bonnes intentions et pour le souci

---

(41) Le 23 février, le ministère algérien des Affaires étrangères avait déjà écrit une lettre adressée à l'ambassade du Vatican et à l'ambassade de France à Alger, avec copie à l'archevêque d'Alger. René Guitton la reproduit *in extenso* dans *Si nous nous taisons, le martyre des moines de Tibhirine*, Calmann-Lévy 2001, pp. 215-217 [NDT].

qu'il avait de leur sécurité. « Il comprit aussi notre désir de ne pas laisser tomber nos voisins et de maintenir une vraie solidarité avec eux », se rappelle Jean-Pierre. Risque et souffrance partagés liaient les moines à leurs amis musulmans, et ce lien serait rompu s'ils quittaient les lieux. Le chargé d'affaires du Vatican, l'Ougandais Mgr Kasujja, répondit finalement au ministre des Affaires étrangères : « Supposez que vous avez construit votre maison au sommet d'une montagne. Vous avez une vue magnifique, avec un précipice à droite et un précipice à gauche. On vous demande de déplacer légèrement votre maison. De quel côté le ferez-vous? »

Pour l'aider à préparer un prochain synode africain, Mgr Teissier demanda à Christophe – que Christian souhaitait voir lui succéder à la tête de la communauté – de « réagir » à son projet de communication sur le thème : « Une mission pour l'Église : promouvoir des relations évangéliques avec les musulmans ». Christophe n'aimait pas le verbe « promouvoir ». Il résuma ainsi sa réaction dans son journal : « Promoteur, moi? De valeurs, de produits, d'idées, de système, de morale? C'est une entreprise vouée à l'échec : la concurrence sur le marché des religions est ici trop déloyale. » Christophe réfléchissait. « Il y a [...] de nombreuses voies vers le sommet du mont Fuji mais ces nombreuses voies doivent s'entrecroiser et se renseigner les unes sur les autres si elles veulent toutes parvenir au terme de leur voyage. [...] Dieu a réellement parlé en Jésus et [...] ce message doit être entendu par tous. Mais "réellement" ne veut pas dire nécessairement "seulement". Les chrétiens peuvent donc être attachés totalement au Christ Jésus et en même temps pleinement ouverts au message possible de Dieu dans les autres religions. Ou ne le peuvent-ils pas? »

Les musulmans étaient-ils capables d'aller aussi loin dans l'ouverture que Christophe appelait de ses vœux pour ses propres coreligionnaires? La question divisait les musulmans autant que les chrétiens. Les Algériens qui voulaient que la réponse soit oui avaient choisi la date du 8 mai pour organiser une journée de manifestations contre les deux années de sang et de mutisme. Mutisme ? Ne rien dire, ne rien entendre, ne rien savoir : c'était devenu la seule manière de survivre. Il était devenu banal de voir, tels des chats crevés, des corps mutilés dans les rues d'Alger. Le nombre d'ulcères et de crises cardiaques avait atteint des proportions épidémiques.

Les plus prudents modifiaient chaque jour leur itinéraire pour aller travailler. Les piétons vigilants changeaient de trottoir dès qu'ils étaient suivis par quelqu'un pendant plus de vingt mètres. Une main cherchant quelque chose dans une poche était interprétée comme un geste menaçant. Des femmes étaient tuées parce qu'elles ne portaient pas le voile. D'autres l'étaient parce qu'elles en portaient un. Les parents donnaient des cachets à leurs filles pour se suicider au cas où elles seraient enlevées par le GIA et forcées à devenir des esclaves sexuelles. Certains vendeurs étaient menacés par des émirs du secteur parce que leurs kiosques offraient des cigarettes de marque algérienne, dont la TVA finançait le *Tâghût,* mais ils étaient aussi réprimandés par la police s'ils ne les vendaient pas. Beaucoup de ces petits commerces finirent tout simplement par disparaître. Exprimer un désir de paix et de réconciliation dans une telle atmosphère d'intimidation était courageux. Le pardon et la tolérance pouvaient être considérés par les « éradicateurs » des deux camps comme une manière de sympathiser avec l'ennemi.

Pourtant, la foule vint nombreuse pour manifester contre la terreur en ce 8 mai 1994. À une heure de l'après-midi, malgré l'agitation dans la rue, une grande maison à trois étages bâtie par les Turcs, rue Ben Cheneb, ouvrit ses portes, comme d'habitude. Le bâtiment avait été donné au diocèse par un homme d'affaires du pays et transformé en salles d'étude pour les étudiants qui vivaient dans les appartements surpeuplés de la Casbah et du quartier tout proche de Bab el-Oued. Ils y trouvaient un espace paisible et silencieux pour travailler. À cause de la manifestation, les belles pièces carrelées aménagées pour la lecture au rez-de-chaussée étaient moins remplies que d'habitude. Quelqu'un sonna à la porte. Sœur Paul-Hélène vint ouvrir. Deux policiers voulaient voir le directeur. Elle les fit entrer et les accompagna jusqu'au bureau d'Henri Vergès. L'un des deux hommes ouvrit alors le feu et atteignit en plein visage celui qui se levait pour les recevoir. Puis il visa la nuque de la religieuse et tira un deuxième coup fatal.

XIV. DESCENTE AUX ENFERS

La récompense de ceux qui font la guerre contre Allâh et son Messager, et qui s'efforcent de semer la corruption sur la terre, c'est qu'ils soient tués ou crucifiés, ou que soient coupées leur main et leur jambe opposées, ou qu'ils soient expulsés du pays. Ce sera pour eux l'ignominie ici-bas; et dans l'au-delà, il y aura pour eux un énorme châtiment, excepté ceux qui se sont repentis avant de tomber en votre pouvoir : sachez alors, qu'Allâh est Pardonneur et Miséricordieux.

Coran 5, 33-34

« Une brigade des Groupes islamiques armés a tué deux croisés, qui répandaient le mal en Algérie depuis de nombreuses années. » C'est ainsi que le communiqué publié le 13 mai 1994, à Londres, par *El Ansar* (Le Patriote), la voix officielle de l'organisation terroriste algérienne, justifiait la mort de frère Henri Vergès et de sœur Paul-Hélène Saint-Raymond. Rahab Kébir, le porte-parole exilé du FIS en Allemagne, rendit publique une déclaration très différente : « Le meurtre de religieux et de religieuses est contraire à la loi islamique. » Beaucoup ne virent dans ce désaveu du parti islamiste qu'un écran de fumée purement politicien. Un imam populaire de la Casbah condamna également le double meurtre, et fut lui-même assassiné quelques jours plus tard.

Le meurtre des deux religieux chrétiens choqua tous les Algériens. C'était la première attaque contre des représentants de l'Église depuis 1976, quand l'évêque auxiliaire de Mgr Duval avait été poignardé à la cuisse. L'assassinat d'Henri Vergès affecta particulièrement Christian. Henri avait été un membre régulier du *Ribât* et un ami très proche. Les deux hommes se ressemblaient même physiquement : ils avaient en commun un grand nez fin et un visage mince au front haut, barré d'une paire de lunettes. Henri Vergès était Frère mariste et avait été actif dans le dialogue islamo-chrétien depuis ses débuts. Cela ne lui avait pas été facile, mais il avait tenu bon. Il s'en était ouvert un jour à Christian : « Je me laisse questionner, et je questionne, je déstabilise un peu l'autre, et l'autre me déstabilise… C'est comme Marie, je ne comprends pas, mais je garde. Ce qu'ont saisi les petits, c'est merveilleux. Les savants [de l'islam] me bloquent les affaires ! » L'assassinat d'Henri et de Paul-Hélène renforça le sentiment de trahison et d'indignation qu'avait éprouvé le prieur de Tibhirine en janvier 1994, quand il avait lu un article paru en France dans la revue *Valeurs actuelles* [42].

Il avait accueilli avec la plus grande courtoisie son auteur, Annie Laurent, docteur d'État en sciences politiques et journaliste, lorsqu'elle s'était rendue à Tibhirine, fin 1993, dans le cadre de son reportage sur l'Église d'Algérie. Son article « Des chrétiens en sursis », publié en janvier 1994, développait le thème de la persécution musulmane d'une Église chrétienne privée de sa véritable mission de conquête des âmes. Ses 170 prêtres et 368 religieux et religieuses avaient été réduits, suggérait-elle, à un silence pitoyable, obligés de faire profil bas, prêchant seulement « par l'exemple », en étant au service de ceux qui les entouraient.

Pour Christian, cette présentation de la situation donnait l'impression d'une Église blessée, à qui l'on niait le droit de faire

---

(42) L'article de *Valeurs Actuelles* comporte cette phrase : « Le martyre à une heure d'avion de Marseille ». Mais, selon Robert de Chergé, qui a pu recevoir, en tête à tête, le témoignage d'Annie Laurent, ce slogan macabre fut ajouté par le rédacteur en chef de la revue à l'insu de l'auteur [NDT].

du prosélytisme. Cela ne pourrait qu'apporter de l'eau au moulin des Algériens qui ne voulaient voir en elle que des crypto-croisés qui rasaient les murs en prônant le « dialogue » et le « respect mutuel » maintenant qu'elle était en position de faiblesse. L'article ne disait rien de la richesse extraordinaire de la foi qui animait ceux qui avaient décidé de rester sans les avantages du pouvoir, de la reconnaissance sociale et du confort matériel. Il n'était pas fait mention, non plus, du défi que l'islam représentait pour inciter ces hommes et ces femmes à devenir de meilleurs chrétiens en réévaluant leurs certitudes sous un jour nouveau. L'Église d'Algérie était pauvre et sans appui, sa foi devait donc être solide. Elle était persécutée par quelques-uns, non pas en tant qu'institution, mais parce qu'elle était associée aux mauvais souvenirs de la colonisation. Si des chrétiens étaient attaqués, il ne fallait pas oublier que les imams l'étaient encore plus. En mai 1994, le bilan s'élevait à plus de cinquante imams assassinés pour avoir condamné les meurtres de civils.

Le mot « martyre » était utilisé à tort et à travers par certaines personnes en France. Christian n'aimait pas cette expression. Elle sous-entendait l'existence d'une croisade sectaire qui ne rendait pas compte de la nature profonde de la violence en Algérie, et du sens de la mission de l'Église là-bas, que Mgr Duval avait définie comme « présence, prière et partage ». Partager les souffrances du peuple algérien était le signe le plus convaincant de l'amour de l'Église. Christian appela Henri et Paul-Hélène des « martyrs de l'amour ».

Il appela aussi martyrs de l'amour les médecins dont les têtes avaient été déposées sur le trottoir de la place du Grand Marché, à Médéa, en guise d'avertissement à ceux qui voudraient soigner des terroristes. Le serment d'Hippocrate et l'engagement à suivre le Christ conduisaient, l'un comme l'autre, à venir au secours de tous ceux qui avaient besoin de guérison – « même le diable », précisa Luc à Christian, qui préparait une homélie pour le Jeudi saint, dans laquelle il expliquait que le baptême exigeait un amour

246

sans frontière : « C'est ce que nous avons voulu dire en refusant de prendre parti ; non pour nous réfugier dans la neutralité qui se lave les mains – elle est impossible –, mais pour rester libres de les *aimer* tous, parce que c'est là notre choix. [...] D'expérience, [...] nous savons que ce martyre de la charité n'est pas l'exclusivité des chrétiens. [...] Je ne peux oublier Mohammed qui, un jour, a protégé ma vie en exposant la sienne. »

Après le meurtre d'Henri et de Paul-Hélène, l'article d'Annie Laurent était devenu, pour Christian, plus qu'une source d'agacement. Il était peut-être à l'origine de l'assassinat. Le prieur de Tibhirine pensait que des sympathisants du GIA, en France, avaient pu le transmettre à certains de leurs amis, en Algérie. Il mentionnait « la bibliothèque des Frères maristes, au cœur de la Casbah ». Rien ne pouvait être prouvé – et certains trouvaient que Christian avait réagi de manière excessive lorsque l'article était paru – mais la tonalité du texte était bien celle d'une Église qui se plaignait des persécutions, attitude peu constructive, voire dangereuse dans le climat du moment. Pour ceux dont la motivation essentielle était de débarrasser le pays de toutes les scories de l'impérialisme culturel occidental, l'amitié entre des hommes d'Église et des étudiants algériens était potentiellement subversive. À cet égard, l'article établissait une véritable cartographie des cibles faciles à atteindre. En assassinant des religieux et des religieuses, le GIA avait franchi le seuil ultime d'un conflit que le quotidien algérien *El Watan* comparait maintenant à « un chameau fou dévastant le pays ».

« Le concept de guerre totale n'est pas musulman. L'islam considère que l'on ne peut tuer que celui qui vous menace. On ne tue jamais les femmes, les enfants ou les religieux, sauf s'ils sont eux-mêmes engagés dans les combats. » Ibrahim Younessi porte toujours une veste et une cravate. Tiré à quatre épingles, il ressemble, avec sa mâchoire carrée, à un professeur de Harvard des années 1950, ou à un mormon. Ancien aide de camp de Cheikh Sahraoui, un des fondateurs du FIS, il est encore membre du parti islamiste en exil à Paris et écrit régulièrement des articles pour des revues françaises spécialisées. Au café La Coupole, il ne se départit jamais de son assurance toute professorale : « L'islam enseigne que la guerre se fait contre les hommes, et non contre les peuples ou les cultures. Des membres du FIS ont même étudié le concept de "guerre juste" dans les écrits de saint Augustin. Un musulman a l'obligation de secourir celui qui est sans défense, d'aider les pauvres et de protéger les innocents. Ce que Mohammed a fait pour Christian n'est pas du tout inhabituel. Le Coran affirme que celui qui tue quelqu'un de manière injuste tue toute l'humanité et celui qui sauve la vie d'un innocent sauve aussi toute l'humanité. »

D'autres au sein du FIS pensaient comme Ibrahim Younessi. Les massacres perpétrés au nom de l'islam ne faisaient que jeter le discrédit sur les islamistes, leur religion et leur parti. La violence ne contribuait pas à atteindre un objectif politique clairement identifié. Le slogan du GIA, « pas de paix, pas de trêve, pas de compromis », ne pouvait qu'alimenter une spirale de violences sans fin. Les sympathisants du FIS au sein de l'armée et dans l'ensemble de la population étaient embarrassés. Certains membres du GIA l'étaient également. Ils estimaient que leurs chefs ne se battaient pas d'une manière conforme à la tradition musulmane. Non seulement certains émirs exigeaient des nouvelles recrues qu'elles tuent un membre de leur famille pour prouver leur adhésion totale à la cause du *djihâd,* mais d'autres refusaient de donner le nécessaire aux veuves de leurs défunts, utilisaient de l'argent *harâm,* c'est-à-dire mal acquis – en particulier par le trafic de drogue – pour acheter des armes, violaient des femmes pour le plaisir, ou torturaient des prisonniers. De telles pratiques scandalisaient les vrais *moudjâhidines.*

En juillet 1994, le FIS en exil décida de créer sa propre branche armée, l'Armée islamique du salut. L'AIS* fut délibérément organisée selon le modèle de l'Armée de libération nationale (ALN*) que le FLN avait constituée pour combattre la France quarante ans plus tôt. Ses concepteurs étaient d'anciens *moudjâhidines,* qui s'adressaient aux vétérans :

Hier, vous avez libéré la terre. Aujourd'hui, nous libérons l'honneur et la religion. Vous avez libéré les plaines et le Sahara, nous libérons les consciences et les esprits. [...] Notre djihâd est la suite logique du vôtre. [...] L'AIS, l'un des plus importants groupes de résistance à l'oppression, est implantée aux quatre coins du pays. Elle mène son mouvement dans le cadre strict de la charî'a islamique qui interdit de tuer des innocents, de mutiler les victimes et de s'attaquer à ceux qui ne sont pas concernés par le conflit, qu'ils soient hommes ou femmes, enfants ou adultes, musulmans ou non musulmans, Algériens ou étrangers. [...]

Le régime apostat attribue aujourd'hui au djihâd certaines opérations abominables dont est victime le peuple sans défense... Ces contre-vérités conduisent l'Armée islamique du salut à répondre qu'elle est innocente de tous ces actes et qu'elle n'a jamais donné l'ordre d'agresser une femme, d'incendier une école ou un hôpital ou toute autre opération contraire à la religion. [...] Le djihâd est obstination consciente au principe, une grande patience aux aversions, une forte persévérance devant les difficultés, une sincérité dans le combat, un contentement de son destin, un traitement humain de l'ennemi, une lutte contre les agresseurs et leurs fantoches, une présence lors des sacrifices, une sobriété devant le butin, une abstinence devant les plaisirs et une abstention devant les chuchotements de l'âme et de Satan.

L'idéologie terroriste du GIA allait causer sa propre destruction. L'AIS voulait mobiliser l'opinion : « Ils [le GIA] veulent détruire le modèle islamique pour que les peuples opprimés ne trouvent aucun exemple à leur disposition. Donc, la victoire du peuple algérien dans sa bataille islamique sera une bonne nouvelle pour les peuples, et sa défaite – qu'Allâh ne la permette! – aura des conséquences psychologiques profondes pour les peuples avides de justice, de vérité et de liberté. C'est pour ça que nous sommes condamnés à réussir, quels que soient les sacrifices requis. »

Dès 1994, le GIA avait commencé à épuiser le capital politique du FIS. Ses atrocités et le coût économique de ses agissements, de plus en plus élevé pour la population et les entreprises sur lesquelles il s'appuyait, lui aliénait la base de ses sympathisants, qui était aussi celle du FIS.

Ceux qui, dans la presse algérienne, apprenaient les horreurs commises par le GIA auraient pu s'imaginer que l'organisation terroriste était une entité structurée et cohérente. En réalité, elle ne constitua jamais un ensemble unifié, avec un commandement unique. Le GIA était plutôt un réseau disparate constitué de centaines de petits groupes disséminés à travers les trois régions de l'Algérie – l'ouest (Oran), le centre (Alger) et l'est (Constantine) – comme le FLN en son temps. Chaque région avait son émir, qui essayait d'imposer une certaine discipline aux nombreux émirs locaux, qui se battaient souvent entre eux. Les unités combattantes du GIA, ou *djamâ'ates* *, étaient de tailles variables, soumises à une discipline différente selon les lieux et les hommes, et d'une durée de vie incertaine. Elles se comportaient comme des particules destructrices qui n'existaient vraiment que lorsqu'il fallait commettre un assassinat. L'homme fort de n'importe quel village pouvait se déclarer émir.

Les critères de recrutement, très vagues et souples, du GIA facilitèrent l'absorption de criminels et d'opportunistes, auxquels s'ajoutèrent les sympathisants du FIS qui avaient été détenus dans les camps après l'annulation des élections et libérés par milliers en 1993. Les prisons constituent toujours un bon réservoir d'indicateurs et d'agents de renseignements pour les autorités qui cherchent à infiltrer leurs ennemis politiques. Les services français de contre-espionnage avaient porté cet art à ses sommets, durant la guerre précédente, en transformant des prisonniers en « bleus de chauffe », ainsi appelés à cause de la couleur de leur tenue de travail et qui, disséminés dans les rangs du FLN, œuvraient secrètement pour la France. La Sécurité militaire algérienne avait été formée, à la fois, par Paris et par Moscou. Dès 1994, les services de renseignement français estimaient que 50 % des *djamâ'ates* avaient été infiltrées par la sécurité algérienne. Le problème était que personne ne savait quelles étaient ces unités.

Djamel Zitouni était l'un de ces milliers de sympathisants du FIS libérés en 1992 et 1993. Les informations publiées à son sujet sont contradictoires. Certaines sources affirment qu'il naquit en 1964, d'autres en 1968. Certains disent qu'il fut envoyé, en 1992, dans les camps du Sahara, où les sympathisants du FIS étaient détenus, mais d'autres prétendent que ce n'était pas lui, mais son frère. Il fut arrêté au moins une fois, dans les années 1980, pour vol, et, encore une fois, lors d'une rafle policière, après l'annulation des élections législatives.

Les récits concernant sa jeunesse sont plus fiables. Né à Boufarik, il y apprit le français grâce au fils de l'employeur de son père, un négociant pied-noir. Son père déménagea dans le quartier de Birkhadem, où vivaient à la fois des familles pauvres et des foyers aisés, sur les hauteurs du sud-est d'Alger. Il avait un frère islamiste, mais ne se montra jamais particulièrement religieux lui-même. Les sœurs qui tenaient l'école primaire qu'il fréquenta pendant cinq ans se rappellent un enfant intelligent, athlétique et belliqueux envers les autres garçons. Il menait une vie de petit délinquant, et sa famille fut plus d'une fois inquiétée par des descentes de police à cause de lui.

Au début des années 1980, Djamel Zitouni partit en Afghanistan pour combattre les Soviétiques, avec deux ou trois mille autres Algériens. Beaucoup de ces hommes s'étaient portés volontaires pour bénéficier d'une formation militaire qui leur serait utile de retour chez eux. Mélangés aux volontaires, se trouvaient des agents entraînés par la sécurité algérienne, à la demande du KGB, pour infiltrer les *moudjâhidines*. Les rapports de police indiquent que Djamel Zitouni rentra à Alger en 1986. Il finit par devenir le chef d'un groupe d'« Afghans », ces Algériens qui s'étaient entraînés au Pakistan avec les Talibans, alors formés dans les camps de réfugiés pakistanais. La *Katîbat al-mawt*, ou Phalange de la mort, fut constituée pour continuer la révolution commencée par Moustafa Bouyali. Certaines de ses recrues étaient entraînées à Qom, la ville sainte chiite iranienne, ou dans des camps du Hezbollah libanais.

La réputation de Djamel Zitouni, tueur impitoyable et méthodique, attira l'attention de Chérif Gousmi, un ami du quartier et émir de Birkhadem, qui fit de lui son principal lieutenant au début de l'année 1994. La presse attribua aux deux hommes la frénésie de violence qui coûta la vie successivement à un employé de l'ambassade de Russie, un fonctionnaire du ministère algérien des Affaires étrangères, deux techniciens de l'ex-Yougoslavie – tués au cours d'une promenade dans un jardin zoologique – et un Français et son fils de vingt-quatre ans, témoins de Jéhovah, qui avaient créé une société de services informatiques à Alger et distribuaient des bibles.

Djamel Zitouni gagna le respect de Chérif Gousmi par son audace et son sang-froid, qu'il démontra personnellement pendant l'été 1994. En juillet, il monta un faux barrage de police et intercepta un bus appartenant à l'entreprise publique pétrolière Sonatrach. Quatre Russes et un ingénieur roumain furent abattus sommairement d'une balle dans la nuque. Un mois plus tard, Djamel Zitouni frappa contre la représentation officielle de la France à Alger. À sept heures, le 3 août, deux voitures de police se dirigèrent vers le complexe résidentiel d'Aïn Allâh, à la périphérie de la ville, où logeait le personnel diplomatique français. Déguisés en policiers, sept hommes, menés par Djamel Zitouni, pénétrèrent dans l'enceinte des bâtiments et tuèrent trois membres de la sécurité française et deux agents consulaires. Ils s'enfuirent, laissant derrière eux une berline Nissan remplie de dix-huit kilos de TNT, désamorcée juste avant l'heure de l'explosion. Le conseiller d'ambassade espagnol, Luis Calvo, se souvient de la terreur absolue régnant durant tout cet été 1994 : « Je n'ai pas pu dormir pendant quatre mois jusqu'à ce que notre propre *guardia civil* vienne d'Espagne. Les agents de la sécurité algérienne à l'ambassade nous avaient dit de ne pas leur faire confiance. »

En septembre, Chérif Gousmi fut tué dans une embuscade par les « forces de l'ordre », expression que la population utilisait non sans une pointe d'ironie. Il fut remplacé par Djamel Zitouni, qui commença par étrangler l'homme qui avait trahi son ami. Le règne de dix-huit mois du nouvel émir suprême devait être le plus long de toute l'histoire du GIA. Son armée disparate était estimée à neuf ou dix mille *moudjâhidines,* dont quatre mille autour d'Alger, le reste étant disséminé dans les régions est (Constantine) et ouest (Oran). Djamel Zitouni commença à préparer l'exportation de sa révolution islamiste en France en mettant en place un réseau de sympathisants pour la fourniture d'armes, de technologies de communication, de faux papiers et de médicaments, toutes choses qu'il était facile de cacher dans les grottes et les galeries souterraines qu'abritaient les massifs montagneux.

« L'Algérie est une vision d'apocalypse », écrivit Michel à son cousin Joseph Crand à la fin du mois d'août. Il était à son petit pupitre en bois, au scriptorium, et regardait, par la fenêtre, vers les montagnes du Tamesguida, où les hélicoptères fendaient l'air comme de gigantesques libellules. « Ce n'est que fumée et feu dans la vallée, dans les collines, dans les montagnes… Jusqu'à quand ? […] J'ai 50 ans, et la semaine prochaine, cela fera 10 ans que je suis ici. »

Michel avait trouvé la paix et le bonheur à Tibhirine en travaillant à la cuisine avec Luc et en préparant avec Christian le programme des lectures hebdomadaires qui nourrissaient spirituellement la communauté pendant les repas pris en silence. La simplicité d'une petite communauté et la pauvreté de son environnement convenaient à cet homme doux et humble. Il était, avec Christophe et Luc, l'un des conseillers de Christian, et se distinguait par son attention aux autres et son désir de bien faire. Certains moines lui reprochaient d'adhérer trop fidèlement à tout ce que pensait Christian. Ce dernier l'appelait le « moine parfait », parce qu'il était modeste, serviable et parfaitement obéissant, par amour et non par crainte.

La carte de Michel continuait ainsi : « S'il nous arrive quelque chose – je ne le souhaite pas – nous voulons le vivre, ici, en

253

solidarité avec tous ces Algériens et Algériennes qui ont déjà payé de leur vie, seulement solidaires de tous ces inconnus, innocents. Il me semble que celui qui nous aide aujourd'hui à tenir, c'est celui qui nous a appelés. J'en reste profondément émerveillé : *"Celui qui nous affermit avec vous (peuple algérien) en Christ et qui nous donne l'onction, c'est Dieu, Lui qui nous a marqués de son sceau et a mis en nos cœurs les arrhes de l'Esprit."* Parole de saint Paul qui m'a été donnée au cours de notre liturgie des heures le jour de la solennité du Saint-Sacrement, lors d'une réflexion communautaire sur les événements du 8 mai [43]. Parole qui me parle encore et qui m'est donnée comme une force pour vivre aujourd'hui paisiblement avec mes frères. Je n'ai rien d'un héraut [44], j'ai tout d'un zéro. Continue, Joseph, de prier pour nous, pour la présence chrétienne ici, et pour le peuple algérien. C'est lui qui souffre le plus. »

En septembre, neuf frères se réunirent dans la salle du chapitre pour confirmer leur décision de rester à Tibhirine, ce qu'ils feraient tous les six mois. Célestin était rentré de France, où, rongé par la peur, il était devenu de plus en plus nerveux et tourmenté. Il était terrorisé à l'idée de repartir vers la mort violente qui le guettait. Mais il craignait plus encore de ne pas être avec ses frères si ce jour devait arriver. « Le vote de la communauté est beau, accueillant, ouvert, sans faiblesse, clairvoyant et bienveillant. C'est une expérience très pure : Ta volonté au cœur de nos pauvretés (consacrées). C'est aussi une expérience de chasteté féconde : nulle crispation sur un désir d'avoir coûte que coûte un (des) enfant (s) mais la conscience d'une responsabilité maternelle – matricielle, dirait André Chouraqui. »

---

(43) Date de l'assassinat de frère Henri Vergès et de sœur Paul-Hélène Saint-Raymond [NDT].

(44) **Dans son** article « Itinéraire spirituel du **Frère Michel Fleury,** moine de Tibhirine, Pentecôte 1993 – 21 mai 1996 » (*Collectanea Cisterciensia* n° 63, 2001), Dom **Étienne** Baudry, ancien abbé de Bellefontaine, **explique que** frère Michel voulait, en fait, écrire « héros » (auteur d'un exploit courageux) et non « héraut » (messager). Il suggère qu'il a finalement assumé ces deux rôles à la fois [NDT].

Célestin accepta de bonne grâce de ne plus être chantre, responsabilité qui avait été confiée à Christophe pendant ses huit mois d'absence. Il souffrait de phlébite et d'insomnies, et, la nuit, il rendait souvent visite à Luc, dont l'asthme lui imposait de dormir assis. C'était un désagrément que ce dernier supportait avec philosophie, car il aimait lire. Il lisait souvent quelques pages à Célestin, dont le caractère nerveux et agité lui rendait à la fois la lecture et le sommeil difficiles. Une nuit, Luc fit une crise d'asthme si aiguë qu'il demanda à Célestin de lui administrer les derniers sacrements. En fait, ils souffraient tous de diverses manières. Mohammed avait les traits tirés et semblait déprimé parce que sa femme pleurait sans arrêt. Le visage de Jean-Pierre commença à enfler. Ce que Christian craignait par-dessus tout, c'était que l'on impute sa mort au peuple algérien.

Christophe luttait contre ses accès de colère. L'habitude que Luc avait prise d'emprunter, sans le lui demander, les livres que sa mère lui envoyait, l'agaçait de plus en plus. Il s'emportait contre Célestin qui avait tendance à laisser son bureau en désordre au scriptorium. Contrarié par la manière de chanter de la communauté, il avait quitté l'office plus d'une fois. Enfin, il explosa un jour devant Ali parce que sa vache avait, une fois de plus, envahi le jardin. Il décréta qu'il devrait désormais payer une amende de trente dinars à chaque fois qu'une infraction serait constatée. Ali se le tint pour dit.

L'indemnité était réglée à chaque fois, mais c'était toujours Fatima, la nièce d'Ali, qui apportait l'argent à Christophe. Curieux de savoir pourquoi Ali ne venait jamais lui-même, Christophe mena son enquête. Oui, Ali honorait son engagement. Fatima obtenait ses trente dinars en sonnant trois longs coups au petit portail du portier – c'était le code des enfants pour appeler Amédée : A-médée. « Père Amédée, j'ai besoin de trente dinars pour père Christophe. » Amédée, qui était le trésorier, ne savait pas le lui refuser. Ceci provoqua la fureur de Christophe, à qui l'accusé répliqua qu'il s'énervait trop facilement.

« M'entendre redire ce matin ma violence, importune, malséante, me renvoie très loin de la communauté, radicalement exclu de ce lieu protégé. Une question m'a ébranlé : rejoindre les violents ? Oh rien ne m'attire dans leur combat, mais suis-je vraiment de ceux-là, comme me l'a dit ce frère excédé de ma violence et assuré d'en être tout à fait pur ? Difficile de présider, dans cet état d'esprit, l'Eucharistie. Je n'ai pu me libérer de cette mauvaise humeur en moi. Maladie mortelle, disait le roi… Mon amertume amère me conduira-t-elle à la paix ? » Quelques semaines plus tard, Christophe se trouva en situation de pacificateur.

Le monastère maintenait une certaine neutralité envers les deux parties opposées du conflit. Luc soignait parfois les blessures des « frères de la plaine » le matin, et celles des « frères de la montagne » le soir. Le GIA de la région savait tout. Ils savaient qu'eux aussi étaient appelés « frères » par les moines, et que ces derniers étaient respectés et aimés de leurs voisins. Christian compara la communauté à un « vivier » : elle était un réservoir de proies faciles pour ceux qui les observaient jour et nuit. L'émir local savait qu'ils ne partiraient pas. Mais jusqu'à quel point les moines devaient-ils se montrer conciliants pour maintenir un esprit de fraternité envers tous les protagonistes ? Cette question épineuse surgit à nouveau, après le dîner, au début du mois d'octobre.

Trois hommes frappèrent à la porte du bâtiment où Robert habitait depuis que son ermitage avait été détruit. Ils connaissaient Robert, et lui avaient rendu visite plusieurs fois dans la montagne. Un jour, ils lui avaient proposé de s'allier à eux pour vendre son miel réputé. Cette fois-ci, ils voulaient téléphoner. L'ermite leur expliqua qu'ils ne pouvaient pas entrer dans le monastère avec leurs armes, et il alla chercher Christian, qui arriva avec un téléphone portatif. Le prieur les avertit que la ligne était sur écoutes, mais ils n'en firent aucun cas. Robert tira une cigarette de sa poche pendant qu'ils essayaient d'obtenir une communication internationale.

« C'est interdit », dit un des montagnards, sur le ton de la réprimande.

« Ce qui est interdit, c'est de tuer des gens, pas de fumer », répondit Robert, après une courte pause.

Paul arriva sur les lieux. « Ça suffit », lança-t-il en s'avançant à grandes enjambées vers les nouveaux venus. Paul était furieux. Il n'aimait pas le GIA. Il lui rappelait trop les *fells* qu'il avait combattus comme parachutiste, pendant la guerre. Il avait déjà un fusil pointé sur la poitrine quand Christophe s'interposa. Les « frères », dit-il à Paul, n'avaient aucune intention belliqueuse. À la différence de Christian, Paul ne maîtrisait pas totalement l'art d'être ferme sans être agressif.

Après cet incident, Christian convoqua les frères en chapitre pour discuter de ce qu'il fallait faire si les montagnards revenaient à nouveau pour téléphoner. La communauté tomba d'accord sur l'idée de renoncer carrément à leurs téléphones. Le GIA se rendrait compte à travers leurs réseaux de sympathisants dans la police que leurs lignes avaient été coupées. Christian apprit plus tard qu'ils avaient appelé un numéro à Henninge, en Suède, où se trouvait l'adresse – inconnue de lui jusqu'alors – de la publication du GIA, *El Ansar,* imprimée en Pologne et distribuée à Londres.

Il était de tradition, chez les frères, de se réunir dans la salle du chapitre entre le repas du soir et les complies. Là, ils écoutaient de la musique et s'acquittaient ensemble de quelque tâche communautaire. Selon la saison, ils écossaient des haricots, préparaient des tisanes médicinales avec les fleurs de leurs tilleuls, ou garnissaient des sachets de lavande séchée qu'ils vendaient à la porterie, pendant que Christian donnait les informations recueillies durant la journée. Le lundi 24 octobre, il avait encore des mauvaises nouvelles à communiquer. La veille au soir, deux religieuses espagnoles avaient été abattues dans le dos, alors qu'elles se rendaient à la chapelle des Petites sœurs de Jésus, à Bab el-Oued, pour les vêpres.

Des détails émergèrent les jours suivants. Malgré les demandes pressantes de l'ambassadeur espagnol pour qu'elles quittent le pays, Esther et Caridad, deux Sœurs augustiniennes, avaient choisi de rester et de continuer leur travail d'infirmières. L'Algérie, avaient-elles affirmé toutes les deux, était le pays où Dieu voulait qu'elles demeurent. Les paroles d'un policier venu faire le constat, après l'attentat, furent largement diffusées. « Je vous demande pardon au nom des tueurs », avait-il dit aux autres religieuses rassemblées autour des deux corps. Quatre jours plus tard, un éditorial de Saïd Mekbel, journaliste réputé, parut dans le journal de gauche *Le Matin*.

Depuis ce dimanche, la pensée ne cesse de tourner autour de l'assassinat des deux religieuses espagnoles. Comment et pourquoi? Comment peut-on tirer sur deux femmes? Sur deux religieuses, deux créatures de Dieu qui, en leur démarche dominicale, allaient à leur chapelle en toute confiance prier le Créateur? Pourquoi? Sans doute pour les remercier d'avoir soigné les nôtres pendant des années et des années, d'avoir guéri un membre de notre famille, réconforté un voisin… Peut-être se trouve-t-il parmi leurs assassins…? Sait-on jamais de quoi s'alimente cette sauvage folie meurtrière? Pour les remercier donc, sûrement. D'être restées au pays malgré les conseils et les exhortations, d'être restées en ce pays que nous-mêmes, Algériens, nous désertons sous l'emprise de la terreur et le vertige du désarroi.

Le meurtre des religieuses espagnoles poussa Mgr Teissier à recommander à ses frères évêques de demander à chacune de leurs communautés religieuses respectives de se préparer à l'éventualité d'un rapide départ. Il souhaitait cependant qu'un minimum de personnes reste pour que l'Église continue sa vocation spéciale de présence, en communion avec la souffrance du peuple algérien. Qui accepterait d'assumer ce rôle? Ce ne pouvait qu'être une décision personnelle.

En novembre, Mgr Teissier prit sa voiture et monta au monastère, ce qu'il faisait régulièrement autrefois, mais moins souvent maintenant que la région de Médéa était devenue une zone à risques. Il exprima sa reconnaissance aux moines, qui avaient choisi de rester sur place malgré le danger. Il leur rappela combien leur présence de prière et de travail quotidien était significative pour toute la communauté chrétienne puisque, compte tenu de la situation, ils étaient en première ligne du témoignage. « Je voudrais donc d'abord vous remercier, et remercier le Seigneur qui vous a donné le courage de cette fidélité, mais qui a aussi, jusqu'à maintenant, fait triompher, dans la conscience des islamistes, la volonté de vous respecter. »

Les moines réévaluaient régulièrement leur engagement en associant Gilles Nicolas à leurs discussions. Il était presque devenu un membre de leur communauté, et, tous les vendredis, il partageait le déjeuner avec les frères, autour des fameuses pommes de terre frites préparées par Luc. Gilles Nicolas enseignait à l'Université de Médéa, dans une filière technique, et il était le seul chrétien de la faculté. Ses amis islamistes lui avaient demandé d'assurer les classes de mathématiques à l'école primaire, à l'époque des élections municipales de 1990. Il comptait beaucoup d'amis sympathisants du FIS, qu'il considérait, pour la plupart, comme des gens corrects. Il leur reprochait toutefois une tendance à idolâtrer l'islam, ce qui générait une dangereuse agressivité : brandir constamment cet étendard revenait à écraser les autres. Par ailleurs, il s'insurgeait contre leur penchant à étouffer toute forme d'esprit critique, à encourager l'abdication de l'intelligence : « Ils enseignent une théologie qui ne souffre aucune question, aucune liberté de pensée. Or Dieu nous a donné une raison, une conscience et les lois de la nature pour approfondir et purifier notre foi. »

Le père Nicolas défendait généralement l'idée qu'Alger n'était pas vraiment plus sûre que l'Atlas, sauf si les moines acceptaient de s'enfermer dans la capitale sans jamais mettre le nez dehors. En fait, la sécurité était moins une question de lieu que d'émir local, selon qu'il considérait l'assassinat d'un moine ou d'une personnalité religieuse comme utile à ses desseins. Le curé de Médéa savait que les assassinats n'étaient pas laissés au hasard. Pour ce qui le concernait, ses heures de cours à l'université étaient toujours les mêmes. N'importe qui pouvait se procurer son emploi du temps. Pourtant, le Professeur Nicolas n'avait jamais reçu la moindre lettre de menace, et il avait toujours beaucoup d'amis musulmans.

Certains frères se déclarèrent disposés à rester pour assurer une présence minimum en cas de départ précipité. Mais, en tant que communauté, il ne pouvait être question de se retirer que dans trois cas : s'ils étaient ouvertement menacés – ce qui commençait généralement par un avertissement écrit ; s'ils étaient contraints de collaborer d'une manière inacceptable ; ou – cas le plus improbable – si leurs voisins leur demandaient de s'en aller.

Après l'assassinat d'Henri et de Paul-Hélène en mai, le meurtre des Sœurs espagnoles montrait clairement que l'Église était devenue une victime de choix pour certains émirs locaux. Dès le mois de décembre, une douzaine de communautés religieuses du diocèse d'Alger avaient décidé de partir, au moins temporairement. Les jésuites, les Petits frères de Jésus, les Pères blancs, les Sœurs protestantes de Grandchamp, les focolari [45] et les trappistes étaient de ceux qui avaient choisi de rester malgré ce contexte d'assassinats, estimés à mille par semaine.

Début décembre, les moines apprirent que Saïd Mekbel avait été abattu. Sa mort portait à quinze le nombre de journalistes assassinés depuis mai 1993. La guerre totale exigeait d'éliminer les apologistes du gouvernement, les critiques du mouvement islamiste, et ceux qui avaient une mauvaise influence sur la société, comme les artistes qui chantaient des chansons osées ou écrivaient des pièces de théâtre et des livres irrévérencieux. Certains groupes armés se spécialisaient. Le Mouvement pour l'État islamique (MEI), par exemple, avait pour cibles privilégiées les intellectuels anti-islamiques. Ces derniers incluaient des professeurs, des médecins, des

---

(45) **En 1966,** le diocèse d'Oran donna au mouvement des focolari une petite abbaye bénédictine située à Tlemcen, dans la région occidentale de l'Algérie. Ce fut la première communauté de focolari en pays musulman. Selon l'ancien *wâlî* Sidi Ahmed Benchouk, Ulisse Caglioni (1943-2003) et ses compagnons en firent « un lieu de rencontre, de dialogue et de spiritualité, une oasis de paix » [NDT].

avocats, des juges, des écrivains et des artistes. Le « syndrome de l'égorgement », comme on l'appelait communément, avait poussé dix mille personnes, des milieux les plus cultivés, à émigrer.

La guerre totale impliquait aussi de tuer femmes, enfants et nourrissons. Les attaques nocturnes n'étaient pas seulement moins risquées, elles bénéficiaient aussi de dispositions coraniques qui rendaient les bavures moralement moins condamnables. Les soldats de Dieu s'engouffrèrent donc dans cette faille juridique. La nuit, la faible visibilité rendait les accidents inévitables et, de ce fait, on pouvait échapper à la damnation puisque les innocents étaient égorgés dans l'incertitude causée par l'obscurité. La logique et l'accoutumance expliquaient le massacre de familles entières. Tout survivant était un justicier en puissance : il valait donc mieux tuer tout le monde. Ensuite, le sang, les coups et les mutilations devenaient une drogue dont on ne pouvait plus se passer, comme les fauves qui tuent pour le plaisir.

L'année 1994 s'acheva en cauchemar. Le jour de Noël, le GIA détourna, à l'aéroport Boumédiène d'Alger, un avion d'Air France, sur le point de s'envoler pour Paris. Les pirates de l'air exigeaient que le gouvernement algérien relâche certains de leurs prisonniers. Des vies humaines françaises étaient en jeu, mais le ministre de l'Intérieur, Charles Pasqua, accepta de laisser la Sécurité algérienne prendre l'affaire en main. Cette dernière tenta de faire croire aux terroristes que le gouvernement avait libéré Abdelhak Layada, un ancien émir emprisonné pour avoir assassiné un journaliste algérien. Quand les preneurs d'otages découvrirent le subterfuge, ils tuèrent un policier algérien qu'ils avaient fait prisonnier. Un diplomate vietnamien protesta et fut abattu, lui aussi. Puis, pour obliger les pilotes à décoller, ils tuèrent un cuisinier de l'ambassade de France. Pendant le vol, l'un des pilotes parvint à convaincre les terroristes que l'avion devait se poser à Marseille pour faire le plein d'essence. Là, une unité antiterroriste de la Gendarmerie nationale les attendait. Au terme d'un assaut précis et méthodique, le GIGN (Groupement d'intervention de la Gendarmerie nationale) réussit à libérer les otages sans qu'un seul soit tué. Les quatre pirates de l'air furent abattus durant l'opération. L'un d'entre eux était un proche de Djamel Zitouni.

Deux jours plus tard, une fourgonnette blanche sans plaque d'immatriculation s'arrêta devant une bâtisse de stuc à deux étages, ornée d'une véranda richement décorée de formes géométriques typiquement berbères. La maison des Pères blancs était connue dans toute la Kabylie, et faisait partie des lieux célèbres de sa capitale, Tizi-Ouzou. Près du centre-ville, à moins de cinq cents mètres de la gendarmerie, les trois *babbâs,* comme on appelait les religieux, ne cessaient de recevoir des visites. On venait les voir quand on avait un problème et que l'on ne savait plus à quelle porte frapper.

Trois hommes en civil descendirent de la camionnette et pénétrèrent dans le bureau de Jean Chevillard, non sans avoir préalablement enfermé, dans un garage, des ouvriers qui travaillaient à l'aménagement de la nouvelle bibliothèque. Ils présentèrent au père Chevillard des badges de police et lui dirent qu'ils étaient tous convoqués au commissariat. Jean Chevillard connaissait les gendarmes de la ville. Il eut aussitôt des doutes et voulut d'abord passer un coup de fil pour savoir ce qui se passait. Quand il apparut qu'il ne voulait pas coopérer, il fut abattu dans son bureau. En quelques minutes, trois autres hommes subirent le même sort dans la cour du bâtiment, alors qu'ils venaient voir ce qui se passait ou essayaient de s'enfuir. Lorsque les forces de l'ordre arrivèrent sur les lieux, Christian Chessel, Alain Dieulangard et Charles Deckers étaient morts.

Le père Deckers était un père blanc rattaché à la communauté de Notre-Dame d'Afrique à Alger. Il était venu à Tizi-Ouzou pour fêter la Saint-Jean, en l'honneur de Jean Chevillard, qui y vivait depuis 1985 et qui venait, comme lui, d'avoir soixante-dix ans. Charles Deckers avait longtemps vécu en Kabylie et parlait le kabyle. Ce qui aurait dû être, semble-t-il, une prise d'otages, avait mal tourné, en moins de dix minutes. Les tueurs appartenaient à une *djamâ'a* du GIA appelée « Ceux qui se battent jusqu'au sang ». Leur véhicule, abandonné, fut retrouvé au bord de la route, huit cents mètres plus loin, dans une zone boisée. Le tragique épisode fut largement interprété comme une forme de représailles après la mort des quatre pirates de l'air. Pourtant, Charles Deckers n'était même pas français, mais belge.

Les Pères blancs incarnaient, plus que quiconque, la présence chrétienne durant la période coloniale. Le souvenir de l'alliance du sabre et du goupillon restait gravé dans la mémoire historique du pays et avait laissé un goût doux-amer dans la conscience collective des Algériens. Cependant, le 2 janvier, des milliers d'habitants de Tizi-Ouzou oublièrent l'amertume de la colonisation et se rappe-lèrent seulement de la douceur d'une présence évangélique appré-ciée. En cessant toute activité pendant deux heures, à l'occasion des funérailles, ils exprimèrent clairement leur peine et leur honte devant ce qui venait d'arriver à ces hommes de Dieu, qui n'avaient fait que du bien autour d'eux.

Alain Dieulangard avait élu domicile en Algérie en 1950 et, à soixante-quinze ans, il était le « grand-père » du groupe. Pendant la guerre d'indépendance, il avait transformé la maison des Pères blancs en refuge pour les femmes du village, qui étaient harce-lées par les soldats des deux camps, et il avait continué à servir les Kabyles de différentes manières : en enseignant, en assurant la catéchèse pour les enfants, en entourant les personnes âgées et les malades, en trouvant du travail pour les jeunes, bref, en répondant aux besoins concrets de la population. Jean Chevillard avait participé à la création de centres d'apprentissage professionnel partout dans le pays et en avait créé un pour former les techniciens en BTP à Tizi-Ouzou. Il faisait aussi office d'assistant social. Les gens venaient le voir pour obtenir des allocations du gouverne-ment, pour remplir des papiers administratifs ou pour écrire une lettre. Christian Chessel, le plus récemment arrivé et le plus jeune des *babbâs,* s'intéressait à l'islam et à la culture berbère. Il venait d'obtenir les financements et le permis de construire d'une bibliothèque dont les jeunes avaient un besoin urgent, compte tenu du manque de livres et d'espace pour lire et étudier dans le calme.

« Ils furent enterrés comme des héros sous les applaudissements et les *youyous* », nota le journal *Le Matin*. Des milliers de personnes se déplacèrent des quatre coins de la *wilâya*. Des représentants du Mouvement culturel berbère parcoururent les rues pour rappeler aux commerçants de fermer leurs boutiques. L'ancien Premier ministre Redha Malek prit la parole, ainsi que Mgr Teissier et Christian de Chergé. Ce dernier souligna le contraste qu'il constatait entre le petit nombre des tueurs et l'immensité de la foule des Algériens qui refusaient qu'on leur vole la signification profonde de la mort des Pères : « Ceux qui revendiquent ce meurtre ne peuvent s'en glorifier. Alain et ses frères avaient mesuré le risque qu'ils prenaient. Ils avaient déjà offert leurs vies à Dieu et au peuple kabyle, qui est là pour exprimer son immense reconnaissance. »

Adossé à une haute colline boisée, Tizi-Ouzou est entouré d'une grande chaîne de montagnes qui barre l'horizon d'est en ouest : le Djurdjura. Sur plus de cinquante kilomètres, il déroule ses sommets, parmi lesquels se dresse le pic de la Main du Juif. Certains pensent que les Berbères descendent de familles juives ayant fui Israël après la destruction du temple de Jérusalem par les Romains, en l'an 70 de l'ère chrétienne. Les Berbères de Kabylie sont connus pour leur indépendance d'esprit, et leur territoire s'appelle aussi le pays des *imazighen,* ou « hommes libres ». Beaucoup de Kabyles préférèrent se battre aux côtés des premiers envahisseurs français plutôt que de se soumettre à l'autorité de l'Émir Abdelkader. Les célèbres zouaves aux pantalons bouffants, qui combattirent sous le drapeau tricolore à maintes reprises, étaient issus d'une tribu kabyle. Mais dans les années qui suivirent la défaite de l'émir, les Kabyles organisèrent l'un des soulèvements les plus sanglants dirigés contre la France, et, pendant la guerre d'indépendance, le FLN compta beaucoup d'entre eux parmi ses dirigeants.

Ils vivaient dans des villages haut perchés, tels des nids d'aigle au sommet de précipices rocailleux qu'entouraient des contreforts criblés de grottes, qui constituaient des cachettes idéales. Au printemps, les genêts sauvages recouvraient les vallées de leur abondante floraison jaune que ponctuait l'ombre des bosquets de cèdres bleus et de châtaigniers espagnols. Tout au long des siècles, les Berbères animistes adoptèrent pragmatiquement la religion des nouveaux venus. Ils furent successivement juifs, chrétiens et musulmans, et le petit nombre d'Algériens qui se convertit au christianisme sous l'occupation française furent principalement des Kabyles. Ils étaient considérés par les colons comme des gens adaptables, entreprenants et « plus européens » que les Arabes. Leur sang est maintenant mélangé à celui du reste de la population maghrébine, mais, aujourd'hui encore, les Algériens aux cheveux et à la peau clairs sont souvent des Kabyles.

Les Pères blancs étaient les conservateurs de leur langue méconnue, le *tamazight* *. Ils en avaient établi le premier dictionnaire et, au fil des ans, avaient constitué une vaste collection de poèmes, de légendes, de chansons, de proverbes et de coutumes. Ils étaient devenus les experts et les gardiens respectueux de la culture berbère.

Aujourd'hui, les Pères blancs portent un nom quelque peu anachronique [46]. Mais, dès leur fondation en 1868, leur mission était d'aller en terre d'islam pour vivre avec les musulmans, en s'habillant comme eux et en parlant leur langue. Leur fondateur, Mgr Charles Lavigerie, voulait s'appuyer sur la ferveur religieuse des musulmans, si frappante pour un clergé français aux prises avec une société de plus en plus sécularisée. La France de la deuxième moitié du XIXe siècle était profondément divisée par rapport à son héritage révolutionnaire. Quand l'Ancien régime avait finalement été balayé en 1789, beaucoup d'hommes d'Église qui le soutenaient avaient été emportés avec lui.

(46) Le nom se réfère à leurs longues robes blanches, même si la plupart des missionnaires étaient aussi des Européens « blancs » de peau [NDA].

Le catéchisme de la Révolution française se résumait en trois mots : liberté, égalité et fraternité pour tous. Sa foi était placée tout entière dans la déesse Raison. La Déclaration des droits de l'homme et du citoyen proclamait que les hommes étaient libérés du joug du système féodal dans lequel l'Église avait tenu un rôle. Convaincus du bien-fondé de la voie choisie, qui devait conduire à un avenir meilleur pour l'humanité, les Sans-culotte fusillèrent, passèrent à la baïonnette, noyèrent ou guillotinèrent des milliers d'ecclésiastiques qui refusaient de prêter serment à la nouvelle constitution. « C'était bien moins comme doctrine religieuse que comme institution politique que le christianisme avait allumé ces furieuses haines; non parce que les prêtres prétendaient régler les choses de l'autre monde, mais parce qu'ils étaient propriétaires, seigneurs, décimateurs, administrateurs dans celui-ci. » Tel était le diagnostic d'Alexis de Tocqueville, qui porterait un regard sceptique sur certains aspects de l'aventure coloniale française en Algérie.

Malgré tout, le petit peuple garda sa foi et sa confiance en l'autorité morale de l'Église. La France restaura la monarchie en 1815. Le clergé et les congrégations religieuses accueillirent favorablement le retour des Bourbons. À l'instigation de Louis XVIII, le catholicisme fut à nouveau déclaré religion d'État. Pendant cette période, les évêques et les prêtres retrouvèrent leurs fonctions traditionnelles d'éducateurs de la jeunesse française, rallumant ainsi le combat pour le contrôle des consciences, qui allait se prolonger jusqu'au début du XXe siècle.

Les prises de position abruptes du pape Pie IX contre la liberté d'expression, la tolérance religieuse, le divorce et le culte de la raison rendirent l'Église encore plus suspecte. Républicains libéraux et socialistes s'allièrent pour lancer une contre-offensive, au début des années 1880, afin d'arracher les enfants à l'influence antirépublicaine de l'Église. L'école primaire devint obligatoire pour les garçons et les filles. L'enseignement public serait gratuit et laïque. Progressivement, le clergé fut banni de l'enseignement supérieur. Le mouvement culmina avec la loi de séparation de l'Église et de l'État de 1905, qui interdit aux prêtres et aux religieux d'enseigner dans les écoles publiques. La France devint officiellement républicaine et laïque.

Dans ce climat, Mgr Lavigerie rêvait de faire connaître le Christ aux Arabes et de rechristianiser la France, en commençant par l'Algérie française. Nommé évêque d'Alger en 1867, il pensait être le nouveau maillon de la chaîne qui remontait aux Pères de l'Église et, en particulier, à saint Augustin. Sa mission, telle qu'il l'exposa lors de sa cérémonie d'ordination épiscopale, était de refaire de l'Algérie le berceau d'une nation chrétienne, d'« une France nouvelle », et de porter en Afrique « le flambeau de la civilisation, dont les évangiles sont la source et la loi ». Mgr Lavigerie eut immédiatement l'occasion de montrer aux musulmans ce qu'était la charité chrétienne.

Une épidémie de choléra éclata l'année de son arrivée, suivie d'une grave sécheresse et d'une invasion de sauterelles. La famine tua environ 300 000 musulmans. Des milliers de veuves et d'orphelins furent pris en charge par l'Église. Mgr Lavigerie créa des orphelinats temporaires pour mille huit cents enfants sans abris, dont la majorité fut remise, plus tard, à des membres de leurs familles. L'année suivante, Mgr Lavigerie fonda une nouvelle congrégation missionnaire, dont le nom se référait aux robes blanches portées par ses membres et qui ressemblait à celles des musulmans.

« Soyez comme les Arabes, parmi les Nord-africains! Allez à la rencontre de ce vieux peuple, formé de dix races différentes, mélangées au sang des chrétiens, et aimez-le! » Telle était l'exhortation de Mgr Lavigerie à ses missionnaires. Pour les aider à s'insérer dans la population et à comprendre ses mœurs, ses successeurs fondèrent, à Tunis, un centre qui devint par la suite l'Institut pontifical d'études arabes et d'islamologie de Rome, et qui forme toujours des missionnaires destinés à vivre en pays musulman, sur le continent africain.

Aux Pères blancs et aux Sœurs blanches il fut demandé de ne chercher à convertir personne. Ils devaient se contenter de construire des écoles et des hôpitaux dans les zones interdites dites « du sabre », administrées par l'armée, un secteur où la population était majoritairement musulmane et bénéficiait d'une protection contre le prosélytisme chrétien et la mainmise des colons sur les terres. Aucun enfant musulman ne pouvait être baptisé sans l'accord personnel de Mgr Lavigerie, sauf ceux qui étaient sur le point de mourir. Il n'y avait aucun motif à précipiter les conversions. Mgr Lavigerie était convaincu que les musulmans jugeraient le christianisme sur pièce, à l'aune des bonnes œuvres réalisées par les chrétiens.

Mais les musulmans ne furent pas convaincus, du moins pas assez pour se convertir. À part quelques milliers de Kabyles, qui franchirent le pas pour retrouver la foi qui était celle de leurs ancêtres avant l'arrivée des Arabes, l'immense majorité des musulmans acceptèrent les bonnes œuvres, mais pas la foi chrétienne. Ils se demandaient pourquoi les chrétiens refusaient en bloc leur religion. Les musulmans acceptaient certaines révélations des prophètes antérieurs : ils vénéraient Jésus en tant qu'envoyé de Dieu, pur de tout péché, né miraculeusement de la Vierge Marie, et monté au ciel avec Moïse et Mahomet. Pourquoi les chrétiens ne trouvaient-ils aucune révélation dans le Coran ? Ils ne faisaient aucun cas du Prophète et le traitaient d'imposteur habile et de pervers sexuel. Pourquoi ?

L'avant-bras droit de la statue de Mgr Lavigerie fut scié net après l'indépendance algérienne. Sa silhouette de bronze, au pas conquérant, avec sa croix portée triomphalement comme un étendard sur la place de la basilique Notre-Dame d'Afrique, était devenue ambiguë pour beaucoup d'Algériens. Elle évoquait la supériorité condescendante de la France « chrétienne », à laquelle une guerre de sept ans avait enfin mis un terme. Trente années plus tard, la statue de Mgr Lavigerie demeure amputée de son crucifix dominateur, mais elle toujours là.

XV. DÉJÀ VU

Nous avons rendu la société musulmane beaucoup plus misérable, plus désordonnée, plus ignorante et plus barbare qu'elle n'était avant de nous connaître.

Alexis de Tocqueville, *Rapport sur l'Algérie*, 1847

En 1994, on commença à parler, en France, d'une « deuxième guerre d'Algérie ». Les flots amers du mépris et de l'injustice déversés sur les musulmans par les pieds-noirs, pendant plus de cent ans, avaient produit le FLN et la révolte de 1954. Quarante années plus tard, la persistance d'inégalités sociales criantes et le dédain du pouvoir pour ses compatriotes algériens donnèrent naissance au FIS, à la rébellion politique de 1990 et à la guerre civile larvée, consécutive à l'annulation des élections législatives de 1991. Même François Léotard, le ministre français de la Défense, avait des doutes quant à la capacité du gouvernement algérien de se maintenir au pouvoir. Il confia au quotidien saoudien *Al-Charq Al-Awsat*, en octobre 1994 : « Les intégristes sont sur le point de l'emporter sur le pouvoir en Algérie. »

Comme la précédente, cette deuxième guerre d'Algérie ne connaissait pas de frontières, l'ennemi était invisible, et la stratégie n'avait pas changé : il s'agissait de créer un climat de peur

269

et d'insécurité afin de saper la confiance de la population envers le gouvernement et sa capacité à protéger la société civile. Encore une fois, la religion orchestrait et justifiait le combat [47]. Ceux que les Français nommaient *fellaghas,* le FLN les appelait *moudjâhidines*. Le journal officiel du FLN, *El Moudjâhid,* toujours diffusé aujourd'hui, vit le jour en 1956, à l'époque où les citoyens qui avaient désobéi aux ordres des *moudjâhidines* de ne pas fumer ni de boire d'alcool pouvaient facilement être identifiés : on leur coupait les lèvres et le nez.

On commettait toujours les mêmes atrocités. La seule différence tenait aux noms des divers acteurs, chaque camp essayant d'utiliser le vocabulaire du passé pour condamner le parti opposé. Pour ses sympathisants, le FIS représentait le nouveau FLN, qui menait le combat contre l'injustice et l'oppression néocolonialiste. Pour ses ennemis, le parti islamiste et ses rejetons terroristes n'étaient qu'un ramassis de *harkis,* rien d'autre que des traîtres comparables à ceux qui avaient jadis combattu aux côtés des Français. Le GIA et l'OAS avaient en commun la violence d'une colère née du mariage entre désespoir et sentiment de trahison. Le premier rassemblait des citoyens furieux d'avoir été frustrés de leur victoire électorale par leur propre gouvernement. Le second avait regroupé d'honorables soldats qui reprochaient au général de Gaulle d'avoir déçu leurs espoirs. Les cachettes, les prisons, les milices, les atrocités, la paralysie d'une population cherchant à se protéger des deux côtés, et les luttes intestines au sein même de la communauté musulmane, tout cela n'avait rien de nouveau pour ceux qui avaient vécu la révolte de 1954.

Le chiffre des Algériens morts pendant la guerre de 1954-1962 varie sensiblement selon les estimations. Il s'élève à environ un million

(47) Quand l'association algérienne des *oulémas** rejoignit le FLN en 1956, deux ans après le début de la guerre, celle-ci prit une coloration nettement plus religieuse, provoquant une fracture latente entre partisans de la laïcité et tenants d'un retour à la théocratie musulmane. Ces divisions éclatèrent au grand jour après l'indépendance. Initialement, les *oulémas* ne voulaient pas se joindre aux révolutionnaires marxistes et sécularisés [NDA].

selon les autorités algériennes. Le décompte français aboutit évidemment à un résultat inférieur, mais plus détaillé : 141 000 hommes tués par les forces françaises, 12 000 membres du FLN éliminés dans les purges internes du parti, 16 000 civils musulmans assassinés par le FLN et 50 000 personnes portées disparues. Des milliers de *harkis* et d'autres musulmans qui s'étaient battus aux côtés des Français furent massacrés durant l'été 1962, bien après la signature de l'armistice en mars. Un grand nombre des 250 000 musulmans qui avaient pris les armes pour défendre les couleurs tricolores furent victimes des accords d'Évian, qui obligeaient l'armée française à désarmer ses troupes musulmanes.

Les officiers français avaient assuré à leurs alliés musulmans que la France ne quitterait pas l'Algérie et n'abandonnerait jamais ses amis. Humiliés et honteux, beaucoup de soldats français essayèrent de les rapatrier clandestinement. Moins de quinze mille *harkis* réussirent à s'installer en France. Les autres furent renvoyés chez eux, condamnés à une mort certaine.

Le sort réservé aux *harkis* fut souvent horrible. Ceux qui furent fusillés sommairement ou envoyés au déminage s'en tirèrent à bon compte, comparés aux malheureux qui durent avaler leurs médailles militaires avant d'être exécutés, ou boire de l'essence avant d'être brûlés vifs, ou castrés, ou encore coupés en morceaux et donnés en pâture aux chiens [48]. Des familles entières de *harkis* furent mises à mort, sans épargner les jeunes enfants. Le chiffre des Algériens victimes de ces règlements de compte varie de 30 000 à 150 000 personnes selon les estimations.

Pendant les sept ans et demi de guerre, les forces de sécurité françaises ne déplorèrent que 17 465 morts et 64 985 blessés. Le chiffre, pour les civils européens, fut de 10 000 victimes, dont 2 800 du fait de l'OAS et de ses actions terroristes contre les sympathisants du FLN et les pieds-noirs qui refusaient de payer leur contribution

---

(48) Cet épisode rappelle les règlements de compte en France, à la Libération, où certains collaborateurs furent lapidés ou jetés dans des turbines de barrages électriques [NDA].

financière. Fin 1994, le nombre de victimes européennes frappées par le terrorisme islamiste était relativement faible comparé aux campagnes meurtrières de l'OAS.

L'assassinat des Pères blancs à Tizi-Ouzou porta à soixante-dix-huit le bilan des étrangers assassinés entre septembre 1993 et fin 1994. Le quotidien *Le Figaro* compta vingt-cinq Français, douze Croates, huit Russes, huit Italiens, trois Espagnols, deux Chinois, deux Vietnamiens, deux Belges, deux Yougoslaves, et un ressortissant de chacun des pays suivants : Grande-Bretagne, Colombie, Pérou, Tunisie, Corée du Sud, Bosnie, Biélorussie, Roumanie, Ukraine et Philippines.

À peu près au même moment, le Comité algérien des militants libres de la dignité humaine et des droits de l'homme, formé en 1984 avec le soutien moral du cardinal Duval, publia son *Livre blanc sur la répression en Algérie, 1991-1995,* préparé par Amnesty International. Des centaines d'études de cas relatèrent les récits de victimes d'« interrogatoires accélérés » dans les centres de torture des prisons de Châteauneuf, de Cavaignac, d'El-Harrach et d'ailleurs. La loi décrétant l'état d'urgence, votée après l'attentat à l'explosif à l'aéroport international Boumédiène, en août 1992, autorisait la garde à vue de suspects pendant douze jours, sans motif d'accusation. Beaucoup de ces personnes furent détenues bien plus longtemps. Aux vieux classiques français de la torture à l'électricité et au « chiffon », le *Livre blanc* énuméra d'autres méthodes utilisées pour obtenir des aveux ou des informations : bouteilles cassées insérées dans l'anus, ongles écrasés à coups de baïonnette, dents et cheveux arrachés avec des tenailles, flagellation au fil de fer, castration et sodomie avec des gourdins et des chiens, obligation faite aux prisonniers de boire l'eau des cuvettes des toilettes, privation de sommeil résultant de l'inondation des cellules la nuit, pressions psychologiques obtenues en menaçant de torturer ou d'exécuter un membre de la famille du détenu. « Comment des Algériens peuvent-ils infliger de telles choses à d'autres Algériens ? » Telles étaient les questions posées par des hommes dont le seul crime avait été de marcher dans la rue à côté d'un ami barbu, détail révélateur de sympathies islamistes et qui rendait suspecte toute personne proche.

Ces questions étaient également soulevées par Jacques Vergès. Malheureusement, cet avocat français controversé avait déjà connu tout cela quand les unités parachutistes spéciales avaient torturé des musulmans et leurs sympathisants français. Il avait alors essayé de les défendre ou de mettre un terme à leur incarcération illégale. Dans un livre enflammé, *Lettre ouverte à des amis algériens devenus tortionnaires,* paru en 1993, Me Vergès exprimait son amer étonnement devant le rôle qu'il devait maintenant jouer : réprimander ses amis qui avaient subi la torture aux mains des Français trente ans plus tôt et qui recouraient désormais aux mêmes justifications et aux mêmes méthodes pour torturer d'autres Algériens.

En 1992, les dirigeants du FIS avaient demandé à Jacques Vergès de participer à la défense d'Abassi Madani et d'Ali Belhadj, à leur procès devant le tribunal militaire de Blida. Les autorités algériennes avaient concédé à l'avocat le droit d'assister aux auditions en tant qu'observateur, mais le jour où il s'était présenté à Blida, on lui avait interdit l'entrée au tribunal. « On m'avait donc menti », écrivit Jacques Vergès dans sa lettre ouverte. « Devant les policiers en armes, je réalisai que, pour certains, la fraternité d'hier devait devenir une complicité sans principes. Les écailles sur mes yeux tombèrent ce jour-là. »

Trente ans plus tôt, Jacques Vergès, le défenseur des opprimés, des mal-aimés et des criminels de guerre [49], avait dénoncé la pratique de la torture par la police et une partie de l'armée française en Algérie. « Si on m'avait dit, alors, que la torture serait à nouveau utilisée contre des Algériens et par ceux qui se prétendent les héritiers de la révolution, quoique sans illusions sur les hommes, je ne l'aurais pas cru. Sans doute ai-je été naïf. »

---

(49) En 1988, Jacques Vergès défendit le criminel de guerre nazi Klaus Barbie. Il fut également l'avocat de trois responsables du génocide cambodgien [NDE].

Dénoncer la torture, lui disaient maintenant ses amis algériens, reviendrait à trahir les idéaux qui les unissaient au temps de la révolution. Ce serait même mettre en péril les droits de l'homme. « Car, à vous entendre, répondit Mᵉ Vergès, dans le combat universel entre la modernité et l'obscurantisme, le danger pour la dignité de l'homme ne viendrait pas des tortionnaires mais de leurs victimes. » L'argumentation du pouvoir lui rappelait des souvenirs. Ce discours ressemblait étrangement à celui que tenait François Mitterrand, garde des Sceaux à l'époque de la rébellion, et d'autres personnalités. « C'est au nom des Droits de l'homme – à la française! – que policiers et soldats torturaient à la villa Susini à Alger [...]. C'est par centaines que des Algériens moururent alors dans les supplices, sans que les pouvoirs publics, pourtant informés, s'en émeuvent. Les musulmans – comme on les appelait à l'époque – ne représentaient-ils pas, pour les laïco-socialistes, le retour au passé, et la coalition des pieds-noirs et des *harkis* la modernité, cette modernité qui est devenue, contre les aspirations de votre peuple, votre seul et bien fragile alibi? Je ne suis pas votre ennemi même si bientôt, crachant sur le passé, vous me considérerez comme tel et me ferez injurier par un valet de plume – mais placé dans la même situation qu'il y a une trentaine d'années, je ne peux qu'agir de la même façon. »

Pendant la guerre, Jacques Vergès avait fait partie d'un groupe appelé les Avocats français contre le colonialisme. Cet assemblage hétéroclite de chrétiens, de communistes et de libéraux lutta pour obtenir la libération des Algériens et de leurs sympathisants français détenus dans les prisons des « gardiens de la civilisation occidentale ». Henri Alleg fut l'un de ceux qui bénéficia de l'engagement de ces hommes de loi.

De 1950 à 1955, M. Alleg avait été directeur du quotidien *Alger Républicain*. C'était le seul journal de langue française qui s'était montré ouvert à toutes les opinions politiques, y compris à ceux qui revendiquaient des droits démocratiques pour les musulmans algériens. Pendant deux ans, M. Alleg lutta, sans résultat, pour que l'ordre de fermeture illégale de son entreprise de presse soit révoqué. En 1956, il fut contraint de se cacher pour éviter l'incarcération qui menaçait tous ceux qui avaient travaillé pour son journal ou y avaient collaboré.

En juin 1957, M. Alleg se rendit à l'appartement d'un de ses confrères journalistes, à Alger. Ignorant qu'il avait été arrêté la veille, il fut accueilli par un inspecteur de police, qui le livra aux parachutistes de la 10ᵉ Division du général Massu. Ceux-ci le gardèrent en détention, pendant un mois, au « centre de triage » de la banlieue chic d'El-Biar.

Henri Alleg vit aujourd'hui à Paris. C'est un petit homme aux manières douces et à l'allure professorale. Quarante ans après son calvaire, il n'entretient pas de haine à l'encontre de ses bourreaux, mais les souvenirs sont à jamais marqués au fer rouge dans son corps et dans son esprit. En 1961, la publication clandestine, en France, de ce qu'il eut à subir aux mains des « paras » provoqua l'indignation dans l'Hexagone et finit par générer une protestation à l'échelle internationale. Son témoignage, intitulé *La question,* écrit trois mois après sa sortie de prison, expliquait les méthodes par lesquelles la France formait les fils musulmans adoptifs de la République et corrompait les siens.

Les paras du général Massu avaient une mission à accomplir : mettre un terme au terrorisme qui s'était emparé d'Alger, en démantelant son réseau de militants. Pour ce faire, il fallait aussi infiltrer le réseau des sympathisants français, composé de personnes qui pouvaient apporter de l'assistance médicale, des soutiens financiers, des armes, ou des cachettes pour le FLN. On appelait ces Français les « porteurs de valises », car ils étaient prêts à aider l'ennemi.

La torture n'est une méthode efficace que si l'on pose des questions auxquelles les suppliciés peuvent apporter une réponse. Les musulmans devaient tous s'acquitter de la *zakât**, l'impôt musulman, qui finançait les rebelles. Il suffisait donc de demander à qui cette somme était versée pour remonter la chaîne jusqu'aux vrais terroristes. Dans le cas d'Henri Alleg, les questions n'étaient pas plus compliquées : chez qui était-il resté la nuit précédant son arrestation, et qui étaient les autres personnes qui l'avaient hébergé lorsqu'il avait choisi de se cacher ?

Les paras l'appelaient leur « client ». Il était aussi une curiosité digne de mépris : un Français qui avait choisi d'épouser la cause des « ratons ». On lui infligea des électrochocs grâce à un générateur portable relié à des pinces d'acier, allongées et dentelées, appelées « crocodiles ». Les électrodes pouvaient ainsi être attachées à n'importe quelle partie du corps. Ses persécuteurs le transportaient tout nu, attaché à une planche, dans différentes pièces, où les « séances » se succédaient comme autant de jeux récréatifs.

Ils commencèrent par attacher un crocodile au lobe de son oreille droite et un autre à l'un de ses doigts du même côté. Puis, les crocodiles finirent par mordre aussi ses fesses, ses testicules et sa langue. Il connut la soif atroce qui suit les électrochocs. On lui fit avaler de force des eaux usées, puis on le roua de coups. Quand il s'avéra que ces techniques restaient sans résultat, les paras essayèrent le pentothal, pour lui soutirer des souvenirs dans un état second. N'arrivant toujours pas à le faire parler, ils menacèrent finalement de torturer sa femme et ses enfants sous ses yeux.

« Il se fout de tout, de sa femme, de ses gosses ; il aime mieux le Parti [50] », conclut l'un des officiers devant son supérieur, qui n'en revenait pas de la détermination d'Henri Alleg. « Tu vas parler ! [...] Tout le monde doit parler ici ! [...] Ici, c'est la Gestapo ! Tu connais la Gestapo ? [...] Tu as fait des articles sur les tortures, hein, salaud ! Eh bien ! Maintenant, c'est la 10e D.P. qui les fait sur toi. [...] Ce qu'on fait ici, on le fera en France. Ton Duclos [51] et

---

(50) Henri Alleg était alors membre du parti communiste algérien [NDT].
(51) Jacques Duclos (1896-1975) fut membre de la direction du Parti communiste français pendant 35 ans, député de 1946 à 1958 et sénateur de 1959 à 1975 [NDA].

ton Mitterrand, on leur fera ce qu'on te fait, et ta putain de République, on la foutra en l'air aussi ! Tu vas parler, je te dis. »

Ils n'arrivèrent jamais à le faire céder. Pendant un mois, Henri Alleg endura leur arsenal de techniques visant à lui arracher les noms de ses protecteurs. Son refrain était toujours le même : il ne trahirait pas ceux qui avaient eu le courage de le cacher. Dans les derniers jours de son emprisonnement, une jeune recrue vint le trouver dans sa cellule, arborant un large sourire. Sans la moindre gêne, il félicita Henri Alleg, comme s'il avait gagné une course cycliste : « Vous savez, j'ai assisté à tout, hein ! Mon père m'a parlé des communistes dans la Résistance. Ils meurent, mais ils ne disent rien. C'est bien ! »

Plus important pour Henri Alleg était le respect qu'il sentit de la part des prisonniers musulmans, dont il partageait les souffrances : « Et dans leurs yeux, je lisais une solidarité, une amitié, une confiance si totales que je me sentais fier, justement parce que j'étais un Européen, d'avoir ma place parmi eux. » Fort de cette estime, le survivant put conclure son livre par ces mots : « Tout cela, je devais le dire pour les Français qui voudront bien me lire. Il faut qu'ils sachent que les Algériens ne confondent pas leurs tortionnaires avec le grand peuple de France, auprès duquel ils ont tant appris et dont l'amitié leur est si chère. Il faut qu'ils sachent pourtant ce qui se fait ici *en leur nom.* »

Tout au long des années 1994 et 1995, Luc écrivit plusieurs lettres à son vieil ami de la faculté de médecine à Lyon, Paul Grenot.

Je lisais dernièrement cette pensée de Pascal : « Les hommes ne font jamais le mal aussi complètement et joyeusement que lorsqu'ils le font pour des raisons religieuses. »

Ici, c'est la confusion et la violence. Nous sommes dans une situation « à risques » mais nous persistons (7 religieux) dans la foi et la confiance en Dieu. Pâques est derrière nous, nous représentons les disciples d'Emmaüs. Nous cheminons avec le Seigneur. Il nous indique le chemin : c'est par la pauvreté, l'échec et la mort que nous allons vers Dieu.

Des pluies abondantes et dévastatrices n'ont pas éteint la violence qui s'infiltre partout. Deux partis sont en présence : l'un veut garder le pouvoir, l'autre s'en emparer. Ils se battent le dos au mur. J'ignore quand et comment ça finira. En attendant, j'accomplis ma tâche : recevoir les pauvres et les malades, en attendant le jour et l'heure de fermer les yeux pour entrer dans la maison de Dieu, dont la porte s'ouvre toujours pour qui y frappe sans craindre d'être importun. [...]

Mon cher ami, prie pour moi, que ma sortie de ce monde se fasse dans la Paix et la Joie de Jésus.

3ᵉ partie

UNE LUMIÈRE ÉTOUFFÉE?

(1995-1996)

XVI. PEINES ET JOIES

C'est pourquoi j'accepte de grand cœur pour le Christ les faiblesses,
les insultes, les contraintes, les persécutions et les situations angoissantes.
Car lorsque je suis faible, c'est alors que je suis fort.
2 Corinthiens 12,10

Paul aimait faire les choses dans les règles. Il était ponctuel, minutieux, et n'abandonnait jamais ce qu'il avait entrepris. Un père exigeant lui avait appris l'obéissance, l'honnêteté et le respect des anciens. Bref, Paul était un bon soldat, ce qu'il avait démontré en prenant une part active à la répression de la « rébellion » algérienne. Il termina son service militaire en 1961, comme sous-lieutenant dans le 8ᵉ Régiment parachutiste. Contrairement à beaucoup de soldats français, il fit partie de ceux qui affrontèrent directement les *fells* dans le maquis, en les pourchassant activement dans l'arrière-pays. Mais, de la guerre, il ne parlait jamais.

Après avoir quitté l'armée, Paul continua à se dévouer au service des autres, dans son minuscule village alpin de Bonnevaux, près d'Évian, où fut signé l'armistice. Il était pompier bénévole, conseiller municipal, et travaillait dur pour aider son père forgeron. Seul garçon d'une famille de quatre enfants, il était célibataire et, à ce double titre, il savait que ses parents comptaient sur lui. Alors que ses centres d'intérêt avaient déjà commencé à évoluer vers d'autres horizons, il différa la réalisation de ses projets personnels jusqu'à la mort de son père, en 1981.

« Sa vie religieuse était très discrète », se rappelle sa sœur Bernadette. « Paul ne discutait jamais de questions théologiques et ne citait jamais la Bible. Il s'était quand même constitué une bibliothèque de livres religieux et lisait régulièrement le quotidien *La Croix,* auquel sa mère était abonnée. Pendant le carême, quand il revenait de la messe du dimanche, il aimait s'étendre sur le divan et écouter les conférences de Notre-Dame de Paris, diffusées sur *France Culture.* Alors, il demandait aux autres de ne pas faire de bruit. »

La vie de Paul, toute de compétence tranquille et d'esprit civique, prit un tour nouveau en 1984. Peu de personnes le savaient, mais Paul avait fait un séjour à Notre-Dame de Tamié, près du lac d'Annecy, comme postulant. Ce terme désigne ceux qui envisagent, pour eux-mêmes, la vie monastique et décident de vivre et de travailler dans un monastère pendant quelques mois, sans prendre encore d'engagement pour l'avenir. Cette formule a pour but de permettre au candidat de voir, de l'intérieur, la vie très structurée qu'il devra ensuite expérimenter pendant cinq ans – deux ans comme novice, et trois ans minimum comme profès temporaire – avant de s'engager définitivement en faisant sa profession solennelle.

La décision de Paul d'entrer au monastère étonna sa famille et ses amis. La vie monastique ne leur était pas familière et ils ne savaient pas que les trappistes, en 1984, ne vivaient plus complètement coupés du monde, comme à une certaine époque.

L'esprit de décision était l'une des qualités que les gens admiraient le plus chez Paul. Il n'était pas de ceux qui passent leur temps à tergiverser. Dans une lettre à ses amis et connaissances, en septembre 1984, il expliqua son choix.

L'engagement dans la vie religieuse est un choix parmi d'autres au

service de l'Église. Le maître des novices me disait qu'il fallait dix ans
pour devenir moine. L'engagement définitif ne peut intervenir avant
une période de six ans; ce délai est nécessaire pour vérifier l'authen-
ticité de l'appel, pour la purification des motivations et pour subir
l'épreuve de la durée. [...] [Le moine est un] pécheur rejoignant une
communauté de pécheurs qui sont confiants en la miséricorde divine,
qui s'efforcent de reconnaître leur faiblesse devant leurs frères et s'en-
traident en portant les fardeaux les uns des autres.

Cinq ans plus tard, il décida de quitter Tamié et d'aller à l'Atlas.
Il partait, expliqua-t-il à ses amis, parce qu'il voulait vivre parmi
les gens « qui luttent chaque jour pour gagner leur vie ». La vie
monastique, en Savoie comme en Algérie, n'altéra pas sa personnalité. Pour sa sœur aînée, Colette, il était fondamentalement un
« bon vivant ». « Il n'y avait rien de changé chez lui quand il est
revenu nous voir en famille. Peut-être qu'il était différent intérieurement, mais cela ne se voyait pas extérieurement. »

À l'occasion de ses retours au pays, Paul était invité chez ses
sœurs ou chez des amis proches. Sa présence était fêtée par un
bon repas, visant à lui faire oublier la frugalité du monastère. Ces
temps conviviaux permettaient à chacun d'échanger les dernières
nouvelles. Parfois on reparlait du temps où il allait cueillir des
champignons ou escalader les sommets environnants. D'esprit
taquin, Paul aimait provoquer les soupirs de ses sœurs en initiant
ses jeunes neveux, devant leurs mères, aux farces et autres petits
défis périlleux qu'il s'amusait à pratiquer lui-même jadis. Mais il
n'était jamais imprudent. Enfin, il ne se départissait pas de son
humour noir quand ses amis lui demandaient : « Comment ça va
là-bas? » Sa réponse était invariablement : « Tant qu'on a la tête
sur les épaules ! »

Toutefois, Paul laissa poindre une perception plus grave des
événements dans une lettre écrite à son ancien abbé de Tamié, en
janvier 1995, après l'assassinat des Pères blancs.

Cher Père Abbé, chers tous,

Bonne, sainte et heureuse année avec celui qui est venu demeurer parmi nous pour nous révéler le Père, nous donner sa vie, sa joie, sa paix.

À l'issue de la messe célébrée pour le père Christian Chessel à Notre-Dame d'Afrique le 1ᵉʳ janvier, les participants se sont simplement souhaité une « meilleure année ». L'atmosphère était à la sérénité grave. Plus personne ne peut se faire d'illusions. Chacun sait que demain ce peut être son tour. Chacun choisit librement de rester ou de partir.

Nos huit martyrs de l'année 1994 n'ont pas été victimes du hasard ou d'un accident de parcours, mais d'une nécessaire purification. Il me semble juste de les appeler martyrs parce qu'ils ont été des témoins authentiques de l'Évangile dans l'amour et le service gratuit des plus pauvres ; ce qui ne peut que faire question et être une contestation radicale de tous les totalitarismes et donc intolérable aux yeux de certains.

L'église n'était pas comble pour cette cérémonie, la communauté chrétienne d'Algérie est criblée. Les petites communautés ferment leurs portes les unes après les autres. Ce mois de janvier, les Sœurs clarisses partent pour Nîmes. L'assassinat de leur aumônier, le père Charles Deckers, a sans doute précipité leur décision. [...]

Quant à nous, le groupe qui règne sur notre secteur, et qui a eu les honneurs de la télévision française il y a quelques semaines, n'a pas jugé intéressant jusqu'à ce jour de nous mettre à son palmarès. En cas de « raison d'État », les autres peuvent faire pression sur celui de notre secteur pour qu'il tire profit de la cible de choix et très facile que nous formons. [...]

Dimanche dernier, frère Christian et frère Philippe ont mis cinq heures pour revenir d'Alger ; le passage sur buses, remplaçant provisoirement un pont sur la Chiffa, pont précipité dans l'oued par nos frères de la montagne cet été, ce passage était complètement submergé par les eaux turbulentes dues aux pluies abondantes des jours précédents. Ils sont passés près d'un bus calciné, encore fumant (un de plus ! combien de centaines ont subi le même sort, plus de cinq cents écoles, etc.). Ils ont failli avoir chaud : à dix ou vingt minutes près, leur compte était bon. Notre Seigneur nous l'a bien dit : « Ne craignez pas ceux qui ne peuvent tuer que le corps », *ou bien dans la lettre aux Hébreux d'aujourd'hui :* « Jésus, par sa mort, a pu réduire à l'impuissance celui qui possédait le pouvoir de la mort et il a rendu libres ceux qui, par crainte de la mort, passaient toute leur vie dans une situation d'esclaves. »

Jusqu'où aller trop loin pour sauver sa peau sans risque de perdre la vie ? Un seul connaît le jour et l'heure de notre libération totale en lui. Que restera-t-il dans quelques mois de l'Église d'Algérie, de sa visibilité, de ses structures, des personnes qui la composent ? Peu, très peu vraisemblablement. Pourtant je crois que la Bonne nouvelle est semée, le grain germe. Comment en douter en lisant les deux courts articles de Saïd Mekbel [52], lui-même assassiné début décembre ? Cette attitude n'est pas un cas unique. L'Esprit est à l'œuvre, il travaille en profondeur dans le cœur des hommes. Soyons disponibles pour qu'il puisse agir en nous par la prière et la présence à tous nos frères.

La lettre de Paul exprimait quelque chose que tous les frères avaient commencé à éprouver. Ils en parlaient entre eux. C'était une réalité tangible, mais difficile à définir. Oui, rien n'avait changé. Ils étaient toujours les mêmes, au même endroit, occupés aux mêmes tâches. Leurs caractères étaient les mêmes, avec « leurs charmes et leurs aspérités [53] ». Pourtant, l'atmosphère était différente. Une nouvelle qualité de relations se faisait jour, se traduisant par plus d'harmonie et d'acceptation mutuelle. Les frères devenaient de plus

---

(52) Comme indiqué au chapitre 14, Saïd Mekbel, journaliste algérien, rendit hommage aux deux religieuses espagnoles de la congrégation des Augustines, Sœur Ester et Sœur Caridad, tuées à Bab el-Oued (Alger) le 23 octobre 1994. Il écrivit notamment, dans le journal *Le Matin* : « *Peut-être qu'elles vont nous manquer longtemps, les dernières prières de ces deux religieuses qui voulaient faire pencher la balance du côté de la paix et de la miséricorde. Vers quel monde de ténèbres, donc, nous jeter, nous qui ne rêvons que de Lumière ?* » [NDT].
(53) L'expression est de Christian de Chergé dans sa lettre circulaire du 25 avril 1995 [NDT].

en plus attentifs les uns aux autres. Ce changement était provoqué par la gravité des décisions qu'ils devaient prendre régulièrement. Ils voyaient qu'ils devaient avancer dans leur foi, ensemble, étape par étape. Cette marche commune était lente, réfléchie et concrète, chacun portant en lui-même la réalité de sa propre foi et de sa souffrance. Mais la communion grandissante avec les autres était une puissante source d'inspiration dans cette épreuve où la conscience du danger ne les quittait plus.

Quelques jours après que Paul eut écrit cette lettre, Christian lut, au réfectoire, des extraits d'un article de son ami Christian Chessel. Il n'était pas seulement le plus jeune des quatre Pères blancs qui avaient été assassinés : il était considéré comme une étoile montante dans sa congrégation. Venant de Nice, sa ville natale, il était arrivé en Algérie en 1991, malgré les tensions politiques grandissantes, et il était devenu le membre le plus récent du *Ribât*. Intitulé « Dans ma faiblesse, je prends ma force », le texte était inspiré d'une homélie que le père Chessel avait donnée à Rome.

La mission, notamment en monde arabo-musulman, est marquée par la faiblesse. Le mot peut surprendre. Il n'est pas courant dans le vocabulaire missionnaire. « La faiblesse » a mauvaise presse dans notre monde où la force et la santé physique, psychologique, intellectuelle sont synonymes d'épanouissement et de réussite sociale. Et pourtant, saint Paul, dans ses lettres, n'utilise pas moins de 33 fois le mot « faiblesse ». Dans la Bible, le « faible » est avant tout celui dont il faut se préoccuper et qu'il faut respecter. « Opprimer le faible, c'est outrager ton Créateur » (Pr 14,31). [...]

Jésus, Dieu devenu homme, rejoint notre faiblesse « naturelle » en la partageant. Il prend et transfigure toute la faiblesse humaine. Il s'en sert pour révéler à tout homme l'œuvre de son amour. Ce sont les « faibles » qui comprennent le mieux ce langage! « Je te loue, Père, Seigneur du ciel et de la terre, d'avoir caché cela aux sages et aux intelligents et de l'avoir révélé aux tout petits » (Lc 10,21). [...]

Accepter notre impuissance et notre pauvreté radicale est une invi-

tation, un appel pressant à créer avec les autres des relations de non-puissance; reconnaissant ma faiblesse, je peux accepter celle des autres et y voir un appel à la porter, à la faire mienne, à l'imitation du Christ. Une telle attitude nous transforme pour la mission. Elle nous invite à renoncer à toute prétention dans la rencontre de l'autre, si faible soit-il [...].

Cette attitude de faiblesse peut être radicalement incomprise. La faiblesse, en soi, n'est pas une vertu; mais elle est l'expression d'une réalité fondamentale de notre être qui doit sans cesse être façonnée par la foi, l'espérance et l'amour. La faiblesse de l'apôtre est comme celle du Christ, enracinée dans la force du mystère de Pâques et dans la force de l'Esprit. Elle n'est ni passivité ni résignation, elle suppose beaucoup de courage et pousse à s'engager pour la justice et la vérité en dénonçant l'illusoire séduction de la force et du pouvoir.

Les paroles du père Chessel, lues par Christian depuis le *minbar* jaune et bleu vif, antique chaire musulmane qui occupait le coin du réfectoire face aux montagnes, rejoignaient l'expérience des frères. Ils étaient faibles. Jean-Pierre l'avait fait remarquer à Christophe un jour : la communauté était complètement dépendante de la bonne opinion des voisins, le « petit peuple », comme il les appelait.

Mesurant à peine un mètre soixante, Jean-Pierre était un Lorrain solide et paisible, réputé modeste, de bonne composition et d'humeur toujours égale. Il avait pensé renoncer à son travail de commissionnaire qui l'obligeait à faire les courses trois fois par semaine pour rapporter le pain et autres produits de base. Ces sorties étaient devenues très dangereuses. Depuis 1993, il avait constaté l'augmentation du nombre de voitures brûlées, gisant comme des carcasses en décomposition, le long de la route de Médéa. L'AIS et le GIA étaient non seulement divisés sur la juste manière de conduire une guerre islamique mais aussi sur le contrôle du territoire. Comme pour les barons du Moyen Âge, les routes étaient des sources de butin pour ceux qui les contrôlaient. Les nouveaux barons pouvaient aussi bien être des *djamâ'ates* de l'AIS ou du GIA à la recherche des ennemis de Dieu, des milices d'autodéfense traquant les terroristes, ou encore des bandits de grand chemin profitant du chaos général. Les barrages routiers permettaient de détourner de l'argent, des cargaisons commerciales, des cartes d'identité, et de régler des comptes.

Mais Jean-Pierre renonça à demander à Christian de lui trouver un remplaçant. Il décida de continuer à prendre des risques plutôt que de perdre le contact avec les gens du pays, qui continuaient à être aussi amicaux qu'auparavant. À la différence de l'approche plus intellectuelle de Christian, l'islamologie [54] de Jean-Pierre était celle de l'homme de la rue. Ses contacts personnels étaient sa forme de dialogue avec l'islam.

Il y avait Hadj Ben Ali, le propriétaire du kiosque sur la place du Grand Marché, âgé de quatre-vingt-dix ans, qui laissait Jean-Pierre utiliser sa photocopieuse pour tirer les feuilles de la liturgie, et lui glissait souvent de l'argent en disant : « Pour les pauvres. » Coincé dans le coin de son kiosque, il gardait une vieille couverture de magazine portant la photo de Pauline Jaricot [55], la célèbre fondatrice de l'œuvre de la Propagation de la Foi, à l'époque où l'Algérie faisait partie d'une France qui s'étendait de Dunkerque à Tamanrasset. Bachir, le caissier de l'épicerie, demandait chaque année à Jean-Pierre de lui apporter un nouveau calendrier chrétien. Il voulait connaître les dates des jours saints chrétiens. Bachir était tout spécialement curieux de savoir quand ils célébraient la fête d'Abraham, qui était le premier musulman et un bon soldat de Dieu. Puis, il y avait Zohar, de la boulangerie, qui montait au monastère pour livrer des gâteaux et d'autres surprises gastronomiques pour les moines, les jours d'anniversaire ou pour les grandes occasions.

---

(54) Expression utilisée par les théologiens catholiques pour désigner l'étude de l'islam [NDA].

(55) Bien que lyonnaise, Pauline Jaricot, est plus connue à l'étranger qu'en France. Pour découvrir cette femme dont la vie et l'œuvre furent prophétiques, se reporter à Jacques Gadille & Gabrielle Marguin, *Prier 15 jours avec Pauline Jaricot*, Nouvelle Cité 2005 [NDT].

Un jour, des enfants jetèrent des pierres sur la voiture de Jean-Pierre, tandis qu'il passait par le minuscule hameau de Dakhla, sur la route de Médéa, où le GIA était réputé omniprésent. Quelle ne fut pas la surprise des gamins lorsqu'ils virent la voiture s'arrêter et son conducteur inviter le meneur à monter dans le véhicule! Jean-Pierre ne fit aucune remontrance au garçon, mais il l'invita au contraire à venir avec lui à Médéa où il aida le cellérier à charger et décharger les provisions lors de son tour de marché. Au retour, Jean-Pierre déposa son invité devant sa maison et lui donna une baguette toute fraîche. « J'ai essayé de l'apprivoiser par la douceur. Nous sommes devenus amis », explique-il, des années plus tard, à Fès.

Après cet épisode, il n'eut jamais aucun problème à Dakhla. « Des incidents comme celui-là étaient souvent liés à un événement politique en France, utilisé pour créer de l'agitation et de l'hostilité. J'ai eu grand plaisir à parler directement avec les jeunes. » Finalement, un laïc de la communauté française d'Alger persuada Christian d'acheter un congélateur pour épargner à Jean-Pierre d'avoir à se rendre si souvent à Médéa.

Pour Luc, aller au marché avec Jean-Pierre représentait une sortie et une forme de détente. À moins que, comme cela arriva une fois, des enfants de la rue n'essaient de lui tirer la barbe en le provoquant : « T'as pas peur qu'on te coupe la tête, un jour? » Ils connaissaient le sort que réservait l'armée à ses médecins lorsqu'ils s'aventuraient à soigner des terroristes. De tels incidents ne troublaient nullement Luc. Il répondait simplement, en grommelant : « Je m'en fiche. Ils peuvent la prendre, ma tête. »

Luc voyait du monde toute la journée. À 7 h 30 le matin, les portes s'ouvraient pour accueillir les gens qui attendaient déjà derrière le petit portail bleu, à côté du dispensaire. Il n'avait jamais reçu autant de patients, parfois jusqu'à cent par jour. Son heure de fermeture, à 17 h 30, était rarement respectée. Les gens venaient n'importe quand. Une des missions de Mohammed, en tant que gardien, était de les chasser la nuit.

Endiguer la foule des visiteurs avait toujours été problématique. Luc n'était pas particulièrement ordonné. Jean-Pierre et Amédée étaient censés contrôler le flux des visiteurs au petit portail, près du dispensaire, pour qu'il n'y en ait pas trop en même temps dans la cour extérieure. Mais Luc venait parfois lui-même au portail pour appeler ceux qu'il connaissait. Certaines femmes n'arrêtaient pas de demander plus de cachets ou se montraient hystériques devant leur incapacité à avoir des enfants – comme cette femme stérile qui, à soixante ans, demandait toujours à Luc si son enfant s'était endormi dans son ventre. Une autre devint folle après avoir perdu douze de ses quinze enfants, emportés par la maladie ou victimes d'accidents.

Deux cents mètres en bas de la colline, au pied du jardin, se trouvait une salle de soins construite en 1976 par le service de santé de Médéa dans le cadre d'un programme global de désengorgement de l'hôpital. Il n'y avait qu'une jeune fille formée sur le tas et sans diplôme, rémunérée par l'État. Bien que très dévouée, elle ne put compter, à partir de 1993, sur l'aide des médecins de Médéa, qui ne s'aventuraient plus sur des routes réputées trop dangereuses. Elle ne disposait que rarement des médicaments nécessaires. Devant la salle de soin se trouvait un arbre sacré, un chêne-vert, vieux de mille ans, que vénéraient les villageois et qui possédait, pensaient-ils, des pouvoirs de guérison. Mais les gens voulaient aussi voir un vrai médecin, qui prescrivait des traitements thérapeutiques modernes. Dans un pays souffrant de pénuries, et au milieu de montagnes regorgeant de terroristes musulmans, c'était un vrai miracle de trouver un pauvre médecin trappiste possédant un stock substantiel de médicaments.

La prédiction de Marthe Robin s'était avérée exacte. Elle avait dit à Luc qu'il ne manquerait jamais de fournitures médicales. Il avait un jour rendu visite à la célèbre mystique de Châteauneuf-de-Galaure, non loin de sa maison de la Drôme. L'état de santé de cette femme laissait perplexe le corps médical depuis des années. Une première équipe de spécialistes était venue l'examiner en 1942.

À cette époque, Marthe Robin [56] n'avait rien mangé ni bu depuis dix ans, à part l'hostie dominicale, à laquelle s'ajoutait l'humidité d'un chiffon appliqué sur ses lèvres avant chaque entretien avec ses visiteurs. « Je ne vis pas de rien », avait-elle expliqué aux docteurs. « Je vis de Jésus, et ma nourriture est de faire sa volonté. »

Marthe Robin mourut en 1981, à l'âge de soixante-dix-neuf ans. Elle avait vécu alitée depuis 1928, victime d'une paralysie probablement causée par des réactions différées à la fièvre de la typhoïde et de la grippe espagnole, dont elle avait souffert enfant. En 1930, elle s'était mise à saigner de la tête, des yeux et des mains tous les vendredis. Dès les années 1940, elle avait commencé à attirer des pèlerins des quatre coins du monde, et elle avait développé une capacité à prévoir l'avenir des personnes qui venaient la consulter pour discerner la volonté de Dieu dans leurs vies. Elle possédait aussi un sixième sens qui lui permettait de dire à sa secrétaire de renvoyer les visiteurs venus par simple curiosité, avant même qu'ils ne pénètrent dans sa chambre. Luc avait passé avec succès cette barrière extrasensorielle au début des années 1950.

Au printemps 1995, le moine-médecin adressa ses prières désespérées à Marthe Robin. Pour la première fois en quarante ans, ses réserves de médicaments étaient sur le point de s'épuiser. Le lendemain du jour où il s'était ouvert à Christian de ses soucis, des nouvelles arrivèrent d'Alger : sa livraison en retard était arrivée. L'approvisionnement de Luc venait d'amis de France, ainsi que de Suisse et d'Allemagne. Également important était le fait que ses connaissances et admirateurs dans l'administration locale et au ministère de la Santé s'étaient arrangés avec le Service des douanes pour que ses paquets soient acheminés sans retard et sans être ouverts.

Luc était quelqu'un d'inclassable, apprécié de tous depuis des années. Sa renommée était telle qu'après l'indépendance, de hauts dignitaires du FLN s'étaient rendus à Tibhirine pour s'y faire soigner

---

(56) *Marthe Robin*, de Jean-Jacques Antier, fait le récit de son histoire hors du commun [NDA].

et lui avaient proposé de recevoir un salaire et de devenir médecin au service du gouvernement. Il avait refusé cette promotion.

« Et quand nos "frères de la montagne" viennent consulter notre frère médecin, nous nous sentons, nous aussi, appelés à exercer un charisme de guérison entre tous, en nous efforçant d'accueillir chacun plus loin que la violence dont il serait complice. Il y a quelque chose à désarmer en nous aussi. » Telles étaient les réflexions de Christian dans sa lettre circulaire d'avril 1995 adressée aux familles et aux amis de la communauté. « Certitude que Dieu aime les Algériens, et qu'il a sans doute choisi de le leur prouver en leur donnant nos vies. Alors, les aimons-nous vraiment ? Les aimons-nous assez ? Minute de vérité pour chacun, et lourde responsabilité en ces temps où nos amis se sentent si peu aimés. Lentement, chacun apprend à intégrer la mort dans ce don, et avec elle toutes les autres conditions de ce ministère du vivre ensemble qui est exigence de gratuité totale. » Et de conclure : « À certains jours, tout cela paraît peu raisonnable. Aussi peu raisonnable que de se faire moine… »

Presque tous les jours, les voisins avaient de nouvelles histoires à raconter : douze corps mutilés retrouvés dans les rues de Médéa en représailles, disait-on, après l'égorgement d'un policier ; deux mains de femmes laissées en évidence sur le trottoir pour punir, selon la rumeur, une fille de quinze ans qui ne portait pas le voile ; des têtes posées sur les bancs de la place du marché. Les deux côtés voulaient semer la terreur, et ne s'arrêtaient devant rien. Les éradicateurs étaient déterminés à terroriser les terroristes. Les têtes des sympathisants locaux du GIA seraient reconnues par les passants, augmentant le sentiment d'horreur.

Le jardin était le lieu où les moines se dépensaient pour se libérer de leurs frustrations et de leurs pulsions violentes, qui bouillonnaient sous un calme de surface. C'était l'association de quartier, l'école et le gymnase. Le potager était l'endroit où ils apprenaient toujours quelque chose de nouveau sur leurs associés et resserraient les liens avec les voisins qui s'aventuraient encore à venir aider aux récoltes ou arracher les mauvaises herbes. Ensemble, ils enfouissaient leurs peurs dans les travaux physiques et la bonne camaraderie, renforcée par le danger partagé. « Dans le jardin, nous étions tous égaux – Mohammed, Moussa, Ali, Ben Aïssa, et les autres. C'est là que nous apprenions à nous connaître. C'est là, et au marché de Médéa, que je me sentais "en mission" », se souvient Jean-Pierre. Christophe aimait beaucoup noter les commentaires des uns et des autres dans son journal : « Pensif, Ali me demande pourquoi les généraux et les colonels sont (presque) tous gras et gros. » – « Un seul en Algérie ne cherche pas à prendre le pouvoir : Dieu. » – « Le pire, c'est que ce sont des musulmans qui ont fait ça à des musulmans. C'est terrible. » – « Tu sais, c'est comme le même sang qui nous traverse, nous irrigue ensemble. »

Les rares visiteurs qui faisaient le voyage à Tibhirine s'étonnaient de l'atmosphère de tranquillité qui se dégageait du monastère tandis que les moines vaquaient à leurs occupations. Cette paix était contagieuse. Christophe la décrivait comme un processus de « détachement » : « Quelqu'un nous attire. Une préférence nous oblige. », observa-t-il. Avec un nombre limité de retraitants à l'hôtellerie, la vie sociale s'était maintenant déplacée vers la porterie, située dans la cour extérieure, où Jean-Pierre, Amédée et Célestin se relayaient pour accueillir les voisins qui venaient leur parler, et étaient devenus leur priorité. Ils venaient pour toutes sortes de raisons – pour emprunter des outils, se faire traduire des papiers administratifs, ou demander de l'argent – mais, avant tout, ils venaient parler de leurs malheurs à des interlocuteurs patients, compatissants, à l'écoute et prêts à faire tout ce qui était en leurs modestes possibilités.

Les voisins avaient commencé à croire que Lalla Maryam les protégeait. Mohammed rappelait à qui voulait l'entendre que le Coran disait que l'on doit respecter la mère de Jésus. Ni pendant la guerre d'indépendance, ni depuis le début des récents combats on n'avait vu de groupes armés attenter à l'intégrité de la Vierge.

Malgré la violence autour d'eux, et l'opposition armée dans la région, Tibhirine avait été épargné. Aucun jeune du village n'avait rejoint le GIA. Les rares habitants qui s'étaient engagés dans l'armée n'étaient pas revenus chez eux, pour éviter toute forme de représailles, même si leurs familles avaient payé la contribution demandée par le GIA. Il n'y avait eu ni extorsion d'argent, ni vol, ni violence. Certains évoquaient l'« effet monastique ».

Les séjours à Fès s'avéraient de plus en plus importants pour les frères en Algérie. L'annexe du monastère était devenue leur chambre de décompression. C'était aussi un nid où ils pouvaient se réfugier en cas de menace directe, sous forme d'ultimatum, d'un groupe armé leur demandant de partir. Les frères allaient là-bas, de temps en temps, pour respirer un air différent et se détendre – tous sauf Amédée, qui n'aimait pas les longs voyages en voiture, et Luc ; ce dernier ne voulait pas prendre le risque de gâcher ses bons souvenirs du Maroc qui remontaient à l'époque de son service militaire à Goulimine, dans le désert du sud.

Les charmes du monastère de Fès étaient à l'opposé de ceux de Tibhirine. Il avait été construit, à l'origine, par une entreprise française de chemin de fer pour être un hôtel, près de la porte de Bab Hadid, qui conduisait à la vieille ville. Les chambres des moines donnaient sur un petit jardin d'un hectare, planté de citronniers et de vignes. Celles-ci s'étendaient jusqu'à la vallée en contrebas, où une autoroute et une ligne de chemin de fer serpentaient vers l'ouest, en direction de l'Algérie, entre les collines de couleur ocre tachetées d'oliviers. Le toit en forme de pagode donnait à l'ensemble un air extrême-oriental, et les murs étaient couverts d'un épais manteau de glycine. Venir en voiture de Tibhirine était devenu trop dangereux. Les moines prenaient donc maintenant l'avion jusqu'à Casablanca, puis le train pour Fès. En mai, Christophe confia la responsabilité du jardin à Mohammed pour le temps de son séjour avec le quatuor de Fès : Jean-Baptiste, Jean de La Croix, Guy et Bruno.

Ce n'était pas de sa propre initiative que Bruno était allé à

Fès, après sa profession en 1990, mais quand Christian le lui avait demandé, il avait accepté et en était devenu le responsable un an plus tard. Bruno avait apprécié la beauté de Tibhirine et la simplicité de la vie qu'on y menait, par comparaison avec la grandeur de l'abbaye de Bellefontaine, en France. Ce moine paisible de soixante-cinq ans avait été attiré par l'Église et la vie monastique dès sa jeunesse. Après avoir fréquenté une école mariste près de La Rochelle, il avait été ordonné prêtre à vingt-six ans, mais n'avait jamais occupé la fonction de curé de paroisse. Il avait essayé de rejoindre le monastère de Saint-Martin de Ligugé, à trente et un ans, mais n'avait pas été accepté. Il avait alors commencé une carrière d'enseignant dans une école privée, où il avait fini par assurer la fonction de directeur pendant quinze ans. Durant ses vingt-quatre années au Collège Saint-Charles à Thouars, ses services avaient été appréciés. Malgré son caractère indépendant et peu enclin à se livrer, ses plus proches amis avaient deviné qu'il n'était pas au bout de sa recherche pour une vocation définitive. En 1981, il mit fin à une carrière dont la partie administrative lui avait été pesante, et il devint moine. Il avait cinquante ans.

Son combat secret pour assumer certains aspects de sa vie affective et familiale ne fut résolu que lorsqu'il décida d'aller vivre à l'Atlas. Bruno avait dit à Christian qu'il voulait être enterré là-bas, mais il était moine, et il savait que l'obéissance était la gardienne de toutes les vertus. Sans obéissance, il ne peut y avoir d'humilité, l'amour du prochain devenant impossible. Bruno fit donc ce que Christian lui demandait.

Bruno pouvait passer pour rigide et distant, quoique capable d'admettre ses erreurs. Certains frères trouvaient qu'il accordait trop d'importance au ménage, à la propreté et au rangement. Un peu de poussière dans un coin, une toile d'araignée, ou un morceau de plâtre qui s'écaillait, et c'était l'intervention immédiate. Il aimait les fleurs, surtout les géraniums, et il consacrait du temps à ses chats, qui vivaient dans le jardin mais se glissaient parfois à l'intérieur. La cuisine constituait sa détente. Le dimanche et les jours de fête, il aimait faire des gâteaux. Mais jusqu'à ce qu'un moine meure, ses frères ne savent souvent pas grand-chose de lui, hormis son comportement extérieur. Ce n'est pas dans leurs habitudes de s'asseoir à ne rien faire et parler de tout et de rien, et surtout pas d'eux-mêmes. De tels bavardages peuvent mener aux commérages et aux récriminations, deux poisons considérés par saint Benoît comme particulièrement nuisibles à la communauté. Les moines n'apprirent donc qu'après sa mort que Bruno avait vécu une partie de son enfance au Vietnam, où son père avait été officier, et en Algérie.

À Fès, Christophe faisait de longues marches avec Bruno. Il aimait la beauté de la vieille ville, le labyrinthe de ses étroites ruelles pavées, et l'animation qui régnait partout. Ils discutaient de la situation en Algérie, de leur foi et de leur avenir. Christophe se rappelait la réflexion du trappiste américain Thomas Merton : « Celui qui se donne librement à Dieu l'aime vraiment, et reçoit en retour la liberté qui appartient aux enfants de Dieu. Il aimera comme Dieu aime, et sera emporté, captif de l'invisible liberté divine. »

Quand Christophe retourna à Tibhirine, il découvrit que l'armée avait commencé à raser au bulldozer la forêt qui entourait la statue de la Vierge Marie, au sommet du Rocher Abdelkader. Ce promontoire boisé offrait aux terroristes à la fois un point d'observation idéal et un endroit pour se cacher. C'était pénible pour les frères d'assister à ce massacre des arbres. Ils connaissaient la célèbre description de Thomas Merton comparant les moines à des « arbres qui existent silencieusement dans l'obscurité, et qui par leur présence vitale purifient l'air ». N'était-ce pas là leur mission : donner de l'oxygène à une région asphyxiée par la violence qui se déchaînait autour du monastère ?

Vendredi 10 novembre 1995. Les frères faisaient la vaisselle avant tierce. C'était un autre service communautaire. Certains lavaient, d'autres rinçaient ou essuyaient, et d'autres encore rangeaient les couverts. Tous voulaient faire la plonge, car c'était une des corvées les plus humbles. Après avoir nettoyé la cuisine, ils se retirèrent dans la salle du chapitre, au bout du couloir dans la tour. Après avoir chanté le psaume treizième, Christian annonça à ses frères une autre terrible nouvelle : deux religieuses de la congrégation des Petites sœurs du Sacré-Cœur venaient d'être abattues, au moment où elles quittaient leur logement à Kouba, le quartier même où Ali Belhadj avait enflammé la jeunesse par ses sermons véhéments. L'une d'entre elles, Odette Prévost, avait souvent fait retraite à Tibhirine et était même membre du *Ribât*. Les frères restèrent assis, en silence, dans la salle du chapitre, les larmes aux yeux, abasourdis par la nouvelle. Christian relut à haute voix l'amère lamentation du psaume qu'ils venaient de chanter :

Combien de temps, Seigneur, vas-tu m'oublier,
combien de temps me cacher ton visage ?
Combien de temps aurai-je l'âme en peine
et le cœur attristé chaque jour ?
Combien de temps mon ennemi sera-t-il le plus fort ?

Odette avait soixante-trois ans. Enseignante, elle parlait parfaitement l'arabe et elle avait vécu pendant presque trente ans en Algérie. Kouba était un bastion du FIS, mais ses relations avec les habitants avaient toujours été amicales. Comme les moines, elle était consciente du danger mais elle pensait que Dieu voulait qu'elle reste aux côtés des Algériens. C'était sa mission. À ses yeux, toute cause qui ne valait pas la peine qu'on meure pour elle était perdue d'avance. Plus tard, on apprit que l'autre sœur, Chantal Galicher, avait survécu à la balle qui lui était entrée dans la nuque et qui était ressortie au-dessus de l'œil droit.

Peu de temps avant Noël, les voisins expliquèrent aux moines que les corps de deux femmes avaient été retrouvés dans la rue, près d'Aïn el-Ares, non loin du monastère. Amédée ne put cacher son abattement. Il recevait tout le temps des femmes au parloir, et, comme Luc, il avait développé une sympathie particulière pour ses voisines musulmanes, dont les vies semblaient particulièrement difficiles. Luc n'ouvrit pas la bouche de la journée.

« Je suis dans ma 83ᵉ année, malade, âgé, fatigué », avait un jour écrit le vieux médecin à son neveu parisien, Pierre Laurent. « Un homme âgé n'est qu'une chose misérable, à moins que son âme chante. Priez pour moi, afin que le Seigneur me garde dans la joie. » Les espoirs que Luc avait jadis entretenus que la pauvreté, la souffrance et la violence en Algérie viendraient à diminuer avaient depuis longtemps laissé place au pessimisme. Ce qui lui donnait la force de continuer, à part son stoïcisme naturel, était la satisfaction qu'il éprouvait à aider les gens. Luc était comme un père pour les jeunes, surtout les filles, dont beaucoup étaient orphelines. Il leur trouvait des vêtements, leur donnait un peu d'argent, leur prodiguait des conseils pour leur hygiène personnelle et leurs affaires de cœur, et les encourageait toujours à faire des études.

Le jour de Noël, une des filles adoptives de Luc vint lui rendre visite pendant l'office de sexte. Mohammed la conduisit à la chapelle où elle le trouva, respirant avec peine, et suçant un bonbon à la menthe. Normalement, Luc n'allait pas aux offices, sauf le dimanche. Quand il s'y rendait, il ne s'asseyait pas avec les autres dans les stalles près de l'autel, mais sur un des bancs prévus pour les visiteurs, dans un recoin de la nef. Ce jour-là, Fatima et son mari avaient pris le risque de monter à Tibhirine en voiture pour exprimer leur reconnaissance. C'était une jeune fille du village qui était devenue un fardeau pour sa famille après la mort de son père. Sa mère et ses frères voulaient la marier aussi vite que possible, et ils avaient choisi un homme plus âgé, qu'elle n'aimait pas. Luc avait réussi à convaincre la famille de patienter. Il lui avait donné un travail au dispensaire, lui avait procuré des vêtements, et l'avait aidée à trouver un autre homme à épouser. Après la visite de Fatima, le cœur de Luc se remit à chanter.

XVII. VIDER LE VIVIER

Avant la fête de la Pâque, Jésus, sachant que son heure était venue de passer de ce monde vers le Père, ayant aimé les siens qui étaient dans le monde, les aima jusqu'à la fin.

Jean 13,1

Sœur Chantal fut définitivement arrachée à la mort après une vingtaine d'opérations, réalisées par des chirurgiens français. Elle perdit son œil droit, et sa nuque garda d'importantes cicatrices. En 1995, beaucoup se demandaient si l'Algérie elle-même n'était pas aux portes de la mort, par automutilation.

Des étrangers s'étaient intéressés au sort de l'Algérie. Sant'Egidio est un mouvement catholique, à Rome, dont les membres essaient de vivre l'Évangile dans le monde d'aujourd'hui, et qui assume parfois le rôle de médiateur dans la résolution de conflits en divers points chauds du globe. Durant l'automne 1994, et jusqu'en 1995, des représentants des principaux partis algériens se réunirent à Rome pour chercher une solution politique à la situation. Assis autour d'une même table, pour la première fois, des représentants du FLN, du FIS, du FFS (Front des forces socialistes) et du Hamas – rebaptisé MSP (Mouvement de la société pour la paix) – essayèrent d'aboutir à une solution pacifique, mais en vain.

Le pouvoir considéra que l'initiative de Sant'Egidio tendait à conférer une nouvelle légitimité au FIS, légalement interdit d'existence. La ligne du parti, à l'intérieur du gouvernement algérien, était que le FIS constituait un mouvement de type fasciste ou néo-nazi, ayant pour objectif la purification ethnique. Il ne pouvait être question d'une solution négociée incluant le FIS. Si la dictature militaire était mal vue dans certains milieux occidentaux, le pouvoir voulait que le FIS soit considéré comme pire encore. En outre, le FIS ne manquerait pas d'exiger que certains de ses représentants soient nommés dans l'armée et à d'autres postes clés de la sécurité. Le gouvernement avait peur que de telles concessions ne mènent à une guerre civile ouverte à l'intérieur des forces armées, entraînant une « libanisation » de l'Algérie.

Si Sant'Egidio était intéressé par le drame algérien, la France et le Fonds monétaire international l'étaient encore plus. Le Président François Mitterrand avait condamné – pour la forme – l'annulation par le gouvernement algérien des élections législatives de 1992, mais son influent ministre de l'Intérieur, Charles Pasqua, s'inquiétait du raz-de-marée d'immigrés que produirait une victoire islamiste. La France comptait déjà 800 000 Algériens travaillant sur son sol, et 500 000 beurs, ces Algériens de la deuxième génération possédant la nationalité française. Le nombre total de musulmans habitant l'Hexagone était presque de 5 millions, soit 8 % de la population, et ce groupe croissait plus vite que celui des Français de souche. L'économie souffrait d'un taux de chômage de 11 %, ce qui fournissait des arguments au parti d'extrême droite de Jean-Marie Le Pen. L'audience du Front national était fondée sur l'insécurité économique, l'augmentation de la délinquance, la xénophobie et le racisme.

La France avait des raisons très concrètes de s'intéresser à son ancienne colonie. Trente pour cent des importations algériennes étaient assurées par des entreprises françaises. Un milliard de crédits commerciaux avait été accordé par Paris à Alger en 1994, auquel s'ajoutait la livraison d'hélicoptères et d'équipements infrarouges pour que l'armée puisse opérer de nuit. L'engagement économique de la France en Algérie faisait qu'elle avait grand intérêt à ce que le FMI se montre raisonnable pour le rééchelonnement de la dette algérienne, qui s'élevait à 26 milliards de dollars.

À Alger, le pouvoir avait, lui aussi, beaucoup à gagner ou à perdre dans les décisions du FMI. Il savait que la peur sans nuance de l'extrémisme musulman était obsessionnelle en Occident, et qu'elle ne faisait aucune différence entre fondamentalisme [57] et terrorisme, ce qui était une représentation grossière et inexacte de la réalité. Le pouvoir souhaitait maintenir cet amalgame en établissant un lien entre le FIS et le GIA, même s'il n'y avait plus de relation entre les deux. Liée à la nécessité d'acquérir une respectabilité démocratique, l'élection présidentielle, prévue pour le 16 novembre 1995, s'avérait décisive. Après trois ans de gouvernement par les généraux, un retour à la démocratie servirait à rétablir la légitimité du pouvoir aux yeux de la communauté financière internationale. Pour continuer à recevoir des aides, il était important de donner l'impression que la violence était maîtrisée.

La mise en scène démocratique du gouvernement ne fit qu'augmenter le mépris dans lequel le tenaient les éléments les plus durs du GIA, dont la position se résumait toujours au slogan : « Pas de compromis, pas de trêve, pas de négociation. » Seulement quatre des vingt partis politiques acceptèrent de participer au processus électoral, l'immense majorité dénonçant le fait que les résultats seraient truqués. À l'approche du scrutin, la violence redoubla. Néanmoins, la participation fut élevée : 71 %, selon les sources gouvernementales. Certains interprétèrent ce chiffre comme un signe de protestation de la part d'une population que la peur

---

(57) L'expression « fondamentalisme » appliquée à l'islam est impropre. Ce terme, en anglais, se réfère aux protestants américains qui croient que la Bible est littéralement la Parole de Dieu. En ce sens, quasiment tous les musulmans pratiquants sont des fondamentalistes. Pour eux, le Coran est vraiment la Parole de Dieu, telle qu'elle fut transmise par l'ange Gabriel au prophète Mahomet. Les fondamentalistes ne sont pas nécessairement des islamistes, lesquels sont motivés par un programme politique, et ne sont pas tous favorables à l'usage de la violence [NDA].

empêchait de s'exprimer par d'autres canaux, et qui était généralement écœurée par la violence, ainsi que par la récupération politique dont sa religion était l'objet. Les excès du GIA avaient fini par éroder le soutien du « petit peuple » aux islamistes, alors qu'il avait été leur principal appui.

Le colonel Liamine Zéroual était le candidat des militaires pour représenter le FLN aux élections. Il obtint 61 % des suffrages au terme de la campagne menée par les quatre candidats. Son message pour les observateurs occidentaux fut que « la menace d'un conflit généralisé est désormais écartée, mais de multiples conflits locaux persistent encore ». Arriva en deuxième position Mahfoud Nahnah du Hamas, rebaptisé Mouvement de la société pour la paix, parti islamiste non-violent. Il obtint 25 % des voix, talonné par le Rassemblement pour la culture et la démocratie (RCD). Ce parti francophone, bien que militant pour le pluralisme politique, n'avait pas hésité à intervenir dans les coulisses du pouvoir, en décembre 1991, pour obtenir des généraux qu'ils annulent les élections que le FIS était sur le point de gagner. Ces démocrates pensaient en effet que la victoire du parti islamiste causerait la mort du multipartisme, comme cela s'était produit en Allemagne après les élections de 1933, gagnées par les nazis. Le RCD n'obtint que 9 % des suffrages. Loin derrière lui, en quatrième position, vint le PRA, le Parti pour le renouveau algérien, formation islamiste modérée.

Mais pourquoi le Hamas, comme on appelle toujours communément ce parti, n'arriva-t-il qu'en seconde position, alors qu'il prêchait la théocratie comme le FIS ? Avec 2 900 000 voix, il obtint presque autant de suffrages que le FIS en 1991. Le Hamas était connu pour son opposition à la violence ; il était perçu comme le défenseur d'un islam respectable, et il offrait une alternative viable au FLN. Les Algériens sont des musulmans. Ils croient en la loi de Dieu, et désormais ils étaient plus que jamais favorables à la non-violence. Le RCD et d'autres partis pensaient que le Hamas était un loup déguisé en agneau. Mais le Hamas avait versé son sang pour mériter cette réputation pacifique. Il pensait que la loi islamique devait guider la société, et ses membres se dévouaient à la cause de Dieu non en tuant mais en réfléchissant, en priant, en prêchant et en pratiquant un islam équilibré du cœur et de la loi. Le parti n'avait jamais dévié de cette doctrine non-violente pendant les sept années de son existence. Même Mgr Teissier tenta de persuader les dirigeants du RCD de réviser leur mauvaise opinion du Hamas.

À cause de la fermeté de sa ligne politique, le Hamas fut attaqué des deux côtés. Au début du conflit, le pouvoir considéra le parti comme une des composantes de la menace islamiste. Le Hamas voulait un État islamique, et il était considéré comme simplement plus subtil, donc plus dangereux. Les dirigeants du FIS se méfiaient de son chef, Cheikh Mahfoud Nahnah. Il avait longtemps été suspecté d'avoir livré Moustafa Bouyali à l'armée dans les années 1980. Mahfoud Nahnah n'était-il pas simplement le jouet d'un gouvernement cherchant à créer un nouveau parti islamique reconnu par l'État, mais aux ordres du pouvoir ? Beaucoup s'interrogeaient. Il avait refusé de se joindre au FIS à sa création en 1989, et ne l'avait pas soutenu aux élections municipales de 1990. Les imams, les dirigeants et les militants de base du Hamas avaient toujours dénoncé les meurtres et la violence, et ils avaient souvent été assassinés à cause de leur courage, comme Mohammed Bouslimânî. Mahfoud Nahnah n'était pas en odeur de sainteté au FIS, un parti dont il disait qu'il était dirigé par des « religieux illettrés ».

Fin 1995, le Hamas avait perdu trois cents de ses membres par mort violente. Pour Abdelkrim Dahmen, un délégué national du Hamas/MSP, les journaux ne rendaient pas justice à l'islam. « Ce ne sont que des criminels », dit-il en quittant son bureau au quartier général de son parti. « Je ne sais pas pourquoi les journaux les appellent des terroristes islamiques. Ils n'ont rien à voir avec l'islam. » Sur les murs du couloir et dans la cage d'escalier étaient accrochés les portraits de dizaines de jeunes gens, tous membres du Hamas, tués par lesdits criminels.

En janvier 1994, Chérif Gousmi, l'ami et le mentor de Djamel Zitouni à Birkhadem, accorda une interview au journal islamiste *Al-Wasat,* publié à Londres. À cette époque, Chérif Gousmi était aussi membre de la commission des lois politiques et religieuses du GIA. On lui demanda quelles étaient les qualités recherchées pour ses dirigeants. « Outre certaines qualités de commandement, il faut que la personnalité en question ait pris part au *djihâd,* à travers des opérations militaires, et qu'elle ait également tué un nombre suffisant d'ennemis de Dieu », déclara Chérif Gousmi au journaliste.

Être un tueur expérimenté était le meilleur tremplin pour ceux qui voulaient devenir émirs. Plus les assassinats étaient spectaculaires et médiatisés, plus il y avait de lauriers à gagner pour un émir de quartier ambitionnant de devenir un chef plus important. Et plus la violence était commise par le GIA, ou lui était attribuée, plus le pouvoir en bénéficiait. Une telle publicité ne contribuait qu'à saper le soutien au GIA et faisait apparaître le gouvernement comme un moindre mal auprès d'une opinion publique nationale et internationale déboussolée, qui cherchait à comprendre cette horrible boucherie.

Dès 1994-1995, quand on cherchait les responsables d'une atrocité, il y avait au moins quatre suspects possibles : les terroristes, les forces gouvernementales, les milices locales d'autodéfense, qui avaient pris les armes en 1994, et les bandits ordinaires ou les personnes privées ayant des comptes personnels à régler. Mais les terroristes se battaient également entre eux et les divers groupes gouvernementaux avaient, eux aussi, des comptes à régler. Dans l'obscurité infernale de cet univers ambigu et opaque, beaucoup suspectaient les militaires d'aller jusqu'à utiliser le GIA pour camoufler leurs propres vendettas internes, et ainsi éviter une guerre ouverte entre factions gouvernementales rivales. Avec quatre secteurs armés de la population potentiellement responsables d'un acte violent, et en l'absence d'uniformes clairement identifiables, il y avait une combinaison théorique de seize explications possibles – quatre fois quatre

– pour chaque incident. En réalité, il n'y en avait probablement que cinq : (1) le GIA et l'AIS tuant leurs ennemis ou s'entre-tuant ; (2) les forces de sécurité gouvernementales supprimant les membres ou les sympathisants du GIA ; (3) des factions gouvernementales réglant leurs comptes de manière dissimulée en utilisant des unités du GIA noyautées ; (4) des milices locales abattant des terroristes ; (5) la liquidation d'affaires privées et des vols réalisés sous couvert de la guerre civile.

À vrai dire, où pouvait-on lire des articles sur les atrocités commises par les forces gouvernementales ? Ces « commandos de la mort » faisaient irruption dans des quartiers acquis au FIS, interpellaient tous ceux qui avaient l'air d'avoir moins de vingt-cinq ans, les torturaient ou les tuaient, et jetaient leurs corps mutilés sur des tas d'ordure. Le beau-frère d'Ali Belhadj fut enlevé et retrouvé, égorgé, dans un mélangeur à ciment. De vives réactions furent enregistrées quand des intellectuels francophones et des critiques du FIS furent assassinés. Mais qu'en fut-il pour les meurtres d'intellectuels religieux ?

Mohammed Boudjerka, professeur de renommée internationale à l'Université d'Alger, fut enlevé et torturé à mort par la police dans l'indifférence générale. Pourquoi n'y eut-il aucune réaction indignée quand Mohammed Rouabhi, accusé d'avoir participé à la préparation du carnage à l'aéroport international Boumédiène, fut castré, et ne fut pas autorisé par le juge à montrer ses cicatrices pendant le procès ? Les ingénieurs, médecins et avocats adhérents du FIS, qui avaient pour la plupart fait leurs études en Occident, étaient restés à rôtir par milliers dans la fournaise des camps du désert, mais leur sort ne suscita aucune protestation de la part de la presse occidentale et des intellectuels. Pourquoi ? N'étaient-ils pas au courant ou bien restaient-ils insensibles à la souffrance de certaines catégories de personnes ? Ils ressemblaient à ces intellectuels français dont la compassion s'était curieusement émoussée quand la torture avait été utilisée contre les sympathisants de l'OAS.

La vérité est contrôlée par ceux qui font profession d'écrire. En

1995, les journaux occidentaux étaient totalement dépendants de sources algériennes. La presse d'Alger semblait pluraliste et se montrait capable de critiquer son propre gouvernement, voire, parfois, de tourner en dérision ses dirigeants dans des dessins satiriques. Pour les non-spécialistes, elle paraissait relativement libre. Mais dans l'Algérie de 1995-1996, tous les journaux islamistes avaient été interdits et la presse francophone soumise à la censure. *La Nation,* publication respectée mais nourrissant des sympathies pour la cause islamiste, cessa de paraître en 1994. Cela ne servait pas non plus la version gouvernementale de la vérité que d'encourager des gros titres ou des reportages télévisés consacrés aux assassinats de dizaines d'imams et de centaines de membres du Hamas dont le refus de participer aux tueries ou de les justifier altérait l'image unidimensionnelle d'islamistes présentés comme des fanatiques sanguinaires. À moins que l'événement ne soit trop spectaculaire pour être ignoré.

Ce fut le cas le 11 juillet 1995. Un homme entra dans la mosquée Khalid Ibn Al-Walid, rue Myrha, dans le dix-huitième arrondissement de Paris, et ouvrit le feu sur Abdelbaqi Sahraouî. Ce cheikh de quatre-vingt-sept ans était un islamiste francophile, un des pères fondateurs du FIS, et un chef religieux respecté. Il avait critiqué la guerre que le GIA avait déclarée contre les étrangers, et s'était montré favorable à un dialogue politique avec le gouvernement algérien. Son assassinat marqua l'entrée officielle de la violence algérienne dans la vie quotidienne des Français.

Deux semaines plus tard, une explosion dans la station du RER, à Saint-Michel, près de la cathédrale Notre-Dame, fit 6 morts et 117 blessés. Le 19 août, une lettre parvint à l'ambassade de France à Alger, adressée au nouveau président français, Jacques Chirac. C'était un appel lancé au chef de l'État par l'Émir suprême Djamel Zitouni, qui lui demandait de se convertir à l'islam et de changer sa politique de soutien au gouvernement algérien. Sinon, il y aurait encore d'autres attentats sur le sol français. La lettre rappelait à M. Chirac un autre avertissement envoyé au Président Mitterrand en octobre 1994, qui avait été ignoré. Au cours des deux mois suivants, il y eut encore huit attentats : 7 morts et 187 blessés, dont 14 enfants d'une école juive de la banlieue lyonnaise.

Le 23 septembre, une deuxième lettre fut envoyée par Djamel Zitouni au Président Chirac. Elle revendiquait les attentats qui avaient secoué la France et qui avaient placé ses hommes politiques dans l'embarras quant à la manière d'aborder le casse-tête algérien. Officiellement, la France était neutre. « La France ne soutient ni le pouvoir, ni les intégristes, mais le peuple algérien », déclara Jacques Chirac.

Suite aux nouvelles mesures de sécurité antiterroristes, Paris devint une ville sale. Les couvercles des poubelles, dans les lieux publics, furent soudés à travers toute la ville. L'accès aux consignes à bagages fut fermé aux voyageurs dans l'ensemble des gares. Les quartiers d'immigrés nord-africains furent mis sous haute surveillance par la police française. Début novembre, le chef du réseau du GIA à Paris fut arrêté. Ce jeune étudiant algérien, Boualem Bensaïd, s'avéra être aussi le cerveau d'un réseau de dimension européenne, qui s'étendait jusqu'à l'Angleterre, la Belgique, la Suisse, l'Italie et la Suède. La police française apprit que Yahia Rihane, surnommé « clou de girofle » à cause d'un grain de beauté sur son visage, avait dirigé l'attentat du RER à Saint-Michel et organisé le meurtre de Cheikh Sahraoui. Yahia Rihane avait aussi été membre des Phalanges de la mort, avec Djamel Zitouni.

L'hiver 1996 vit la publication d'articles, dans les journaux algériens et français, évoquant non seulement les combats fratricides entre l'AIS et le GIA, mais aussi les luttes intestines au sein même du GIA. Les dissidents accusaient Djamel Zitouni d'extrémisme, lui reprochant de détruire le mouvement islamiste en tuant femmes, enfants et prêtres. La profession de foi de Djamel Zitouni, « Les recommandations de Dieu sur les règles *salafistes* et sur les devoirs des *moudjâhidines* », expliquait à ses combattants ce qu'était le GIA. « L'Algérie », affirmait-il, était « une terre de guerre et d'islam, où les gens seront traités selon la manière dont ils pratiquent l'islam ou leur impiété. [...] Le *djihâd* contre les *kafirs**, les gens du Livre et les polythéistes est une obligation pour tous les musulmans. » Les autorités algériennes, leurs institutions et leurs alliés, devaient être renversés. Les gouvernements de l'Algérie et de pratiquement tous les pays musulmans étaient composés d'« incroyants ». La « profession de foi » dénonçait ceux qui ne faisaient pas partie de l'islam : les communistes, les nationalistes, les capitalistes, les athées et les chiites. L'AIS, la branche armée du FIS, n'était qu'un ramassis d'« apostats ». Quitter le GIA était passible de mort.

Pour atteindre son but, précisait le document, « le *djihâd* ne peut épargner les bébés, les enfants et ceux qui meurent de faim, parce que la défense de la religion est plus importante que les vies humaines. » Les experts s'accordèrent à dire que le texte portait bien la griffe de Djamel Zitouni, mais ils doutaient qu'il ait pu l'écrire sans aide. En outre, des rumeurs commençaient à circuler selon lesquelles il était « de mèche » avec la Sécurité militaire, les services de renseignement de l'armée algérienne.

Début mars, les mosquées de Médéa et de Blida découvrirent qu'on leur avait volé leurs tapis de prière. Les épiciers virent leurs magasins dévalisés par les deux groupes rivaux du GIA dans la région. Le groupe dirigé par Sidi Ali Benhadjar était connu pour être très critique à l'égard de la violence excessive de Djamel Zitouni. Sidi Ali Benhadjar avait été élu député du FIS à Médéa au premier tour des élections législatives de décembre 1991. Il avait aussi été directeur d'une école primaire dans cette ville, était expert en plantes médicinales et aimait parler de botanique et d'astronomie avec frère Robert, l'ermite bénédictin qui vivait dans les montagnes en face du monastère. Le clan Baghdâdî, lui, était soumis à Djamel Zitouni et avait hérité le contrôle de la région autour de Tibhirine, auparavant régie par Sayah Attia. Certains, dont Mgr Claverie, l'évêque d'Oran, pensaient que Sayah Attia avait donné son *amân,* ou protection, aux moines après sa visite de Noël en 1993. Le fait qu'il n'ait pas envoyé d'émissaire pour mettre à exécution ses exigences, et le fonctionnement ininterrompu et paisible du monastère pendant plus de deux ans étaient interprétés comme autant de signes confirmant cette analyse.

Pâques approchait, et Henri Teissier avait fini par convaincre Christian, d'abord réticent, de prêcher une récollection à la maison diocésaine. L'ambassadeur itinérant de jadis pensait que sa place était à Tibhirine, avec ses frères. Cependant, il savait que c'était trop dangereux de demander aux gens de venir au monastère. « Il est plus facile de déplacer le strapontin que le piano », avait dit Mᵍʳ Teissier, en guise d'argument.

« Christian semblait transparent. Une incroyable sérénité l'habitait ce jour-là, comme si c'était un saint, déjà au Ciel ou presque, mais les pieds toujours bien sur terre », se souvient l'un des participants. Intitulée « L'Église, c'est l'Incarnation continuée », son intervention fut, plus tard, rebaptisée « Les cinq piliers de la paix » par la quarantaine de personnes qui s'étaient rassemblées ce 8 mars. Christian commença par rappeler les mots de son ami Gilles Nicolas.

Pour Noël, [...] notre curé, disait : « Il nous faut trouver dans le mystère de l'Incarnation nos vraies raisons de rester malgré les menaces et la tourmente. Noël, c'est l'Emmanuel, Dieu silencieusement présent, présence de l'amour même qui seul est révolutionnaire, qui seul transforme les cœurs des uns et des autres. » Ce qui était vrai à Noël doit être vrai à Pâques. Le mystère de l'Incarnation demeure ce que nous avons à vivre, et c'est là que s'enracine, me semble-t-il, le plus profond de nos raisons de rester, nos raisons d'être là.

Il faut avoir du mystère pascal une vision tout à fait large. Tout est pascal dans la vie du Christ. La Pâque commence dès la participation de Dieu à la finitude des hommes, à ce que nous sommes. C'est très bien dit dans la constitution conciliaire Gaudium et spes, *que je crois être la charte du baptisé, la charte du chrétien, et donc la charte du laïcat [...]. De tous les textes du concile, c'est lui qui me paraît le plus adapté aux questions que pose notre monde :* « Par son

Incarnation, le Fils de Dieu s'est en quelque sorte uni lui-même à tout homme. Il travaille avec des mains d'homme, il a pensé avec une intelligence d'homme, il a agi avec une volonté d'homme, il a aimé avec un cœur d'homme [...]. Né de la Vierge Marie, il est vraiment devenu l'un de nous, en tout semblable à nous, hormis le péché. [...] En effet, puisque le Christ est mort pour tous et que la vocation dernière de l'homme est réellement unique, nous devons tenir que l'Esprit Saint offre à tous, d'une façon que Dieu connaît, la possibilité d'être associé au mystère pascal. »

Notre témoignage est là, et notre seule façon de l'annoncer, c'est de vivre là où nous sommes, ce que nous sommes, les réalités les plus banales de la vie quotidienne. [...] Dans la Pâque du Christ, si la Rédemption est le motif, l'Incarnation est le mode. Le motif appartient en propre au Fils qui avait quelque chose à sauver en nous et que lui seul pouvait sauver. Mais le mode, lui, est pleinement nôtre [...]. Et, de naissance en naissance, nous arriverons bien, nous-mêmes, à mettre au monde l'enfant de Dieu que nous sommes [...].

Saint François de Sales disait qu'il nous faut « tout recevoir d'humeur égale, parce que tout peut contribuer à la gloire de Dieu ». [...] L'Église, c'est l'incarnation continuée [...]. Dans notre Règle, saint Benoît a, dans un chapitre, cette petite phrase : « afin qu'en tout Dieu soit glorifié ». Il dit cela à propos du commerce! Les artisans du monastère doivent vivre de leurs mains, mais ils vendront un peu moins cher que les séculiers « afin qu'en tout Dieu soit glorifié ». C'est aussi simple que cela, l'Incarnation. Elle nous rejoint dans la cuisine! Elle nous rejoint aussi sur un chemin où nous devons avoir beaucoup d'humilité et de modestie, parce qu'il n'est pas facile d'être héroïque au quotidien. [...]

Une façon de correspondre à cette vocation que Jésus a inaugurée, c'est que la langue de notre prière et de notre foi rejoigne ce que nous vivons, c'est d'accorder nos dires et nos faires.

Christian décrivait ensuite les cinq attitudes qu'il faut adopter chaque jour pour qu'une paix durable existe.

Il commença avec le mot « patience ». Saint Benoît avait expliqué son importance : « *Ainsi, nous n'abandonnerons jamais Dieu, notre Maître, et chaque jour, dans le monastère, jusqu'à la mort, nous continuerons à faire ce qu'il nous enseigne. Alors, par la patience, nous participerons aux souffrances du Christ et nous mériterons ainsi d'être avec lui dans son Royaume.* » « Le mot *martyr,* ajouta Christian, est totalement absent de nos constitutions – la mort brutale, sanglante pour l'Évangile [...], mais il nous est demandé la patience au quotidien. » Après la visite des montagnards à Noël 1993, le cardinal Duval n'avait laissé qu'un seul mot de conseil à Christian : la « constance ».

La pauvreté était le deuxième pilier. « Ne pas enjamber sur l'avenir qui n'appartient qu'à Dieu. » Christian rappela à ses auditeurs que, « dans la Pâque des Hébreux, il y avait ce don de la manne, et c'était un don quotidien : la preuve en est que, si l'on en ramassait trop, les vers s'y mettaient, et si on la gardait pour le lendemain, c'était pourri. [...] Quand il s'agit de recruter pour l'Église de demain, ici, nous n'avons personne à qui nous adresser puisque nous sommes autonomes. [...] Laissons l'Esprit Saint faire son travail, il ira à la pêche. C'est son affaire. C'est cela que j'appelle la pauvreté [...] : l'avenir appartient à Dieu qui, de toute éternité, veut nous combler. »

Le troisième pilier de Christian était la présence. Dieu est présent en tous ses enfants, et quand on tue quelqu'un, on tue l'image de Dieu. « En tout homme, il y a quelque chose d'éternel, qui va plus loin que l'homicide, c'est pourquoi je ne puis me faire justice. » Et de citer le philosophe juif Emmanuel Lévinas, qu'il admirait : « La morale est entrée dans le monde par ce commandement-là ["Tu ne tueras point"]. La première parole que me dit le visage de l'autre est une demande de vie : respecte-moi. » « Il n'y a rien de tel que la vie commune, la vie en société, la vie en famille, reprit Christian, pour découvrir parfois où le meurtre peut se loger. Ici la langue française vient à notre aide : on dit bien qu'il y a des paroles blessantes, qu'il y a des petites phrases assassines, des silences lourds de menaces, des regards foudroyants, des yeux comme des revolvers, des gestes fratricides... [...] Il y a tant de façons de blesser, et parfois mortellement. »

Christian rappela à son auditoire les mots de saint Jean : « *Quiconque hait son frère est un meurtrier.* » Et il les commenta. « Il faudrait que, nous, nous puissions nous demander : est-ce que j'ai extirpé de mon cœur toute forme de haine? Nous ne pouvons vivre dans le contexte actuel en désirant la paix et la vie, si nous n'allons pas jusqu'au bout de cela... et personne ne peut dire qu'il y est arrivé. [...] »

« Lévinas disait de la même manière : approcher de son prochain, c'est devenir gardien de son frère ; être gardien de son frère, c'est devenir son otage. Justice bien ordonnée commence par l'autre homme. [...] Quand, pendant un quart d'heure, je me suis trouvé en tête à tête avec le meurtrier des douze Croates, Sayah Attia, qui était le grand chef du GIA dans notre coin, [...] nous avons été visage en face de visage. Il a présenté ses trois exigences et par trois fois j'ai pu dire non, ou "pas comme cela". [...] Non seulement parce que j'étais le gardien de mes frères, mais aussi parce qu'en fait j'étais aussi le gardien de ce frère qui était là en face de moi et qui devait pouvoir découvrir en lui autre chose que ce qu'il était devenu. Et c'est un peu ce qui s'est révélé dans la mesure où il a cédé, où il a fait l'effort de comprendre. [...] Chacun de ses crimes est horrible, mais ce n'est pas une bête immonde. C'est à la miséricorde de Dieu de s'exercer. »

La prière était le quatrième pilier. « Est-ce que nous prions assez, tous azimuts, sans frontières, pour les uns et pour les autres? Saint Paul nous dit bien dans l'épître aux Romains : *"Aux jours d'épreuve, tenez bon, priez avec persévérance."* Nous ne pouvons tenir là que si nous prions. Et prier, notamment, en confessant ce qu'il y a en nous de violence, de parti pris, de rejet. Après la visite de Noël, [...] je me suis dit : ces gens-là, ce type-là avec qui j'ai eu ce dialogue tellement tendu, quelle prière je peux faire pour lui? Je ne peux demander au bon Dieu : tue-le. Mais je peux demander : désarme-le. Après, je me suis dit : ai-je le droit de demander : désarme-le, si je ne commence pas par demander : désarme-moi et désarme-nous en communauté. C'est ma prière quotidienne, je vous la confie tout simplement. »

Enfin, il parla de ce mot si important qu'est le « pardon ». « *Pardonne-nous comme nous pardonnons.* [...] Entrer intérieurement dans une démarche de pardon. [...] Pour exorciser en nous toutes ces tendances qu'il y a en nous à choisir notre camp, à dresser les uns contre les autres, à donner des prix de qualité ou des prix d'horreur, nous avons eu cet instinct en communauté, instinct que je trouve après coup sauveur – mais ça nous est venu comme ça –, nous désignons les montagnards, ceux que l'on appelle les terroristes, les "frères de la montagne", et les forces armées, nous les appelons les "frères de la plaine". C'est très commode pour parler au téléphone. C'est une manière de rester en fraternité. [...] Comme par hasard, Pardon est le premier nom de Dieu dans la litanie des 99, *Ar-Rahmân.* Et la Patience, c'est le dernier des 99, *As-Sabûr.* Mais Dieu lui-même est pauvre, Dieu lui-même est présent, et Dieu lui-même est prière. Voilà la paix que Dieu donne. Ce n'est pas comme le monde la donne. »

Le 11 mars 1996, Luc reçut un autre approvisionnement de médicaments. Il était plus accablé que jamais par la misère et les assassinats. Quelques jours plus tard, il écrivit à Paul Grenot, son vieil ami de la faculté de médecine de Lyon : « Ici, la violence est toujours au même niveau, bien que la censure veuille l'occulter. Comment en sortir ? Je ne pense pas que la violence puisse extirper la violence. Nous ne pouvons exister comme homme qu'en acceptant de nous faire image de l'amour, tel qu'il s'est manifesté dans le Christ qui, juste, a voulu subir le sort de l'injuste. »

Bruno arriva de Fès le 19 avec plusieurs milliers d'hosties. La fabrication du pain eucharistique pour les chrétiens du Maghreb était un des moyens de subsistance de l'annexe marocaine. Il avait décidé, pour avoir le temps de partager un peu la vie difficile de ses frères d'Algérie, de venir bien avant l'élection prévue pour le dimanche de la Pentecôte, le 31 mars. Ce scrutin marquerait la fin du deuxième mandat de Christian. Le prieur sortant avait fait savoir qu'il souhaitait passer la main à quelqu'un d'autre, et qu'il espérait que ce serait Christophe, même si certains estimaient que ce dernier manquait de maîtrise de soi pour faire un bon supérieur. Le mardi 26, Paul revint tout souriant d'une courte visite chez sa sœur Bernadette, à Thonon-les-Bains, où se reposait sa mère, qui était devenue dépendante. Il rapportait avec lui un livre sur le soufisme pour Christian et deux pelles – « pour creuser nos tombes », avait-il précisé, sur un ton badin, à ses amis aux regards interrogateurs, avant de partir.

Ce même jour, douze membres du *Ribât* arrivèrent, en ordre dispersé, de différents endroits du pays. C'était leur première rencontre depuis la visite du « Père Noël » en 1993. L'hôtellerie s'animait soudain, après avoir été pratiquement désertée pendant deux ans et demi. Avant de se coucher, Jean-Pierre se mit à danser dans sa cellule en fredonnant des psaumes. C'était une de ses habitudes, avait-il confié à Élisabeth Bonpain, la sœur de Christophe. Il aimait ces poèmes de la foi. Ils lui mettaient toujours le cœur en joie, même quand ils étaient tristes. Mais cette nuit-là, il avait de bonnes raisons de se réjouir. Le monastère était à nouveau rempli de visiteurs, et l'ambiance était un peu à la fête. Ses frères et lui étaient toujours vivants. En même temps, chacun à sa manière avait trouvé la paix face à la perspective omniprésente de la mort. L'Évangile lu à la messe de midi avait touché Jean-Pierre et ses frères. C'était un passage de Jean où Jésus parlait aux pharisiens qui voulaient sa mort : « *Je m'en vais et vous me chercherez. [...] Celui qui m'a envoyé est toujours avec moi, il ne m'a pas laissé seul parce que je fais toujours ce qui lui plaît.* »

Très tôt, le mercredi matin, vers 1 h 15, Jean-Pierre fut réveillé par des voix à proximité de la porterie, située en face du chemin conduisant de la cour extérieure à l'intérieur du cloître [58]. Étant

(58) Pour mieux comprendre le déroulement des événements qui vont suivre, se reporter au plan du monastère, en annexe, p. 432 [NDT].

donné l'heure, il pensa que le remue-ménage était dû à des monta-gnards venus demander les services de Luc. Il n'avait pas entendu de coup de sonnette, et il se dit qu'ils avaient dû tout simple-ment sauter par-dessus le mur de clôture, comme ils l'avaient déjà fait auparavant. Derrière les rideaux de sa porte vitrée, qui donnait sur l'entrée du cloître, il pouvait voir un homme coiffé d'un turban, portant une cartouchière et une mitraillette, qui se dirigeait vers les chambres de Christian, de Luc et d'Amédée dans le couloir en face de sa chambre. Peu après, il entendit la voix de Christian.

« Qui est le chef ici? »

« C'est celui-là le chef », répondit quelqu'un. « Il faut faire ce qu'il te dit. »

Jean-Pierre pouvait voir Christian, Luc avec sa sacoche de médecin à la main, et Mohammed, qui, l'ayant aperçu derrière la vitre, lui fit signe de ne pas se montrer. Jean-Pierre fit un pas en arrière, et se mit à écouter. Il entendit quelqu'un donner l'ordre d'ouvrir le portail extérieur. Quelques minutes plus tard, il y eut des bruits de pas qui allaient et venaient devant sa porte. Le portail extérieur se referma. Puis, plus rien.

Jean-Pierre pensa que l'histoire s'était répétée, que Christian avait dit aux montagnards de revenir dans la journée, et leur avait expliqué que la santé fragile de Luc ne lui permettait pas de sortir. Il s'imagina que tous les deux s'étaient simplement recouchés. Il se rendit aux toilettes et remarqua que la lumière avait été éteinte. Tout semblait en ordre, sauf une chose qui lui parut curieuse : des vête-ments, du genre de ceux que Luc donnait aux pauvres, jonchaient le sol, sous le porche et dans la pièce attenante. Avaient-ils demandé des vêtements, qui ne leur avaient pas plu et qu'ils auraient jetés là, en se retirant, se demanda-t-il? Jean-Pierre venait de se recoucher quand quelqu'un frappa à la porte de sa chambre. C'était Amédée et Thierry Becker, un prêtre d'Oran : « Sais-tu ce qui est arrivé? Nous sommes seuls : tous les autres ont été emmenés. »

Après avoir fait le point avec leurs hôtes et, plus tard, avec

Mohammed, ils commencèrent à reconstituer ce qui était arrivé. Mohammed avait entendu des hommes frapper à sa porte à une heure du matin, et il leur avait dit de s'en aller, précisant que le docteur n'assurait pas de consultations la nuit. Les hommes avaient alors forcé la porte de sa maison. Ils avaient un accent de l'est et n'étaient pas masqués. Leur chef était roux, et il avait ordonné à Mohammed de le conduire chez Luc, dont ils avaient, paraît-il, besoin pour soigner deux de leurs blessés. Le gardien leur avait ouvert le portail d'entrée qui conduisait du jardin au monastère, puis il avait gravi, avec le groupe armé, l'escalier sous la salle du chapitre. Il était d'abord allé trouver Christian, avant de se rendre chez Luc, dont la chambre faisait face à celle du prieur, dans le couloir d'accès au scriptorium.

Mohammed avait été sommé de trouver les autres moines. Paul, Michel, Bruno, Célestin et Christophe étaient dans le dortoir, à l'étage. Se trouvaient également là-haut six des hôtes participant au *Ribât*. Leurs chambres n'étaient séparées de la partie réservée aux moines que par une porte au milieu du couloir. Un hôte avait entendu des bruits de chaises et de tables et une voix qui rouspétait, semblable à celle de Célestin. Peut-être ce dernier avait-il eu un malaise et devait-il être transporté au rez-de-chaussée pour voir Luc, puisqu'il était impossible de se rendre à l'hôpital de nuit? Thierry Becker avait entrebâillé très légèrement la porte et avait alors vu les moines et plusieurs hommes armés, accompagnés de Mohammed, qui lui avait fait comprendre, par un signe de la tête, qu'il ne fallait pas se montrer.

Alors qu'ils descendaient tous par l'escalier, un des terroristes avait manqué une marche dans l'obscurité. Mohammed avait mis à profit ces quelques secondes de diversion pour fausser compagnie aux intrus, s'échapper en courant par la porte conduisant au nouveau bâtiment, et disparaître dans le jardin en contrebas. Dans son compte rendu ultérieur à l'abbé général, Thierry Becker se souvient : « Il n'était pas question de se faire remarquer, ni de sortir par l'escalier extérieur, car il devait y avoir des hommes armés tout autour du bâtiment. Chacun est rentré dans sa chambre en silence. Si nous étions concernés par ce qui se passait, Christian viendrait nous le dire. J'ai pensé que le moment de passer par la mort était venu, je me suis recouché, j'avais froid mais j'étais très calme, demandant au Seigneur de me tenir dans sa paix, et en même temps, le suppliant de retarder encore le jour du passage, parce que tant d'affaires administratives étaient en cours et je redoutais pour le diocèse des tracas énormes si je devais disparaître avant d'avoir éclairé un peu les affaires. J'écoutais aussi les bruits extérieurs : aucun moteur de voiture. À ce moment, la porte s'est ouverte, une lampe a éclairé ma chambre et, à la lumière de la veilleuse du couloir, j'ai reconnu frère Amédée. Il a dit : "Thierry, tu es là! Le monastère est vide, il n'y a plus un père!" […] Nous avons été vers la porterie. Le grand portail était ouvert. Nous avons alors frappé à la porte de Jean-Pierre […]. »

Amédée et Jean-Pierre découvrirent que les câbles du téléphone avaient été coupés, comme ils l'avaient été presque quarante ans auparavant lorsque le FLN s'était introduit par effraction pour enlever l'abbé du monastère. Comme à cette époque, il y avait aussi un couvre-feu. Des considérations pratiques dictaient de rester tranquille jusqu'au lever du jour. Ce n'était pas seulement dangereux de sortir la nuit à l'heure du couvre-feu : il était probable qu'à la gendarmerie, s'ils arrivaient à la rejoindre, personne ne leur ouvrirait les portes avant le matin. Les gendarmes avaient peur des visiteurs nocturnes, et ils n'avaient pas la réputation de se jeter à la poursuite de commandos terroristes après le coucher du soleil.

L'état des lieux révéla que la chambre de Christian était sens dessus dessous. Sa machine à écrire avait disparu, ainsi que son appareil photo, mais le livre sur le soufisme rapporté par Paul était toujours à côté de son lit. Ses habits et ses chaussures avaient été abandonnés dans un coin. La chambre de Luc était en désordre, elle aussi. Des boîtes de médicaments avaient été ouvertes, des livres jetés par terre, et son petit poste radio neuf avait été volé. Amédée dormait à deux pas de la chambre de Luc, mais il avait pris l'habitude de fermer sa porte à clé pendant la nuit, précaution qui avait découragé la curiosité de l'un des intrus. Celui-ci, après avoir fouillé dans les réserves pharmaceutiques de la pièce connexe, avait tenté d'ouvrir sa porte, mais en vain. Les pièces d'Amédée et de Luc n'en faisaient qu'une autrefois, lorsque les moines dormaient tous ensemble, chacun dans un box séparé seulement par un rideau. On avait plus tard créé deux chambres, avec des portes, mais Luc, qui se levait souvent la nuit pour cuisiner, ne fermait jamais la sienne à clé.

Un gros fromage, que Paul avait rapporté de Tamié, fut retrouvé dans le couloir de la salle de lecture, au pied de l'escalier. Il avait été jeté, pensa Amédée, lorsque les terroristes avaient découvert la croix dessinée sur l'emballage. Dans les chambres, à l'étage, régnait le même désordre. L'ordinateur, dans la cellule de Paul, était toujours là, mais des papiers jonchaient le sol, provenant des coffrets de chocolats qu'il avait rapportés pour Pâques. Une seule boîte avait été épargnée : celle dont les chocolats contenaient de l'alcool. Thierry Becker l'emporta et la mit dans le frigidaire au rez-de-chaussée, pour que les frères la trouvent à leur retour.

Il était déjà trois heures du matin quand Thierry Becker et Jean-Pierre terminèrent de réciter l'office divin avec Amédée. Ils décidèrent de se retrouver à cinq heures. Pour matines, ils furent tentés un instant de sonner les cloches dans le but de montrer à tous que la vie au monastère continuait comme d'habitude. Mais ils se ravisèrent. Les cloches ne feraient que signaler aux terroristes du secteur que des moines étaient toujours vivants.

À l'office, ils chantèrent le psaume troisième :

Seigneur, qu'ils sont nombreux mes adversaires,
nombreux à se lever contre moi,
nombreux à déclarer à mon sujet :
« Pour lui, pas de salut auprès de Dieu ! » [...]

Et moi, je me couche et je dors ;
je m'éveille : le Seigneur est mon soutien.
Je ne crains pas ce peuple nombreux
qui me cerne et s'avance contre moi.

Dans le chœur, les prêtres visiteurs occupaient la place des frères enlevés, mais ils avaient du mal à chanter comme les moines. Ils décidèrent alors de lire les psaumes à voix basse. Après la prière, ils se rendirent au réfectoire pour y prendre un solide petit-déjeuner.

À 7 h 15, Jean-Pierre et Thierry Becker étaient à Médéa après avoir fait toute la route dans un épais brouillard matinal. Thierry Becker parlait couramment l'arabe : il s'improvisa donc porte-parole des moines auprès du commandant de gendarmerie, qui ne manifesta ni surprise ni émotion quand ils lui firent part de ce qui était arrivé. Il informa par téléphone le général de la gendarmerie à Alger, puis il leur dit qu'ils pouvaient appeler Mgr Teissier avant de faire leur déposition auprès de l'un des officiers.

Tous deux rentrèrent au monastère plus tard dans la matinée, et découvrirent que les membres du *Ribât* étaient déjà repartis pour Alger. À midi, Jean-Pierre, Amédée et Thierry Becker célébrèrent l'eucharistie, suivie de sexte. Dans son homélie, Thierry Becker commenta les textes du mercredi de la cinquième semaine de carême, en lien avec les événements qui venaient de se produire. Comme Jésus, ils avaient vécu un chemin de croix. Était-ce une pure coïncidence, ou bien le dessein de Dieu, que les sept frères partent pour leur Golgotha au moment où Jésus se préparait à rejoindre le sien ? La première lecture était tirée du livre de Daniel, et racontait l'histoire de Sidrac, Misac et Abdenago, les trois jeunes gens qui avaient préféré être jetés vivants dans la fournaise plutôt que d'adorer les faux dieux du Roi Nabuchodonosor.

Après la prière, Thierry Becker s'en alla préparer le repas pour les deux frères rescapés, qui lui avaient confié qu'ils ne savaient pas faire la cuisine. Il découvrit alors que Luc avait déjà préparé une grande marmite de soupe et une autre de haricots verts, les deux toujours intactes sur la cuisinière. Mais le repas ne fut pas de tout repos. Le téléphone, rétabli, n'arrêtait pas de sonner. Le premier appel vint du neveu de Luc, Pierre Laurent, dont le frère, qui était au Congo, lui avait appris la nouvelle, entendue sur Radio France Internationale. Un autre vint, peu après, de la part de Monique de Chergé, qui s'inquiétait pour la sécurité de Jean-Pierre et Amédée. Il y eut aussi d'innombrables journalistes importuns, à qui ils refusèrent de parler. Finalement, ils décidèrent de faire une sieste jusqu'à none.

Juste après l'office, un détachement de gendarmerie arriva pour prendre des photos. Se souvenant des remontrances de Christian à l'endroit de Sayah Attia, son vieil ami Thierry Becker demanda aux hommes en armes de quitter le cloître. Au terme de leur investigation, les gendarmes exprimèrent leur étonnement. « Vous vivez si simplement ! », remarqua l'un d'entre eux. Le responsable de la sécurité demanda aux rescapés de ne pas passer la nuit sur place et leur proposa de dormir au Grand Hôtel Msala aux frais de la gendarmerie. Juste avant de partir, un voisin arriva avec une coule qu'il avait trouvée sur un chemin, à six cents mètres du monastère. C'était la coule de Michel. L'avait-il laissée tomber pour aider à retrouver leur trace ?

Jean-Pierre, Amédée et Thierry Becker arrivèrent tous les trois à l'hôtel munis de leurs draps, mais furent agréablement surpris par l'accueil princier du directeur de l'hôtel, qui les escorta personnellement jusqu'à leur suite. Ils furent aussitôt invités à rejoindre le commandant de la gendarmerie, le chef de sécurité de la *wilâya* et le chef de cabinet du *wâlî,* qui avaient commencé de dîner. Ensuite, ils se retirèrent pour chanter complies ensemble. Après la prière, Thierry Becker demanda aux frères de l'excuser : il ne se lèverait pas à 4 heures du matin pour les vigiles. Des gardes veillèrent devant leurs portes toute la nuit.

Le lendemain matin, des gendarmes les raccompagnèrent au monastère. Amédée et Jean-Pierre avaient plusieurs choses à faire. Il fallait payer un fournisseur et les ouvriers, aller retirer de l'argent à la banque, et emporter à Alger un certain nombre d'effets personnels appartenant aux frères. Les gendarmes proposèrent à Jean-Pierre de le conduire à Médéa pour faire ses courses. Ce dernier les remercia et leur demanda de rester discrets dans leurs déplacements pour ne pas alarmer la population. Les moines promirent de partir pour Alger vers 16 heures, avant qu'il ne fasse nuit. Après le déjeuner, Mgr Teissier, l'Ambassadeur Lévesque et le *wâlî* arrivèrent, et les deux rescapés rapportèrent de nouveau les événements de la nuit. Frère Robert voulait rester au monastère, mais Thierry Becker lui rappela fermement que c'était impossible : il avait promis au commandant que personne ne dormirait au monastère la nuit.

Tandis que les moines chargeaient les voitures, l'officier demanda pourquoi ils laissaient tant de choses sur place – mobilier, outils de jardin, ustensiles de cuisine, tableaux. « C'est simple : les Pères vont revenir », expliqua Thierry Becker.

XVIII. MARTYRS DE L'ESPÉRANCE

La foi est le moyen de posséder déjà ce qu'on espère, et de connaître des réalités que l'on ne voit pas.

Hébreux 11,1

L'Ambassadeur Malarmé reçut Dom Armand Veilleux dans son magnifique bureau de la *Villa Farnese*, dominant la *piazza*. Le diplomate français n'exprima que quelques mots de sympathie purement formels au procureur général, qui avait quitté le quartier général des trappistes situé au *viale Africa*, et avait traversé la moitié de Rome pour venir le rencontrer.

« Mon Père, vous arrivez d'Algérie, qu'en rapportez-vous ? », demanda-t-il sans autre forme de préambule.

« Je n'arrive pas d'Algérie. J'y suis allé, mais en suis revenu il y a déjà quelques semaines. D'ailleurs il y a maintenant une situation nouvelle », rétorqua Dom Armand.

« Ah ? »

« Vous n'avez donc pas entendu parler du communiqué 43 ? On en parle partout dans les journaux et à la télévision ! »

Dom Armand Veilleux est un Canadien français d'apparence bienveillante et douce, à qui ses lunettes, sa barbe et ses cheveux blancs donnent un air de Père Noël. En tant que procureur général, il était le numéro deux de l'Ordre, chargé de faire le lien entre les 170 monastères trappistes répartis à travers le monde et la Curie romaine, et de s'occuper des demandes particulières nécessitant l'approbation du Saint-Siège. Il s'était envolé pour Alger dès qu'il avait été prévenu de la disparition des moines. Il était revenu à Rome après deux semaines passées là-bas à s'entendre dire, par l'ambassadeur de France, qu'aucune information n'était disponible, ou du moins rien qui puisse être divulgué. Pendant un mois, personne n'avait revendiqué l'enlèvement. Sant'Egidio, l'Église catholique et les services de sécurité algériens et français s'étaient tournés vers leurs différentes sources de renseignement : rien.

Certes, les rumeurs étaient allées bon train pendant les trente jours de silence qui avaient suivi la disparition des moines. Ils étaient séquestrés en ville, ils étaient cachés dans le *bled*. Deux moines avaient été tués. Puis, deux moines avaient été libérés, information qui remonta jusqu'à sur le bureau de l'Élysée. La publication à Londres d'un document dans le journal saoudien *Al-Hayât*, le 26 avril, constitua la première information solide. Le communiqué 43 présentait les raisons justifiant l'enlèvement des moines, et définissait aussi les conditions requises pour leur libération. Il était signé par l'émir suprême du GIA, Abou Abd al-Rahmân Amîn, le nom de guerre de Djamel Zitouni.

L'ambassadeur parcourut la photocopie du communiqué qu'Armand Veilleux venait de lui tendre.

« Oui, donc, maintenant, il est entre les mains du gouvernement français et traité par les canaux appropriés. »

« Il y aura sans doute des négociations au cours des prochains jours. Au nom de la famille religieuse et des familles naturelles des moines, je voudrais demander que nous soyons tenus au courant. »

« Mon Père, s'il y a des négociations secrètes, elles seront, par définition, secrètes. »

« Oui, mais, en de telles situations, les familles des otages sont, en général, tenues au courant. »

La politique des trappistes, assura Dom Armand à l'ambassadeur, était de se tenir à l'écart de ce genre de choses et de laisser les autorités locales faire leur travail. Il ne faisait que réclamer les privilèges normalement accordés aux familles en cas de prise d'otages. L'ambassadeur rappela au père Veilleux que la France avait prévenu ses ressortissants, deux ans plus tôt, qu'il fallait quitter l'Algérie. Ceux qui avaient décidé de rester devaient en assumer les conséquences.

« En tout cas, ajouta-t-il, la France doit agir en fonction de l'appréciation de ses intérêts politiques, économiques et moraux les plus larges. »

Le 30 avril au matin, un représentant de Djamel Zitouni, connu sous le nom d'« Abdullah » par son contact, arriva à l'ambassade de France, dans le quartier chic d'Hydra. Comme convenu, un agent de la Direction générale de la sécurité extérieure l'attendait à l'entrée de service, à côté du portail de sécurité, et le conduisit à l'intérieur de l'immense complexe noyé dans la verdure.

Abdullah était connu des services de sécurité français sur place. Son père avait été chauffeur pour la Caisse française de coopération économique. Il était aussi le frère d'Abdullah Yahia, le chef du commando qui avait détourné le vol 8969 d'Air France le jour de Noël 1994 et avait été tué au cours de l'opération de sauvetage des otages.

« Nous sommes bouleversés », dit-il en français – qu'il parlait couramment – à l'agent lorsqu'ils se trouvèrent dans la salle de réunion. Abdullah lui montra alors une lettre signée d'Abou Abd al-Rahmân Amîn, portant l'en-tête désormais familier du GIA, un Coran ouvert surmonté de deux sabres entrecroisés. Avec la lettre se trouvait une version en arabe du communiqué 43 et une cassette enregistrée prouvant que les moines étaient en vie. Un agent s'assura que l'objet ne cachait pas un engin explosif. Le conseiller d'ambassade fut alors invité à prendre part à l'entretien.

La conversation avec Abdullah dura une heure et demie. Il

voulait que les Français aident le GIA à libérer les moines. Le nom de Jean-Charles Marchiani fut mentionné. C'était le préfet du département du Var, qui avait négocié la libération de deux pilotes français dont les avions avaient été abattus au-dessus de la Bosnie, et qui était proche de l'influent ministre de l'Intérieur, Charles Pasqua. Parmi les agents de renseignement français sur place, on pensait que l'attitude de Djamel Zitouni à l'égard des moines était neutre. Ces derniers n'avaient pas été inquiétés dans une région contrôlée par la famille Baghdâdî, elle-même soumise à l'Émir Zitouni. La cassette, apprirent les hommes présents à l'ambassade, avait été donnée à Djamel Zitouni par une faction rivale, ostensiblement responsable de l'enlèvement, résultat de luttes intestines au sein du GIA.

Avant de partir, Abdullah demanda un reçu sur papier à en-tête de l'ambassade. La lettre, adressée à Abou Abd al-Rahmân Amîn, se terminait par ces mots : « Nous souhaitons garder le contact avec vous. » Elle donnait aussi deux numéros sécurisés pour être joints à tout moment. Le contact du GIA serait un agent de renseignement, dont le nom de code était « Clément ». Pour échapper aux caméras de surveillance algériennes autour de l'ambassade, Abdullah fut reconduit à l'extérieur dans une voiture diplomatique, accompagné par Clément et le consul de France, qui le déposèrent à Hussein-Dey, un quartier islamiste d'Alger, où il pouvait facilement disparaître dans la foule.

Mgr Teissier faisait partie des cinq personnes qui écoutaient, dans les locaux de l'ambassade de France, l'enregistrement de quinze minutes qui serait, par la suite, rembobiné des centaines de fois dans l'espoir d'y déceler un indice. Étant un familier du monastère, il connaissait tous les moines personnellement et pouvait vérifier l'authenticité des voix. Également présents se trouvaient le conseiller et le médecin de l'ambassade, ainsi que deux agents des services de renseignement.

« Nous sommes le 20 avril. Il est vingt-trois heures. » La première voix était celle de Christian. Il résuma quelques informations du jour, entendues sur Radio Medi 1, au Maroc, puis il se présenta : « Je suis frère Christian, fils de Guy et de Monique de Chergé, moine au monastère de Tibhirine et prieur de la communauté, âgé de 59 ans. Je suis en bonne santé. »

La voix de Christian fut suivie de celle de Christophe et des cinq autres frères, répétant tous le même texte : « Je suis…, fils de…, âgé de…, moine au monastère de Tibhirine. Je suis en bonne santé. » Ceux qui écoutaient étaient frappés par le ton paisible de leurs voix. Michel s'écarta du script et ajouta le mot « point » à la fin de chaque phrase. On entendit Luc maugréer en direction de ses ravisseurs : « Comment ça s'appelle? La *Djamâ'a… al-islâmiya*?* » Seul Christian paraissait tendu, comme s'il faisait un effort appuyé pour prononcer chaque mot. On entendit finalement l'un des terroristes dire : « À toi, Christian! » Ce dernier lut alors une autre déclaration : « Nous sommes donc retenus en otages, et il est demandé au gouvernement français de libérer un certain nombre d'otages appartenant à ce groupe, en échange de notre libération, cet échange semblant être une condition absolue. » C'était, sans l'ombre d'un doute, la voix des moines [59].

La tâche de les retrouver et de les libérer allait révéler des différences de psychologie entre les deux services de renseignement français, qui, malgré leur rivalité, étaient capables de travailler en collaboration étroite. La Direction de la sécurité du territoire (DST*) était responsable pour le renseignement dans les limites des frontières nationales. Elle dépendait du ministère de l'Intérieur et avait formé beaucoup de cadres des services de sécurité algériens quand l'Algérie faisait encore partie de la France et que la collecte d'informations était une affaire de sécurité intérieure. Son ancien directeur, Yves Bonnet, était désormais le président d'une associa-

---

(59) Le documentaire réalisé par Séverine Labat et Malik Aït-Aoudia, *Algérie 1988-2000, autopsie d'une tragédie,* diffusé sur FR3 le 15 février 2005, précise que la voix, au début et à la fin de la cassette, est celle de Yakoub, un proche de Djamel Zitouni. On l'entend notamment conclure par ces mots : « Vous avez entendu? [Les moines répondent : « oui ».] S'ils ne répondent pas, vous allez… On va vous… dans tous les sens! » On entend alors des rires [NDT].

tion d'amitié franco-algérienne. Pour la branche intérieure, une étroite collaboration avec les services de sécurité algériens allait de soi. Les Algériens les avaient aidés en 1987 à libérer deux journalistes français retenus en otages au Liban. C'étaient des amis de la France.

En outre, le service de renseignement intérieur avait du GIA une vision différente de celle de son rival du renseignement extérieur, la Direction générale de la sécurité extérieure (DGSE*). La DST estimait que le GIA n'était pas vraiment structuré. Il était presque une fiction, à leurs yeux, constitué seulement de petits groupes travaillant pour eux-mêmes ou pour quelqu'un d'autre. La DGSE, en revanche, considérait que le GIA possédait une organisation et un pouvoir réels. Elle essayait de trouver un interlocuteur avec qui négocier.

Mais, au printemps 1996, l'Algérie ne faisait plus partie de la France et les questions de sécurité à l'ambassade étaient officiellement sous la juridiction du service de renseignement extérieur. La DGSE dépendait de l'armée et ne bénéficiait pas des liens historiques et des contacts dont disposait la DST. Beaucoup d'anciens pieds-noirs travaillaient dans ses rangs et nourrissaient une inimitié viscérale à l'endroit du FLN et du gouvernement algérien, rendant la coopération moins naturelle. Instinctivement, la DGSE se méfiait davantage des services de sécurité algériens, qu'elle estimait noyautés à tous les échelons par des sympathisants islamistes. Il y avait certainement là une part de vérité, mais les sympathisants islamistes dans les services de sécurité algériens n'inquiétaient pas les agents de la DST autant que leurs homologues de la DGSE, où l'on pensait que le seul bon islamiste était un islamiste mort. À la DST, on savait qu'il y avait toutes sortes d'islamistes. Les experts en loi islamique à l'intérieur des services algériens utilisaient souvent leurs excellentes connaissances religieuses pour persuader les maquisards de se rendre, un fait connu des services secrets étrangers grâce à l'interception de messages radio et à certains informateurs.

La connaissance du Coran devint une arme dans cette guerre

civile musulmane : se battre d'une manière conforme aux enseignements de l'islam avait une grande importance pour beaucoup
de protagonistes, des deux côtés. Une culture supérieure pouvait
semer le doute dans les esprits de *moudjâhidines* sincères et sans
éducation, abusés par des personnes aux connaissances partielles et
qui poursuivaient des objectifs très personnels. Le Coran compte
de nombreux versets dénonçant son utilisation abusive : « *Les gens
[…] qui ont au cœur une inclinaison vers l'égarement mettent l'accent
sur les versets à équivoque, cherchant la dissension en essayant de leur
trouver une interprétation, alors que nul n'en connaît l'interprétation,
à part Allâh. […] C'est Toi qui rassembleras les gens, un jour – en
quoi il n'y a point de doute – Allâh, vraiment, ne manque jamais à
Sa promesse.* »

La DST perdit le combat bureaucratique quant au choix de la
meilleure méthode pour libérer les hommes qui avaient risqué leur
vie par souci de solidarité avec leurs voisins algériens. La DGSE
envoya une copie de la cassette à ses homologues algériens mais ne
les informa pas du fait qu'elle souhaitait « maintenir le contact »
avec les ravisseurs, comme il était écrit dans la lettre d'accusé de
réception donnée à Abdullah, impliquant le désir de la France de
continuer à dialoguer. Elle n'informa pas non plus ses homologues
algériens des négociations secrètes qui suivirent.

Les services de sécurité algériens étaient divisés entre francophones et arabophones. Les premiers tendaient à coopérer avec
la sécurité française et avaient fini par convaincre leurs collègues
arabophones, plus sceptiques, d'accéder à la demande de la DGSE
de ne pas ouvrir le feu sur les terroristes s'ils étaient localisés, par
crainte de tuer accidentellement les moines.

Pour Amédée, le communiqué 43 [60] était inquiétant. Il avait des
relents de condamnation à mort. Seulement quelques jours avant
l'enlèvement des moines, Amédée avait évoqué devant Christian

---

(60) Pour une lecture intégrale du communiqué 43, se reporter à l'annexe A du
présent ouvrage, pp. 401-405 [NDT].

son scénario au cas où l'on viendrait à puiser dans leur « vivier ». C'était plus vraisemblable, pensait-il, que le GIA chercherait à les compromettre, ou bien à les convaincre de soutenir leur cause en tant qu'autorité morale, plutôt que de les tuer. En étant restés auprès de leurs voisins musulmans et en ayant partagé les mêmes risques qu'eux, les moines avaient en effet acquis une sorte d'autorité morale et une aura de sainteté indéniables.

Mais, dans le communiqué, le GIA semblait plutôt préparer la justification d'une exécution. « *En annonçant, après plus de vingt jours, leur enlèvement, nous démontrons que ces impies* [61]*, qui ne sont pas en mesure de se protéger eux-mêmes, sont également incapables de protéger les autres. [...] Ces orgueilleux moines prétendent que le Cheikh Abou Younes Attia, que Dieu ait son âme, leur a fait la promesse d'épargner leur vie et de leur accorder la sûreté. Mais aucun indice n'est disponible pour confirmer son acte. Néanmoins il ne faut pas y croire, car aucun témoin ne peut en faire le serment. Même s'il avait fait cela, son acte est antinomique ou illicite, surtout qu'ils n'ont pas cessé d'appeler les musulmans à s'évangéliser, de mettre en exergue leurs slogans et leurs symboles et de commémorer solennellement leurs fêtes. [...] Tout le monde sait que le moine qui se retire du monde pour se recueillir dans une cellule s'appelle chez les Nazaréens un ermite. C'est donc le meurtre de ces ermites qu'Abou Bakr al-Siddiq* [62] *avait défendu. Mais si un tel moine sort de son ermitage et se mêle aux gens, son meurtre devient licite. C'est le cas de ces moines prisonniers qui ne sont pas coupés du monde. S'ils vivent avec les gens et les écartent du chemin divin en les incitant à s'évangéliser, leur grief est plus grave encore. Comme il est licite de combattre pour la religion de Dieu et des musulmans, il est aussi licite de leur appliquer ce qu'on applique aux mécréants originels lorsqu'ils sont des combattants prisonniers : le meurtre, l'esclavage ou l'échange avec des prisonniers musulmans [...]. Le GIA ne croit ni à un dialogue, ni à une trêve, ni à une réconciliation avec les impies. Pour cela, nous ne dialoguerons pas avec ces saletés*

---

(61) La junte au pouvoir [NDT].
(62) Le beau-père de Mahomet, le prophète de l'islam [NDT].

et souillures infâmes. Mais nous adressons ce communiqué à la France et à son président Jacques Chirac. Nous leur disons : "Vos sept moines sont toujours en vie, sains et saufs." Comme il est de mon devoir et de celui de tous les musulmans de libérer nos prisonniers, conformément au hadîth "Libérez le souffrant", je vois qu'on peut échanger nos prisonniers avec les vôtres. Nous en avons une liste complète : d'abord, il faut libérer notre frère Abdelhak Layada, et puis nous mentionnerons les autres, si Dieu le veut. […] Vous avez le choix. Si vous libérez, nous libérerons, et si vous refusez, nous égorgerons. Louange à Dieu… »

Amédée interpréta ces lignes comme le signe que les ravisseurs n'avaient pas réussi à convaincre les frères de soutenir leur cause. Désormais, Djamel Zitouni tentait une autre approche : le marchandage de leurs vies contre celles de leurs propres prisonniers. Cela pouvait aussi expliquer le long délai qui avait précédé cette annonce. Mais le communiqué ne spécifiait le nom que d'un seul prisonnier, Abdelhak Layada, qui avait été aussi au cœur des négociations lors du détournement de l'Airbus à Marseille. Abdelhak Layada était le deuxième émir autoproclamé du GIA. En 1993, il avait élargi la guerre contre la junte en assassinant des journalistes anti-islamistes déclarés.

Mais pourquoi le communiqué s'adressait-il au Président Chirac, si Abdelhak Layada était incarcéré dans une prison algérienne ? Par ailleurs, aucun autre prisonnier n'était mentionné, seulement l'existence d'une vague « liste ». Pour beaucoup, à l'intérieur comme à l'extérieur de l'Ordre des trappistes, ce communiqué représentait une insulte pour le gouvernement algérien. Le vrai pouvoir était en France : telle était l'insinuation du GIA. L'ancienne puissance coloniale pouvait obtenir tout ce qu'elle voulait du pouvoir algérien.

Radio Medi 1, une station franco-marocaine basée à Tanger, était largement écoutée en Algérie. Elle était la seule à avoir diffusé un bulletin quotidien sur la situation des moines pendant tout le temps de leur disparition. À midi, le 23 mai, le présentateur annonça à ses auditeurs : « Nous allons vous donner une information, et nous insistons sur ce point, nous n'avons aucun moyen de la contrôler. Nous sommes toujours sous la menace d'une manipulation. Nous avons reçu hier un coup de fil nous indiquant que les sept moines, enlevés il y a cinquante-six jours en Algérie, seraient morts. Nous n'avons pas diffusé cette information, ne pouvant en vérifier l'authenticité. Aujourd'hui, nous venons de recevoir un fax tamponné du cachet de l'émir du GIA, confirmant la nouvelle. Il nous est impossible de contrôler l'origine, *ni* du coup de fil, *ni* du fax. »

Le message était trop précis pour ne pas être pris au sérieux. Il révélait qu'il y avait eu des contacts et même des débuts de négociations avec les autorités françaises. Il mentionnait la cassette qui avait été transmise à l'ambassade de France et les conditions de la libération des moines mentionnées dans le communiqué 43. Le nouveau communiqué – numéro 44 – ajoutait : « Nous étions prêts à négocier à les échanger contre des prisonniers, dont le frère Abdelhak Layada. [...] Dans un premier temps, ils nous ont adressé une réponse favorable dans un message signé et cacheté. À ce moment-là, nous avons pensé qu'ils tenaient vraiment à récupérer les sept moines sains et saufs. Quelques jours après, le président français et son ministre des Affaires étrangères ont annoncé qu'il n'y aurait ni dialogue ni négociation avec le GIA. Ainsi, ils ont rompu le processus et donc nous avons coupé la tête des sept moines. Ainsi nous avons mis à exécution nos menaces, comme nous nous y étions engagés devant Dieu. Louange à Dieu ! Et ce fut exécuté le mercredi 21 au matin. » Le document était daté du 21 mai et signé par l'Émir Abou Abd al-Rahmân Amîn.

À Londres, la voix officielle du GIA, *El Ansar,* publia le texte complet du communiqué 44 dans son édition hebdomadaire du 24 mai, ajoutant que dans son prochain numéro il publierait des révélations sur la « trahison » française. Quand l'édition du 31 mai parut, il annonça que les informations attendues « ne lui étaient pas parvenues ». Ce fut le dernier numéro d'*El Ansar.*

Il y avait des membres de l'entourage de Djamel Zitouni qui

étaient favorables à la libération des moines, mais un tel choix revenait à admettre un échec. Djamel Zitouni avait déjà précisé les conséquences d'un refus des conditions du communiqué 43. Une chose est sûre : le meurtre des moines déclencha une guerre intestine féroce au sein du GIA. Même les quelques soutiens de l'organisation à l'étranger, qui finançaient *El Ansar,* l'accusèrent d'avoir « violé la loi islamique ». Le *Djihâd* égyptien, les Combattants islamiques libyens et certains protecteurs palestiniens cessèrent de financer la publication.

Le dimanche 26 mai, les cloches de quarante mille églises à travers la France sonnèrent pour les moines. C'était la première fois depuis la mort de Jean-Paul Ier en 1978 qu'une commémoration nationale d'une telle ampleur avait lieu. Une célébration du souvenir se tint à la cathédrale Notre-Dame de Paris, où les sept cierges qui avaient été éteints, trois jours auparavant, furent rallumés. « Ces cierges allumés représentaient l'espoir que les sept moines demeurent en vie », commença Mgr Jean-Marie Lustiger, dans son homélie. « Nous prions pour tous les morts de ces massacres, pour tous ceux que les moines n'ont pas voulu quitter. [...] Leur mort doit être un signe d'espérance : l'amour reste plus fort que la haine. » Après la cérémonie, une Franco-Algérienne, qui avait grandi à Médéa, dit à un journaliste : « Tout le monde aimait les moines. Ils étaient comme nos pères. » Étienne Baudry, ami de Christian depuis leurs années d'études à Rome et abbé de Bellefontaine, fit remarquer à un journaliste : « Ils étaient devenus une monnaie d'échange dans un drame qui se jouait à une échelle beaucoup plus large, mais leur mort n'est pas une fin. »

Deux jours plus tard, une foule beaucoup plus nombreuse se rassembla en face de la Tour Eiffel, sur l'esplanade du Trocadéro. Plus de dix mille personnes étaient venues rendre hommage aux moines, exprimer leur solidarité envers le peuple algérien, et condamner la barbarie. Chacun tenait à la main une fleur blanche – une marguerite, une rose ou un œillet – et écoutait avec recueillement les sombres accords de la quatrième symphonie de Mahler. Sur chacune des ailes incurvées du palais de Chaillot, une bannière était accrochée avec cette inscription : « Si nous nous taisons, les pierres hurleront ! », les mots mêmes de Christian dans un article écrit pour le journal *La Croix,* après l'assassinat des douze Croates en 1993.

Le silence respectueux fut tout à coup rompu : « Salauds ! Nous ne dialoguerons jamais avec les terroristes ! » Quelqu'un dans la foule avait brandi une pancarte où était écrit : « Pourquoi le mépris, l'absence de dialogue avec le GIA ? » La question suscita dans la foule des réactions très vives. « C'est sûrement un terroriste ! », cria une femme. « Peut-être a-t-il une bombe ? » La pancarte disparut dans une échauffourée.

D'autres messages flottaient au-dessus de la multitude qui se pressait autour de la statue du Maréchal Foch : « Salut ! Salam ! Shalom ! Arrêtez la barbarie islamiste ! » Quelqu'un s'était souvenu des paroles de Martin Luther King : « Vivons ensemble comme des frères, ou nous mourrons comme des idiots ! » Une petite Algérienne de 13 ans tenait une pancarte où étaient collées les photos de sa mère, de sa sœur et de son frère, qui avaient été égorgés à Alger. Sa tante déclara à un journaliste : « Je l'ai amenée ici pour montrer que nous, les Algériens, nous sommes contre la violence barbare. »

Des journalistes se mélangèrent à la foule. Un ouvrier marocain au chômage confia à l'un d'entre eux : « Je suis venu en tant que musulman. C'est un acte barbare de tuer des moines. Dans notre religion, les juifs et les chrétiens sont protégés par un statut spécial de *dhimmi* *. » Une dame catholique déclara : « Le Dieu que nous prions est le Dieu de tous. Le véritable islam ne dit jamais de tuer son prochain. » « Ces gens-là sont des fanatiques, comme il en existe partout, et comme nous en avons en Corse [63] », fit observer une Sœur de la congrégation des Servantes de Marie.

(63) La religieuse se référait au mouvement indépendantiste corse, devenu, en partie, violent [NDA].

Un peu après 18 h 30, les personnalités arrivèrent, signalées par un nouvel hymne funèbre. François Bayrou, le ministre de l'Éducation, qui avait organisé l'événement, avait choisi l'*adagio* de Samuel Barber, joué lors des funérailles du Président Kennedy, pour accompagner le « ballet des VIPs », selon l'expression irrévérencieuse employée par le quotidien *Libération* pour décrire leur entrée en scène. Il y avait M. Bayrou, le Premier Ministre Alain Juppé, le Premier secrétaire du Parti socialiste Lionel Jospin, le cardinal Lustiger, le Grand rabbin Sitruk, le Recteur de la grande mosquée de Paris Dalil Boubakeur, et le ministre des Affaires étrangères, Hervé de Charrette, très ému, qui confia à un journaliste : « Nous avons tout essayé pour sortir ces malheureux des griffes de ces sauvages. J'ai, pendant deux mois, jour après jour, en secret, tout essayé. »

Les ministres et les dirigeants de tous les partis étaient là : communistes, socialistes, centristes et gaullistes de toutes tendances, tous sauf les Verts et le Front national de Jean-Marie Le Pen. Les Verts s'abstinrent de participer parce qu'ils trouvaient l'événement hypocrite : « C'est trop facile de manifester, et cela n'absout pas la France de ses responsabilités. » La première de ces responsabilités consistait à faciliter l'asile politique pour les victimes du conflit. M. Le Pen affirma qu'il n'avait pas été invité et il déclara à un journaliste que, de toute façon, « l'idée d'un islam pacifique est un mythe ». Lui et son association « Christianisme et solidarité » préférèrent assister à la messe de *Requiem* organisée à l'église traditionaliste Saint-Nicolas du Chardonnet, près du boulevard Saint-Germain, où l'eucharistie est célébrée en latin et où les femmes se couvrent la tête.

Il y avait aussi des responsables musulmans en colère. Le cardinal Lustiger avait offensé leur communauté par des remarques improvisées et chargées d'émotion, à la télévision française, le 23 mai, le jour où il avait soufflé les cierges à Notre-Dame, après l'annonce de l'exécution des moines. Il avait demandé à « tous les musulmans d'ouvrir leur esprit et leur cœur pour se débarrasser de la haine ». Ces paroles avaient soulevé une tempête de protestations. Un représentant du Haut conseil des musulmans de France critiqua l'archevêque en disant : « Au moment où toutes les religions devraient se rassembler pour dénoncer cette barbarie moderne qui tue des innocents, le cardinal a choisi de jeter de l'huile sur le feu en s'en prenant à 780 millions de musulmans. » Le secrétariat du cardinal chargé des relations publiques admit sans retard qu'il n'avait pas bien préparé ses remarques, affirmant qu'il s'agissait d'un malentendu et qu'il n'avait voulu condamner que les actes des musulmans qui tuaient au nom de Dieu.

Le propos reformulé de Mgr Lustiger fut repris en écho à travers tout le Proche-Orient, qui condamna aussi le meurtre des moines. Le grand imam de la mosquée d'El Azhar, au Caire, dénonça le meurtre comme « un acte criminel pour toutes les religions révélées ». Au Liban, le mentor du Hezbollah pro-iranien, Cheikh Mohammed Hussein Fadhallah, qualifia l'acte d'« inhumain ». Un porte-parole du ministère des Affaires étrangères iranien décrivit l'assassinat comme « au-delà des limites de ce qui est humain ». Le Conseil national des imams, la plus haute institution théologique musulmane en France, publia une *fatwâ* indiquant que la loi obligeait les croyants à respecter et protéger les bâtiments religieux non-musulmans, à tolérer toutes les religions, spécialement celles des « gens du Livre », et en particulier les moines et les prêtres. L'islam interdisait de punir une personne innocente pour les péchés d'une autre. Si les ravisseurs pensaient qu'ils avaient fait quelque chose qui plaisait à Dieu, ils avaient tort : « L'illégalité de l'agression contre les moines [...], concluait la *fatwâ*, n'est autre que le jugement édicté par tous les textes coraniques et les propos prophétiques. »

Mais où étaient les corps ? Le gouvernement algérien ne reconnaîtrait pas la mort des moines tant que leurs dépouilles n'auraient pas été retrouvées. Au matin du jeudi 30 mai, aucune preuve formelle de leur mort n'avait été rapportée. Neuf jours s'étaient écoulés

335

depuis le 21 mai, date du communiqué 44, qui avait annoncé l'exécution. En un temps où rien ne semblait sûr, quelques personnes dans l'Église continuaient à s'accrocher au fol espoir que l'annonce n'était qu'une pure invention, une tentative pour embarrasser le gouvernement algérien ou un complot servant quelque dessein caché. Ce rêve ne pouvait durer qu'aussi longtemps qu'aucun corps n'était retrouvé.

Se rendant à Notre-Dame d'Afrique vers huit heures du matin, Mgr Teissier apprit que le cardinal Duval venait de mourir. Puis, peu avant midi, il reçut un autre coup de téléphone, celui-ci du ministère de l'Intérieur. Sans aucune autre précision, l'évêque fut informé que les dépouilles des sept moines avaient été découvertes.

Cet après-midi-là, Bernardo Olivera [64] et Armand Veilleux arrivèrent de Rome pour aider aux préparatifs des funérailles du dimanche. Ils étaient arrivés par un vol d'Air Algérie, dont l'atterrissage était prévu à 13 h 15. Amédée, un Père blanc hollandais et neuf policiers en civil avaient dû attendre deux heures l'arrivée de l'avion. Pour éviter l'essaim de journalistes français postés devant l'aéroport, on fit sortir en toute hâte les deux visiteurs par une porte de service, puis quatre voitures de police les escortèrent jusqu'à la maison diocésaine de Mgr Teissier. En chemin, ils apprirent le décès du cardinal Duval, et son étrange prédiction confiée au père Gonzalès, qui était à son chevet lorsqu'il mourut : « Vous le verrez, l'Algérie étonnera le monde. »

« Vous êtes au courant de la nouvelle ? » furent les premières paroles adressées aux nouveaux venus quand ils arrivèrent à la maison diocésaine d'El-Biar.

« Quelle nouvelle ? », demandèrent-ils en chœur.

« Ils ont trouvé les moines. »

« Vivants ? »

« Morts. »

---

(64) Pour plus de détails sur la visite de Dom Bernardo Olivera à Alger, se reporter aux pages 27 à 30 de son livre *Jusqu'où suivre ? Les martyrs de l'Atlas*, Cerf 1997 [NDT].

Dans la maison, ils trouvèrent la veuve du Président Boudiaf, le directeur général du journal algérien *Liberté* et son épouse, et d'autres personnes désireuses de présenter leurs condoléances à l'abbé général. Mgr Teissier leur résuma l'état des préparatifs en cours. Les cercueils étaient arrivés de Marseille, et les dépouilles seraient transportées à l'hôpital militaire d'Aïn Naadja.

« Mais nous devons voir les corps », interrompit Dom Armand.

« La tradition militaire veut que personne ne voie les corps avant les familles. »

« Mais nous sommes membres de leur famille », insista le père Veilleux. « Nous ne pouvons pas dire à leurs parents qu'ils sont morts sans confirmer leur identification. »

« Ce sera difficile », répondit un Mgr Teissier accablé et débordé, dont le téléphone n'avait pas cessé de sonner tout l'après-midi et qui n'avait aucune envie d'avoir de nouveaux problèmes à gérer. « Vous pouvez appeler l'ambassadeur. »

L'Ambassadeur Lévesque comprit les préoccupations du procureur général des cisterciens et estima qu'une visite à l'hôpital pourrait être arrangée.

Mgr Teissier parla des différentes possibilités pour l'enterrement. On avait suggéré Rome. L'idée de renvoyer les corps des frères dans leurs abbayes respectives en France avait aussi été évoquée. Encore une fois, Dom Armand protesta. Il s'était entretenu avec Étienne Baudry à l'abbaye de Bellefontaine plus tôt, le jour même, et, parmi les familles des moines, il y avait un fort consensus pour qu'ils reposent ensemble en Algérie, de préférence à Tibhirine. C'était aussi le désir de leur famille monastique. Mgr Teissier doutait fort que le gouvernement accepte, car les autorités étaient extrêmement sensibles aux questions de sécurité. Dom Armand insista pour qu'ils fassent tout leur possible. Encore une fois, il appela l'Ambassadeur Lévesque. Les autorités s'inquiéteraient sûrement des problèmes de sécurité, confirma-t-il, mais si l'on procédait avec discrétion, c'était envisageable.

Le vendredi matin, une interview avec des journalistes français avait été organisée. Mᵍʳ Teissier parla du testament de Christian. La famille de Chergé avait immédiatement réalisé que la lettre envoyée par le prieur de Tibhirine à son plus jeune frère, Gérard, après la visite du « Père Noël », n'était pas destinée au seul cercle familial. C'était un message d'amour et, avant tout, de pardon. La famille l'avait transmise au quotidien *La Croix,* qui l'avait publiée le 29 mai. Dans son commentaire, Mᵍʳ Teissier insista sur l'importance de la miséricorde. « Le pardon est indispensable dans un monde où la justice humaine est imparfaite. » Dom Bernardo lut une déclaration officielle, dans laquelle il soulignait, lui aussi, la nécessité « de s'en remettre au pouvoir du pardon – adressé au tribunal d'un Dieu miséricordieux. Seul le pardon peut briser les chaînes de la haine et de la violence. » Il demanda à son second de répondre aux questions des journalistes.

« Avez-vous vu les corps ? »

« Pas encore, répondit Dom Armand, mais nous en avons fait la demande au gouvernement. Je pense qu'ils seront raisonnables. »

« Où seront-ils enterrés ? »

« Nous avons demandé au gouvernement de pouvoir les enterrer à Tibhirine. Je crois qu'ils seront raisonnables. »

Plus tard dans la matinée, ils furent autorisés par le ministère à voir les corps. À onze heures, l'ambassadeur, son consul général et le médecin de l'ambassade arrivèrent à la maison diocésaine dans un fourgon blindé. Ils conduisirent Amédée, Mᵍʳ Teissier, Dom Armand et Dom Bernardo à l'hôpital militaire d'Aïn Naadja, à la périphérie d'Alger. Pendant le voyage, l'ambassadeur de France donna des précisions pénibles concernant la découverte des corps et demanda qu'aucune photo ne soit prise.

Bernardo Olivera était méfiant. Après vingt minutes de conversation polie dans le petit salon réservé aux invités à l'hôpital, l'abbé général chuchota à Dom Armand : « Remercie le colonel pour ses bonnes paroles, mais dis-lui que nous ne sommes pas venus ici pour prendre le thé ni faire des ronds de jambes. Nous devons voir les corps. » Dom Bernardo était argentin et il se rappelait les pratiques de ses compatriotes pendant la dictature des années 1970. Il n'était pas rare que les forces de sécurité retrouvent des corps et scellent les cercueils avant même que les familles puissent les identifier. Souvent les cercueils étaient remplis de sable.

Le colonel, qui était aussi le directeur général de l'hôpital, se montra étonné que les responsables cisterciens demandent à voir les dépouilles. « Je pensais que vous étiez venus pour prier devant les cercueils. On ne m'avait pas dit que vous vouliez voir les dépouilles. »

« Nous sommes en effet venus prier, mais nous voulons aussi identifier les corps. Le ministre de l'Intérieur nous a assurés que nous pourrions le faire. Nous ne pouvons pas dire aux familles que nos frères sont morts sans le confirmer nous-mêmes », expliqua Dom Armand.

« Il n'y a que les têtes », avoua le colonel, qui ne savait pas que ses visiteurs avaient déjà été avertis de ce détail macabre par l'ambassadeur de France. Il ne leur cacha pas que le spectacle serait horrifiant et il se montra préoccupé du contrecoup psychologique. « Ils ont dix jours. Avez-vous déjà vu un cadavre vieux de dix jours ? » Dom Bernardo lui assura que oui, bien qu'en fait il n'ait jamais vu que des cadavres d'animaux.

Le colonel mentionna un autre problème. Les cercueils avaient déjà été scellés et les techniciens responsables de ces questions avaient quitté l'hôpital. Il faudrait les retrouver et les faire revenir. Dom Bernardo répondit qu'ils étaient disposés à les attendre. Une demi-heure plus tard, l'ambassadeur et le consul général de France, le médecin de l'ambassade, Mgr Teissier, Dom Bernardo et Dom Armand furent conduits au service de médecine légale de l'autre côté du bâtiment, en face d'un jardin botanique mal entretenu. Sur le conseil de son abbé général, qui voulait lui épargner le choc, Amédée accepta de rester dans la salle avec l'ambassadeur et Mgr Teissier ; cela éviterait également un attroupement inconvenant autour des corps. Il en profita pour prier l'office de sexte.

Après avoir longuement marché, Dom Bernardo, Dom Armand, le consul et le médecin de l'ambassade pénétrèrent dans une morgue bien éclairée par la lumière du jour, où reposaient sept cercueils. Sur chacun était placée une rose rouge. Un à un, les infirmiers ouvrirent les cercueils. Les têtes avaient été attachées verticalement à des coussins de ouate. Les visages desséchés des moines, avec leurs orbites creuses et leurs dents découvertes, ressemblaient à ceux de momies, mais ils étaient encore clairement reconnaissables. Une batterie de tests, expliqua le colonel, avait formellement apporté la preuve que les têtes avaient été préalablement enterrées.

Si tel était le cas, il restait à savoir par qui. De plus, pourquoi auraient-elles été déterrées plus tard et détachées des corps? Cette information insolite soulevait de nouvelles questions et rendait l'affaire encore plus obscure. Qui avait vraiment trouvé les têtes, quand et où? Il n'y avait pas de réponses clairement établies. Un ami, digne de confiance, de Mgr Teissier avait rapporté qu'un homme d'affaires algérien avait vu trois têtes dans un arbre, le long de la N1, alors qu'il quittait la route de Blida pour aller à Médéa, le matin du 30 mai. Mais étaient-elles vraiment celles des moines? L'homme ne s'était pas arrêté pour regarder. Horrifié, il s'était immédiatement rendu à un poste de police. Quatre jours avant que la presse algérienne ne rende publique cette information, *La Croix,* dans son édition du 26 mai, avait affirmé que c'était dans un champ, derrière une station d'essence, qu'un vieil homme avait retrouvé les têtes des sept moines. Une autre dépêche signala que les têtes des moines avaient été vues près de Tablat, à environ 50 kilomètres du monastère. Trouver des têtes jonchant le sol dans la campagne n'avait rien d'inhabituel dans l'Algérie de 1996. Les théories expliquant l'enlèvement et l'exécution des moines allaient se multiplier pendant les semaines et les mois à venir, alors que plus de détails émergeraient progressivement dans la presse.

L'air vraiment préoccupé, le colonel dit au revoir aux visiteurs et réitéra son invitation à revenir à l'hôpital s'ils étaient, plus tard, saisis de nausées ou pris de vomissements.

Dom Bernardo demanda à Dom Armand d'accompagner Mᵍʳ Teissier qui, l'après-midi, devait discuter de l'organisation des funérailles avec le ministre de l'Intérieur. Ils revinrent, plus tard, avec une bonne nouvelle : les moines pourraient être enterrés au monastère, comme ils l'avaient souhaité. La cérémonie aurait lieu le mardi 4 juin, mais, pour des raisons de sécurité, le ministre demanda que les funérailles gardent un « caractère privé ». La foule et les journalistes devaient être tenus à l'écart.

Le soir, Armand Veilleux accorda une interview en direct à la télévision française. La question de l'enterrement fut soulevée. Il répondit que le gouvernement avait accepté qu'il ait lieu mardi à Tibhirine. Quand Dom Armand retourna à la maison diocésaine, il trouva un Henri Teissier atterré.

« Vous savez, Armand, vous avez commis tous les faux pas diplomatiques possibles et imaginables. Vous avez devancé le gouvernement algérien qui devait faire sa propre annonce. De plus, l'enterrement n'aura plus de caractère privé ou secret : le monde entier connaît la date et l'endroit ! »

« Eh bien, répondit Dom Armand, modérément affecté par la réprimande, cela motivera d'autant plus le gouvernement à assurer une sécurité irréprochable. »

La sécurité fut parfaitement assurée le dimanche, à dix-sept heures, à Notre-Dame d'Afrique, pour le cardinal Duval et les sept moines. La rue Notre-Dame d'Afrique, qui monte et serpente jusqu'à la basilique depuis le vieil hôpital Maillot, avait été fermée à la circulation depuis 14 heures. Quelques Algériens étaient montés à pied, trois heures à l'avance, pour être certains qu'ils ne seraient pas empêchés de franchir le cordon de police entourant la cathédrale. Les forces de sécurité algérienne étaient réputées imprévisibles.

Vers quinze heures, le fourgon de l'ambassade se présenta à la maison diocésaine pour conduire les pères Olivera, Veilleux, Amédée et Gilles Nicolas à l'hôpital militaire d'Aïn Nadja. Le colonel les y attendait. À leur arrivée, ils virent la garde d'honneur mettre les cercueils dans quatre ambulances jaunes. La procession des véhicules vers la basilique fut très présidentielle, avec une escorte de trois motos, trois voitures de patrouille et deux camionnettes militaires. Le cortège traversa la ville à vive allure, sans s'arrêter aux feux.

Trois évêques français, le cardinal Jean-Marie Lustiger et le représentant spécial du pape, le cardinal Francis Arinze, étaient déjà dans le chœur quand le cortège de voitures atteignit la basilique. Ils avaient été rejoints par Robert, Amédée, ainsi que Jean-Pierre, qui était venu de Fès, où, en remplacement de Bruno, il avait été nommé supérieur *ad nutum* du monastère le jour même de la mort de ses frères, le 21 mai. Quand il s'avéra que les ministres algériens étaient aussi arrivés en avance, Mgr Teissier décida de commencer la célébration sans plus attendre. Les officiels du gouvernement étaient au premier rang, puis venaient le corps diplomatique et enfin la foule algérienne, qui remplissait toute la basilique. Le cardinal Arinze lut un télégramme personnel du pape Jean-Paul II et présida l'eucharistie avec le calice et la patène, ornés de corail, qui venaient de la chapelle de Tibhirine.

À l'issue de la cérémonie, qui dura deux heures, Dom Armand remercia le ministre de l'Intérieur d'avoir accepté que l'enterrement ait lieu à Tibhirine. « Ce sera un honneur d'avoir les moines là-bas », répondit-il. Un membre de la garde d'honneur de l'hôpital d'Aïn Naadja s'approcha de Dom Bernardo et lui serra la main très fort : « Les moines sont aussi nos frères. » L'abbé général rencontra également Geronimo Cortès-Funes, ambassadeur d'Argentine et vieil ami de sa famille, qui lui présenta toutes ses condoléances, comme le firent ensuite des dizaines d'Algériens en pleurs tenant à saluer le représentant en chef des moines trappistes.

Le lendemain matin, le cardinal Lustiger célébra une messe à la basilique, avec quelques prêtres du diocèse. Il les remercia pour « la foi de cette petite Église locale qui maintient vivante et soutient la foi décadente de la vieille Europe ». Après la messe, Dom Bernardo retourna, avec Amédée et Jean-Pierre, au Centre d'études diocésain de la rue des Glycines afin de rassembler quelques-unes des affaires personnelles de Christophe pour les donner à sa famille. Il voulait aussi récupérer le récit des événements du 27 mars, qu'il avait demandé à Thierry Becker, Amédée et Jean-Pierre de mettre par écrit. Ils avaient également des questions matérielles à régler.

Il fallait s'occuper de Mohammed et de sa famille. Dom Bernardo proposa une aide financière pour que le gardien de Tibhirine prenne un appartement à Médéa. Comment préserver une petite présence à Alger, pour deux ou trois ans, jusqu'à ce que la situation permette un retour à l'Atlas? Amédée pourrait demeurer dans les anciens locaux du cardinal Duval, à la basilique, et maintenir le contact avec les associés de Tibhirine. Il y avait la question de Mickaël, un dominicain polonais qui voulait rejoindre l'Ordre. Il s'était déjà ouvert à Christian, au cours d'une visite à Fès, de son désir d'une vie plus simple et contemplative. Mickaël pourrait, lui aussi, faire partie d'un nouveau noyau. Jean-Pierre resterait à l'annexe de Fès, désormais la seule adresse pour Notre-Dame de l'Atlas.

Lorsque les sept membres de la famille Lebreton arrivèrent à la Maison diocésaine, ils reçurent trois boîtes, contenant les effets personnels de Christophe : une enveloppe avec des photos de famille, son certificat d'ordination, un Nouveau Testament, deux Bibles de Jérusalem, un grand nombre de notes, de poèmes et de dessins, ainsi que son journal personnel, dont la dernière entrée était datée du 19 mars 1996 : « Dans le jardin, ce matin, un bel échange avec Moussa sur le mariage. J'ai été heureux de présider l'Eucharistie. J'ai comme entendu la voix de Joseph m'invitant à chanter, avec lui et l'enfant, le psaume 100 : "Je chanterai justice et bonté… J'irai par le chemin le plus parfait. Quand viendras-tu jusqu'à moi… je marcherai d'un cœur parfait". »

Qu'Amédée et Jean-Pierre n'aient pas eu d'effets personnels à transmettre aux familles des autres moines était le résultat d'un malentendu regrettable, ou, plus vraisemblablement, d'une déformation intentionnelle de la réalité par le ministère français des Affaires étrangères. Quand les familles avaient été informées que les moines étaient morts, la question de leur déplacement à Alger pour les funérailles leur avait été présentée comme ne se posant même pas. Leur contact au ministère leur avait dit qu'il était hors de question que des visas pour l'Algérie leur soient accordés : pour des raisons de sécurité, c'était impossible. Bien que le Quai d'Orsay n'ait rien à voir avec la délivrance des visas pour l'Algérie et ne soit nullement responsable des problèmes de sécurité, les familles avaient cru leur interlocutrice sur parole. Tous, sauf les Lebreton.

La sœur de Christophe, Élisabeth Bonpain, qui habite près de Montélimar, se souvient de ce moment avec quelque amertume : « Le prêtre de notre paroisse, à Ancône, n'était guère intéressé par une célébration de commémoration. La mort des moines n'avait pas beaucoup de retentissement ici. Les gens ne comprenaient pas ce qu'ils faisaient là-bas. Je me suis sentie blessée par cette indifférence. Un ami, qui avait des relations dans la communauté algérienne, nous a dit que nous devrions tout simplement aller au consulat d'Algérie à Lyon, et essayer. Les gens au consulat ont été très aimables et étaient honteux de ce qui s'était passé. Ils nous ont facilité l'obtention des visas. »

Sans que le nombre soit un choix prémédité, sept Lebreton décidèrent de se rendre à Alger, comme si une main invisible voulait qu'ils agissent en qualité de représentants des familles absentes des six autres moines. Durant tout le séjour, Élisabeth fut frappée par l'atmosphère de simplicité et le sens de la solidarité au sein de la communauté ecclésiale. « On ne sentait pas le poids de la hiérarchie, il n'y avait pas de marques de déférence envers l'autorité. Il y avait un sens profond de la fraternité. Chacun donnait un coup de main. » Dans ses appartements, à la maison diocésaine, Mgr Teissier n'était pas seulement le maître d'hôtel : il faisait aussi le service et la vaisselle. Il apportait les plats depuis la cuisine, débarrassait la table et servait le café.

Ce sens profond de l'égalité, ajouté à l'amour et au pardon, étaient précisément les thèmes qui firent une grande impression auprès des Algériens lorsque le testament de Christian fut publié dans la presse locale.

S'il m'arrivait un jour — et ça pourrait être aujourd'hui — d'être victime du terrorisme qui semble vouloir englober maintenant tous les étrangers vivant en Algérie, j'aimerais que ma communauté, mon Église, ma famille, se souviennent que ma vie était donnée à Dieu et à ce pays. Qu'ils acceptent que le Maître Unique de toute vie ne saurait être étranger à ce départ brutal. Qu'ils prient pour moi : comment serais-je trouvé digne d'une telle offrande? Qu'ils sachent associer cette mort à tant d'autres aussi violentes laissées dans l'indifférence de l'anonymat. Ma vie n'a pas plus de prix qu'une autre. Elle n'en a pas moins non plus. En tout cas, elle n'a pas l'innocence de l'enfance. J'ai suffisamment vécu pour me savoir complice du mal qui semble, hélas, prévaloir dans le monde, et même de celui-là qui me frapperait aveuglément. J'aimerais, le moment venu, avoir ce laps de lucidité qui me permettrait de solliciter le pardon de Dieu et celui de mes frères en humanité, en même temps que de pardonner de tout cœur à qui m'aurait atteint. Je ne saurais souhaiter une telle mort. Il me paraît important de le professer.

Je ne vois pas, en effet, comment je pourrais me réjouir que ce peuple que j'aime soit indistinctement accusé de mon meurtre. C'est trop cher payé ce qu'on appellera, peut-être, la « grâce du martyre » que de la devoir à un Algérien, quel qu'il soit, surtout s'il dit agir en fidélité à ce qu'il croit être l'islam. Je sais le mépris dont on a pu entourer les Algériens pris globalement. Je sais aussi les caricatures de l'islam qu'encourage un certain islamisme. Il est trop facile de se donner bonne conscience en identifiant cette voie religieuse avec les intégrismes de ses extrémistes.

L'Algérie et l'islam, pour moi, c'est autre chose, c'est un corps et une âme. Je l'ai assez proclamé, je crois, au vu et au su de ce que j'en ai reçu, y retrouvant si souvent ce droit fil conducteur de l'Évangile appris aux genoux de ma mère, ma toute première église, précisément en Algérie, et, déjà dans le respect des croyants musulmans. Ma mort, évidemment, paraîtra donner raison à ceux qui m'ont rapidement traité de naïf, ou d'idéaliste : « Qu'il dise maintenant ce qu'il en pense! » Mais ceux-là doivent savoir que sera enfin libérée ma plus lancinante curiosité. Voici que je pourrai, s'il plaît à Dieu, plonger mon regard dans celui du Père pour contempler avec Lui Ses enfants de l'islam tels qu'il les voit, tout illuminés de la gloire du Christ, fruits de Sa Passion, investis par le Don de l'Esprit dont la joie secrète sera toujours d'établir la communion et de rétablir la ressemblance, en jouant avec les différences. Cette vie perdue, totalement mienne, et totalement leur, je rends grâce à Dieu qui semble l'avoir voulue tout entière pour cette joie-là, envers et malgré tout.

Dans ce merci où tout est dit, désormais, de ma vie, je vous inclus bien sûr, amis d'hier et d'aujourd'hui, et vous, ô amis d'ici, aux côtés de ma mère et de mon père, de mes sœurs et de mes frères et des leurs, centuple accordé comme il était promis!

Et toi aussi, l'ami de la dernière minute, qui n'aura pas su ce que tu faisais. Oui, pour toi aussi je le veux ce merci, et cet « a-dieu » envisagé de toi. Et qu'il nous soit donné de nous retrouver, larrons heureux, en paradis, s'il plaît à Dieu, notre Père à tous deux. AMEN! Inch Allâh! »

« Les gens accusèrent Christian d'avoir été trop naïf », observa Dom Armand à Rome, une année plus tard. « Ils affirmèrent qu'il n'avait eu de contact qu'avec un petit groupe particulier de mystiques musulmans qui lui ressemblaient, que les musulmans ordinaires étaient différents. Depuis la crise des otages américains en Iran, les musulmans sont perçus en Occident comme de dangereux fanatiques. Peut-être que Christian n'était finalement pas si naïf que ça : des milliers de musulmans ordinaires ont réagi à la mort des frères en écrivant des lettres de condoléances dans lesquelles ils ont exprimé leur indignation! Oui, Christian cherchait effectivement toujours le bien en chaque personne. Nous avons besoin de gens comme ça. »

Un volumineux courrier vint remplir des sacs entiers dans le bureau de Mgr Teissier, rue Khalifa. Une des lettres, signée « Une famille algérienne comme tant d'autres, affectée par ce drame », exprimait le sentiment général de honte et de douleur :

Monseigneur,

[...] C'est honteux, c'est vraiment honteux! Les enseignements de l'islam sont clairs là-dessus, c'est-à-dire en ce qui concerne la préservation de la vie, de l'amour du prochain, de l'hospitalité envers les étrangers quelle que soit leur religion...

Voici donc les véritables enseignements qui, malheureusement, sont foulés au pied par cette poignée de fanatiques qui, quotidiennement, salit notre réputation de gens accueillants et hospitaliers.

Nous vous prions, Monseigneur, de transmettre à nos frères chrétiens en général, et aux familles des victimes en particulier, ce message d'amour, de fraternité et d'amitié pour qu'il n'y ait pas d'amalgame.

Une mère de famille algérienne concluait : « Notre devoir à nous est de continuer le parcours de paix, d'amour de Dieu et de l'homme dans ses différences. Notre devoir est d'arroser les graines léguées par nos moines [...]. » Une jeune femme musulmane, médecin, venue voir Mgr Teissier pour la première fois, lui confia qu'elle avait accroché un exemplaire du testament de Christian au mur de sa chambre.

« Dieu n'éprouve-t-il pas ceux qu'Il aime? », écrivit une autre personne. « En tous les cas, nous, nous vous aimons. Vous faites partie de nous. Nous avons failli à notre mission : celle de vous protéger, de vous choyer et de vous aimer. Pardonnez-nous! Votre place est parmi nous. N'écoutez pas les pharisiens! Vous devez accomplir votre mission envers Dieu avec nous. Je pense que c'est le dessein de Dieu. »

XIX. POST MORTEM

Puis j'ai vu des trônes, et ceux qui vinrent y siéger reçurent le pouvoir de juger. J'ai encore vu les âmes de ceux qui ont été décapités à cause du témoignage de Jésus, et à cause de la parole de Dieu, eux qui n'ont pas adoré la Bête et son image.

Apocalypse 20,4

Il faisait gris et une pluie fine tombait ce mardi matin quand le fourgon de l'ambassade de France arriva à la maison diocésaine à 7 h 30, comme prévu. « Vous voyez, Dieu pleure aussi », dit une jeune amie de Christophe, Ratiba, à Élisabeth Bonpain tandis que le groupe se préparait à partir pour l'aéroport. L'Ambassadeur Lévesque, Henri Teissier, Amédée, Jean-Pierre, Armand Veilleux, Bernardo Olivera, et trois des sept Lebreton – Élisabeth, Claire et Xavier – constituaient le cercle des intimes qui devait s'envoler dans un énorme avion de transport Hercule pour la base militaire aérienne d'Aïn Oussera, au sud de Médéa. De là, ils feraient cent vingt kilomètres en voiture et retrouveraient Gilles Nicolas, Robert et Philippe Ranc, le jeune profès temporaire qui avait interrompu ses études à Strasbourg pour assister à l'enterrement.

Ils furent installés dans quatre jeeps Toyota blindées, flanqués chacun de deux soldats assis devant et derrière eux. Les jeeps faisaient partie d'un convoi d'une douzaine de camionnettes militaires remplies de soldats, protégé dans les airs par deux hélicoptères. La décision de rejoindre, par avion, un aéroport au sud de Médéa, pour ensuite prendre une route vers le nord, répondait à des impératifs de sécurité. Même sous haute protection, monter par la N1 depuis Blida, à travers les gorges étroites de la Chiffa, était dangereux. Des terroristes pouvaient facilement se cacher dans les montagnes et déclencher, avec des explosifs, un glissement de terrain qui bloquerait le convoi. En roulant depuis le sud, leur escorte armée pourrait repérer tout mouvement hostile dans les collines étendues et dégagées, que recouvrait une herbe vert amande magnifique qui surprenait les visiteurs français.

Le convoi fut accueilli par le *wâlî* avec qui Christian avait souvent discuté des raisons pour lesquelles sa communauté était prête à prendre de si grands risques. Il se joignit au groupe pour prendre la route de Tibhirine, dont les huit kilomètres tortueux et boisés étaient, pour l'occasion, bordés de policiers et de soldats, postés à intervalles de quelques mètres. Les sept cercueils avaient déjà été placés dans la chapelle par des hommes de la Protection civile. Ils attendaient maintenant à l'extérieur du monastère, leurs uniformes gris, demi-guêtres blanches et casques argentés brillants, tranchant avec la simplicité vestimentaire des locaux. Tout se déroula vite, trop vite aux yeux de certains Lebreton, mais il y avait un horaire et des impératifs de sécurité à respecter. La lecture pour la célébration fut Luc 23,33 : « *Lorsqu'on fut arrivé au lieu-dit : Le Crâne, ou Calvaire...* »

Les Européens éprouvèrent un sentiment de gêne lorsqu'ils quittèrent la chapelle et suivirent les jeunes soldats. Ils ne cheminaient pas en frères avec les Algériens. Les amis de la région et les voisins des moines n'étaient pas avec eux : ils ne formaient pas un seul groupe. Avant la cérémonie, ils avaient été tenus à l'écart par la police. Après, quand la porte d'entrée près de l'hôtellerie avait été ouverte pour que la Protection civile retire les cercueils, les gens du village avaient, encore une fois, été gardés à distance.

Ils marchaient bien trop loin derrière la petite procession conduite par Mgr Teissier, tandis qu'elle s'étirait à travers le jardin, au-delà du nouveau bâtiment, passant devant la source à ciel ouvert, en direction du cimetière boisé. Bernardo demanda aux autorités de réduire l'écart. Il le fut, mais jamais complètement.

Les cercueils furent placés à côté de leurs tombes respectives. Chacune d'elles avait été creusée par les gens du village, qui avaient ratissé et nettoyé l'endroit à l'avance pour y recevoir leurs *babbâs*. Suivant un ordre précis, ils furent mis en terre : Christian d'abord, puis les autres frères, selon le rang d'ancienneté au monastère, en commençant par Luc. Jean-Pierre dit quelques mots en français, remerciant les autorités et exprimant ses espoirs pour l'avenir. Henri Teissier et Gilles Nicolas prirent la parole en arabe, la foule se rapprochant alors pour mieux entendre leurs messages. Bernardo conclut par une brève prière. Mgr Teissier jeta la première pelletée de terre dans la tombe de Michel, et, au même instant, le soleil fit une apparition spectaculaire à travers les nuages, comme si Dieu lui-même donnait sa bénédiction. Il était 13 h 15, en ce neuvième jour après la Pentecôte.

Puis, la digue qui retenait les émotions céda. Les voisins de la région, les soufis de Médéa et d'au-delà, les imams et les maires du secteur qui étaient venus pour dire adieu, tous se précipitèrent dans le cimetière. Jean-Pierre et Amédée, tous deux de petite taille, disparurent littéralement sous le flot des accolades et des larmes. Ils étaient les survivants, eux, les deux anciens qui étaient aussi les frères le plus souvent invités aux funérailles des villageois. C'était maintenant leur tour d'être consolés. Les amis des moines commencèrent à pelleter la terre. « L'intensité des coups de pelle était ahurissante, presque violente, tandis qu'ils jetaient la terre dans les trous, parfois avec leurs mains. C'était comme s'ils donnaient libre cours tout à la fois à leur colère, à leur honte et à leur amour », se souvient Élisabeth. « C'est la tombe de Luc qui finit par être la plus recouverte de terre. C'était presque drôle. À la fin, elle ressemblait à une femme enceinte. » L'un des hommes qui jeta de la terre sur la tombe de Luc était le commandant de l'unité qui l'avait pris en otage en 1959. Le lendemain, ce serait au tour des femmes de venir pleurer les morts.

Après la célébration, une réception dans le nouveau bâtiment avait été préparée par le *wâlî*. Bernardo Olivera et les Lebreton en profitèrent pour faire un rapide tour du monastère avec Robert, qui leur raconta alors une scène dont il avait été témoin la veille au soir. Contrairement aux souhaits des autorités, il continuait à dormir dans les nouveaux bâtiments. À la tombée du jour, un détachement de soldats avait investi le monastère pour s'assurer qu'aucun terroriste ne se glisserait à l'intérieur des bâtiments, à la faveur de la nuit, pour préparer une mauvaise surprise. Un officier était monté sur la terrasse du nouveau bâtiment, d'où il pouvait surveiller les montagnes, les jardins et le placement de ses hommes. En dessous, Robert l'avait entendu dire en français, comme s'il parlait à lui-même mais suffisamment fort pour que ses hommes l'entendent : « Si quelqu'un me parle [65] je deviens chrétien. *Wallah!* Si quelqu'un me parle, je deviens chrétien. Ces hommes-là ont eu l'amour pour Dieu. Ils ont aimé l'Algérie plus que les Algériens. » À l'aube, Robert avait cherché l'officier pour lui donner une copie du testament de Christian, mais les soldats étaient déjà repartis.

Sur la route qui les ramenait à Médéa, dans le petit village de Dakhla, que traversait jadis Jean-Pierre, l'estomac noué, quand il allait faire les courses, plusieurs participants remarquèrent un graffiti sur le mur d'un immeuble : « Castrez les terroristes! »

En juillet, des rumeurs commencèrent à circuler selon lesquelles l'assassinat des moines avait causé de graves dissensions au sein du GIA. Sidi Ali Benhadjar, l'ancien député du FIS de Médéa et critique de Djamel Zitouni, quitta le GIA pour former sa propre Ligue islamique pour la *da'wâ* et le *djihâd*, qui prônait la lutte

---

(65) Dans l'expression « Si quelqu'un me *parle* », le verbe « parler » est à prendre dans le sens de : « dire une parole », « expliquer », « dévoiler », « catéchiser ». Il faut donc comprendre : « Si quelqu'un m'*initie* » [NDT].

par des moyens non violents. Les légalistes, ou *djazâ'iristes,* qui défendaient une approche du conflit limitée à la nation algérienne, n'avaient cessé d'essayer de prendre leur revanche depuis que Djamel Zitouni avait assassiné deux de leurs chefs, à l'automne 1995. Certains disaient que Djamel Zitouni avait même été désavoué par certains *salafistes,* qui étaient pourtant ses propres alliés à l'intérieur du conseil exécutif. Se considérant comme appartenant à la mouvance qui se battait pour revenir à l'islam de la *Oumma,* ils n'avaient que mépris pour les buts politiques étroits des *djazâ'iristes.*

Le 27 juillet, un autre communiqué parvint à Radio Medi 1, à Tanger. Djamel Zitouni avait été tué, dans une embuscade, par des « ennemis de l'islam ». Mais qui lui avait réellement tendu cette embuscade ? Était-ce l'armée qui l'avait tué avec l'aide d'informateurs au sein des clans cherchant à prendre leur revanche ? Ou avait-il été tué directement par ses opposants, sur l'ordre d'Abou al-Walid, comme l'affirmaient certains ? Était-il vraiment mort ? Son corps ne fut jamais retrouvé.

Les théories proliférèrent, dans les mois qui suivirent, pour élucider les mobiles de l'enlèvement des moines. Mais d'autres théories étaient nécessaires pour expliquer leur mort. Dans un pays de guerres civiles cachant d'autres guerres civiles, de fausses identités, de désinformation et de manipulations, l'horreur avait toujours plusieurs auteurs, à la fois visibles et invisibles.

Pourquoi avaient-ils été enlevés ? Selon une analyse largement répandue, les moines constituaient une menace. Mais une menace pour qui ? Djamel Zitouni les avait accusés, dans son communiqué n° 43, de faire du prosélytisme en vivant proches des gens et en gagnant leur sympathie. Mais n'étaient-ils pas aussi un danger pour les éléments, à l'intérieur de l'appareil de sécurité algérien, qui, comme certains Français à une époque précédente, pensaient que les moines étaient trop bienveillants envers les terroristes ? Peut-être étaient-ils simplement une cause d'embarras pour la mentalité des éradicateurs. Les moines vivaient en paix, sans arme et sans milice, avec pour seule protection l'amitié offerte à tous – une amitié qui s'était progressivement transformée en rempart contre la violence pour ceux qui habitaient à l'ombre de leur présence.

Une autre théorie, qui avait la faveur de certains journalistes, considérait l'enlèvement comme une réponse au Président Zéroual, qui avait prétendu, pendant la campagne électorale de 1995, que le terrorisme n'était plus que « résiduel », le comparant à quelques feux de broussailles sur le point d'être totalement étouffés. C'était là une présentation des choses que le gouvernement pouvait directement contrôler en censurant plus sévèrement la presse. Dans ce contexte, un enlèvement très médiatique de moines français était de nature à démasquer l'imposture du gouvernement et à prouver au monde que le GIA était toujours là et se portait bien.

L'hypothèse le plus souvent avancée présentait les moines comme les victimes de rivalités entre différents groupes terroristes. En se montrant disposée à soigner, sans poser de questions, tous ceux qui se présentaient au dispensaire, la communauté était devenue une cible de choix dans la région pour n'importe quel émir contrôlant le secteur géographique voisin. Les gens du village parlaient des bonnes œuvres et de la générosité des moines comme s'ils étaient leurs propres pères. En réalité, les *babbâs* étaient trop aimés. Pour faire du tort à l'émir qui contrôlait la vallée du Tamesguida, un rival avait pu essayer de lui prendre « ses » moines.

Les forces de sécurité gouvernementales se seraient-elles risquées à manipuler ces rivalités claniques pour se débarrasser des moines, comme certains en avancèrent l'hypothèse, parce que la communauté fournissait une assistance médicale aux terroristes ? Cette analyse ne manquait pas de rationalité, d'autant que les conspirateurs terniraient encore, ce faisant, l'image de la cause islamiste dans les médias : ils étaient même capables de tuer des moines ! Mais si tel était le scénario, pourquoi avaient-ils été enlevés et non simplement assassinés sur le champ, comme les autres religieux ?

Il existait une variante à la thèse des rivalités claniques : Djamel Zitouni n'avait pas donné lui-même l'ordre d'enlever les frères, mais, mis devant le fait accompli, il avait dû tirer profit de la situation. L'hypothèse d'Amédée selon laquelle le mobile était d'obtenir des moines une déclaration soutenant la cause des montagnards pourrait avoir eu un double objectif. Les moines représentaient certes un butin de premier choix – surtout les services de Luc – mais aussi une autorité morale, si on arrivait à les convaincre de se rallier à la cause du GIA. Cette explication avait l'avantage d'ajouter quelques pièces à un puzzle où il en manquait beaucoup.

Il existait de bonnes raisons pour que les clans Benhadjar et Baghdâdî se détestent mutuellement. Chacune des deux familles avait assassiné des membres de l'autre. Sidi Ali Benhadjar était opposé aux excès de l'Émir Zitouni. Il possédait une solide formation religieuse, et il savait que beaucoup de choses que Djamel Zitouni accomplissait au nom de Dieu étaient moralement condamnables. Pour atteindre l'émir suprême, il aurait pu concevoir l'idée d'enlever les moines, qui vivaient dans la zone contrôlée par le clan Baghdâdî, dont l'allégeance allait à Djamel Zitouni. Mais dans une guerre où ceux qui n'étaient pas du secteur étaient souvent réquisitionnés pour accomplir les basses œuvres, Sidi Ali Benhadjar pouvait avoir fait venir un autre groupe, qui n'aurait pas craint des représailles s'il était identifié. Ceci expliquerait pourquoi les ravisseurs n'étaient pas masqués et qu'ils n'avaient pas réalisé que deux des moines les plus connus dans la région, Amédée et Jean-Pierre, étaient absents du groupe des sept frères enlevés. Le clan Hattab de Jijel, à l'est d'Alger, était souvent mentionné dans la presse algérienne comme étant les suspects les plus vraisemblables : « Ils avaient des accents de l'est », avait dit Mohammed, dans sa déposition.

Abdullah, l'émissaire de Djamel Zitouni, avait confié à l'agent de renseignement, à l'ambassade de France, qu'ils étaient « bouleversés » par l'enlèvement. Pourquoi l'auraient-ils été si l'émir suprême avait monté l'opération lui-même? En outre, pourquoi aurait-il demandé aux Français de l'aider à négocier la libération des moines? Si l'on estime que l'appréciation par la DST du fonctionnement du GIA était plus exacte que celle de la DGSE – c'est-à-dire qu'il était composé de *djamâ'ates* autonomes sans liens étroits entre elles – il est alors facile d'imaginer que l'opération ait été entreprise à l'insu de Djamel Zitouni. Mais une fois l'enlèvement réalisé, il avait voulu montrer qu'il maîtrisait la situation et en profiter pour restaurer un pouvoir affaibli. Il se peut qu'il ait essayé de convaincre les moines de se rallier publiquement à sa cause, comme l'avaient fait certains prêtres français pendant la guerre d'indépendance. Ceci n'ayant pas réussi, il aurait opté pour un échange de prisonniers présenté d'une manière insultante pour la souveraineté algérienne. Le délai d'un mois pour préparer le communiqué 43 pouvait s'expliquer par des négociations internes, au sein du GIA, sur la façon de tirer profit d'un événement que Djamel Zitouni n'avait pas prévu. Comme on disait qu'il ne possédait pas beaucoup de connaissances religieuses et ne maîtrisait pas l'arabe littéraire, d'autres que lui avaient dû le rédiger.

Entre-temps, les moines et leurs ravisseurs avaient commencé à faire connaissance. Si l'histoire devait se répéter, comme avec Luc et Mathieu quarante ans plus tôt, les frères avaient sans doute commencé à gagner la sympathie de leurs geôliers grâce à leur piété bienveillante, à leur prière communautaire et à la connaissance qu'avait Christian du Coran [66]. Ceci pouvait expliquer l'« événement » rapporté par le *Journal du dimanche* dans son édition du 26 mai, que peu d'observateurs prirent au sérieux.

Un moine d'Aiguebelle, le père Gérard, y rapportait une conversation téléphonique qu'il avait eue, le 21 mai, avec une certaine

(66) Cette hypothèse est confirmée par l'un des membres fondateurs du GIA, Omar Chikhi, qui affirme, dans un documentaire réalisé par Séverine Labat et Malik Aït-Aoudia (*Algérie 1988-2000, autopsie d'une tragédie*, diffusé sur FR3 le 15 février 2005) : « Zitouni a fait changer les moines trois fois de lieux de détention. Il disait que les moines avaient influencé leurs geôliers. Il en a puni certains et en a affecté d'autres ailleurs. Les geôliers avaient noué de bonnes relations avec les moines au point qu'ils déposaient leurs armes auprès d'eux. Ils priaient même devant les moines et discutaient avec eux. Les geôliers ont dit à Zitouni qu'ils étaient des gens bien, qu'ils étaient peut-être chrétiens mais qu'ils se comportaient comme des musulmans » [NDT].

Mme de Casanova [67] dont il avait fait la connaissance au monastère, en mars, alors qu'elle y faisait une retraite. Elle lui avait confié que son mari, haut fonctionnaire français et diacre, connu pour ses missions humanitaires, avait rendu visite aux moines dans le maquis le 14 mai, pendant dix minutes. Dans ce court laps de temps, il leur avait donné la communion et avait remis à Luc des médicaments pour son asthme. Le contact avait été organisé par l'intermédiaire de Médecins sans frontières. La date de la visite correspondait, à deux jours près, à la fête de l'Ascension, très importante pour les moines.

Le Quai d'Orsay réagit aussitôt que l'article parut. Le ministre des Affaires étrangères, Hervé de Charrette, nia l'existence d'un quelconque envoyé, et qualifia cette histoire d'« invraisemblable ». Le jour suivant, le supérieur du père Gérard, Dom Yves De Broucker, reçut un coup de téléphone d'un haut fonctionnaire du ministère, lui demandant de contacter le *Journal du dimanche* et de démentir l'information. Malgré les pressions, le père Gérard maintint sa version des faits. Dans les semaines qui suivirent l'assassinat des moines, des rumeurs commencèrent à circuler selon lesquelles l'émissaire n'avait pas seulement apporté des médicaments et des hosties aux moines, mais aussi un petit émetteur, qui avait ensuite été découvert par les ravisseurs. En juillet, *Algérie confidentielle,* un bulletin publié à Genève par des émigrés algériens, reprit la même thèse.

Était-ce là la « trahison » à laquelle la dernière édition d'*El Ansar,* à Londres, faisait allusion ? Mais pourquoi le GIA aurait-il pris le risque de laisser un émissaire français rendre visite aux moines ? Qu'avait-il à y gagner ? Cela n'avait aucun sens, sauf si un lien particulier entre les ravisseurs et leurs otages s'était développé – ce qui est fort possible – et qu'ils étaient prêts à prendre des risques pour honorer une dernière volonté qui avait une profonde signification religieuse pour les moines. Mais peut-être l'histoire

---

(67) Julia Albertini, de son vrai nom [NDT].

avait-elle été inventée de toutes pièces et diffusée par les services de renseignement algériens. Leur Sécurité militaire avait des raisons d'en vouloir aux Français d'avoir conduit, dans leur dos, des négociations dont l'existence avait été reconnue publiquement par le ministre des Affaires étrangères, Hervé de Charrette, au cours d'une interview au Trocadéro. L'équipée paraît tellement absurde qu'il est difficile d'imaginer pourquoi elle aurait été inventée si elle n'était pas authentique, sinon pour faire endosser à la France la responsabilité du meurtre [68].

Mais la « trahison » évoquée par *El Ansar* pouvait aussi renvoyer aux négociations parallèles entreprises par Jean-Charles Marchiani, sous l'autorité du ministre de l'Intérieur Charles Pasqua. Dans l'ouvrage de René Guitton, *Si nous nous taisons… Le martyre des moines de Tibhirine* (Calmann-Lévy 2001, p. 164), l'ancien préfet du Var accuse en effet le Premier ministre Alain Juppé d'avoir, par un « communiqué assassin », fait « tout capoter plutôt que d'en passer par les réseaux parallèles ». Selon René Guitton, avec l'aide du général Saïdi Fodil, commandant de la zone militaire de Wargla, au nord d'Hassi-Messaoud, Jean-Charles Marchiani avait été capable d'entrer en contact avec Djamel Zitouni. Des négociations avaient abouti à un accord de libération des otages contre un versement de fonds et un élargissement de prisonniers islamistes détenus en France (mais pas Abdelhak Layada, incarcéré en Algérie). L'échange devait avoir lieu à Ghadamès, à la frontière de l'Algérie et de la Tunisie, en territoire libyen. La mise à l'écart de l'artisan de cet accord, rendue publique le 9 mai par le porte-parole du Quai d'Orsay, Yves Doutriaux, aurait été perçue, fort logiquement, comme une « trahison » fatale.

Le mystère des têtes peut aussi être utilisé pour étayer différentes

(68) Selon certaines sources citées par l'abbaye cistercienne d'Oka, au Canada, « *Julia de Casanova, **alias** Julia Albertini, est une mythomane notoire : elle a été condamnée à plusieurs **reprises** pour des faits allant de la grivèlerie à taxi à l'escroquerie, en passant par **les chèques** sans provision. Elle s'est **aussi fait** passer pour une attachée de presse de l'Élysée lors d'un voyage présidentiel. […] A-t-elle agi par mythomanie ou a-t-elle été manipulée ? Julia Albertini reste introuvable* » [NDT].

explications de l'assassinat des moines. Le colonel, à l'hôpital, avait confié à Bernardo Olivera que les têtes avaient été enterrées. Dès que la sécurité algérienne apprit que les Français avaient pris contact avec les ravisseurs sans les en informer, il est probable que les arabophones s'emparèrent du contrôle des opérations et revinrent sur la décision de coopérer avec les services de renseignement français, qui avaient demandé de ne pas lancer l'assaut si les ravisseurs étaient repérés. On peut supposer que l'armée localisa le groupe, peut-être dans une caverne. Il y eut un échange de coups de feu et les moines furent tués par des grenades ou par balles. D'après une source interrogée à Alger, l'attaché militaire de l'ambassade de France aurait admis que les services de renseignement avaient intercepté une conversation dans laquelle un pilote d'hélicoptère algérien disait : « Zut ! Nous avons tué les moines ! » Pour éviter que la bavure ne soit rendue publique, les corps furent enterrés, mais quelqu'un eut une autre idée. Pour faire croire que les terroristes étaient responsables de leur mort, ils décapitèrent les moines et exposèrent leurs têtes, peut-être en différents endroits pour obtenir un effet de choc maximum. Les articles de presse horrifiants expliquant que seules les têtes avaient été retrouvées ne pouvaient qu'affaiblir un peu plus le soutien du GIA dans l'opinion publique. Plus ses crimes étaient atroces, mieux c'était. La bavure des militaires avait été transformée en argument de propagande gouvernementale.

Cependant, même si les moines avaient été tués accidentellement dans une fusillade entre l'armée et leurs ravisseurs, pourquoi aucune des sept têtes n'avait-elle porté des traces de blessures ? Certains, dans l'Église, trouvaient étrange le fait qu'aucun moine n'ait été atteint au visage ou au crâne, si les choses s'étaient vraiment passées ainsi. Par ailleurs, il y avait cet autre fait troublant : les services de renseignement français avaient su, dès le 23 mai, que les moines étaient morts, alors qu'aucun corps n'avait été officiellement retrouvé. Ils en avaient informé le Vatican – mais pas les trappistes. Comment les services secrets auraient-ils pu obtenir l'information, sauf à avoir intercepté une communication, ou à avoir été directement avertis par l'une des deux parties impliquées [69] ?

En suivant l'hypothèse d'Amédée selon laquelle ils avaient finalement été tués pour avoir refusé de coopérer, comme propagandistes, à la cause du GIA, les corps avaient été enterrés par les terroristes dans un endroit reculé. Lorsqu'on ne retrouva pas leurs dépouilles dans les jours qui suivirent immédiatement l'annonce de leur assassinat, le doute persista quant à leur mort. Le prestige du GIA aurait été affecté si leur acte de justice divine avait été remis en question. À ce moment-là, ils déterrèrent les corps et les décapitèrent.

Il n'est toujours pas dans l'intérêt du gouvernement algérien ni des autorités françaises de dire toute la vérité si elle atténue l'image de fous de Dieu sanguinaires de leur ennemi commun. Mais l'affaire est loin d'être classée puisqu'une plainte contre X fut déposée le 9 décembre 2003 auprès du Tribunal de grande instance de Paris par Me Patrick Baudouin, avocat au Barreau de Paris, au nom de certains membres de la famille Lebreton et du père Armand Veilleux. Ce dernier n'hésita pas à affirmer, dans le journal *Le Monde* du 24 janvier 2003, que « la présence des moines à Tibhirine embarrassait singulièrement les chefs militaires et ils désiraient depuis longtemps leur départ ». Selon lui, « les autorités algériennes en savent certainement plus. Mais il est peu vraisemblable qu'elles le révèlent jamais. Les services français, pour leur part, ont été très impliqués dans l'affaire : ils peuvent – ils doivent – en dire plus. »

Dans sa *Chronique des années de sang* (Denoël 2003), l'ex-colonel

---

(69) Il n'est pas certain que les services de renseignement français aient su, dès le 23 mai, que les têtes des moines avaient été retrouvées. Sans doute avaient-ils été contactés par Radio Medi 1, avant son annonce à l'antenne à midi, car la station marocaine venait de recevoir le fax du GIA confirmant l'exécution des moines. Pour contrôler l'authenticité du document, qui faisait mention de la cassette audio transmise à l'ambassade de France à Alger, la radio a certainement contacté les autorités françaises [NDT].

Mohammed Samraoui, qui déserta la SM en février 1996, décrit de façon détaillée comment le GIA fut utilisé par les autorités militaires et surtout en quoi Djamel Zitouni était « un terroriste à la solde des généraux ». La thèse d'Armand Veilleux lui semble « parfaitement crédible ». D'autres déserteurs de la SM tiennent les mêmes propos, comme Abdelkader Tigha. Selon lui, les militaires auraient voulu empêcher que les négociations sous l'égide de Sant'Egidio n'aboutissent à remettre en cause le pouvoir de certains généraux. La mise en scène de l'assassinat des moines par le GIA permit d'« amener la communauté chrétienne et internationale à condamner définitivement l'islamisme » (RFI, 13 mai 2004). Cette version des faits fut toujours publiquement contestée par Mgr Teissier. Cependant, le Président Bouteflika raviva lui-même la polémique pendant sa campagne de réélection en déclarant sur LCI, le 26 mars 2004 : « Toute vérité n'est pas bonne à dire à chaud. […] C'est flou pour l'instant. Lorsque j'aurai toutes les informations, je les dirai. »

Les propos du chef de l'État algérien accréditent bien l'idée d'une responsabilité de l'armée. La question avait été relancée suite à la mort, dans la nuit du 15 au 16 février, du journaliste photographe Didier Contant. Selon la brigade criminelle et le parquet de Paris, l'ancien rédacteur en chef de l'agence Gamma s'était « suicidé en sautant du sixième étage » d'un immeuble parisien. Mais la presse algérienne mit en avant le fait que le journaliste « se sentait épié, traqué » : elle lia ce drame à l'affaire des moines de Tibhirine. De fait, le 27 décembre, ce spécialiste des « coups », qui avait de bons contacts dans les milieux de la police et du renseignement, avait publié dans le *Figaro Magazine* un article réaffirmant, à partir du témoignage d'un des villageois de Tibhirine, la thèse officielle d'Alger sur la mort des moines : assassinés par le GIA. Avait-il travaillé pour le compte des généraux d'Alger qui se sentaient menacés par la plainte déposée, deux semaines auparavant, par la famille Lebreton et Dom Armand Veilleux ? Selon *Algeria Watch,* un site de défense des droits de l'homme, Didier Contant, accompagné d'un journaliste algérien, serait venu interroger la femme d'Abdelkader Tigha sur « l'implication de son mari dans un trafic de drogue et de voitures ». Pour *L'Expression, El Watan* et *Le Matin*, citant Me Patrick Baudouin, Didier Contant avait été « poussé au suicide à la suite des fortes pressions de ses détracteurs ».

Si l'hypothèse d'une implication de la Sécurité militaire algérienne ne peut être écartée, le parallélisme entre l'explication de l'enlèvement proposée par Amédée et le destin d'un homme intègre comme le cheikh du Hamas, Mohammed Bouslimânî, ne manque pas d'intérêt non plus. Le *wâlî* avait insisté, dans les deux cas, pour que les moines et Cheikh Bouslimânî partent en un lieu plus sûr. Dans les deux cas, les risques connus et mesurés avaient été acceptés pour rester en « famille ». Pour Mohammed Bouslimânî, la famille était sa femme et sa communauté de travail ; pour les moines, c'était leurs voisins. Dans les deux cas, le massacre de personnes innocentes pour la cause de la justice avait été jugé inacceptable. Dans les deux cas, les dépouilles étaient restées introuvables pendant environ deux mois. Enfin, dans les deux cas, Mohammed Bouslimânî et les moines étaient prêts à mourir pour leurs familles et leur foi.

Quelques semaines après l'enterrement des moines, Cheikh Mahfoud Nahnah, le grand ami d'enfance de Mohammed Bouslimânî, devenu chef du Hamas, voulut rendre hommage aux moines en allant se recueillir sur leurs tombes. Il dut laisser son bouquet de fleurs à l'extérieur du portail d'entrée. Les gendarmes du secteur, qui montaient la garde au monastère, n'avaient pas voulu le laisser entrer.

XX. UNE VISITE À ALGER

Ne te laisse pas vaincre par le mal, sois vainqueur du mal par le bien.

Romains 12,21

Je me rendis en Algérie à l'automne 1999 pour me faire une idée de l'atmosphère qui régnait là-bas et pour voir le monastère que j'avais étudié de si près à partir de vidéos et de photographies. Du fil de fer barbelé et des grillages de sécurité couronnaient toujours les murs entourant les résidences privées, les ambassades et les lieux de travail. Mais les rires dans des rues noires de monde, une vie nocturne à nouveau animée et des policiers souriants – quoiqu'omniprésents – proclamaient une réalité nouvelle : Alger et les Algériens n'étaient plus prisonniers de la peur.

Six mois plus tôt, en avril 1999, un nouveau président avait été élu. Abdelaziz Bouteflika était considéré par de nombreux observateurs comme un apparatchik de la vieille garde. Il avait participé au coup d'État contre Ahmed Ben Bella en 1965. Il avait aussi été le ministre des Affaires étrangères du Président Boumédiène et l'un de ses proches – si proche qu'à la mort de Houari Boumédiène en 1978, M. Bouteflika avait quitté le pays et vécu à l'étranger pendant vingt ans. Puis, il avait été rappelé pour devenir, pensait-on, l'homme du pouvoir, à la place du Président Zéroual. Cinq des rivaux présidentiels de M. Bouteflika avaient abandonné la course, objectant que l'élection était truquée en sa faveur. Beaucoup s'attendaient au maintien du *statu quo*.

Sans que l'électorat en soit conscient, une page avait été tournée. La détermination du nouveau président à ramener la paix, la lassitude de la population face à la terreur et l'efficacité croissante de l'armée ont changé l'atmosphère et fait reculer la violence. Parler vrai, briser les tabous, soigner les blessures sont les *leitmotivs* de M. Bouteflika. Il parle français à la télévision nationale, malgré une loi de 1998 exigeant que tous les représentants de l'État n'utilisent que l'arabe. Il évoque ouvertement la nécessité d'accepter les différences : « Laissez ceux qui le veulent porter la barbe ou ne pas la porter, mais sans juger l'autre. » Le cœur de sa politique est la réconciliation nationale. Il traite les terroristes qui n'ont pas encore abandonné le maquis comme des fils prodigues. Ce sont des « égarés » qui ont quitté le bercail. « Les forts savent pardonner », rappelle M. Bouteflika à ses auditeurs algériens au cours de sa campagne en faveur d'une politique d'amnistie.

Les faibles aussi savent pardonner. Hugh Johnson est un pasteur américain de confession méthodiste, responsable d'une minuscule présence protestante, qui, avec Mgr Teissier, représente l'Église dans ses relations officielles avec le gouvernement algérien. D'un abord chaleureux, cet érudit parle sans prétention, avec un léger accent de Virginie. Il est arrivé en 1963, muni d'un doctorat en relations internationales et d'une connaissance de l'hébreu, du grec et du latin. Depuis lors, il a appris le français, l'arabe et le berbère. « Je crois que l'assassinat des moines a été un tournant. Les Algériens ont été révoltés par ce qui est arrivé. Les gens ont été touchés non seulement par la manière dont ils ont vécu mais aussi par la façon dont ils sont morts. Le testament de Christian a beaucoup marqué. La réaction de l'Église aussi. Il n'y avait aucun esprit de revanche ou même d'animosité envers les tueurs. »

Le 14 septembre 1999, les Algériens furent conviés à se prononcer par référendum sur la politique de concorde civile de M. Bouteflika. Quatre-vingt-cinq pour cent des électeurs inscrits participèrent au scrutin, parmi lesquels 98 % ratifièrent son programme. Ce dernier proposait différents degrés d'amnistie à ceux qui, au GIA, rendraient leurs armes dans les six mois. Le dispositif distinguait les sympathisants, qui avaient seulement fourni un soutien logistique, de ceux qui avaient « du sang sur les mains ». Ceux-ci étaient classés en deux catégories, selon qu'ils avaient tué seulement des combattants du camp adverse, ou avaient assassiné des civils sans défense. À la fin du mois d'octobre, plus d'un millier de « repentis* » du GIA avaient déposé leurs armes.

Rétrospectivement, il y avait beaucoup de signes indiquant que la mort des moines avait effectivement constitué un tournant. Dans un pays qui semblait ivre de violence, leur assassinat, au nom de Dieu, avait été, pour beaucoup d'Algériens, comme une descente au fond du gouffre. C'était l'ultime humiliation, hautement médiatisée, faite à un islam déjà fort décrié.

L'indignation provoquée par le meurtre des moines était même partagée par des membres du GIA. Il est fort possible que ce fut la goutte d'eau qui fit déborder le vase et aboutit à l'élimination de Djamel Zitouni, le 16 juillet, un mois et demi plus tard. Il y avait ceux qui, au sein du GIA, essayaient de mener le *djihâd* d'une manière respectable, comme Abdelkader l'avait fait plus d'un siècle auparavant. Aucune *fatwâ* valide n'avait été émise permettant le meurtre de moines ou de civils innocents. En outre, beaucoup au sein du GIA avaient des raisons de vouloir supprimer l'Émir Zitouni. Il avait impitoyablement éliminé ses rivaux, et il était suspecté, par certains, d'être manipulé par les services de sécurité. Si l'objectif de ces derniers avait été d'utiliser Djamel Zitouni pour semer la zizanie à l'intérieur du GIA et discréditer les terroristes islamiques, ils avaient réussi.

Il y eut une dernière horreur commise contre la communauté chrétienne et tous ceux qui aimaient l'évêque d'Oran, Pierre Claverie. Personne n'a jamais revendiqué ce crime, bien qu'on ait soupçonné un grand nombre de personnes. Tard dans l'après-midi du 1ᵉʳ août 1996, le ministre français des Affaires étrangères, Hervé de Charrette, fut transporté, avec Gilles Nicolas, dans l'avion privé du Président Zéroual, à la base militaire d'Aïn Oussera, au sud de Médéa. De là, ils furent emmenés, par hélicoptère, jusqu'à un terrain de football, à Tibhirine, et conduits au monastère pour que M. de Charrette puisse rendre un dernier hommage aux moines.

M. de Charrette était venu en Algérie dans le cadre d'un effort diplomatique visant à calmer les eaux toujours tumultueuses des relations franco-algériennes et encourager l'engagement du gouvernement Zéroual à promouvoir la démocratie. Le jour même, le ministre avait rencontré Pierre Claverie et d'autres responsables de l'Église d'Algérie pour les remercier de leur courage face au danger et de leur engagement en faveur d'une Algérie pluraliste.

Pied-noir formé à l'école dominicaine, Mᵍʳ Claverie avait la réputation de ne pas mâcher ses mots : il avait toujours ouvertement critiqué et le FIS et le gouvernement algérien. Par ailleurs, ses admirateurs musulmans l'appelaient respectueusement « Cheikh » Claverie.

Le jour même de la visite à Tibhirine, Mᵍʳ Claverie retourna, en fin d'après-midi, à Oran, où son assistant, Mohammed Bouchikhi, l'attendait. Alors qu'ils franchissaient la porte de l'évêché, une bombe explosa. Elle tua les deux hommes sur le coup, projetant les deux corps l'un sur l'autre, les liant inextricablement, et pour l'éternité, jusque dans leurs tombes, pourtant séparées. À ce jour, Mᵍʳ Claverie est le dernier religieux chrétien à avoir été assassiné en Algérie.

Les successeurs de Djamel Zitouni essayèrent, mais en vain, d'obtenir une *fatwâ* des cheikhs *wahhâbites* acquis aux thèses d'Ibn Taymiyya pour justifier le meurtre des civils et des moines. En 1997, l'AIS négocia une trêve avec les militaires dont les termes demeurent encore obscurs aujourd'hui. Particulièrement néfaste au moral du GIA fut la *fatwâ* signée en décembre 1998 par Cheikh

Nacer-Eddine Albanî [70] sur son lit de mort. Cheikh Albanî était respecté parmi les islamistes pour ses interprétations conservatrices de la loi. Signée par deux autres cheikhs, la *fatwâ* dénonçait sans équivoque le terrorisme islamique contre des civils sans défense. Certains repentis acceptèrent de passer à la télévision algérienne pour expliquer pourquoi ils avaient déposé les armes. « Les Saoudiens nous l'ont ordonné [71] » expliquèrent-ils plus d'une fois au cours de ces confessions télévisées.

Il existe toujours de la violence terroriste en Algérie. Elle frappe à la campagne, sur des routes moins fréquentées, généralement après la tombée de la nuit. Henri Teissier m'expliqua qu'il y avait deux manières de monter au monastère. Je pouvais soit m'y rendre avec une protection officielle, soit y aller à titre privé, c'est-à-dire à mes risques et périls. Ma réaction instinctive fut d'opter pour la sécurité.

Le ministère de l'Intérieur fournissait une escorte militaire aux moines qui montaient à Tibhirine depuis leur base temporaire à l'ancienne résidence du cardinal Duval à Notre-Dame d'Afrique. Tous les dix jours, ils se rendaient au monastère pour garder le contact avec les voisins et les rassurer sur la réoccupation des lieux. Au début, seul Amédée avait fait le déplacement régulièrement. Depuis 1996, quatre moines, tous âgés de moins de cinquante ans, l'avaient rejoint à Alger, en vue de reconstituer une communauté : Mickaël de Pologne, Ventura d'Espagne, Francisco du Chili, et Jean-Claude, supérieur *ad nutum*, de France. Ils dépendaient de Notre-Dame de l'Atlas, à Fès. Mais, en janvier 1999, ils devinrent

---

(70) Cheikh Albani naquit à Damas. Son père était un religieux érudit qui avait émigré d'Albanie et qui est connu pour avoir chassé son fils de chez lui lorsqu'il adopta les idées extrêmes et conservatrices du *wahhâbisme* [NDA].

(71) **Riyad,** qui avait commencé à faire l'expérience du terrorisme sur son propre sol, commençait à craindre que l'islam radical et puritain qu'il avait encouragé à travers le monde ne se retourne contre le royaume et ne le menace à son tour [NDT].

une « cellule » d'Aiguebelle, la maison-mère de l'Atlas, et la communauté prit alors le nom de Notre-Dame de Tibhirine.

Jean-Claude ne s'était jamais intéressé à l'Algérie ou à l'islam avant de rencontrer son ami André Barbeau, l'abbé d'Aiguebelle, venu à Cîteaux tout spécialement pour lui demander de bien vouloir devenir le supérieur de la communauté en voie de reconstitution. À cinquante-sept ans, il possédait une expérience à la fois dans les domaines spirituel et matériel. Jean-Claude était prêtre. Il occupait aussi l'importante fonction de cellérier*, assumant la double responsabilité de gestion des activités économiques du monastère, vieux de neuf cents ans, et de son administration. Pour Jean-Claude, la demande de Dom André était un « appel de Dieu ». Il y avait aussi le vœu d'obéissance à considérer. Dom André demanda à Jean-Claude de réfléchir à sa proposition. Mais la réflexion cistercienne n'est jamais exclusivement individuelle : elle est aussi communautaire. Son appel fut d'abord soumis à l'avis des sept membres du conseil qui éclaire l'abbé dans ses décisions. Jean-Claude exerçait un poste de responsabilité et il était apprécié à Cîteaux. Dom André dut expliquer aux frères le caractère exceptionnel de la situation en Algérie, qui méritait une nomination tout aussi exceptionnelle, alors que normalement Aiguebelle aurait dû choisir un de ses moines puisque c'était la maison-mère. Suivit alors une autre longue discussion avec l'ensemble de la communauté des trente frères. Les deux réunions aboutirent finalement à la même conclusion unanime : il fallait répondre à l'appel.

La symbolique du choix d'un moine de Cîteaux pour maintenir un minuscule et pauvre monastère entouré de musulmans n'échappa à personne dans l'Ordre. À la fin du XIᵉ siècle, Cîteaux avait été choisi parce que cette « vaste solitude » envahie par « des bois et des fourrés d'épines » exigeait un dur travail manuel, et qu'elle obligerait les moines à honorer leur vœu de pauvreté [72]. André

_____

(72) En fait, les moines cisterciens n'ont jamais prononcé de vœux formels de « pauvreté », mais la « conversion de vie » à laquelle ils s'engagent conformément à la Règle de saint Benoît les invite au détachement, à la simplicité de vie, à la

Barbeau savait que, pour des chrétiens officiant dans la maison de l'islam, les musulmans constituaient des « fourrés d'épines » non négligeables. Ces chercheurs de Dieu avaient bousculé et stimulé les moines, qui en étaient devenus de meilleurs chrétiens. Leur foi était plus simple, plus vigoureuse et plus riche.

« Pour nous, retourner à Tibhirine est la meilleure façon d'honorer la mémoire de nos frères. Il n'a jamais été question d'abandonner ce lieu », déclara Jean-Claude à un journaliste d'*El Watan*. « La chose la plus importante pour nous est de savoir que la population veut que nous revenions après ce qui est arrivé. » Les cinq moines se rendirent ensemble à Tibhirine, pour la première fois, en avril 1999, pour y célébrer Pâques. Personne, là-bas, n'avait été prévenu de leur visite, mais à leur arrivée, dans la matinée, le « téléphone arabe » apporta encore la démonstration de sa mystérieuse efficacité : cinquante villageois, bougies à la main, étaient là pour accueillir les frères. Après avoir allumé leurs cierges au feu pascal selon un rituel que Christian avait remis en valeur, les moines entrèrent dans la chapelle pour la suite de la liturgie eucharistique. Fait nouveau, les gens du village ne s'attardèrent pas dehors, mais se pressèrent à l'intérieur pour y suivre toute la messe.

« Il n'a rien appris! Rien! Il a intériorisé les règles du ministère comme si c'était la Règle de saint Benoît », répondit Mgr Teissier, d'un ton exaspéré, quand je lui fis part, dans le hall de l'archevêché, de ma conversation avec Amédée. J'avais demandé à ce dernier si je pouvais me joindre à lui lors de sa prochaine visite à Tibhirine. Il m'avait répondu que je devrais en avertir à l'avance le ministère de l'Intérieur. « Les démarches auprès du ministère n'en finiront pas. Il n'y a qu'à y aller comme ça! » Le lendemain, Mgr Teissier me dit que son bibliothécaire, Jean-Pierre Henry, avait prévu de monter au monastère le samedi suivant. Je pourrais l'y accompagner si je voulais.

---

mise en commun des biens et à l'accueil des pauvres qui frappent à la porte du monastère [NDT].

Je fis l'hypothèse que le bibliothécaire ne souffrait pas de tendances suicidaires, et je fus tout à fait rassuré lorsque j'appris que frère Jean-Claude voulait se joindre à nous. Néanmoins, le danger était bien réel. La semaine précédente, un bus avait été soufflé par une bombe tandis qu'il traversait les gorges de la Chiffa, faisant une douzaine de morts. « Ne suivez pas les autobus de trop près! Ce sont leurs cibles favorites, parce qu'ils sont plus gros que les voitures. » Telle fut la recommandation de Mgr Teissier, qui ajouta, sur un ton détaché : « Rentrez avant qu'il ne fasse nuit! »

Terrorisé, je le fus. Mais pas à cause des maquisards. C'est la conduite nerveuse et rapide de Jean-Pierre Henry, digne des 24 heures du Mans, qui me donna des sueurs froides sur l'autoroute qui conduit à Blida, alors qu'il se retournait sans arrêt pour parler avec Jean-Claude, assis sur la banquette arrière. La seule autre chose notable durant ce voyage de soixante minutes fut le nombre important de policiers aux carrefours et la présence militaire massive dans les gorges de la Chiffa. Sinon, j'aurais pu être dans le sud californien pendant que nous traversions la plaine de la Mitidja ou dans le nord de l'Utah tandis que nous grimpions dans les montagnes de Blida à Médéa. Des tours de guet en béton trônent sur les sommets des collines à travers toute la région de Médéa, et l'une d'elles surplombe le monastère et la vallée qui s'étend plus bas. Nous descendîmes vers Tibhirine, et passâmes devant l'entrée du jardin aménagé autour de la statue de la Vierge.

C'est la Vierge Marie qui continue de protéger le village. Amédée en est convaincu, ainsi que beaucoup de musulmans. Le monastère, inhabité depuis la mort des moines, n'a été victime d'aucun vandalisme ou cambriolage. Pas un meuble, pas un tableau, pas un ustensile de cuisine n'a été volé, contrairement à ce qui s'est passé à Mokoto, au Zaïre, où les chrétiens convertis de la région tuèrent deux moines et pillèrent le monastère cistercien au début du printemps 1996, à la suite de la guerre civile entre Tutsis et Hutus.

Autre fait remarquable : l'armée n'a pas occupé les bâtiments, malgré leur position stratégique. Un seul événement inhabituel a été signalé : une bicyclette a été volée dans le village. Mais à part cet incident, les familles de Tibhirine ont, jusqu'à ce jour, échappé à la violence, et aucun de leurs enfants n'a rejoint le GIA. En outre, ceux qui avaient quitté leurs maisons après l'annonce du massacre sont retournés chez eux à l'annonce que les moines, eux aussi, pourraient revenir.

Cependant, il y avait quelques petits changements en 1999. L'appel à la prière de *subh* ne retentissait plus aux premières lueurs du jour. Il y avait maintenant une garde civile locale qui patrouillait le secteur pendant la nuit. La première équipe passait le relais à 3 heures du matin et ne voulait pas être dérangée dans son sommeil par l'appel du muezzin. Le monastère, curieusement, donnait l'impression d'être quasiment habité. Mais de quelle présence s'agissait-il ? De l'ancienne ou de la nouvelle ? Sans doute les deux. Des coules blanches pendaient aux crochets près de la sacristie, mais il y en avait cinq et non huit. Certaines chambres contenaient des effets personnels. La cuisine était entièrement équipée. L'armoire était pleine de provisions. Moussa et Ben Ali travaillaient dans le jardin. On me présenta Salim, qui m'embrassa trois fois. L'atmosphère était toute à la confiance et à l'attente.

Mais, à l'époque, un gros nuage assombrissait tout : le destin de Mohammed. Depuis l'été 1996, Mohammed gardait le monastère, mais sans habiter sur place. Vivre au monastère était considéré comme trop dangereux après l'enlèvement, ce qui avait conduit l'Ordre à lui acheter une voiture et à louer, pour lui et sa famille, un appartement à Médéa. Au printemps 1999, il avait été arrêté et mis en garde à vue par le juge d'instruction de la région. Il était accusé de complicité dans l'enlèvement.

Malgré les requêtes personnelles de Mgr Teissier, de Gilles Nicolas et de dizaines de témoins attestant de sa bonne réputation, le juge n'avait pas autorisé la libération sous caution de Mohammed. Il était toujours incarcéré à Médéa, où sa femme et ses six enfants ne pouvaient lui rendre visite que tous les quinze jours.

Le raisonnement du juge était élémentaire. Il avait conclu que

Mohammed avait dû agir par complicité du simple fait qu'il était encore vivant. Étant la seule personne à avoir vu de près les ravisseurs, qui n'étaient pas masqués, il était, à son avis, impensable que Mohammed n'ait pas été tué. Ce dernier était arrivé aux mêmes conclusions que le juge tandis qu'il accompagnait les terroristes dans le monastère. C'est pourquoi il avait justement sauté sur l'occasion de s'enfuir quand un des hommes avait manqué une marche dans les escaliers ! Mais le fait qu'il soit parvenu à s'échapper sans être poursuivi ajoutait à la présomption de complicité pesant sur Mohammed. Les pressions pour trouver un coupable peuvent produire d'étranges résultats, surtout dans une société où la confiance a disparu et où les familles sont divisées au point de s'entre-tuer. Qui est avec qui ?

Au terme de notre visite au monastère, il nous restait encore beaucoup de temps avant la tombée du jour. Nous nous rendîmes donc à Staouéli, où les Français avaient remporté leur première victoire en 1830. Le vieux cloître, construit par la première génération de trappistes, abrite désormais des appartements et se fond complètement dans ce qui est devenu une banlieue animée d'Alger. Son vaste domaine agricole a été transformé en jardin public. Ne reste du passé que le socle en béton qui soutenait jadis une croix colossale et conquérante, retirée après l'indépendance. Au XIXe siècle, la plaine de Staouéli était le berceau de vins trappistes réputés, en particulier d'un excellent muscat. Mais les symboles inanimés du passé sont une chose. Les gens et les vins en sont une autre. Non seulement le souvenir des moines continue d'habiter le cœur des musulmans, mais, aujourd'hui, une nouvelle appellation est utilisée en Algérie pour vendre des vins rouges de premier ordre. On les appelle les vins de la Trappe. C'est un label de qualité.

Un autre nom, en Algérie, est synonyme de qualité : Abdelkader. L'Émir Abdelkader. Ce guerrier mystique incarnait l'esprit généreux et ouvert de l'islam dont Christian de Chergé craignait qu'il ne soit éclipsé par celui des extrémistes violents, et finalement effacé de la mémoire d'observateurs occidentaux de plus en plus dubitatifs. L'islam d'Abdelkader était un islam aux vues larges, comparable au christianisme ouvert et généreux de Christian, et leurs fois respectives avaient tout naturellement accouché, à Tibhirine, d'une fraternité à la fois réelle et symbolique.

Les moines vivaient à l'ombre de l'émir. Masse de pierre escarpée, située derrière le monastère, le Rocher Abdelkader, avait été un lieu de campement pendant la guerre incessante livrée par l'émir aux Français. De ce sommet, les hommes d'Abdelkader jouissaient d'une vue panoramique permettant de détecter tout mouvement de troupes ennemies venant de l'ouest. Aujourd'hui, les Algériens de Tibhirine prient pour le retour de leurs moines français, bien qu'à leurs yeux ils ne soient pas vraiment français : ce sont des hommes de Dieu.

Quand les moines s'installèrent au monastère, en 1938, ils placèrent leur statue de la Vierge Marie sur le sommet derrière eux, à une centaine de mètres au-dessus du Rocher Abdelkader. L'émir aurait apprécié ce geste, car son islam était respectueux de toutes les religions. Son tempérament généreux était semblable à celui des moines. Comme Christian, il était pétri d'un esprit chevaleresque, d'une conception de la présence de Dieu très ouverte, et possédait une vive intelligence, doublée d'une vaste culture et d'un grand sens de l'hospitalité envers toutes les personnes de bonne volonté. Abdelkader ressemblait même à un moine trappiste, avec son visage barbu impassible encapuchonné dans sa *'abâya* blanche. C'était comme s'il avait manqué sa vocation. Eût-il mené sa vie comme il l'aurait voulu, elle aurait été consacrée à l'étude, à la prière et à la méditation, semblable sur bien des points à celle de Christian.

Mais il en fut autrement. Il devint le fondateur d'une nation, un homme d'État et un combattant de la résistance islamique des plus tenaces. Ses couleurs de guerre, le vert et le blanc, devinrent celles du drapeau de la nouvelle nation algérienne en 1962. Poète, mystique soufi, chef religieux et soldat de Dieu, Abdelkader est maintenant honoré par des dizaines de milliers d'Algériens qui portent son nom, un nom dont les nouveaux *moudjâhidines* usent et abusent pour imposer un islam qu'il n'aurait pas reconnu.

Abdelkader naquit en 1808 dans un petit village près de Tlemcen dans le *beylek** occidental d'un territoire ottoman gouverné de manière assez peu contraignante. Comme Christian, il fut initié aux Écritures par sa mère. Dès l'âge de cinq ans, elle lui avait appris à lire et à écrire. Son père, Sidi Mahy el-Dîn, était considéré comme un sage et dirigeait la confrérie Qâdiriyya, l'une des plus anciennes sociétés soufis en islam.

De lui, Abdelkader acquit le respect pour la science et les études, et passa maître dans les arts de la chasse, de l'équitation, de l'agriculture et de l'élevage. Il excellait en tout. Il apprenait vite. Tout l'intéressait. Il étudia l'astronomie, les mathématiques, lut de très nombreux auteurs, et admira les écrits de Platon et d'Aristote. « Le savoir a la valeur du jeûne, et l'enseignement la valeur de la prière » : tel était l'adage du Prophète qu'il entendit souvent de la bouche de son père. À quatorze ans, Abdelkader connaissait par cœur tout le Coran, qui guiderait sa conduite en temps de guerre et de paix.

Après deux années de voyages à but éducatif au Caire, à La Mecque, à Jérusalem, à Damas et dans d'autres centres religieux du Proche-Orient avec son père, Abdelkader était prêt à mener une vie stable de « moine marié [73] ». Mais des événements inattendus modifièrent le cours de sa vocation.

L'occupation française d'Alger, en 1830, passa presque inaperçue auprès des autochtones. Ils avaient déjà vu beaucoup d'envahisseurs s'installer puis repartir. Mais deux années plus tard, les tribus commencèrent à comprendre que, cette fois-ci, il s'agissait d'une nouvelle occupation et non d'une libération du joug turc, comme les Français l'avaient prétendu. Quand les tribus vinrent consulter Abdelkader père, ce dernier se rendit compte que son fils

(73) L'expression est utilisée par les soufis pour se décrire eux-mêmes. Cf. Seyyed Hossein Nasr, *Ideals and Realities of Islam* [NDA].

comprenait la situation mieux que lui, et qu'il avait aussi un don naturel pour le commandement. Sidi Mahy el-Dîn se retira donc sagement pour laisser à son fils toute la marge de manœuvre dont il avait besoin. En 1832, les tribus proclamèrent Abdelkader, alors âgé seulement de vingt-quatre ans, sultan, mais il préféra toujours le titre d'émir.

« Sachez que le paradis, disait le Prophète, est sous l'ombre des épées. » L'Émir Abdelkader insista, quant à lui, sur le fait que son autorité s'appuyait d'abord sur Dieu. Son tempérament n'était ni emporté ni belliqueux, mais le Coran était écrit pour organiser la vie en ce monde : « *Autorisation est donnée à ceux qui sont attaqués (de se défendre) – parce que vraiment ils sont lésés.* » « Mon but est de bouter les infidèles hors du pays de nos pères », expliqua-t-il à ses partisans. Une injustice que l'on ne parvient pas à combattre par des moyens pacifiques peut justifier une guerre sainte, mais dans les limites prescrites par le Coran. La déclaration d'une guerre sainte donna au jeune émir l'autorité nécessaire pour commencer à imposer une discipline et une unité inconnues jusqu'alors, qui obligeaient, pour la première fois, les tribus à renoncer à leur indépendance.

Abdelkader avait compris que les clans devaient s'unir et former l'embryon d'un État. Il leur fallait une capitale, une armée unifiée, une administration pour lever un impôt et un système judiciaire échappant aux allégeances tribales. Il exigea de ses chefs militaires, ou califes, qu'ils possèdent la double compétence de l'art de la guerre et du savoir religieux. Sa discipline se montra juste mais sévère, en particulier à l'égard des tribus qui le trahirent ou se battirent aux côtés des Français.

Le tabac, l'alcool et les jeux furent interdits. La prostitution et l'étalage ostentatoire du luxe furent proscrits. Chaque clan était tenu responsable pour les crimes commis sur son territoire. L'ordre régnait au point qu'« une femme pouvait sortir seule sans crainte d'être insultée », nota fièrement Abdelkader.

Chaque soldat sous son commandement était responsable du

traitement des prisonniers et risquait la sanction s'il leur arrivait quelque chose. Dans les dernières années du conflit, une femme européenne accompagnée d'un enfant se rendit en visite auprès de l'évêque d'Alger, Mgr Antoine-Adolphe Dupuch, pour lui présenter une requête. Son mari était aux mains d'Abdelkader. Pourrait-il intervenir pour obtenir sa libération ? Mgr Dupuch écrivit à l'émir :

Tu ne me connais pas, mais je fais profession de servir Dieu et d'aimer en Lui tous les hommes, ses enfants, mes frères. Si je pouvais monter à cheval sur le champ, je ne craindrais ni l'épaisseur des ténèbres, ni les mugissements de la tempête, je partirais, j'irais me présenter à la porte de ta tente, et je te dirais d'une voix à laquelle, si on ne me trompe point sur ton compte, tu ne saurais résister : donne-moi, rends-moi celui de mes frères qui vient de tomber dans tes mains guerrières... mais je ne peux partir moi-même. Cependant, laisse-moi dépêcher vers toi l'un de mes serviteurs et suppléer par cette lettre, écrite à la hâte, à la parole que le ciel eut bénie, car je t'implore du fond du cœur.

L'émir répondit à l'évêque, non sans humour :

Permets-moi de te faire remarquer qu'au double titre que tu prends de serviteur de Dieu et d'ami des hommes, tes frères, tu aurais dû me demander non la liberté d'un seul mais bien plutôt celle de tous les chrétiens qui ont été faits prisonniers depuis la reprise des hostilités. Bien plus, est-ce que tu ne serais pas deux fois digne de la mission dont tu me parles si, ne te contentant pas de procurer un pareil bienfait à deux ou trois cents chrétiens, tu tentais encore d'en étendre la faveur à un nombre correspondant de musulmans qui languissent dans vos prisons. Il est écrit : « Faites aux autres ce que vous voudriez que l'on fasse à vous-mêmes ! »

Ainsi furent inaugurés les échanges de prisonniers entre l'émir et les Français, ainsi qu'une longue amitié entre Mgr Dupuch et Abdelkader.

L'émir s'entoura aussi d'un groupe d'experts, composé des meilleurs esprits qu'il pouvait faire venir auprès de lui. Il s'appuya sur les conseils de chrétiens d'Espagne et d'Angleterre pour se fournir en armes et en technologie pour les fabriquer. Le nombre de juifs dans son entourage était si grand qu'ils furent appelés sa « cour juive ». Ils s'occupaient des négociations diplomatiques et commerciales à l'étranger.

Abdelkader était un homme de foi et un intellectuel. Il accordait beaucoup d'importance à la formation et aux études, comme le Prophète lui-même, qui rappelait aux fidèles, dans un *hadîth* : « Un homme de savoir qui peut être utile au peuple vaut mieux qu'un millier d'adorateurs d'Allâh. » Tous ceux qui possédaient des connaissances utiles devaient être rémunérés. Des étudiants étaient envoyés à l'étranger pour recopier des manuscrits précieux, et il ajoutait sans cesse de nouveaux livres à sa bibliothèque. Quiconque était surpris en train d'abîmer ou même de salir un livre était sévèrement puni.

Alors que l'année 1847 touchait à sa fin, Abdelkader réalisa qu'il n'était de l'intérêt de personne de continuer la tuerie et les souffrances. Ses troupes et son peuple mouraient petit à petit de faim. Les Français avaient réussi à retourner ses alliés marocains contre lui, et les campagnes avaient été dévastées par leur tactique de la terre brûlée. Par un 24 décembre pluvieux, l'Émir Abdelkader, amaigri et grelottant sous ses deux tuniques blanches recouvertes d'un *burnous* * noir – qui lui donnait un air de moine bénédictin – rendit son étalon préféré au duc d'Aumale. Du fils du roi Louis-Philippe, il reçut la promesse de pouvoir se rendre en toute sécurité au Proche-Orient, s'il jurait de ne plus jamais revenir en Algérie.

La parole du duc d'Aumale n'eut pas assez de poids : au lieu de rejoindre le Proche-Orient comme convenu, Abdelkader, avec les quatre-vingts membres de sa famille et ses domestiques, se retrouva détenu à Toulon pour une durée indéterminée. L'autorité du Roi

Louis-Philippe était chancelante, et beaucoup d'hommes influents à Paris ne faisaient pas confiance à l'émir. En février 1848, le monarque français fut contraint d'abdiquer, victime des mouvements démocratiques déferlant sur l'Europe. Quand Abdelkader eut vent de la révolution et de l'avènement de la nouvelle république, il écrivit au gouvernement fraîchement constitué :

Louange à Dieu seul dont seul l'empire est éternel. [...] Je me suis réjoui de cette nouvelle car j'ai lu dans les livres que cette forme de gouvernement a pour but de déraciner l'injustice et d'empêcher le fort de faire violence au faible. Vous êtes des hommes généreux et vous désirez le bien de tous; vos actes sont supposés être dictés par l'esprit de justice. Dieu vous a désignés pour être les protecteurs des malheureux et des affligés. Je vous tiens, par conséquent, pour mes protecteurs naturels. Écartez le voile de la douleur qu'on a jeté sur moi. Je demande justice de vos mains.

Personne ne répondit à sa requête.

Ainsi commença une période de captivité de cinq ans, marquée par la mort de vingt-cinq membres de son entourage, victimes du froid et de l'humidité des châteaux français. L'émir perdit une fille, un fils, des nièces et des neveux et plusieurs de ses serviteurs ainsi que leurs jeunes enfants.

S'adressant toujours à ce qu'il existe de noble dans l'esprit français, Abdelkader continua de demander inlassablement que justice lui soit rendue. Il exprima son étonnement qu'« une nation si riche et si grande puisse manquer de générosité envers ceux qui ont placé en elle leur confiance ». Pour venir à bout de sa dépression et de ses pensées suicidaires, Abdelkader lut et médita régulièrement le Coran, et chercha à comprendre les mystérieuses voies de Dieu qui l'avaient conduit jusque-là. Il enseigna le Coran à ses enfants, lut les Écritures à son entourage, prit soin de sa mère, et accueillit ceux qui souhaitaient le rencontrer. L'un de ses plus fidèles visiteurs et correspondants était Mgr Dupuch. Ils eurent de longues discussions théologiques durant son séjour en prison. L'évêque d'Alger aida l'émir à traverser ses heures les plus noires.

Après sa pénible période de détention à Toulon et à Pau, Abdelkader vit ses conditions de vie s'améliorer au château d'Amboise, dans la vallée de la Loire, où il tint un véritable salon. Les hommes d'Église, les généraux et les intellectuels qui le fréquentèrent furent étonnés par le vif intérêt qu'il portait à la France, par sa vaste culture, par son ouverture d'esprit et par l'absence d'amertume envers un pays qui n'avait pas tenu ses engagements. Toujours, il s'adressa à la France du meilleur et refusa de juger la France du pire.

En 1852, la IIe République fut supplantée par le IIe Empire. Grâce à des défenseurs haut placés, dont Mgr Dupuch, l'affaire Abdelkader fut soumise à l'Empereur Louis-Napoléon, qui signa sa libération le 16 octobre.

Abdelkader,

Je suis venu vous annoncer votre liberté. [...] Depuis longtemps votre captivité me cause un réel chagrin. Elle me rappelait sans cesse que le gouvernement qui m'a précédé n'avait pas rempli ses engagements à l'égard d'un ennemi malheureux; et à mes yeux, il est humiliant pour une grande nation d'avoir assez peu de confiance en sa propre puissance pour renier ses promesses. La générosité est toujours la meilleure conseillère. Et je suis convaincu que votre résidence en Turquie n'affectera en aucune manière la tranquillité de mes possessions en Afrique.

Votre religion, aussi bien que la mienne, enseigne la soumission aux décrets de la Providence. Si la France est maintenant maîtresse en Algérie, c'est parce que telle est la volonté de Dieu et la nation ne renoncera jamais à la conquête.

Vous avez été l'ennemi de la France mais néanmoins je suis prêt à rendre pleine justice à votre courage, à votre caractère, et à votre résignation dans le malheur. Par conséquent je considère comme un point d'honneur de mettre un terme à votre emprisonnement et d'accorder pleine et entière confiance à votre parole.

En exil, la stature d'Abdelkader continua de s'affirmer. Il s'établit à Damas, entouré d'étudiants, de réfugiés algériens et d'un flot continu de visiteurs. Les activités qu'il estimait par-dessus tout étaient la lecture, la prière et la réflexion, mais il n'était pas homme à se retirer purement et simplement du monde. Encore une fois, des événements extérieurs changèrent le cours de son existence. Au printemps 1860, des affrontements opposèrent musulmans druzes et chrétiens maronites dans le Liban voisin, générant des tensions à travers toute la région. Abdelkader craignait que le conflit ne se propageât en Syrie et il écrivit au gouverneur turc de Damas, ainsi qu'à plusieurs chefs druzes, les exhortant à calmer les esprits. Mais les Turcs se refusèrent à intervenir.

L'étincelle qui mit le feu aux poudres, en juillet 1860, fut la punition par les autorités locales de jeunes musulmans qui s'étaient publiquement moqué de la croix. Pour leur forfait, les jeunes effrontés, enchaînés, furent condamnés à balayer les rues de Damas. Le spectacle provoqua l'indignation des musulmans et conduisit à l'invasion du quartier chrétien. Pendant les trois premiers jours de ce qui se transforma en un saccage qui dura une semaine, cinq cents chrétiens furent massacrés, des églises, des couvents et des consulats incendiés, des jeunes femmes entraînées de force dans des *harems*. Le consul hollandais fut taillé en pièces et son homologue américain blessé. Les diplomates français, russes et grecs, ainsi que plus d'un millier d'autres Européens, trouvèrent refuge dans la résidence familiale d'Abdelkader. Avec d'autres musulmans habitant à proximité des chrétiens, Abdelkader organisa une défense des artères stratégiques menant au quartier chrétien.

Au total, on estima le nombre des tués à huit mille hommes, femmes et enfants. Après les événements, des rapports diplomatiques indiquèrent que les provocateurs étaient des musulmans n'habitant pas Damas et des milices irrégulières. Les musulmans habitant près du quartier chrétien furent parmi ceux qui aidèrent à sauver des vies. Quand la spacieuse résidence d'Abdelkader commença à regorger de réfugiés, ses hommes escortèrent en armes des groupes de cinquante à soixante personnes jusqu'à la citadelle, où le gouverneur turc et son entourage attendaient la fin de l'orage. Il leur rappela leur devoir de musulmans et les obligea à prendre les chrétiens sous leur protection.

Abdelkader expliqua plus tard qu'il n'avait fait que son devoir, bien que beaucoup de Français ne l'aient pas cru : ils pensaient qu'il avait agi ainsi pour s'acquitter de la dette de reconnaissance envers Napoléon III, qui l'avait généreusement fait sortir de prison. Pour quelle autre raison un ancien ennemi de la France aurait-il sauvé des vies chrétiennes ? Ceux qui s'interrogeaient de la sorte ignoraient qu'Abdelkader n'avait fait que mettre en pratique les paroles du Prophète, qu'il connaissait par cœur : « Celui d'entre vous qui voit une chose répréhensible, qu'il la redresse de sa main ; s'il ne le peut, que ce soit en usant du langage ; s'il ne le peut, que ce soit en la réprouvant dans son for intérieur. C'est là le moins qu'on puisse exiger de la foi ! »

Malgré les murmures des cyniques et l'incompréhension des incroyants, Abdelkader fut crédité du sauvetage de quelque dix ou douze mille personnes de diverses nationalités. La France lui décerna la Légion d'honneur. Les gouvernements d'Angleterre, d'Espagne, de Grèce, de Prusse, de Russie, des États-Unis, et le Vatican exprimèrent tous leur gratitude à l'émir par des cadeaux et des décorations. La loge maçonnique française Henri IV envoya une lettre à l'émir, déclarant : « La franc-maçonnerie, qui a pour principe l'existence de Dieu et l'immortalité de l'âme, et pour base de ses actes l'amour de l'humanité, la pratique de la tolérance et de la fraternité universelle, ne pouvait assister sans émotion au grand spectacle que vous donnez au monde. Elle reconnaît, elle revendique comme un de ses enfants (par la communion d'idées tout au moins) l'homme qui, sans ostentation et d'inspiration première, met si bien en pratique sa sublime devise : "Un pour tous". » Mais la lettre qui le toucha le plus vint d'un de ses coreligionnaires, dont le sort ressemblait au sien. Mohammed Chamyl, exilé en Russie après avoir passé des années à défendre sa Tchétchénie natale dans le Caucase, écrivit : « Lorsque mon oreille a été frappée de ce qui est détestable à l'ouïe, et odieux à la nature humaine – je fais allusion aux événements récemment arrivés à Damas entre les musulmans et les chrétiens, dans lesquels les premiers ont étalé une conduite indigne des sectateurs de l'islam, et qui ne peut que conduire à toutes sortes d'excès – un voile s'est abattu sur mon âme [...]. Que Dieu soit loué, qui a revêtu son serviteur de force et de foi ! Nous voulons parler de l'ami sincère et véritable, Abdelkader le juste. [...] Salut à toi ! »

Cinq années plus tard, en 1865, la France envisageait la création d'un poste de vice-roi pour son protectorat syrien. Napoléon III voulait savoir si Abdelkader accepterait cette fonction. La proposition était controversée. Beaucoup des conseillers de l'empereur étaient opposés à toute action susceptible de rehausser le prestige de l'islam. Sous l'autorité d'Abdelkader, il risquait de retrouver sa vigueur première. L'interprète personnel de l'Émir en France, M. Bullad, l'avait souvent entendu dire : « La religion de l'islam se meurt, faute de musulmans, de musulmans véritables. » Mais les conseillers de Napoléon n'avaient rien à craindre. Abdelkader répondit à un émissaire envoyé pour sonder ses intentions : « Je considère que ma vie politique est terminée et je veux consacrer les jours qui me restent à vivre dans la prière, l'étude et la méditation. »

Sa méditation et sa réflexion avaient déjà abouti à un document adressé à la France en 1858, qui n'avait pas manqué d'embarrasser ses hommes de lettres. Il y avait écrit des choses dont les Français ne voulaient pas entendre parler, spécialement de la part d'un Arabe qui avait été vaincu, même s'il avait impressionné, titillé, et amusé les salons parisiens. C'était la France de la devise « Enrichissez-vous ! » de Guizot, qui, au milieu du siècle, n'avait rien trouvé de mieux à recommander à ses compatriotes. La France était, aux dires de Balzac, une société dont les « dents » et les « griffes » avaient la couleur du sang. De fait, la société bourgeoise libérale post-napoléonienne était excessivement matérialiste. Le positivisme y régnait en maître. La science et la technologie étaient les clés du progrès et les sources de toute lumière pour l'esprit humain, soutenues par l'argent. C'était surtout une question d'argent.

Abdelkader savait qu'il était méprisé par ses détracteurs et considéré comme un simple « berger ». Néanmoins, il écrivit une lettre exprimant son amour de la France ainsi que sa préoccupation concernant son âme et, par extension, celle de l'Occident, une lettre à laquelle il donna ce titre explicite : « Rappel à l'intelligent et avertissement à l'insouciant ». Dans la préface de cette missive de quarante pages, il écrivit :

Sachez que l'homme intelligent doit considérer la parole et non la personne qui l'a dite. Car, si cette parole est une vérité, il doit l'accueillir, celui qui l'a dite fût-il réputé grave ou frivole. L'or s'extrait du sable, le narcisse de l'oignon, la thériaque des serpents et la rose des épines.

L'intelligent connaît les hommes par la vérité, et non la vérité par les hommes; car la parole du sage est errante, et l'intelligent la prend de tout homme chez lequel il la trouve, humble ou élevé.

Sensible aux idées de Platon, Abdelkader savait que la vérité existait de manière indépendante, *dans* le monde matériel sans être *de* ce monde. Il espérait que ses paroles trouveraient un écho en France, mais elles furent discrètement rangées dans le tiroir de l'oubli. Sa lettre n'était pas rédigée à la manière d'un argumentaire. Elle ne proposait aucune idéologie au sens moderne du terme. Elle était écrite comme par un vieil oncle sage et bienveillant.

Dans la vision du monde d'Abdelkader, la politique, la religion et la science devaient travailler de concert pour servir un seul et même objectif : rendre gloire à Dieu. La politique était l'art de conduire les hommes à vivre en harmonie les uns avec les autres. La religion fournissait le fondement moral de valeurs partagées pour les aider à vivre ensemble, unis par la reconnaissance d'une origine commune en Dieu. La connaissance, si elle explorait la réalité au-delà du monde matériel, devait conduire l'humanité à saisir l'unité fondamentale du genre humain.

Abdelkader était admiratif devant la technologie moderne qu'il avait découverte en France. Les savants français possédaient un impressionnant « esprit d'application pratique ». Mais il se demandait où était leur « esprit de spéculation métaphysique », qui leur permettrait d'aller au-delà des limites étroites de la réalité observable pour atteindre à une science vraiment digne de ce nom, qui serait au service des besoins les plus intimes de l'homme et répondrait aux aspirations de son âme. « Si l'esprit est sain, il ne peut que prendre plaisir à la connaissance. S'il est malade à la suite de mauvaises habitudes, il prendra plaisir en d'autres choses que la connaissance, exactement comme certaines personnes prennent plaisir à manger de la boue ou une personne malade ne peut pas goûter la douceur du miel. »

Si l'Occident voulait dominer le monde – et il semblait en avoir les moyens matériels – possédait-il la sagesse nécessaire pour y parvenir ? Il pourrait profiter d'occasions fournies par la puissance dont il bénéficiait en ce moment de l'histoire, mais avait-il la capacité de prévoir les conséquences qui risquaient de le poursuivre longtemps, lui et le reste du monde, s'il n'avançait pas humblement et prudemment ? Ces questions étaient soulevées avec tact dans sa lettre aux Français.

Abdelkader n'était pas opposé au progrès. Il était ouvert à la modernité, pour autant que ses différentes composantes – « technologie », « démocratie » ou « capitalisme » – ne soient pas élevées au rang de principes divins et transformées en autant d'idoles exigeant la soumission de cultures qui voulaient rester différentes. La richesse résidait précisément dans la différence : se découvrir et progresser soi-même nécessitait de rencontrer l'autre dans son altérité.

Sa lettre traitait aussi des relations entre chrétiens et musulmans : « Si les musulmans et les chrétiens m'écoutaient, je ferais cesser leur antagonisme et ils deviendraient frères à l'intérieur et à l'extérieur. » Abdelkader pensait que le seul lien qui pouvait unir une communauté était celui qui se fondait sur ses intérêts à la fois matériels et spirituels. En 1840, chrétiens et musulmans avaient eu une occasion de construire quelque chose ensemble. « Ils ne m'ont pas écouté. La sagesse divine décida qu'ils ne seraient pas unis en une seule foi. Ce n'est que lorsque le Messie reviendra que cesseront leurs différences. Mais il ne les rassemblera pas par la Parole, même s'il a ressuscité les morts et guéri les aveugles et les lépreux. Il ne les rassemblera que par l'épée et un combat jusqu'à la mort. »

Il paraissait pessimiste, affirmant que les hommes devraient d'abord s'entre-tuer avant de pouvoir s'entendre. Il fallut les cendres et la boucherie du conflit de 1914-1918, avec son prolongement dans la Deuxième guerre mondiale, pour que l'Europe ouvre enfin les yeux et décide de se doter des structures nécessaires pour lui épargner un nouveau conflit fratricide. Était-ce une coïncidence si les personnalités les plus engagées dans la création de la Communauté européenne du charbon et de l'acier, qui conduisit à l'Union européenne, étaient des hommes profondément religieux et adeptes d'une politique de réconciliation : Jean Monnet et Robert Schuman en France, le Belge Paul-Henri Spaak et l'Italien Alcide de Gasperi, dont les efforts conjoints furent menés à leur terme grâce à l'aide cruciale de Konrad Adenauer et de Charles de Gaulle?

Cependant, Abdelkader fit la proposition suivante : « Si venait me trouver celui qui veut connaître la voie de la vérité, je le conduirais sans peine jusqu'à la voie de la vérité, non en le poussant à adopter mes idées, mais en faisant simplement apparaître la vérité à ses yeux de telle sorte qu'il ne puisse pas ne pas la reconnaître. » Chaque société, poursuivait-il, doit évoluer selon ses propres rythmes intérieurs. Comme le grand penseur politique anglo-irlandais Edmund Burke, il était convaincu que le chemin de la vérité ne pouvait être qu'un chemin de prudence.

« L'homme ne voit pas l'objet qu'il a devant les yeux, s'il n'y porte pas son attention par de vifs mouvements; et l'esprit qui ne se meut pas non plus d'une perception à l'autre ne saisit pas la vérité », écrivit-il. L'émir n'évoquait-il pas le processus de questionnement continuel qui évite de rester figé dans une définition statique de soi-même ou de sa foi ? Les soufis comparent l'islam à une rivière. Les rivières sont comme la vie : dynamiques, creusant et modifiant le paysage, charriant des éléments nouveaux et en laissant d'autres derrière elles.

Qu'est-ce qu'être chrétien ou musulman ? Christian de Chergé pensait que la vie contemplative exigeait de repousser les frontières toujours plus loin, d'accepter constamment de se redéfinir et de se remettre en question, d'être prêt à partir, comme Abraham, vers des terres inconnues. C'est ce qu'Abdelkader appelait une « attention par de vifs mouvements » : l'esprit devait scruter les différentes idées et les différents concepts qui s'offraient à lui pour trouver des vérités plus profondes qui, à la fois, dérangent et unifient.

Abdelkader mourut le 25 mai 1883 et fut inhumé à Damas. Sa dépouille fut rapatriée en Algérie en 1963, un an après l'indépendance. La France ne pouvait plus s'opposer à son retour.

Le cimetière El-Alia se trouve à plusieurs kilomètres à l'est du centre d'Alger et figurait sur la liste des endroits à voir durant ma visite. Abdelkader y repose. En 1992, le cimetière avait aussi été le terme d'une procession pour les Algériens en deuil, qui, dans la chaleur étouffante du mois de juillet, avaient suivi le cortège funéraire du Président Boudiaf.

Mon chauffeur, Mohammed, fut prié par un garde de garer sa voiture à l'entrée : il nous faudrait entrer à pied dans l'enceinte, par une allée bordée d'arbres. Mohammed m'avait été recommandé par Mgr Teissier : il connaissait bien les rues d'Alger et il parlait couramment le français. Il avait probablement entre cinquante et soixante ans, avec ses touffes de cheveux gris de chaque côté d'un crâne chauve, et portait des lunettes de lecture qui lui donnaient l'allure d'un vieux professeur. C'était sa première visite au cimetière.

Nous accédâmes à une petite esplanade où il y avait trois

pierres tombales, dont deux étaient identiques, effritées et hautes de 1,5 mètre, comme de gigantesques spatules. Mohammed demanda à un passant à qui chacun des monuments était dédié. À ce moment-là, je compris pourquoi il préférait parcourir les journaux francophones quand il m'attendait dans sa vieille Lada russe pendant que j'appelais ma famille depuis mon hôtel à Alger : il ne savait pas lire l'arabe.

La tombe de Mohammed Boudiaf était tout à gauche, sa pierre tombale parfaite sœur jumelle de celle de Houari Boumédiène. Légèrement à l'écart des deux anciens présidents se trouvait le sarcophage en marbre d'Abdelkader. Il était placé devant une stèle de forme comparable, quoique la sienne se distinguât des deux autres par son sommet plus large et sa base plus étroite, comme le torse d'un athlète de l'Antiquité gréco-romaine. Cette partie du cimetière était bien entretenue et les tombes correctement alignées, comme il se doit pour les sépultures de notables.

Le reste du cimetière n'était qu'un chaos de tombes laissées à l'abandon : des stèles couchées dans tous les sens jonchaient le sol poussiéreux, au milieu des mauvaises herbes. Une croix ou une étoile de David signalaient des sépultures chrétiennes ou juives. Dans une autre partie d'El-Alia se trouvait une concession bien entretenue réservée aux soldats du Commonwealth tués pendant la Seconde guerre mondiale; un peu plus loin, dans un endroit envahi par de nouvelles habitations et des amas d'ordures, se trouvaient d'autres tombes musulmanes. Comparés aux chrétiens et aux juifs, les musulmans avaient de plus petites sépultures, avec deux stèles, comme les panneaux de bois aux deux extrémités d'un berceau.

Le cimetière semblait représenter l'Algérie : une maison en désordre ayant abrité beaucoup de peuples désorientés et mélangés au cours des siècles. À qui appartiendrait-elle à l'avenir? La mort des moines et de 100 000 Algériens était la conséquence d'un conflit aux racines très profondes, toujours d'actualité, autour de la question de l'héritage. L'Algérie est une maison remplie de fantômes, de souvenirs refoulés et d'ancêtres qui éveillent des sentiments contradictoires. Les Algériens se demandent encore aujourd'hui qui ils sont.

Certains considèrent leur pays comme une société méditerranéenne, produit d'une riche accumulation de sédiments culturels successifs. À la base de leur géologie culturelle se trouvent les Berbères, dont l'ethnie s'est répandue partout en Afrique du Nord. Au cours des siècles, leur sang s'est mêlé à celui des nouveaux arrivants, Phéniciens, Romains, Vandales, Byzantins, Arabes, Turcs, Juifs et Espagnols, pour terminer avec un mélange éclectique de colons « français » venus des quatre coins de l'Europe. À l'intérieur de cette maison algérienne pluriculturelle, deux envahisseurs se distinguent aujourd'hui : les occupants arabes et le fantôme français. Les Arabes vinrent pour libérer les Berbères des ténèbres de l'incroyance, et les Français pour sortir les Arabes barbares de la paresse et du sous-développement. Tous les deux sont enlacés dans une étreinte d'où ni l'un ni l'autre ne peut, ni ne veut, se dégager.

La France est très présente en esprit. Les enseignes des magasins sont toujours en français après trente ans d'arabisation. Les journaux importants sont aussi en français. Les snacks sont toujours remplis de croissants et de mille-feuilles – ainsi que de pizzas, de hamburgers et de *m'hajeb,* une crêpe épicée du Maghreb. Une grande partie du droit civil et pénal est d'inspiration française, greffée sur le droit musulman. Pour les tenants de l'identité méditerranéenne composite, l'héritage français fait tout simplement partie d'une histoire familiale complexe.

Toutefois, la France suscite encore, chez les Algériens, des sentiments passionnés, d'amour et de haine. C'est pourquoi d'autres considèrent l'Algérie comme un pays musulman et arabe, qui s'oppose au passé colonial, fait d'inégalité et d'humiliation. Mais quelle est la place réservée aux Berbères dans ce cadre monoculturel ? Et celle des Européens ? En outre, se pose une question encore plus difficile : qui est vraiment musulman ? Un musulman, par définition, est quelqu'un qui soumet sa volonté à celle de Dieu. À travers cette soumission, il peut trouver la paix intérieure nécessaire pour vivre harmonieusement avec son prochain. Un musulman incroyant est une contradiction dans les termes. Que dire des croyants non pratiquants ? Sont-ils encore musulmans ? Quel est le degré d'observance requis pour plaire à Dieu ? Qui peut répondre à la place de Dieu ?

Au sein du courant arabo-musulman, les islamistes veulent que l'Algérie possède non seulement une identité musulmane mais aussi qu'elle soit une société musulmane gouvernée par la loi islamique. Comment pourrait-il en aller autrement, se plaisent-ils à faire observer ? Se soumettre veut dire observer la loi de Dieu telle qu'elle fut révélée à ses envoyés, Abraham, Moïse, David, Jésus et Mahomet. Mais si, comme l'affirme le Coran, il ne doit y avoir « aucune contrainte en religion », comment peut-on imposer la soumission à la loi ? Les islamistes sont divisés quant aux méthodes et aux interprétations de celle-ci. Cependant, ils sont unis dans leur conviction qu'un gouvernement tire sa légitimité de Dieu, et que la justice vient de l'observance de ses commandements.

L'ambassadeur des États-Unis à Alger, Cameron Hume, m'expliqua cette dichotomie entre une perspective méditerranéenne essentiellement pluraliste et une vision du monde arabo-musulmane largement monoculturelle, lorsque je lui rendis visite dans sa magnifique demeure au cœur du domaine de l'ambassade américaine, sur les hauteurs d'El-Biar. Sa description des forces en présence offrait une approche séduisante pour comprendre le jeu politique algérien. Entre les lignes, on pouvait deviner que le modèle méditerranéen était pluriel et ouvert, tandis que le système arabo-musulman était fermé, monolithique et moins tolérant.

Cependant, comme tous les efforts visant à réduire la réalité à des schémas ou des catégories, l'analyse ne résistait pas à mes rencontres avec des personnes en chair et en os. Il y a, par exemple, Lynda Tamdrari, une journaliste à la radio, humoriste et musicienne. Elle a entre trente et quarante ans, porte des robes à la mode, sans manches, qui s'arrêtent juste au-dessus des genoux. Elle est du nombre des femmes – un tiers – qui ne portent pas le voile dans les rues d'Alger. Lynda se considère profondément croyante et observe scrupuleusement le jeûne pendant le *ramadan*. Elle milite au Rassemblement pour la culture et la démocratie (RCD), parti francophone dont la base est en Kabylie. Le parti, qui se dit libéral, est farouchement hostile au FIS, et anti-islamiste. Elle croit en la séparation de la religion et de l'État et se préparait à partir pour Rome afin de participer à une rencontre sur le dialogue interreligieux, mais elle ne veut pas entendre parler d'un dialogue avec le FIS, et elle se méfie beaucoup du Hamas.

De même, où se situe Louisa Hanoune dans ce paysage bipolaire de l'Algérie ? Militante de gauche à la tête du Parti des travailleurs algériens, elle défend le droit du FIS à exister et condamne sans ambages le coup d'État de 1992 qui a privé les islamistes de leur victoire électorale. Cela a été une « catastrophe », estime-t-elle dans une série d'entretiens publiée en 1996 : « C'était comme jeter une allumette dans un puits de pétrole. Comme dans tous les pays du monde, la haine est née chez nous de l'injustice et de l'humiliation. » Les élections, souligne-t-elle, représentaient la reconquête de l'Algérie par ses citoyens : un désir irrésistible de l'électorat de se débarrasser de trente années de gouvernement autoritaire, arbitraire et inefficace.

Mme Hanoune jouit d'une grande estime parmi les islamistes et les musulmans religieux dans le monde arabe. Ils apprécient son intégrité et son respect du droit des partis religieux à participer au processus politique, même quand elle désapprouve leurs positions. Prétendre, comme le font beaucoup d'intellectuels libéraux, que l'Algérie doit choisir entre « deux visions de la société », l'une démocratique et l'autre islamiste, est, à ses yeux, une imposture qui ne sert que les intérêts du gouvernement en place. « La société algérienne, insiste-t-elle, est trop complexe pour être réduite à de tels simplismes. C'est pour le pouvoir que les gens se battent. »

C'est un État autoritaire et arbitraire qui utilise la religion pour consolider son pouvoir, une tactique qui lui a coûté cher. « Il n'y a jamais eu de démocratie en Algérie, ni de fondements républicains à défendre. [...] Ils ont déclaré en substance que les Algériens n'étaient pas mûrs pour la démocratie, que c'étaient des analphabètes, des imbéciles et qu'ils ne savaient pas voter, qu'ils méritaient le populisme, etc. Ces partis qui se présentent comme l'avant-garde démocratique de l'Algérie d'aujourd'hui ne se sont pas tournés vers la société pour défendre leur projet, non, ils se sont tournés vers ceux qui venaient d'être rejetés sans l'ombre d'un doute par l'écrasante majorité des électeurs. [...] Pour moi, la démocratie ne consiste pas à choisir les bonnes victimes de la répression mais à mettre en place les institutions qui garantiront à chacun le droit de s'exprimer et le devoir de respecter l'autre. »

Louisa Hanoune défie tous les clichés. Elle est la seule femme à diriger un parti politique dans le monde arabe. Elle milite pour la défense des droits de la femme et continue de dénoncer l'interdiction du FIS. Pour les Algériens et l'opinion publique musulmane, elle incarne le courage d'une opposante à l'injustice gouvernementale.

Ensuite, il y a Aïssa Benlakhdar. C'est lui qui a succédé à Mohammed Bouslimânî, l'ancien président de l'*Irchâd wa-Islâh*, l'association philanthropique du Hamas. Aujourd'hui, le Hamas détient trois des trente ministères dans le gouvernement d'Abdelaziz Bouteflika. M. Benlakhdar pense que la *charî'a* devrait être utilisée pour gouverner une société musulmane, mais il reconnaît que son interprétation n'est pas facile – ce qui explique qu'il y ait quatre écoles juridiques dans le monde musulman, qui empruntent les unes aux autres. Il applaudit au fait que les *fatwâs* en Algérie ne sont plus émises par un seul *muftî* agréé, sauf pour les affaires concernant des questions mineures de définition des rites. La société est trop complexe pour qu'une décision de justice soit rendue par une seule personne, aussi avisée soit-elle. Le Haut conseil islamique, constitué d'autorités religieuses et civiles, statue sur de grands sujets comme l'avortement ou le droit des femmes dans le divorce et le mariage.

Aïssa pense que la démocratie et l'islam sont compatibles. « C'est exactement comme vous, aux États-Unis, qui avez une constitution écrite : vous êtes libres de voter des lois qui ne contredisent pas la constitution telle qu'elle est interprétée par votre Cour suprême [74]. Nous pouvons avoir un processus similaire dans lequel les lois sont votées mais devraient aussi passer le test de leur constitutionnalité. Seulement, notre Cour suprême serait composée de spécialistes en droit religieux. Leur constitution serait le Coran, qui est une déclaration générale de valeurs et de recommandations pour organiser la vie sociale, complétée par la *sunna* et les *hadîths*. La manière dont le Prophète a vécu et les choses qu'il a dites nous aident à interpréter la loi tous les jours – comme votre jurisprudence. » Il aurait aussi pu comparer ce processus à l'interprétation que font les moines de la Règle de saint Benoît, qui est fondée sur les enseignements de Jésus-Christ. Aïssa est d'ailleurs le nom arabe de Jésus.

La fresque de la coupole de Notre-Dame d'Afrique semblait fort à-propos. J'avais emmené deux connaissances algériennes voir la basilique. Nasser, un jeune homme d'une trentaine d'années, travaillait dans une maison d'édition publique et m'avait un jour aidé à trouver un taxi. Son désir naturel de rendre service à un étranger un peu perdu se trouva renforcé quand il apprit que j'étais américain. Son ami Mohammed importait des équipements pour fabriquer les pâtes. Ni l'un ni l'autre n'étaient jamais entrés dans l'église. Amédée vivait à côté de la basilique, dans l'ancienne résidence du cardinal Duval, et nous gratifia aimablement d'une visite guidée.

Tandis que nous regardions la fresque, Amédée nous expliqua que le petit garçon sur la plage avec un seau et une pelle illustrait un épisode de la vie de saint Augustin. Ce dernier observait l'enfant qui essayait de remplir d'eau le trou qu'il venait de creuser dans le sable. On raconte que saint Augustin lui aurait adressé la parole en ces termes : « Ne sais-tu pas que tu ne pourras jamais

(74) La Cour suprême, aux États-Unis, est l'équivalent du Conseil constitutionnel sous la Vᵉ République française [NDT].

remplir ce trou ? » Et le garçon avait répondu : « Je remplirai d'eau ce trou avant que tu ne remplisses ta tête avec l'idée de Dieu. »

À l'extérieur de la basilique, dans l'éclatante lumière du jour, des moutons dormaient sur les marches et broutaient les touffes d'herbe qui avaient poussé entre les dalles carrées de l'esplanade surplombant la Méditerranée. Il y avait les habituels policiers en faction, autour de l'église, pour dissuader les terroristes de profaner le lieu ou d'attaquer les visiteurs. L'un d'entre eux se tenait debout sous un palmier, et semblait particulièrement amical.

Nasser me présenta fièrement comme étant américain. Je demandai au policier quel genre d'équipement il portait. Il possédait un pistolet Beretta et un AK-47. Son talkie-walkie était fabriqué par Motorola et son uniforme bleu, avec sa fermeture éclair caractéristique, était le même que celui que portait la police nationale française. Ses bottes étaient algériennes, m'assura-t-il en souriant. Il accepta de poser pour une photo avec Mohammed et Nasser devant la statue du cardinal Lavigerie, dont le bras levé était toujours réduit à l'état de moignon. Un policier musulman posant devant un « croisé » chrétien, portant un uniforme français bardé de matériel italien, russe et américain, voilà qui ne manquait pas d'intérêt à mes yeux : le flic mondialisé! Mais peut-il vraiment y avoir une « communauté mondiale »? N'est-ce pas un oxymore, comme le serait un « musulman athée »? Les tribus sont planétaires maintenant : tribus des forces de l'ordre, des scientifiques, des militants des droits de l'homme, des firmes multinationales, des trafiquants de drogue. Mais ces tribus planétaires créent-elles une communauté mondiale?

Les communautés sont censées être des lieux d'intimité, de chaleur humaine et de relations constructives. Quand deux ou trois personnes sont réunies au nom du Christ, dit l'Évangile, il y a déjà une communauté de croyants. Au Moyen Âge, les monastères qui atteignaient la taille de 500 moines se séparaient d'un petit groupe qui partait réaliser une fondation ailleurs. Un ensemble dépassant 500 frères ne pouvait plus constituer une véritable communauté.

De même, notre planète est trop vaste pour fournir de la chaleur humaine et de l'intimité. Plus nous entrons en communication avec ceux qui sont loin de nous, plus nous semblons nous déconnecter de ceux qui nous sont les plus proches. Internet aura-t-il le même effet sur la planète que le téléphone sur les Français en Algérie ?

Lorsque le téléphone fut introduit en Algérie, le Bureau des affaires arabes de l'armée française devint paresseux. Ce Bureau avait la responsabilité de maintenir de bonnes relations avec les indigènes et de savoir ce qui se passait dans les villages. Traditionnellement, la mission avait été assurée par des officiers qui se rendaient à cheval au *bled,* pour plusieurs semaines, rendant visite aux uns et aux autres, sirotant le thé avec les chefs des villages pendant de longues heures, et forgeant de vraies relations personnelles. Mais le téléphone dispensa l'armée de ces fastidieuses et dangereuses excursions dans la chaleur de l'arrière-pays, desserrant ainsi les liens que seul l'effort et les conversations face à face pouvaient patiemment tisser. On pensait qu'il était plus efficace de donner un coup de fil, d'avoir un petit entretien téléphonique, et qu'ainsi les officiers pouvaient économiser du temps.

Si les moines du Moyen Âge avaient raison de penser qu'une communauté doit rester, par définition, relativement petite, comment un groupe peut-il maintenir un sentiment d'identité sans tomber dans le travers de la « consanguinité » et se refermer sur lui-même, devenant ainsi « nombriliste », comme le disait l'abbé Scotto de l'Église quand elle était privée des défis d'une coexistence avec d'autres traditions religieuses ? Par ailleurs, comment une communauté devient-elle ouverte au changement et aux mutations sans brouiller son identité et perdre de vue ce qui, en elle, vaut la peine d'être préservé ? L'abbé général des frères de Tibhirine, Bernardo Olivera, leur avait demandé d'approfondir leur propre identité de chrétiens afin de poursuivre le chemin du partage spirituel et de l'ouverture. Les moines avaient trouvé que leur identité de chrétiens, loin d'être menacée, avait, au contraire, été renforcée par le fait d'avoir été témoins du message d'amour universel vécu par certains musulmans. Tibhirine était devenu un cloître ouvert à tous, source d'amour pour tous, et aimé de tous.

Je déambulai autour de l'esplanade, admirant la vue sur la Méditerranée depuis le sommet des escarpements qui descendent au vieux cimetière chrétien, dans l'ancien quartier Saint-Eugène. Je repensais à la prédiction de Mgr Duval sur son lit de mort, selon laquelle l'Algérie étonnerait le monde. Il est certain que ce pays m'avait surpris.

Le fait qu'un gouvernement musulman ait honoré la mémoire du cardinal Duval et de sept moines trappistes « insignifiants » par des funérailles nationales n'est-il pas le commencement de quelque chose de nouveau – au moins aux yeux d'une grande partie du monde occidental, si accoutumé à penser que les musulmans sont de violents fanatiques en guerre contre les valeurs dites occidentales ? Pourtant, que sont ces valeurs morales occidentales sinon des valeurs judéo-chrétiennes qui virent le jour dans les déserts du Proche-Orient et auxquelles les musulmans adhèrent ?

Pour ceux qui considèrent le christianisme avec un certain cynisme, n'est-il pas déconcertant que l'Algérie abrite une minuscule communauté chrétienne témoignant d'un message d'amour universel, en se mettant au service des musulmans et en vivant avec eux une véritable amitié, jusqu'à la mort ? Je fus interloqué quand Mgr Teissier m'expliqua que, dans les années 1970, de hauts responsables avaient demandé aux Sœurs libanaises d'enseigner le Coran à leurs femmes. Quel extraordinaire signe de bonne volonté et de confiance envers des représentantes d'une religion sœur ! Ou bien le geste n'était-il pas plutôt révélateur de la conviction du Président Boumédiène que les valeurs musulmanes et chrétiennes, sincèrement pratiquées, étaient fondamentalement les mêmes ? En tout cas, en pleine campagne d'islamisation et d'arabisation, il avait autorisé la formation d'âmes musulmanes par des religieuses libanaises.

Un professeur à l'Université d'Alger, qui souhaite rester anonyme, fit la prédiction suivante, après la mort des moines : « Un jour, ces sept moines seront considérés comme des saints par les musulmans, les chrétiens et les juifs. »

Oui, au terme de toutes ces horreurs, l'Algérie pourrait bien étonner le monde.

ÉPILOGUE

L'histoire des moines se poursuit sur plusieurs plans. Mohammed fut relâché après huit mois de détention, pendant lesquels les trappistes continuèrent à payer son salaire de gardien, responsabilité qu'il assuma à nouveau à sa sortie de prison. Sa libération fut célébrée par un énorme couscous festif au monastère, auquel se rendit le petit groupe de moines qui étaient provisoirement logés à Alger, accompagnés de Mgr Teissier, de Gilles Nicolas et de Robert Fouquez, qui retrouvèrent toute sa famille et de nombreux voisins.

L'avocat de Mohammed avait finalement convaincu le juge qu'il avait effectivement été possible d'échapper aux terroristes le soir de l'enlèvement. Pour cela, il avait fait comparaître un témoin qui avait réussi lui-même cet exploit. Il faisait partie des quelques paysans alentours dont on savait que les familles désapprouvaient la manière dont Djamel Zitouni menait son combat, et qui avaient été kidnappés deux jours avant les moines. Les otages avaient été emmenés dans un bâtiment de la campagne environnante, où certains d'entre eux avaient été mis à part et torturés, à l'abri des regards, mais suffisamment près pour que les autres puissent tout entendre. Parmi ces derniers, un homme et ses deux fils avaient décidé de s'échapper la nuit suivante. Ils avaient aussitôt été pourchassés par leurs ravisseurs. Le père avait été capturé à nouveau et tué, mais l'un de ses fils était parvenu à se cacher et avait finalement réussi à prendre le large. Durant le procès, on avait insisté sur le fait que les terroristes étaient d'une autre région.

L'avocat du gardien de Tibhirine avait réussi à présenter cette histoire comme une preuve formelle qu'il était possible d'échapper à des ravisseurs à la faveur de la nuit, surtout si ces derniers étaient des étrangers, sans connaissance de la région. Incidemment, le témoin avait signalé qu'il avait entendu la voix des moines. Selon lui, ils avaient été brièvement détenus au même endroit.

Après la libération de Mohammed, un nouveau frère, Jean-Michel [75], de Notre-Dame de Tamié, rejoignit les cinq moines logeant à Alger. Comme les autres, il s'exerça à la patience jusqu'à ce que la perspective d'un retour à Tibhirine soit finalement abandonnée par l'Ordre. Entre-temps, une famille de quatre personnes avait été massacrée dans le secteur durant l'été 2000, sans que l'on parvienne à élucider les raisons du crime ou à en retrouver les auteurs. Le ministère de l'Intérieur, responsable de la sécurité des moines, ne fut jamais en mesure de dire quand ces derniers seraient autorisés à réoccuper le monastère [76]. Des assassinats continuèrent

---

(75) Jean-Michel Beulin a finalement rejoint, en janvier 2001, la Fraternité Saint-Paul, petite communauté d'inspiration monastique, créée en 1997 dans les quartiers Nord de Marseille (*http://perso.wanadoo.fr/frat.st.paul/Menu.htm*). Il a pu ainsi demeurer en Algérie, malgré un incident étonnant survenu le 21 mai 2003. En effet, le soir même du septième anniversaire de la mort des moines de Tibhirine, eut lieu un violent séisme dans la localité où il réside. Jean-Michel aurait dû être dans sa chambre à cette heure-là, mais un coup de téléphone d'un villageois de Tibhirine l'obligea à quitter cette pièce quelques minutes avant qu'elle ne disparaisse sous les décombres. Sans ce coup de fil providentiel, Jean-Michel aurait péri dans le tremblement de terre, car le toit était tombé sur son lit et il ne restait plus qu'un trou béant à la place de sa chambre, dont le plancher était descendu d'un étage [NDT].
(76) La « cellule » d'Aiguebelle qui devait retourner à Tibhirine fut dissoute en 2001. Père Amédée et père Jean-Pierre vivent désormais au Maroc, au sein de la communauté trappiste de Midelt, qui n'est autre que l'ancienne annexe de Tibhirine à Fès. Pour marquer cette continuité, le monastère fut officiellement rebaptisé « Notre-Dame de l'Atlas » dès le 5 juin 1996 par l'abbé général, Dom Bernardo [NDT].

d'être commis en certains lieux de la campagne environnante, et, pour la plupart, furent considérés, par le gouvernement, comme des actes résiduels de banditisme. Mais tout au long des années 2000 et 2001, il y eut une augmentation inquiétante du nombre d'incidents violents dans l'Oranais et dans les régions de Blida, Médéa et Jijel, où un nouveau groupe s'était formé, le Groupe *salafiste* pour la prédication et le combat (GSPC), rival du GIA. Certes, la « concorde civile » continua d'être mise en œuvre et les amnisties devinrent plus nombreuses. Pas moins de cinq mille repentis rendirent leurs armes à compter de l'automne 1999, date à laquelle le programme fut, pour la première fois, annoncé [77].

En juin 2000, le Président Bouteflika effectua une visite officielle en France, durant laquelle il s'adressa à l'Assemblée Nationale. Il évoqua d'abord les conséquences de l'héritage colonial et la figure de l'Émir Abdelkader.

La colonisation, au siècle dernier, nous a ouverts à la modernité, mais c'était une modernité par effraction, une modernité imposée qui a engendré le doute et la frustration, tant il est vrai que la modernité se nie elle-même et se discrédite quand elle revêt le visage grimaçant de l'oppression et du rejet de l'autre.

La modernité à laquelle nous aspirons, monsieur le Président, et qui relève pour nous d'un impératif de survie, n'est pas, comme l'insinuent ses ennemis, un placage artificiel, un mimétisme servile dans les pensées et les comportements. [...] Assimiler l'esprit

---

(77) Le 29 septembre 2005, le Président Bouteflika donna une nouvelle impulsion à ce programme en organisant un référendum portant sur un projet de charte pour « la paix et la réconciliation nationale ». Plus de 97 % des électeurs algériens votèrent « oui ». Cette charte vise à poursuivre le désarmement des extrémistes impliqués dans les violences des années 1990, en proposant l'extinction des poursuites judiciaires pour une grande partie de ceux qui décideront de se rendre. Le projet prévoit également de remettre entre les mains de l'État seul les dossiers des personnes disparues, et l'indemnisation de leurs familles. Les associations des familles des victimes du terrorisme se montrèrent hostiles à ce projet et continuent d'exiger que les terroristes demandent publiquement pardon [NDT].

scientifique, prendre part à la course universelle pour le progrès humain et le progrès technologique qui, pour nous, ne sauraient être dissociés, présuppose l'éveil intégral de notre aptitude à l'exercice des libertés et à la revalorisation du principe de raison qui en est le complément naturel.

À l'évêque d'Alger, Mᵍʳ Dupuch, qui lui demandait les raisons pour lesquelles il prit, en juillet 1860, la défense des chrétiens à Damas, Abdelkader répondit en ces termes : « Ce que j'ai fait, je l'ai fait conformément aux obligations de ma foi et par respect pour les droits de l'humanité. » Abdelkader avait déjà, en son temps, une notion très claire et très moderne des droits de l'homme, qu'il ne dissociait guère de sa conception humaniste d'un islam tolérant et ouvert.

Le président algérien souligna l'importance de la coopération internationale dans la lutte contre le terrorisme. M. Bouteflika rappela les dangers de toute attitude d'indifférence face à une menace qui n'est pas confinée à une seule nation, et qui avait déjà touché la France. Il en profita pour saluer le rôle de l'Église d'Algérie.

La question du terrorisme, tel que celui qui sévit depuis une décennie en Algérie, n'est pas exclusive d'un pays et méritait un traitement plus global. [...]

Or qu'avions-nous constaté ? Une attitude d'indifférence, sinon de complaisance, et parfois de connivence, devant le déferlement d'un terrorisme s'en prenant indistinctement aux cadres et aux intellectuels, aux villageois innocents, aux ressortissants étrangers et aux hommes de religion, qu'ils soient musulmans ou chrétiens, comme en témoignent les meurtres de nombreux imams, l'assassinat de Mᵍʳ Claverie, évêque d'Oran, ou l'inqualifiable massacre de Tibhirine, véritable affront à l'Algérie, terre d'hospitalité, et à l'islam, religion de tolérance. Permettez-moi, ici, de rendre un hommage particulier à la rare abnégation dont l'Église d'Algérie a fait preuve, aux pires moments de la tourmente, en poursuivant, sans sourciller, sa mission de témoignage et de solidarité humaine dans mon pays.

ANNEXE A

COMMUNIQUÉ N° 43 DU GIA

ADRESSÉ

AU GOUVERNEMENT FRANÇAIS

Dieu dit : « Combattez ceux qui parmi les scripturaires ne croient pas Dieu et au Dernier jour et n'interdisent pas ce que Dieu et son messager ont interdit, et ne croient pas en la vraie religion, jusqu'à ce qu'ils paient le tribut, tout en étant humiliés » (Coran, Repentir, 29).

Il dit aussi : « Combattez tous les polythéistes comme ils vous combattent tous, et sachez que Dieu est avec ceux qui Le craignent » (Repentir, 36).

Le premier verset concerne les gens du Livre, parmi les juifs et les Nazaréens (chrétiens), et le second concerne tous les polythéistes. Dieu a ordonné aux croyants de tuer les mécréants, en commençant par les plus proches et ceux qui sont le plus dangereux et préjudiciables pour la religion et la vie des musulmans. Dieu a dit : « Ô croyants! Combattez parmi les mécréants ceux qui vous portent préjudice, et qui trouvent en vous une rudesse. Sachez que Dieu est avec ceux qui le craignent » (Repentir, 123).

C'est en s'appuyant sur ces enseignements que le GIA a tué les mécréants de souche de toute confession et ordonné à tout mécréant originel de quitter le pays. Il leur a donné, du temps de l'émirat de mon frère Saif Allâh Dja'far, un délai d'un mois pour le faire. Il a agi ensuite en suivant l'exemple du messager de Dieu, qui avait laissé un sursis de dix jours à la tribu de Bani Nossayr.

Le GIA les a privés de ce qu'ils croyaient avoir comme paix et comme sécurité. Il a autorisé de liquider ceux qui, parmi eux, se sont obstinés à rester sur notre sol. Certains ont respecté l'ordre donné et d'autres se sont entêtés. Alors les *moudjâhidines* ont commencé à les tuer par groupe ou individuellement. Ainsi d'autres, parmi eux, ont pris la fuite. Il ne restait que ceux qui ont jugé pertinente leur présence ici, afin de combattre l'islam et les musulmans. Parmi eux il y a des politiciens, des militaires, des évangélisateurs et tant d'autres. Dieu a dit : « Ils ne cesseront de vous combattre jusqu'à votre conversion à leur religion, s'ils peuvent » (Coran, La Vache, 217).

Le bon Dieu a aidé les *moudjâhidines* du GIA à tuer un grand nombre de mécréants originels, des juifs, des chrétiens, des polythéistes et des athées. Dieu les a également aidés, depuis plusieurs jours, à enlever sept moines évangélisateurs dans la région de Médéa, et qui sont à ce jour vivants et sains.

En annonçant, après plus de vingt jours, leur enlèvement, nous démontrons que ces impies [NDT : la junte au pouvoir], qui ne sont pas en mesure de se protéger eux-mêmes, sont également incapables de protéger les autres.

Durant les quelques jours passés – notamment depuis que les rangs ont commencé à être épurés des sectaires et des hérétiques –, les *moudjâhidines* ont réussi à faire subir de grandes pertes dans les rangs des impies, en les tuant ou en les blessant, dans plusieurs régions du pays.

À Laghouat, nos frères, les *moudjâhidines*, ont réussi à tuer plus de cent impies et à en prendre autant comme prisonniers. Ils ont fait tomber un hélicoptère. Il s'agit du troisième appareil abattu dans la région. À Médéa même – encerclée par les impies –, une embuscade a été tendue à un de leurs groupes, venu chercher les moines. Six pistolets-mitrailleurs ont été récupérés, et environ dix hommes tués. Les autres ont rebroussé chemin et se sont repliés, vaincus. Dieu a dit : « Si les impies qui vous combattent prennent la fuite, ils ne trouveront point de protecteurs. La loi de Dieu ne change pas et ne changera point » (Coran, al-Fath, 22-23).

Il faut noter que ces impies [NDT : les forces de l'ordre], après leur flagrant échec pour cerner toute la région où se trouvent les moines, à cause des actions et des coups portés par nos frères *moudjâhidines,* sont enclins à utiliser actuellement des bombardements avec des canons, des avions militaires et des hélicoptères, avec l'intention, pour le moins, de tuer les moines, après avoir perdu tout espoir de les retrouver vivants. Cela montre leur faiblesse et le relâchement de leurs forces, Dieu en soit remercié dès le début et jusqu'à la fin.

Ces orgueilleux moines prétendent que le Cheikh Abou Younes Attia, que Dieu ait son âme, leur a fait la promesse d'épargner leur vie et de leur accorder la sûreté. Mais aucun indice n'est disponible pour confirmer son acte. Néanmoins, il ne faut pas y croire, car aucun témoin ne peut en faire le serment. Même s'il avait fait cela, son acte est antinomique ou illicite, surtout qu'ils n'ont pas cessé d'appeler les musulmans à s'évangéliser, de mettre en exergue leurs slogans et leurs symboles et de commémorer solennellement leurs fêtes.

Tout cela indique une trahison, ainsi qu'il est prouvé par les oulémas qui ont interprété les conditions définies par l'émir des croyants, Omar Ibn al-Khatab [NDT : concernant la tolérance vis-à-vis des chrétiens en terre d'islam]. Cette promesse qu'ils évoquent, même si elle est authentique, ils en ont fait fi. C'est pourquoi ils sont devenus comme ceux qui combattent la religion de Dieu. Ainsi, ils méritent le sort des mécréants originels.

Une autre interprétation est faite par les hérétiques « algérianistes ». Ceux-ci ne considèrent pas comme légitime le meurtre des mécréants originels. Ils dénoncent un tel acte. Ils disent que ceux-ci sont des moines, et le moine ne doit pas être tué. Nous leur dirons qu'ils se trompent. Tout le monde sait que le moine qui se retire du monde pour se recueillir dans une cellule s'appelle chez les Nazaréens un ermite. C'est donc le meurtre de ces ermites qu'Abou Bakr al-Siddiq avait défendu. Mais si un tel moine sort de son ermitage et se mêle aux gens, son meurtre devient licite. C'est le cas de ces moines prisonniers qui ne sont pas coupés du monde. S'ils vivent avec les gens et les écartent du chemin divin en les incitant à s'évangéliser, leur grief est plus grave encore. Comme il est licite de combattre pour la religion de Dieu et des musulmans, il est aussi licite de leur [NDT : aux moines] appliquer ce qu'on applique aux mécréants originels lorsqu'ils sont des combattants prisonniers : le meurtre, l'esclavage ou l'échange avec des prisonniers musulmans, selon l'intérêt légal, ainsi que conformément aux recommandations publiées dans le n° 1 de la publication *Al-Tâ'ifa-al-Mansoura* (*La Communauté victorieuse*) de Cheikh Abou Abdallah Ahmed, que Dieu ait son âme.

Le GIA ne croit ni à un dialogue, ni à une trêve, ni à une réconciliation avec les impies. Pour cela, nous ne dialoguerons pas avec ces saletés et souillures infâmes. Mais nous adressons ce communiqué à la France et à son président Jacques Chirac. Nous leur disons : « Vos sept moines sont toujours en vie, sains et saufs. »

Comme il est de mon devoir et de celui de tous les musulmans de libérer nos prisonniers, conformément au hadîth « Libérez le souffrant », je vois qu'on peut échanger nos prisonniers avec les vôtres. Nous en avons une liste complète : d'abord, il faut libérer notre frère Abdelhak Layada, et puis nous mentionnerons les autres, si Dieu le veut.

Finalement, vous savez que le GIA respecte sa promesse et l'exécute. À titre d'exemple, nous mentionnons le cas de libération de l'ambassadeur du Yémen et de son homologue d'Oman en échange de la libération de feu le Cheikh Abou Abdallah Ahmed. L'autre exemple malheureux est illustré par les otages de l'Airbus d'Air France, où, devant l'entêtement de Mitterrand et Balladur, et leur obstination, le malheur est arrivé. Nos frères ont égorgé un bon nombre de passagers et en ont tué d'autres.

Avec la volonté de Dieu, nous sommes toujours sur la même voie. Vous avez le choix. Si vous libérez, nous libérerons, et si vous refusez, nous égorgerons.

Louanges à Dieu...

Jeudi 18 avril 1996
L'émir du GIA, Abou Abd al-Rahmân Amîn

ANNEXE B
GLOSSAIRE

Abbaye : monastère de plus de douze moines, par opposition aux fondations, plus petites, appelées prieurés ; certains monastères, comme Tibhirine, restent longtemps de petite taille et ont pour supérieur un prieur et non un abbé (les deux sont normalement élus par la communauté, sauf cas de supérieur *ad nutum,* cf. plus bas).

'Abâya *:* longue robe avec des manches, souvent noire, portée par des femmes avec un foulard sur la tête.

Ad nutum *:* nomination temporaire du supérieur d'un monastère « fille » par le supérieur de son monastère « mère » lorsqu'une communauté est trop petite pour élire elle-même son prieur (moins de six moines stabilisés) ou lorsqu'elle ne trouve pas en son sein de frère capable d'assumer cette charge.

AIS (Armée islamique du salut) : branche armée officielle du Front islamique du salut (FIS), créée en 1994 pour mener une guerre respectueuse des préceptes musulmans.

Alim (pl. oulémas) *:* mot arabe qui signifie « savant » et désigne un théologien de l'islam, interprète des lois du Coran.

ALN (Armée de libération nationale) : bras armé du FLN, qui mena la guerre d'indépendance et qui ne compta jamais plus de trente mille hommes.

Amân *:* engagement à ne pas agresser un non-musulman vivant en territoire musulman, lui assurant son intégrité physique et la sécurité de ses biens, généralement pour une période déterminée.

Arakia : calotte de dentelle blanche des islamistes.

Berbères : premiers habitants du Maghreb, dont les origines sont l'objet de débats entre spécialistes ; en Algérie, il y a quatre groupes de Berbères : les Kabyles, les Chaouias, les Touaregs et les Mozabites.

Beylek : territoire administré par le *bey,* ou gouverneur de province, sous l'empire ottoman.

Bled : arrière-pays et petits villages de campagne ; par extension, aujourd'hui, les Algériens de la diaspora utilisent le mot pour désigner leur pays (« c'est comme au *bled* », « retourner au *bled* »).

Burnous : manteau de laine à capuchon, généralement noir, blanc cassé ou marron.

Calife : titre donné aux successeurs de Mahomet, qui furent à la fois les chefs temporels et spirituels de la communauté musulmane, obligés toutefois de gouverner conformément à la *chari'a* telle qu'interprétée par les *oulémas* (cf. *alim*).

Cellérier : moine responsable de la gestion matérielle du monastère, sous l'autorité de l'abbé ou du prieur, dans l'esprit du chapitre 31 de la Règle de saint Benoît ; il est notamment responsable des finances, des besoins personnels des frères et de l'approvisionnement.

Chahâda : premier pilier de l'islam, ce « témoignage » permet à celui qui prononce la formule consacrée de devenir musulman : « J'atteste qu'il n'y a pas de dieu sauf Allâh et j'atteste que Mahomet est son Prophète. » C'est par cette formule que le croyant atteste qu'Allâh est unique, sans « associés », et qu'il lui porte une adoration exclusive en raison du *tawhid* (unicité de Dieu). En outre, il reconnaît que Mohamed Ibn Abdallah (Mahomet) est bien le « Messager d'Allâh » et qu'il est le « Sceau des Prophètes » ainsi que le porteur du dernier message divin : le Coran (cf. piliers de l'islam).

Chari'a : ce mot, qui signifie en arabe « fil conducteur dans la vie », est souvent traduit par l'expression « loi coranique ». La *charî'a* s'applique aux principaux domaines de l'activité humaine et réglemente juridiquement – quoique dans un esprit tourné vers les fins dernières – les devoirs envers Dieu et la société, qu'il s'agisse de la prière ou du jeûne, de la famille ou du droit pénal et international. La *charî'a* est fondée sur le Coran, la *sunna,* et les interprétations *(ijtihad)* des quatre grandes écoles juridiques musulmanes – hanafite, malékite, chaféite et hanbalite – qui ont consigné par écrit – au risque de la figer, selon certains commentateurs – la jurisprudence coranique dès le VIIIe siècle.

Cheikh (pl. *cheikhs ou chouyoukhs*) : nom respectueux donné au chef de famille, de clan ou de tribu dans les pays de culture arabe ; l'expression peut aussi désigner un chef religieux de haut rang qui prêche dans les mosquées.

Chiisme : le chiisme est l'un des deux grands courants de l'islam, qui se distingue du sunnisme en ce qu'il considère Ali, beau-frère de Mahomet et quatrième calife, comme le premier imam et successeur légitime du Prophète. Cette branche minoritaire exalte le martyre, et sa foi est plus mystique, messianique et passionnée. Pour les chiites, le rôle spirituel de l'imam se traduit par l'existence d'une hiérarchie religieuse qui ressemble beaucoup à un clergé. Historiquement, le chiisme a longtemps maintenu que le clergé musulman devait rester dans le rôle de critique et de commentateur du pouvoir, plutôt que d'y participer lui-même, en raison des risques de corruption. Ce qui arriva en Iran, où la révolution khomeyniste renversa le régime du chah en 1979, fait figure d'exception. Contrairement aux sunnites, les chiites considèrent que des prières présidées par une personne moralement indigne n'ont pas de valeur. Les chiites estiment représenter l'orthodoxie de l'islam, même s'ils ne constituent que 10 % à 15 % du monde musulman. Ils sont surtout présents en Iran, mais aussi en Irak, à Bahrein et à Oman. Des minorités importantes existent également au Liban, au Koweït, en Afghanistan et au Pakistan.

Coran : Écritures saintes de l'islam, le Coran n'est constitué que d'un seul livre, représentant littéralement la parole de Dieu telle qu'elle fut transmise pendant vingt-deux ans dans une langue arabe poétique, par l'ange Gabriel, à Mahomet, un chamelier illettré. Le Coran se réfère aux traditions juive et chrétienne, tout en les reniant sur des points importants. Ainsi, Abraham part sacrifier Ismaël et non Isaac, et Jésus, quoique fils de la vierge Marie et seul personnage coranique à être, comme Dieu, sans péché, n'est pas reconnu « Fils de Dieu » : il est seulement le plus grand des prophètes après Mahomet, ressuscité mais sans avoir été d'abord crucifié comme le rapportent les évangiles.

Da'wâ : œuvre missionnaire, généralement en faveur de musulmans ayant besoin de renouveau moral et spirituel ; instruction religieuse à partir du Coran pour aider les gens à avancer sur le droit chemin.

Dey : titre algérien du gouverneur turc (*bey*) d'Alger avant la conquête française en 1830.

DGSE (Direction générale de la sécurité extérieure) : service français responsable du renseignement à l'étranger, sous l'autorité du ministère de la Défense.

Dhimmi : terme juridique musulman désignant le statut des juifs et des chrétiens (appelés « gens du Livre » dans le Coran) en terre d'islam, où ils sont autorisés à pratiquer leur religion (sans, toutefois, pouvoir la proposer aux musulmans, qui n'ont pas le droit de se convertir) et participer au gouvernement (généralement dans des fonctions administratives), selon des modalités diverses définies par chaque pays.

Djamâ'a (pl. djamâ'ates) : nom donné aux petits groupes armés islamiques indépendants.

Djamâ'a al-islâmiya : un groupe portant ce nom revendiqua l'enlèvement des moines de Tibhirine ; son homonyme pakistanais, fondé en 1941, était un mouvement d'opposition non violente à la domination britannique qui inspira d'autres mouvements islamiques.

Djazâ'ra : école juridique islamique algérienne réformiste (une des tendances du FIS) qui prône un *djihâd* national, plutôt qu'international, sans pour autant rejeter la modernité (contrairement aux *salafistes*) ; ceux qui appartiennent à cette école sont appelés *djazâ'iristes*.

Djihâd : le terme signifie littéralement « combattre sur le chemin de Dieu ». Le « grand *djihâd* » est le combat contre soi-même en vue de purifier son âme, tandis que le « petit *djihâd* » est la défense de l'islam contre ceux qui persécutent ou corrompent les musulmans. Certains juristes musulmans ont développé la vision d'un monde bipolaire, divisé en « maison de la paix » (les pays musulmans) et « maison de la guerre » (le reste du monde), les musulmans devant, selon eux, repousser le plus loin possible la frontière au bénéfice de l'islam, dans un esprit missionnaire de « civilisation ». L'expression est alors à traduire par « guerre sainte » et prend un caractère éminemment militaire. C'est dans ce sens que l'utilisent les groupes islamistes, se référant aux guerres conduites par Mahomet rapportées dans le Coran. Pour beaucoup de musulmans cependant, le *djihâd* quotidien consiste à lutter pour mener une vie meilleure à travers le service des autres et les progrès personnels.

Douar : petit village.

DST (Direction de la sécurité du territoire) : service français responsable du renseignement sur le territoire français, sous l'autorité du ministère de l'Intérieur.

Fatwâ : décret ou acte juridique, d'inspiration théologique, généralement établi par un *muftî* ou un conseil religieux ; il possède une autorité morale et a force de loi dans les pays dont le gouvernement l'adopte.

Fellagha (ou *fell*) : à l'origine, ce mot désignait les brigands, les déserteurs, ou les fugitifs, mais maintenant il veut dire « rebelle » ; ce fut le nom donné aux indépendantistes armés pendant la guerre d'Algérie.

FIS (Front islamique du salut) : ce parti, formé en 1989 et dont le programme visait à créer un État islamique, parvint à battre le FLN lors des élections municipales de 1990.

Fitna : troubles, malaises dans la société, divisions au sein de la communauté musulmane ; considérés comme un châtiment divin infligé aux pécheurs et aux impies.

FLN (Front de libération nationale) : large parti de coalition formé pour unifier ceux qui s'opposaient à la France (et éliminer les rivaux politiques) pendant la guerre d'Algérie, le FLN est devenu, dès l'indépendance en 1962, le parti du pouvoir.

Gandoura : longue tunique sans manche généralement portée par les hommes de la campagne algérienne.

GIA (Groupes islamiques armés) : le plus actif et violent des groupes d'opposition en Algérie dans les années 1990, il est considéré comme responsable de la plupart des massacres de civils après 1993.

Gourbi : une maison traditionnelle en briques de paille séchée, typique de la campagne algérienne.

Hadîths : l'ensemble des paroles de Mahomet, préservées et transmises oralement ou par écrit à partir du souvenir des hommes et des femmes appelés compagnons du Prophète ; les *hadîths* éclairent le croyant sur une grande variété de questions personnelles ou théologiques, et font, à ce titre, partie de la *sunna*, nécessaire à la juste interprétation du Coran.

Hamas : rebaptisé Mouvement de la société pour la paix (MSP), ce parti théocratique islamiste, dirigé par Mahfoud Nahnah, prône un changement d'organisation politique et sociale fondé sur l'islam comme religion d'État et source unificatrice des valeurs de la société, et se bat pour que l'arabe soit la langue nationale officielle en Algérie.

Harâm : péché, interdit, contraire à la loi de Dieu.

Harki : soldat algérien combattant aux côtés de l'armée française durant la guerre d'Algérie, souvent comme éclaireur ou informateur ; considéré comme traître par le FLN à l'indépendance.

Haut comité d'État (HCE) : gouvernement provisoire formé au début de l'état d'urgence en janvier 1992, après l'annulation des élections nationales.

Hidjâb : pièce de tissu portée par les femmes musulmanes, qui enserre la tête et le cou, dissimulant les cheveux, le front, les oreilles, les joues et éventuellement la bouche, le *hidjâb* peut être complété par une voilette, souvent de dentelle très travaillée, ne laissant apparaître que les yeux. Le *hidjâb* ne doit pas être confondu avec le simple foulard, ou *khimâr,* que des femmes, quelle que soit leur religion, posent sur leur tête et nouent sous le menton. Quant au mot *tchador,* il est la traduction persane de l'arabe *julbâb,* c'est-à-dire « mante », « cape ». Il s'agit du voile noir et épais dont se recouvrent entièrement certaines femmes, notamment iraniennes de confession chiite. Il peut laisser voir en partie le visage, ou au moins les yeux, alors que la *burqah,* costume sunnite, répandu en Afghanistan, recouvre entièrement le corps de la femme, qui ne peut voir qu'à travers une sorte de grille étroite dissimulant les yeux.

Hittistes : chômeurs, spécialement les jeunes désœuvrés, qui n'ont plus rien d'autre à faire qu'à discuter, appuyés sur un mur (*hit*).

Hogra : injustice, utilisation arbitraire du pouvoir, mépris pour le peuple.

Idjmâ' : mot désignant la notion de consensus en arabe.

Imam : prédicateur ou guide spirituel musulman sunnite ; le terme peut également désigner tout simplement celui qui dirige la prière, ce qui explique qu'il ne lui est pas demandé de posséder une formation particulière mais seulement d'être respecté dans sa communauté et de connaître le Coran.

Islam : De la racine arabe *s-l-m* – qui veut dire « paix » *(s-a-l-a-m-a)* ou « soumission » *(i-s-l-a-m)* – l'islam est un appel à se soumettre à la volonté de Dieu. Les musulmans se considèrent comme les successeurs des révélations divines antérieures faites aux juifs et aux chrétiens. Cette religion met spécialement l'accent sur la transcendance et l'unicité de Dieu, résumées dans la profession de foi musulmane *(chahâda) :* « J'atteste qu'il n'y a pas de dieu sauf Allâh et j'atteste que Mahomet est son Prophète. » Beaucoup de pieux musulmans considèrent l'État-Nation comme une idole pernicieuse, d'où leur désir de restaurer la communauté religieuse transnationale de tous les musulmans, qu'ils appellent la *Oumma*. L'islam enseigne que Dieu se révèle dans la nature, l'histoire et les Écritures, en particulier dans le Coran, qui dit sceller la révélation de Dieu par un retour à la foi d'Abraham, étape première du judaïsme et du christianisme, source commune aux trois monothéismes – appelés, dans le Coran, « religions du Livre ».

Islamisme : mouvement hétéroclite d'idéologies se référant à l'islam et qui propose la *charî'a* (lois religieuses musulmanes, interprétées selon quatre écoles juridiques différentes) comme fondement politique de la société ; les tenants de cette mouvance affirment que toute loi prend sa source ultime en Dieu et qu'une société juste ne peut advenir que gouvernée selon les lois divines telles que révélées dans le Coran et interprétées par des juristes experts en droit musulman (spécialité désormais enseignée à Harvard et d'autres établissements d'enseignement supérieur).

Kafir : cette expression se réfère aux « infidèles » – juifs et chrétiens – auxquels les musulmans reprochent d'avoir méprisé les révélations des prophètes antérieurs, de s'être écartés du droit chemin et de maquiller la vérité en falsifiant certains passages de leurs Écritures. Les musulmans croient, en particulier, que Jésus n'a pas été crucifié (Coran, 4, 158), Judas l'ayant été à sa place (selon certaines traditions), bien que Jésus soit monté au Ciel avec Moïse et Mahomet. Le mot s'applique aussi aux musulmans qui ont apostasié.

Lectio divina : lecture et méditation de la Bible à laquelle les moines s'appliquent tous les jours ; elle vise à mieux connaître Dieu pour l'aimer et le servir, et finit toujours en prière silencieuse, parfois appelée « contemplation ».

Maghreb : aire géographique comprenant les trois pays d'Afrique du Nord que sont le Maroc, l'Algérie et la Tunisie.

Majlis ach-chûrâ : assemblée ou réunion consultative, ou encore audience publique ; institution importante en milieu musulman; en Algérie, l'expression désigne aussi le conseil consultatif du FIS.

Marabout : ermite ou saint homme musulman, souvent vénéré et consulté par les gens des milieux populaires.

MIA (Mouvement islamique armé) : mouvement algérien fondé par Moustafa Bouyali, il entreprit des actions violentes en 1985, puis disparut en 1986 à la mort de son fondateur. Une autre organisation du même nom fut fondée en 1991 par Abdelkader Chebouti, qui s'opposa à l'annulation des élections législatives.

Minbar : chaire du prédicateur musulman dans la mosquée.

Mokhazni : combattants algériens irréguliers prêtant main-forte à l'armée française, souvent pour protéger les officiers de la SAS; méprisés par les *harkis* qui, eux, se battaient en première ligne.

Muftî : théologien musulman nommé par les autorités politiques, à qui sont confiées des responsabilités à la fois religieuses, judiciaires et civiles.

Moudjâhid (**pl.** *moudjâhidines) :* combattant pour la foi musulmane, contre ceux qui ne la partagent pas (les « infidèles »); en Algérie ce terme fut aussi utilisé pour désigner les troupes du FLN pendant la guerre d'indépendance.

OAS (Organisation armée secrète) : organisation clandestine française créée en février 1961 qui refusa toute idée d'une Algérie indépendante, quoiqu'ouverte à une forme de confédération.

Office divin : nom donné aux sept prières des heures que sont les vigiles, les laudes, tierce, sexte, none, les vêpres et les complies; l'ensemble représente environ quatre heures de chant et de psalmodie communautaires par jour dans les monastères cisterciens trappistes.

Oumma : la communauté des croyants musulmans à travers le monde.

Père : titre réservé aux prêtres dans l'Église catholique; le monachisme fut, à l'origine, un mouvement laïc, mais la Règle de saint Benoît admet l'entrée de clercs dans la communauté; les moines sont donc normalement appelés « frères », mais ceux qui ont été ordonnés prêtres sont souvent appelés « pères ».

Pied-noir : nom donné par les Algériens aux envahisseurs français, qui portaient des bottes militaires de couleur noire ; plus tard, l'expression en vint à désigner tout étranger vivant en Algérie.

Piliers de l'islam :

1. La profession de foi (*chahâda*) : « J'atteste qu'il n'y a pas de dieu sauf Allâh et j'atteste que Mahomet est son Prophète. »

2. La prière : cinq fois par jour, selon un rituel précis.

3. L'aumône (*zakât*) : cette dîme de 2,5 %, jadis prélevée sur les familles aisées pour aider les pauvres, est maintenant considérée comme un acte volontaire de charité et un devoir moral pour les bons musulmans.

4. Le jeûne : pendant le mois du *ramadan,* le musulman doit s'abstenir de boire, manger, fumer et doit vivre dans la continence du lever au coucher du soleil ; le soir, un grand repas familial marque la rupture du jeune (le *ftour*).

5. Le pèlerinage (*hadj*) : obligation pour tout musulman qui en est capable de se rendre une fois dans sa vie à La Mecque.

Profession solennelle : engagement définitif du moine selon la Règle de saint Benoît ; il s'engage alors explicitement (par vœu) à demeurer « stable » dans la même communauté pour y vivre un processus dynamique de « conversion » de toute sa manière de vivre jusqu'à la fin de ses jours, dans une disposition intérieure d'« obéissance » vis-à-vis de son abbé et de ses frères.

Qamis : longue robe blanche en coton des islamistes, avec une espèce de col Mao ; ce vêtement est censé ressembler à celui que portait Mahomet.

Raï : métissage moderne des musiques arabe et occidentale ; ses thèmes de prédilection (l'amour, les excès et les révoltes de la jeunesse) sont considérés comme indécents par les islamistes, et symptomatiques de la vulgarité et de l'influence avilissante de l'Occident sur la culture musulmane.

Repentis : mot utilisé pour désigner les groupes d'opposition ayant déposé leurs armes après le vote de la « concorde civile » en septembre 1999.

Ribât al-Salâm : « Lien de la paix »; nom du groupe interreligieux rassemblant des chrétiens et des musulmans deux fois par an à Tibhirine à partir de 1979.

Rûmî : mot arabe désignant les Romains; il a fini par être utilisé pour nommer les chrétiens d'origine européenne; en Algérie, il est utilisé pour parler des Français.

Salafistes : théocrates et internationalistes, les *salafistes,* bien que constituant une des tendances du FIS (*Salafiyya*), rejetèrent généralement toute participation électorale, considérant la démocratie comme non-musulmane et prônant une révolution islamique mondiale.

Salât : prière musulmane.

SAS (Section administrative spéciale) : unité militaire française chargée de regrouper les Algériens et d'assurer leur protection pendant la guerre d'Algérie.

Scriptorium : salle d'étude des moines; chez les cisterciens trappistes, c'est là que les frères font leur *lectio divina,* bien que ce lieu fût à l'origine réservé, comme son nom l'indique, au travail des copistes.

Subh : prière musulmane célébrée à l'aube; elle a lieu dès qu'un poil de chameau peut être distingué à l'œil nu dans la lumière naissante.

Soufisme : courant mystique musulman, fondé en réaction contre la mondanité croissante de la communauté islamique. Le soufisme insiste sur la dimension intérieure de la vie spirituelle et sur la purification du cœur pour mener une vie vraiment droite. Il prit naissance dès le VIIIe siècle et se développa par la suite pour aboutir à une doctrine mystique ayant comme but la communion et même l'union extatique avec Dieu. Il fallut plusieurs siècles avant que ne se réalise une synthèse acceptable pour l'orthodoxie musulmane. Les confréries soufies non seulement assurent une éducation spirituelle mais sont aussi actives dans le domaine de l'aide humanitaire. Le terme « soufisme » regroupe une grande diversité de réalisations historiques et géographiques. Le nombre de soufis dans le monde n'est pas vraiment connu puisque ces derniers ne se proclament généralement pas tels.

Stabilité : être « stabilisé » (ou « stabilié ») dans un monastère consiste pour un moine à y faire son vœu de stabilité. Il est alors lié pour toujours à la communauté où il fait profession de demeurer. Il peut toutefois être transféré dans un autre monastère et changer, à titre exceptionnel, de stabilité.

Sunna : la *sunna* se réfère aux coutumes, enseignements et pratiques de Mahomet, qui constituent la « Tradition ». La personnalité du Prophète inspirait tellement confiance à ses partisans que sa manière de vivre devint la norme de la vie communautaire. La *sunna* fut consignée par écrit et fait, avec le Coran, autorité, du double point de vue légal et doctrinal, en terre d'islam.

Sunnisme : le sunnisme est l'un des deux grands courants de l'islam, et se considère comme le seul orthodoxe. Il rassemble 85 à 90 % des musulmans à travers le monde. Ce courant majoritaire considère la *sunna* comme le complément légitime du Coran. En termes de piété, les musulmans sunnites font une distinction entre la fonction des personnes et leurs qualités morales. Cet islam-là ne possède ni clergé ni sacrements, mais se caractérise par son ritualisme méticuleux, en particulier pour la prière. Les sunnites acceptent les chiites parce que leur doctrine coïncide, pour l'essentiel, avec la leur, mais ils rejettent leur croyance en un rôle mystique de l'imam.

Tâghût : la tyrannie maléfique ou l'injustice diabolique, qui surviennent quand la loi de Dieu est transgressée ; par extension, *Tâghût* est aussi le nom qu'attribuent les sympathisants islamistes à l'État, considéré comme un oppresseur et un « faux dieu » que l'on vénère par crainte.

Taguia : couvre-chef du Maghreb.

Takfîr wa-Hidjra : nom d'une tendance radicale des Frères musulmans; ils voulaient faire la guerre aux gouvernements considérés comme corrompus et injustes; *Takfîr wa-Hidjra* veut dire « Anathème et migration », en référence à la fuite (l'hégire) de Mahomet et des siens en 622, chassés de La Mecque et obligés de se réfugier à Médine.

Tamazight *:* langue et alphabet utilisés par les Berbères.

Tchi-tchis *:* jeunes algériens des milieux aisés francophones.

Trabendo *:* du nom espagnol désignant la contrebande; commerce illégal de biens importés sur le marché noir.

Touareg *:* tribu nomade berbère du Sahara.

Wahhâbisme *:* du nom de son fondateur, Abd al-Wahhâb, doctrine et pratique des *wahhâbites,* qui constituent la tendance stricte et conservatrice de l'islam pratiquée et exportée par l'Arabie Saoudite.

Wâlî *:* responsable d'une *wilâya,* équivalent d'un préfet français.

Wilâya *:* division territoriale administrative en Algérie correspondant à une préfecture française.

Zakât *:* du mot arabe qui veut dire « purifier »; il s'agit d'une aumône, qui constitue l'un des cinq « piliers de l'islam », obligation morale à donner de l'argent pour aider ceux qui sont dans le besoin.

Zouave : de *Zouaoua,* nom d'une tribu de Kabylie, qui fournit le premier bataillon combattant aux côtés de la France au temps de la conquête de l'Algérie.

ANNEXE C
DRAMATIS PERSONAE

Les frères trappistes assassinés

Frère Bruno est né Christian Lemarchand le 1ᵉʳ mars 1930 à Saint-Maixent, dans les Deux-Sèvres. Fils d'officier, il a grandi en Syrie, en Indochine et en Algérie. Ordonné prêtre à 26 ans, il est nommé professeur de français au Collège Saint-Charles à Thouars. Il sera directeur de cet établissement pendant quinze ans avant d'entrer à Notre-Dame de Bellefontaine en 1981. En 1989, il rejoint Notre-Dame de l'Atlas à Tibhirine, où on lui confie la charge d'hôtelier. En 1990, il est envoyé à l'annexe du monastère à Fès, au Maroc. Il revient en Algérie en mars 1996 pour participer à l'élection d'un nouveau prieur. Il avait soixante-six ans quand il est mort.

Frère Célestin, né Célestin Ringeard le 27 juillet 1933, a été élevé par sa mère suite à la mort de son père six semaines après sa naissance. Séminariste à Nantes, il est appelé sous les drapeaux et envoyé en 1958 comme infirmier en Algérie, où il sauve de la mort un officier FLN. Ordonné en 1960, il est prêtre de paroisse jusqu'en 1975, puis éducateur de rue auprès des alcooliques, des délinquants et des prostituées. Ce n'est qu'en 1983 qu'il entre à Notre-Dame de Bellefontaine. De là il rejoint Tibhirine en 1986.

Doué pour la musique, il devient chantre. Malgré une grave opération cardiaque en France début 1994, il retourne en Algérie. Il avait soixante-deux ans quand il est mort.

Frère Christian-Marie, né Christian de Chergé le 18 janvier 1937 à Colmar, est fils d'officier, issu d'une famille aristocratique qui a une longue tradition dans les armes. Il passe une partie de son enfance en Algérie. En 1959, il interrompt ses études au séminaire des Carmes pour faire son service militaire à Tiaret comme officier de la SAS. La guerre d'Algérie le marque particulièrement, car un musulman lui sauve la vie et meurt égorgé en représailles. De retour à Paris, il est ordonné prêtre en 1964 et devient chapelain au Sacré-Cœur de Montmartre et directeur de la Maîtrise avant de décider de devenir moine trappiste en 1968. Il entre alors à Notre-Dame d'Aiguebelle pour rejoindre Tibhirine en 1971. Il est envoyé deux ans à Rome pour étudier l'arabe et l'islamologie, puis revient dans sa communauté dont il est élu prieur en 1984, et réélu en 1990. Il avait cinquante-neuf ans quand il est mort.

Frère Christophe, né Christophe Lebreton le 11 octobre 1950, est le septième d'une famille catholique de douze enfants ; son père est directeur d'une coopérative d'élevage de taureaux dans la vallée de la Loire. Il fait son service national comme coopérant auprès d'enfants handicapés mentaux à Alger. En 1974, il décide d'entrer à Notre-Dame de Tamié, en Savoie, d'où il rejoint Tibhirine en 1987. Il y devient responsable du jardin et de la liturgie. Il sera aussi maître des novices. Il écrira de nombreux poèmes ainsi qu'un journal, publié en 1999. Il avait 45 ans quand il est mort.

Frère Luc est né Paul Dochier le 31 janvier 1914. Fils d'un fabricant de chaussures, il fait ses études de médecine à Lyon avant d'entrer à Notre-Dame d'Aiguebelle en 1941. Il arrive à Tibhirine en 1946 pour vivre parmi les plus pauvres des Français pauvres, qui, à l'époque, sont des Français musulmans. Il accueille les nombreuses personnes qui se pressent au dispensaire du monastère, tout en étant le cuisinier de la communauté. Il avait quatre-vingt-deux ans quand il est mort.

Frère Michel est né Michel Fleury le 21 mai 1944 près de Pontchâteau en Loire-Atlantique, dans une famille rurale catholique assez modeste. Après quatre ans de grand séminaire à Nantes, dont une année de stage en monde ouvrier, il s'oriente vers l'institut du Prado, qui est soucieux de vivre l'Évangile avec les pauvres. Devenu frère, il prend des engagements syndicaux à Marseille, vit ensuite à Lyon et en banlieue parisienne avant de revenir dans la cité phocéenne. Il est en contact constant, de vie et de travail, avec les ouvriers immigrés d'Afrique du Nord. En 1980, il devient novice à Notre-Dame de Bellefontaine, mais le cadre majestueux de l'abbaye le met mal à l'aise. En 1984, il part pour Tibhirine, où il travaille comme aide cuisinier et jardinier. Il est mort le jour même de ses cinquante-deux ans.

Frère Paul, né Paul Favre-Miville le 17 avril 1939, dans les montagnes de Haute-Savoie, est le fils d'un forgeron, seul garçon dans une famille de quatre enfants. Il fait son service militaire en Algérie comme officier parachutiste de 1960 à 1961, puis il retourne travailler dans l'atelier de son père avant de devenir artisan plombier-chauffagiste. En 1984, il entre à Notre-Dame de Tamié, mais, à la recherche d'une plus grande simplicité dans sa vocation, il part pour Tibhirine en 1989. Ses compétences en mécanique, inestimables pour le monastère où il est aussi hôtelier, lui valent le surnom de « l'homme aux mains en or ». Il avait cinquante-sept ans quand il est mort.

Frère Amédée, né Jean Noto le 17 octobre 1920, à Alger, entre dans la congrégation des Pères blancs, où il montre vite un grand désir de travailler avec les musulmans. On lui conseille alors, pour réaliser au mieux sa vocation de prière et de simple travail manuel, de devenir moine trappiste. C'est ainsi qu'il entre au monastère de Tibhirine en 1946 et est ordonné prêtre en 1952. Amédée était très proche des gens du village. Il n'a pas été enlevé en mars 1996, et a pu participer à la « cellule » d'Aiguebelle, à Notre-Dame d'Afrique, qui devait retourner à Tibhirine. L'Ordre cistercien ayant finalement renoncé à une présence monastique en Algérie, il vit maintenant au Maroc, au sein de la communauté trappiste de Midelt, ancienne annexe de Tibhirine.

Frère Jean-Pierre est né le 14 février 1924 en Lorraine, dans une fervente famille ouvrière catholique de six enfants. Suite à l'invasion allemande de l'Alsace-Lorraine, Jean-Pierre, alors âgé de dix-huit ans, est enrôlé dans l'armée allemande. Il échappe à l'envoi sur le front russe grâce à un faux diagnostic de tuberculose lors de la visite médicale militaire. Après des études chez les maristes, il est ordonné prêtre en 1953, et entre à Notre-Dame de Timadeuc, en Bretagne, en 1957. Sept ans plus tard, en 1964, lui et trois autres moines de Timadeuc répondent à un appel de l'évêque d'Alger demandant des moines supplémentaires pour Notre-Dame de l'Atlas. Le 21 mai 1996, Jean-Pierre, seul survivant avec Amédée, est nommé, à Fès, supérieur *ad nutum,* le jour même de la mort des sept frères – qui ne fut connue que le 26 mai suivant. Le 18 septembre 1997, il est, cette fois-ci, élu à cette fonction par ses frères et devient le successeur immédiat de Christian de Chergé. Le 30 janvier 1999, il arrive au terme de son mandat, ayant atteint l'âge limite de 75 ans. Il sera remplacé par un autre Jean-Pierre, le père Flachaire.

Ali Belhadj est professeur d'arabe à l'école primaire et prêche à Alger quand il est arrêté en 1980 au motif d'avoir des sympathies politiques douteuses. En prison, il se met à lire des écrits de la mouvance islamique révolutionnaire et ses idées se radicalisent sous l'influence des militants islamistes avec qui il est incarcéré. Après ses quatre années de captivité, il continue de prêcher et de dénoncer la corruption et la sécularisation du gouvernement. Il devient l'idole d'une bonne partie de la jeunesse au chômage. En 1989, il accède à la vice-présidence du Front islamique du salut (FIS) nouvellement créé, qui unifie les différentes organisations islamistes militantes. En 1991, Ali Belhadj est arrêté. En mars 1992, le FIS est dissous, et son numéro 2 est condamné, en juillet 1992, par un tribunal militaire, à douze ans de prison pour « atteinte à la sûreté de l'État ». Libéré le 2 juillet 2003, il est à nouveau interpellé le 28 juillet 2005 à Alger, après avoir justifié, sur la chaîne arabe Al-Jazira, le rapt de deux diplomates algériens à Bagdad, qui seront exécutés peu après par le groupe d'Abou Moussab al-Zarqaoui, affilié à Al-Qaïda. Ali Belhadj est toujours en prison aujourd'hui.

Mohammed Boudiaf, juriste de tendance socialiste, est l'un des pères fondateurs du Front de libération nationale (FLN) en 1954. Il passe vingt-sept années en exil après son arrestation en 1963 par le Président Ben Bella parce qu'il s'oppose au monopole politique du FLN. En 1992, le gouvernement en crise lui demande de prendre la présidence du pays. Mohammed Boudiaf est assassiné le 29 juin 1992 par l'un de ses gardes du corps.

Mohammed Bouslimânî, responsable d'une association charitable musulmane, *Irchâd wa-Islâh,* est un penseur musulman engagé très respecté. Il est enlevé par des membres du GIA en novembre 1993. Ses ravisseurs cherchaient le soutien d'une grande figure religieuse reconnue pour leur campagne de guerre totale. Il refuse de se compromettre avec ceux qui font la guerre au gouvernement, surtout à cause de leur tactique consistant à tuer des civils sans défense. Son corps est retrouvé en janvier 1994.

Ibn Taymiyya (1263-1328) est un théologien musulman dont les écrits sont exploités de manière sélective par certains extrémistes en Algérie. Sa doctrine vise à harmoniser le rôle respectif de la tradition, de la raison et du libre arbitre et prône un « réformisme conservateur ». Il pense que religion et gouvernement ont besoin l'un de l'autre. Il soutient que le pouvoir du gouvernement est nécessaire pour rappeler aux citoyens leurs obligations religieuses et leur soumission à la loi coranique. Mais, symétriquement, sans la soumission du gouvernement lui-même à la loi divine, le pouvoir politique risque de devenir tyrannique. Cette approche exégétique très stricte dans son interprétation du Coran se reflète dans la manière dont l'islam est pratiqué aujourd'hui en Arabie Saoudite, pays qui n'a pas manqué de soutenir les mouvements islamistes en Algérie.

Abassi Madani est professeur d'université, docteur en sciences de l'éducation, avant de se mettre à prêcher au milieu des années quatre-vingt. Ancien membre, désenchanté, du FLN, il devient, avec Ali Belhadj, un des cofondateurs du FIS en 1989, à la suite des violentes manifestations étudiantes qui déclenchent les vastes réformes constitutionnelles mettant fin au monopole politique du FLN. Le 30 juin 1991, Abassi Madani est arrêté, et le FIS est dissous l'année suivante. Condamné à douze ans de prison pour « atteinte à la sûreté de l'État », il est incarcéré à la prison de Blida. Il sera relâché en 1997. Il est aujourd'hui en résidence surveillée.

Djamel Zitouni est un jeune Algérien « afghan » qui s'est battu contre les Soviétiques. À l'automne 1994, il devient l'émir suprême des Groupes islamiques armés (GIA), l'un des groupes armés d'opposition islamiste en guerre contre le gouvernement. Sous son autorité, toute restriction concernant l'assassinat des civils disparaît, et sa guerre sainte s'étend au territoire français. On annonce sa mort en juillet 1996, deux mois après l'assassinat des sept moines de Tibhirine.

ANNEXE D

CHRONOLOGIE

202 av. JC	Rome crée la Province d'Afrique.
IIᵉ siècle	Fondation des premières Églises chrétiennes en Afrique du Nord.
254-356	Saint Antoine, ermite en Égypte, devient le père de tous les moines chrétiens.
354-430	Saint Augustin, né à Thagaste (*Souk-Aras*), s'impose comme le plus grand Père de l'Église latine.
429-533	Domination des Vandales en Afrique du Nord.
480-547	Benoît de Nursie, fondateur du monastère du Mont Cassin, près de Naples (529), transmet sa Règle aux moines d'Occident.
533	Reconquête de l'Afrique du Nord par les Byzantins.
647	Les Arabes annexent les terres berbères du Maghreb (aujourd'hui Tunisie, Algérie, Maroc).
1090-1153	Bernard de Clairvaux s'impose comme le principal fondateur de monastères dans l'Ordre de Cîteaux (créé en 1098 par Robert de Molesmes) et prêche la deuxième croisade.
1575	Les Turcs ottomans envahissent le Maghreb ; l'Algérie devient une province ottomane.
1626-1700	L'Abbé de Rancé réforme le monastère cistercien de La Trappe, en Normandie, qui sera à l'origine

de l'Ordre des cisterciens de la stricte observance (OCSO).

1830	Sidi Ferruch devient territoire français, occupation qui durera 132 ans.
1832	Abdelkader est élu « émir » et sultan des Arabes en Algérie.
1843	*Les trappistes commencent la construction de leur premier monastère à Staouéli, près d'Alger.*
1847	Reddition d'Abdelkader, suivi de cinq années d'exil en France.
1848	L'Algérie est administrée en tant que département français, devenant ainsi partie intégrante de la France.
1860	Abdelkader sauve les chrétiens de Damas, menacés par de graves troubles interreligieux.
1868	Mgr Charles Lavigerie fonde la congrégation missionnaire des Pères blancs.
1883	Mort d'Abdelkader, inhumé à Damas.
1904	*Les trappistes quittent l'Algérie tandis que l'anticléricalisme bat son plein en France.*
1938	*Les trappistes retournent en Algérie et fondent un nouveau monastère à Tibhirine.*
1954	1er novembre : le Front de libération nationale (FLN) lance la guerre d'indépendance contre la France.
1961	Février-mai : l'OAS s'organise pour continuer le combat afin que l'Algérie reste française. Avril : putsch des généraux.
1962	18 mars : les accords d'Évian garantissent aux Algériens le droit de voter pour leur indépendance. 5 juillet : l'Algérie déclare son indépendance et, un an après, rapatrie la dépouille d'Abdelkader.
1963	Ahmed Ben Bella devient le premier président d'Algérie. La nouvelle constitution reconnaît les jours de fêtes chrétiennes comme journées de repos totalement payées.

1964	L'Église catholique est établie sous l'autorité du ministère de l'Intérieur.
	L'abbé général des trappistes demande la fermeture du monastère de Tibhirine.
1965	Le Colonel Houari Boumédiène dépose Ben Bella et devient le nouveau président.
	Le concile Vatican II insuffle un nouvel esprit œcuménique et encourage le dialogue interreligieux dans son document *Nostra aetate*.
1971	*Christian de Chergé arrive à Tibhirine.*
1975	*Les autorités algériennes menacent de fermer le monastère.*
1976	La Charte nationale proclame l'attachement au socialisme et aux valeurs islamiques.
1978	Mort du Président Houari Boumédiène.
1979	7 février : le Colonel Chadli Bendjedid est nommé président.
	Mars : le premier Ribât al-Salâm *a lieu à Tibhirine.*
1984	*Mars : Christian de Chergé est élu prieur de Notre-Dame de l'Atlas.*
1985-1987	Les prix du pétrole commencent à s'effondrer, forçant le gouvernement à réduire les dépenses sociales du budget de l'État.
1988	4 octobre : après les émeutes des étudiants à Alger, le gouvernement prend des initiatives réformatrices.
1989	5 février : la nouvelle constitution admet le principe d'élections libres, de liberté de la presse et de liberté de réunion.
	14 septembre : le Front islamique du salut (FIS) obtient sa reconnaissance légale comme parti politique.
1990	*Mars : Christian de Chergé est réélu prieur de Notre-Dame de l'Atlas.*
	Juin : les candidats du FIS gagnent les premières élections municipales pluralistes et libres.
1991	Janvier : début de la première guerre du Golfe.

25 mai : grève générale à l'appel du FIS.

26 décembre : le FIS emporte la majorité des sièges dans la première élection législative de l'histoire du pays.

1992   11 janvier : l'état d'urgence est déclaré. Le Président Chadli Bendjedid est forcé à démissionner.

12 janvier : création du Haut comité d'État (HCE). Annulation des élections.

14 janvier : Mohammed Boudiaf est nommé président du Haut comité d'État.

29 juin : assassinat du Président Boudiaf.

1993   30 octobre : le GIA lance un ultimatum aux étrangers, leur intimant l'ordre de partir dans les trente jours.

15 décembre : assassinat de douze expatriés croates près de Médéa.

24 décembre : intrusion de l'émir du GIA, Sayah Attia, au monastère.

1994   Mai : création de l'AIS pour combattre d'une manière conforme à l'islam, en épargnant les civils innocents.

Mai : frère Henri Vergès et sœur Paul-Hélène Saint-Raymond sont abattus.

Septembre : Djamel Zitouni devient l'émir suprême du GIA.

Octobre : deux sœurs augustiniennes sont tuées alors qu'elles se rendent à l'église dans le quartier de Bab el-oued à Alger.

Décembre : assassinat des Pères blancs à Tizi-Ouzou après le détournement manqué d'un Airbus d'Air France.

1995   Novembre : sœur Odette Prévost est tuée ; sœur Chantal Galicher est blessée.

1996   *27 mars : enlèvement de sept moines à Tibhirine.*

28 mars : Paris demande à Alger de tout mettre en œuvre pour libérer les moines.

14 avril : le pape Jean-Paul II, en voyage à Tunis, exprime sa préoccupation au sujet des moines de Tibhirine.

26 avril : publication à Londres, dans le journal saoudien Al-Hayât, du communiqué 43, signé par l'émir suprême du GIA, Djamel Zitouni, justifiant l'enlèvement des moines et posant les conditions de leur libération.

28 avril : plus de 2000 personnes prient à Notre-Dame de Paris avec des responsables de différentes religions.

30 avril : l'ambassade de France à Alger reçoit une cassette audio confirmant que les moines sont toujours vivants.

7 mai : le Conseil national des imams de France publie une fatwâ *déclarant « l'illégalité de l'agression contre les moines ».*

9 mai : les autorités françaises affirment qu'elles ne négocieront pas avec les terroristes.

21 mai : les moines sont égorgés, selon le communiqué 44 du GIA.

23 mai : Radio Medi 1 annonce la mort des moines, après avoir reçu par fax le communiqué 44 du GIA.

26 mai : le journal La Croix *rapporte que les têtes des moines ont été retrouvées. Les cloches de toutes les églises de France sonnent le glas en mémoire des moines.*

27 mai : publication du testament spirituel de Christian de Chergé par le journal La Croix *le jour de la Pentecôte.*

28 mai : plus de 10000 personnes se rassemblent au Trocadéro pour une « manifestation de solidarité et de protestation nationale » organisée par François Bayrou.

30 mai : décès du cardinal Duval. Le gouvernement algérien annonce que les dépouilles des moines ont été retrouvées.

2 juin : messe de funérailles des sept moines et du cardinal Duval à la basilique Notre-Dame d'Afrique.
4 juin : enterrement des moines à Tibhirine.
16 juillet : l'émir du GIA, Djamel Zitouni, est tué dans une embuscade.
1er août : assassinat de l'archevêque d'Oran, Pierre Claverie.

ANNEXE E

PLAN DU MONASTÈRE

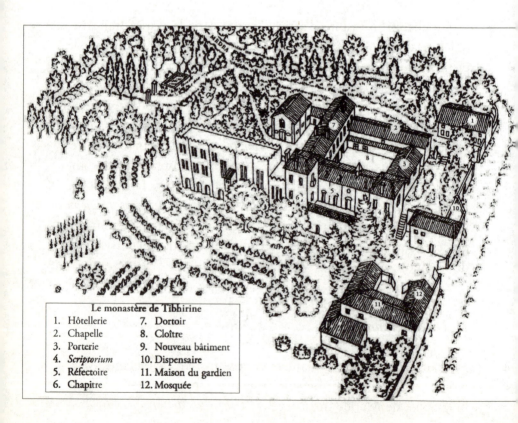

Le monastère de Tibhirine

1. Hôtellerie
2. Chapelle
3. Porterie
4. *Scriptorium*
5. Réfectoire
6. Chapitre
7. Dortoir
8. Cloître
9. Nouveau bâtiment
10. Dispensaire
11. Maison du gardien
12. Mosquée

SOURCES

I. Deuil

Ce chapitre s'inspire d'articles parus dans la presse française, qui a relaté cette affaire de manière très détaillée durant tout le printemps et l'été 1996, alors que rien ou presque n'était publié aux États-Unis sur la question. *Le Nouvel Observateur, La Croix, Le Monde, Paris-Match* et *L'Express* ont été très utiles pour décrire les funérailles à la basilique. Il y a d'intéressantes remarques (« C'était trop pompeux ») dans *Algérie, l'espoir fraternel,* de Jean-Luc Barré, dont je me suis aussi inspiré pour décrire l'atmosphère de décomposition et d'insalubrité qui régnait alors à Alger. L'homélie de Dom Bernardo Olivera, quant à elle, a été publiée dans *Jusqu'où suivre ?* – un recueil de récits par des témoins oculaires de certains des événements dramatiques précédant et incluant l'enlèvement des moines.

II. Deux Mohammed

Pour ce qui est de la manière dont Christian de Chergé a vécu la guerre d'Algérie, je me suis largement appuyé sur l'excellente biographie de Marie-Christine Ray, *Christian de Chergé, prieur de*

Tibhirine. Elle-même se fonde sur des entretiens avec ses camarades officiers et certaines des lettres adressées à ses amis qui ont vécu avec lui cette époque. S'ajoutent à ce livre mes conversations avec les membres de la famille de Christian, et les échanges que j'ai pu avoir avec un camarade officier de la SAS, devenu ensuite Père blanc, Jean-Marie Gaudel. Le rôle de la SAS comme sorte d'expérience pastorale pour les soldats français est décrit dans *The Struggle for Algeria,* de Joseph Kraft.

Concernant les pieds-noirs et l'OAS, il y a plusieurs excellentes sources que j'ai utilisées. *Curé pied-noir, évêque algérien* (conversations avec Jean Scotto) fournit beaucoup de réflexions d'autant plus éclairantes qu'elles viennent d'un homme qui a vécu de près les événements. En effet, Jean Scotto était lui-même pied-noir, et sa paroisse de Bab el-Oued, à Alger, comptait beaucoup de pieds-noirs de condition modeste. Il en a beaucoup voulu à l'OAS d'avoir mené une politique de la terre brûlée après la signature, le 18 mars 1962, des accords d'Évian fixant au 5 juillet la date du référendum sur l'indépendance algérienne. *A Savage War of Peace,* d'Alistair Horne, est un chef-d'œuvre d'histoire politique de la guerre, sans doute le meilleur livre en anglais pour qui veut comprendre ce conflit qui préfigure, sur le plan militaire et politique, la débâcle américaine du Vietnam. Autre document très utile : *L'Algérie française.* Il s'agit d'un recueil d'articles courts, édité par Charles-Robert Ageron ; il couvre la période coloniale, la lutte entre réformateurs libéraux à Paris et pieds-noirs en Algérie, et la guerre proprement dite. Peut-être que l'un des meilleurs ouvrages en anglais qui étudie en profondeur la période de l'OAS est *Wolves in the City,* de Paul Henissart. S'agissant de la mentalité coloniale et des attitudes envers les Arabes, *La Guerre d'Algérie,* de Jules Roy, publié en 1961, demeure le livre le plus sombre et le plus poignant. Cet écrivain pied-noir, décédé en juin 2000, a été jusqu'au bout un spectateur engagé dans le drame encore inachevé des relations franco-algériennes.

Le Cardinal Duval, de Marie-Christine Ray, constitue l'ouvrage le plus important en français sur la vie et la pensée de cette grande figure de l'Église d'Algérie, et se présente sous la forme d'une série d'entretiens. Ces interviews ont d'abord été publiées en 1984, puis rééditées en 1998, après sa mort. D'autres éclairages sur la personnalité du cardinal m'ont été donnés par des membres de l'Église d'Algérie et se trouvent aussi dans le livre de Jean Scotto.

III. Un nouveau maillon dans la chaîne

Ici encore, je me suis beaucoup appuyé sur la biographie du prieur de l'Atlas réalisée par Marie-Christine Ray, pour la période allant de la fin de la guerre d'Algérie jusqu'au départ de Christian de Chergé pour Tibhirine en 1971. Mes conversations avec les frères de Christian, Robert, Hubert et Henry, ont également été précieuses, de même que mes entretiens avec son mentor, le père Maurice Borrmans. L'ouvrage de Madeleine Arcand, *A Century of Hope : A History of the First Houses of the Society of Helpers in the United States Province* est une source intéressante pour l'histoire sociale des États-Unis de la fin du XIXᵉ siècle. Je pense que ce document est peu connu des chercheurs et universitaires. L'arrière-grand-tante de Christian, mère Marie-Saint-Bernard, et les œuvres de sa congrégation en Amérique sont minutieusement décrites dans cette publication en l'honneur du centenaire de sa fondation, effectuée en 1992 par la communauté de Chicago. Il s'agit d'un regard distancié quoique situé au cœur même des milieux américains touchés par la pauvreté.

De toute évidence, il existe d'innombrables ouvrages consacrés à saint Benoît et à sa Règle. J'ai trouvé particulièrement utile *Saint Benoît et la vie monastique*, de Dom Claude-Jean Nesmy, et *Saint Benedict, a Rule for Beginners*, de Julian Stead. Mes conversations avec les moines les plus âgés des abbayes de Bellefontaine et d'Aiguebelle m'ont éclairé sur les changements intervenus dans l'Ordre depuis Vatican II. L'histoire des trappistes en Algérie est tirée des *Collectanea Cisterciensia*. Particulièrement utile fut l'article de Claude Garda, « Les monastères cisterciens d'Algérie », car il retrace très bien la première présence trappiste à Staouéli de 1843 à 1904. L'année qui précéda la séparation de l'Église et de l'État en France fut celle de la vente des domaines à un homme d'affaires suisse et du transfert de la communauté à Maguzzano, en Italie, par peur d'une expropriation du gouvernement français. Claude Garda mentionne un « lit de boules de canon » placé sous chaque pierre angulaire du nouveau monastère lors de la cérémonie consacrant le début des travaux de construction, en présence du Maréchal Thomas Bugeaud. Les trappistes sont souvent choqués par ce détail et ont quelque peine à l'admettre. Pourtant, il est à nouveau mentionné dans *Algeria and Tunis,* de Francis Nesbitt, un récit de voyage haut en couleur, digne du peintre d'aquarelles accompli qu'il était.

IV. Années de crise

Dans l'introduction de *Tibhirine, les veilleurs de l'Atlas,* de Robert Masson, Mgr Teissier décrit les nombreuses allées et venues autour du monastère. La biographie de Christian de Chergé par Marie-Christine Ray a constitué une mine appréciable d'anecdotes et décrit aussi les conflits qui ont opposé Christian et ses frères ainsi que leurs doutes quant à sa vocation de trappiste à Tibhirine. Son livre a été bien accueilli à la fois dans la communauté trappiste et dans la famille de Chergé. Toutefois, certains moines pensent que la biographe a exagéré le degré d'opposition à la vocation de Christian ; ils préfèrent parler d'« hésitation ». L'article de Christian de Chergé intitulé « Prier en Église à l'écoute de l'islam » révèle la profondeur de son ouverture à l'islam. Dans cet article, il affirme : « Rien de plus étranger à l'Évangile que le sectarisme incapable de proclamer la foi du centurion romain ou la charité du bon Samaritain au seul vu des œuvres qu'ils posent. [...] Certes, la Parole de Dieu est une [...] mais les échos qu'elle a rencontrés dans l'histoire et qu'elle suscite inépuisablement dans les cœurs droits apparaissent infiniment diversifiés. » (Revue *Tychique,* n° 42, mars 1983).

V. *Ribât*

Les comptes rendus du *Ribât* ont constitué le matériau essentiel pour ce chapitre. Ont également été utilisés les écrits de Christian recueillis par Bruno Chenu dans *Sept vies pour Dieu et l'Algérie.* D'ailleurs, les écrits du prieur de Tibhirine supplantent le travail de Marie-Christine Ray comme source principale à partir de l'année 1984. J'ai pu aussi bénéficier de deux conversations avec Claude Rault, Père blanc ami de Christian et fondateur du *Ribât.*

Le soufisme est un sujet complexe; il est ici traité sommairement. Le point de vue présenté est principalement celui d'un catholique, Maurice Borrmans, qui défend la thèse selon laquelle le soufisme est un courant marginal et suspect dans l'islam. Cette opinion serait probablement contestée par un certain nombre de musulmans, en tout cas en Afrique du Nord. Certains affirment que le soufisme constitue, au contraire, le cœur même de l'islam algérien, même si ce dernier tend parfois à verser aussi dans le maraboutisme. D'ailleurs, soufisme et maraboutisme se vivent, tous les deux, essentiellement en communautés formées autour de chefs spirituels, et insistent, autant l'un que l'autre, sur la vertu d'obéissance. De ce fait, les soufis sont parfois considérés comme des « moines musulmans » [78].

---

(78) La comparaison des soufis avec les moines peut paraître étonnante, car le célibat volontaire n'existe pas dans le soufisme. Or, étymologiquement, le moine se définit avant tout par le fait qu'il n'est pas marié, et rien d'autre ne le distingue dans la communauté ecclésiale, puisque tous les baptisés sont appelés à prier, travailler et pratiquer l'hospitalité dans leurs communautés familiales, profession-nelles et politiques respectives. Le caractère « monastique » du soufisme réside donc probablement, d'une part, dans sa dimension d'exigence intérieure (beaucoup de mystiques chrétiens sont des moines ou des moniales) et, d'autre part, dans sa fonction critique au sein de la communauté musulmane (les Pères du Désert fuyaient la société chrétienne constantinienne au point de se méfier des évêques) [NDT].

En Algérie, le soufisme est l'islam de la campagne. L'influence du soufisme se lit même dans le nom de guerre du Président Boumédiène, dérivé du nom d'un soufi espagnol, Abou Médiène (version francisée d'Abou Madyan), qui est considéré comme le « saint patron » de l'Algérie. Pourtant, Boumédiène a été étudiant à la mosquée ultraorthodoxe d'Al-Ahzar et au Centre de théologie islamique du Caire. Par ailleurs, Abdelkader était un soufi, et son père était le chef d'une confrérie soufie.

En fait, la description du soufisme utilisée ici, à part celle du Professeur Borrmans, est fondée sur des conversations avec un soufi marocain que j'ai eu l'occasion de rencontrer en France. La perception du soufisme comme hétérodoxie est très liée, selon lui, à l'école plus stricte du *wahhâbisme,* qui condamne le chant, la danse et d'autres plaisirs de la vie. Pour Hossein Nasr, soufi iranien et professeur à l'Université George Washington, les soufis sont totalement orthodoxes dans leurs obligations religieuses musulmanes extérieures, mais ils cherchent aussi une sagesse divine plus profonde et mystique.

Un excellent livre sur le soufisme est celui de Martin Lings, *A Sufi Saint of the Twentieth Century,* qui s'intéresse au cheikh algérien Ahmad al-'Alawî, fondateur de la confrérie des soufis 'alawîs à Mostaganem. Certains membres de cette confrérie ont participé au *Ribât* à Tibhirine. Particulièrement intéressant est le chapitre 4, qui relate la réponse de Cheikh 'Alawî à l'un de ses critiques à Tunis en 1920, apostrophe qui reflète certaines tendances puritaines dans le mouvement réformiste de Ben Badis. Alors qu'il pense que le christianisme souffre de la marginalisation, par les laïcs, de ses prêtres et de ses grandes figures spirituelles, l'islam, qui ne possède pas de clergé à proprement parler, est, lui aussi, constitué « d'un grand nombre d'esprits très limités, s'imaginant que la totalité de la religion est à leur portée et que ce qui dépasse les bornes de leur compréhension est nécessairement hors du cadre de l'islam ». Une analyse qui pourrait bien s'appliquer à certains chrétiens…

VI. Sous le regard de la Vierge

Dans ce chapitre, je me suis beaucoup appuyé sur mes conversations avec Jean-Marc Thévenet [79] et Philippe Hémon, tous deux moines de Notre-Dame de Tamié, en Savoie. Ce dernier a écrit un article dans *Collectanea Cisterciensia*, « Vers un à-Dieu en-visagé de vous », dans lequel il résume les différentes impressions éprouvées au cours de ses nombreuses visites à Tibhirine et donne des détails de la vie quotidienne au monastère. Mes rencontres avec Élisabeth Bonpain, la sœur de Christophe, ainsi qu'avec sa mère, Jehanne Lebreton, ont été riches en informations et m'ont permis de mieux comprendre la vocation des moines de Tibhirine. Pour le bref portrait de saint Bernard, je me suis inspiré de *Christendom and Christianity in the Middle Ages,* de Adrian Bredero.

VII. Révolution

Plusieurs entretiens ont nourri ce chapitre. Ont été consultés : Mireille Duteil, journaliste au *Point;* Ahmed Mahiou, professeur de droit international au Centre d'études arabes de l'Université d'Aix-en-Provence, présent à Alger lors des émeutes de 1988 ; Séverine Labat, auteur de l'ouvrage *Les Islamistes algériens;* Francis Ghiles, journaliste britannique berbère de confession juive ; et Ibrahim Younessi, qui m'a consacré beaucoup de temps pour parler du FIS, dont il fut membre.

Parmi les livres publiés, j'ai trouvé celui de Pierre Guillard, *Ce fleuve qui nous sépare,* très riche et détaillé ; c'est ma source principale pour les citations attribuées à Ali Belhadj. Son ouvrage est écrit sous la forme d'une lettre d'un admirateur quelque peu déçu par Ali Belhadj, reprochant au leader du FIS ses excès. Il s'est appuyé, quant à lui, sur ses contacts étroits avec d'autres

---

(79) Depuis l'automne 2003, Dom Jean-Marc Thévenet est abbé de Notre-Dame d'Acey [NDT].

journalistes français arabisants qui affirment avoir été dans les mosquées quand l'Imam Ali y prêchait, ainsi que sur le temps important qu'il a passé lui-même en Algérie. *L'Algérie par les islamistes,* d'Al Ahnaf, Botiveau et Frégosi, a été très utile. Ce recueil d'articles, discours, entretiens, et autres écrits des différents chefs de file islamistes restitue au lecteur leur message à l'état pur, ainsi que les divergences qui le traversent.

À ce sujet, il est frappant de constater les similitudes entre les critiques islamistes à l'encontre des musulmans sécularisés qui gouvernent l'Algérie aujourd'hui, d'une part, et les réactions catholiques devant la société moderne au XIXe siècle, d'autre part. Les prises de position du pape Léon XIII (*Rerum Novarum*) et, plus tard, de Pie X, condamnant le matérialisme, la « libre-pensée », la démocratie, le socialisme et cette société sans Dieu qui se drape dans un culte du progrès technique détaché de toute référence morale, reflètent les thèmes dont Abdelkader se fit, lui aussi, l'écho dans sa *Lettre aux Français,* et que reprennent d'autres voix dans le monde musulman d'aujourd'hui. Ce parallélisme apparaît clairement dans *Hitler's Pope,* de John Cornwall, tout spécialement dans son analyse de la crise moderniste, au chapitre 2.

VIII. Une visite de l'abbé général

Mes conversations avec Dom Bernardo Olivera et les écrits de Christian de Chergé, publiés dans *Sept vies pour Dieu et l'Algérie,* ont été mes sources les plus déterminantes pour la majeure partie de ce chapitre. Pour décrire les événements politiques liés à la grève de mai 1991, j'ai consulté les livres de Pierre Guillard, Séverine Labat et Ghazi Hidouci, un ancien ministre algérien de l'économie (1989-1991). Ce dernier consacre tout un chapitre à la grève dans *La Libération inachevée.* Autre source d'informations sur le mouvement social : Aïssa Khelladi, ancien capitaine des services de sécurité algériens. Le capitaine Khelladi, dont le nom de plume est

Amine Touati, vit et écrit à Paris. Ses livres ont vite attiré l'attention en raison de son évidente connaissance du terrain. Il critique la corruption et la rapacité du pouvoir, mais ses motivations sont elles-mêmes suspectes. Son livre *Algérie : les islamistes à l'assaut du pouvoir* est très détaillé, ainsi que son roman *Peurs et mensonges*, qui rend compte de l'atmosphère de terreur et d'intimidation à Alger.

IX. Un pays d'orphelins

J'ai utilisé plusieurs sources d'informations sur le Président Boudiaf : *La Poudrière algérienne,* de Pierre Devoluy et Mireille Duteil ; *L'Histoire de l'Algérie depuis l'indépendance,* de Benjamin Stora ; *Une autre voix pour l'Algérie,* de Louisa Hanoune ; et une intéressante conversation avec Séverine Labat, qui m'a donné les surnoms de Mohammed Boudiaf. Le chapitre « Algeria hides its face » de Ryzard Kapuscinski, dans *The Soccer War* décrit le coup d'État qui renversa le Président Ben Bella, épisode auquel prit part un certain Abdelaziz Bouteflika...

Pour comprendre comment le FIS a développé ses métastases armées, et mieux saisir les différences de générations entre anciens *moudjâhidines* (1954-1961) et jeunes militants du FIS, *La Guerre civile en Algérie* de Luis Martinez et *La Poudrière algérienne* de Mireille Duteil et Pierre Devoluy ont été très utiles. Une petite collection d'articles, fort riches en enseignements, édités par Rémy Leveau sous le titre *L'Algérie dans la guerre,* compte bon nombre d'excellentes contributions, dont une de Luis Martinez, chercheur algérien vivant en France sous un pseudonyme. Ces courtes études ont été réalisées à Alger au début des années 1990 et s'appuient sur des entretiens avec des jeunes des quartiers favorables au FIS.

Les commentaires de Iban Umar az-Zamakhcharî au sujet des problèmes d'interprétation du Coran proviennent de *Judaism, Christianity and Islam,* de F. E. Peters (volume 2, chapitre 2).

X. Poyo

Pour ce chapitre, j'ai beaucoup emprunté à *Sept vies pour Dieu et l'Algérie* et mes conversations avec Bernardo Olivera et le père François de Sales, ancien abbé de Notre-Dame de Tamié, qui était présent à Poyo.

XI. Dieu est grand

Sept vies pour Dieu et l'Algérie, édité par Bruno Chenu, et *Les Martyrs de Tibhirine*, de Mireille Duteil, ont été les publications les plus utiles. En outre, j'ai pu m'appuyer sur les entretiens que m'ont accordés certains des moines qui étaient à l'Atlas au moment du meurtre des Croates. Les informations concernant l'enlèvement et l'assassinat de Mohammed Bouslimânî proviennent de *L'Innocence fertile*, d'Abdelkader Ferchiche. Cet ancien journaliste algérien quitta Alger après que sa famille fut menacée et terrorisée dans leur appartement. Son livre est le premier hommage à tous les chrétiens restés en Algérie et tués à cause de leur engagement en faveur du peuple algérien. Il inclut aussi l'histoire de Cheikh Bouslimânî. Des détails supplémentaires ont été fournis par des membres du parti Hamas en Algérie.

XII. Le Père Noël

Sept vies pour Dieu et l'Algérie, Jusqu'où suivre? (notes et commentaires de l'abbé général Bernardo Olivera), et l'intervention de Christian devant les Sœurs cisterciennes de Brailmont en Belgique (septembre 1994) racontent tous la visite de Sayah Attia et de ses hommes au monastère. Concernant les informations sur Sayah Attia, je me suis appuyé sur des articles de journaux algériens dans *El Moudjâhid* (17 avril 1994), *El Watan* (1er mars et 17 avril 1994),

La Liberté (5 juin 1994). *Algérie Actuelle* (juin 1996) cite l'évêque d'Oran, Pierre Claverie, disant que Sayah Attia avait donné son *amân* aux moines [80]. Abou Choeib Ali Benhadjar, un ancien membre du GIA de Sayah Attia et présent au monastère la nuit de Noël, confirme qu'il a entendu l'émir donner son *amân* [81].

XIII. Entre les mains de Dieu

Sept vies pour Dieu et l'Algérie, Le Souffle du don (le journal de Christophe) et mes conversations avec certains moines et les familles ont fourni le matériau de ce chapitre. *Jusqu'au bout de la nuit,* de Robert Masson, hommage à tous les religieux chrétiens tués de 1993 à 1996, donne les détails du meurtre d'Henri Vergès et de sœur Paul-Hélène, ainsi que ceux des dix-sept autres qui ont péri par la suite.

XIV. Descente aux enfers

Luis Martinez, dans *La Guerre civile en Algérie* (pp. 307, 309) cite les déclarations de l'AIS condamnant le GIA au motif d'avoir blasphémé contre l'islam. Ces citations proviennent de recueils de lettres écrites par la direction du FIS à l'étranger. Le meurtre des Pères blancs à Tizi-Ouzou est décrit avec précision dans le premier chapitre du livre d'Armand Duval, *C'était une longue fidélité à l'Algérie et au Rwanda.* Cet ouvrage fournit une bonne vue d'ensemble de l'histoire des Pères blancs et de l'Algérie depuis l'indépendance, mais d'un point de vue exclusivement catholique.

---

(80) Le père **Gilles Nicolas** estime que la thèse de l'*amân* est « légendaire », et qu'elle doit son origine à une déclaration de Mgr Pierre Claverie sur RFI [NDT].
(81) Le témoignage de Sidi Ali **Benhadjar** est publié en annexe du livre de René Guitton, *Si nous nous taisons, Le martyre des moines de Tibhirine,* Calmann-Lévy 2001 [NDT].

XV. Déjà vu

La *Lettre ouverte à des amis algériens devenus tortionnaires,* écrite par Jacques Vergès, est une émouvante protestation personnelle d'un homme qui s'était battu contre l'usage de la torture par les soldats français pendant la guerre d'indépendance [82]. Le livre montre comment l'Algérie, comme c'est souvent le cas pour les enfants, a adopté les pires comportements de ses parents – la France – comme les meilleurs. Dans cet ouvrage, l'accent est clairement mis sur les pires. Non seulement les anciennes méthodes françaises d'interrogatoire sont largement utilisées en Algérie, mais des pans entiers du droit algérien sont tirés, presque mot pour mot, des textes du régime de Vichy, en particulier les articles régissant le fonctionnement des tribunaux d'exception.

La manière dont ont été traités les *harkis* après l'indépendance est une autre question extrêmement sensible en France. Sur ce sujet, j'ai trouvé *La Gangrène et l'oubli,* de Benjamin Stora (pp. 200-261), et *On les appelait les harkis,* de Jean Mabire, très éclairants – le premier comme analyse historique, le second en tant que témoignage personnel. Jean Mabire, ancien commandant d'une unité de *harkis,* observe que ces derniers n'étaient pas motivés par une idéologie ou par l'amour de la France, mais plutôt par leur solde et leurs avantages matériels, ainsi que par leur confiance en la supériorité de l'armée française. Les meilleurs *harkis* de son unité, rapporte-t-il, étaient d'extraction paysanne et avaient conservé le respect ancestral pour les vertus de force et de justice. Les pires furent ceux qui, partis vivre en métropole dès que cela fut possible, revinrent en Algérie pour combattre sous le drapeau tricolore, mais avaient perdu leur identité musulmane sans être pour autant devenus vraiment français. Mais les plus sûrs, fait remarquer Jean

---

(82) Les protestations de Jacques Vergès contre l'utilisation de la torture en Algérie furent perçues par certains, en France, comme trop sélectives, en raison des liens personnels de l'avocat avec plusieurs dirigeants Khmers rouges au Cambodge [NDE].

Mabire, étaient ceux qui avaient déserté l'ALN, car ils ne pouvaient plus retourner dans l'autre camp. Il utilisa ces hommes comme gardes du corps personnels et comme informateurs.

En février 2001, le gouvernement Jospin a institué un jour de reconnaissance nationale pour la contribution des *harkis* et leur loyauté envers la France. Une partie de la gauche française s'est opposée à ce geste parce qu'il honore indirectement l'héritage colonialiste.

XVI. *Peines et joies*

Les détails concernant la vie de famille et la personnalité de Paul m'ont été rapportés par ses sœurs et d'autres membres de sa famille lors de ma visite à Thonon-les-Bains, en Haute-Savoie. Sa carrière militaire est détaillée dans le numéro 160 du bulletin militaire *Debout les paras!,* paru en 1996. La lettre de Paul à son ancien abbé est publiée dans *Sept vies pour Dieu et l'Algérie.* Les personnalités de certains voisins musulmans sont décrites dans le bulletin communautaire de décembre 1990, rédigé par Christian. Mes entretiens avec les moines survivants, les membres de la famille de Luc et les proches de Bruno, ont fourni des éléments complémentaires importants, ainsi que le journal de Christophe, *Le Souffle du don.*

XVII. *Vider le vivier*

Les Martyrs de Tibhirine, de Mireille Duteil, publié seulement quatre mois après l'enlèvement des moines, a été une source d'informations utile quant au rôle joué par Sant'Egidio et concernant la situation politique en France, tout particulièrement l'apparition du *djihâd* dans les rues de Paris durant l'été 1995. Mireille Duteil attribue le terrorisme qui frappe alors l'Hexagone à Djamel Zitouni, alors que d'autres sources prétendent que l'organisateur en était Mohammed Saïd, un émir *djazâ'iriste* qui venait de rejoindre le GIA, Djamel Zitouni n'étant que l'exécuteur (bien qu'en réalité ce dernier ait tué Mohammed Saïd et d'autres rivaux *djazâ'iristes* à l'automne 1995). Des révélations dans la presse française durant l'hiver 2001, provenant de déserteurs de l'armée algérienne, ont indiqué que les forces de sécurité gouvernementales auraient été à l'origine de certains attentats à la bombe et de massacres en Algérie. *La Sale guerre,* d'Habib Souadia, ancien lieutenant de l'armée, maintenant en exil, a soulevé une véritable tempête en raison de la connaissance directe qu'il semblait avoir de certains événements, ainsi que des détails choquants qu'il fournit. La presse française s'en est fait largement l'écho.

Concernant la nature du MSP (ex-parti Hamas [83]), mes conversations avec Mgr Teissier et le nouvel ambassadeur aux États-Unis, M. Idriss Jazaïri (dont le nom se traduit : Idriss *l'Algérien*), m'ont éclairé utilement. Apparemment, cette organisation politique est favorable à un mode de gouvernement fondé sur la *charî'a,* mais s'oppose à l'utilisation de la violence pour imposer ses vues. Mes conversations avec Luis Martinez, Francis Ghiles, Jacques Locquin, et l'ancien conseiller d'ambassade espagnol à Alger, Luis Calvo, m'ont aidé à décrire le climat des années 1995-1996.

El Watan, journal généralement conservateur, anti-islamiste, et très lié aux services de la Sécurité militaire, s'est interrogé sur la guerre des clans, Benhadjar contre Baghdâdî, ce dernier considéré comme loyal envers Djamel Zitouni. Il y a de nombreuses théories qui circulent au sujet de l'enlèvement, bien qu'il soit généralement admis que l'ordre venait bien de Djamel Zitouni, ordre exécuté par un groupe extérieur à la région. Le clan Hattab est souvent mentionné. Sidi Ali Benhadjar, ex-membre du GIA, a rédigé un mémorandum personnel, intitulé « L'affaire de la mise à mort des sept moines en Algérie » [84], document obtenu de sources algériennes.

---

(83) Comme il a déjà été dit, le parti Hamas algérien (rebaptisé MSP) n'a aucun lien de filiation avec le mouvement palestinien du même nom [NDT].

(84) À nouveau, signalons que le témoignage de Sidi Ali Benhadjar est publié *in*

Dans cet écrit, le terroriste prétend s'être toujours opposé à faire du mal aux moines. Il était en désaccord avec Djamel Zitouni, dont il considérait les méthodes comme étrangères à l'islam.

L'allocution de Christian dans laquelle il expose ses cinq piliers de la paix se trouve dans *L'invincible espérance,* ensemble de textes recueillis et présentés par Bruno Chenu.

La description des événements qui ont eu lieu au monastère au petit matin du 27 mars est contenue dans différentes relations fournies par Amédée, Jean-Pierre et Thierry Becker à Bernardo Olivera, et publiées dans *Jusqu'où suivre?*

XVIII. Martyrs de l'espérance

Après l'annonce de la mort des moines [85], la presse française a été des plus prolixes. La plupart des informations émanaient de sources propres aux journalistes – sources qui ne sont pas toujours sûres. *L'Express* du 25 juillet 1996 a publié l'un des premiers dossiers complets sur l'affaire des moines, commençant par l'intrusion de Sayah Attia. Cet article défend la thèse selon laquelle le général Philippe Rondot, qui s'était rendu à Alger, avait reçu une information très fiable de la part d'un lieutenant-colonel attaché à l'ambassade de France qui annonçait que deux des moines les plus âgés avaient été relâchés au bord de la route conduisant à Annaba (anciennement Bône).

Par ailleurs, de nombreux entretiens avec un responsable de la DGSE à la retraite ont confirmé ce que la presse rapportait au sujet de la remise d'une cassette audio à l'ambassade de France par l'intermédiaire d'un certain Abdullah. Le principal détail qui manquait dans le récit des médias était la phrase d'Abdullah disant :

---

extenso en annexe du livre de René Guitton, *Si nous nous taisons, Le martyre des moines de Tibhirine,* op. cit. [NDT].

(85) Sur la découverte des dépouilles des moines, se reporter à Mireille DUTEIL, *Les Martyrs de Tibhirine,* Brepols 1996 (pp. 154-156) [NDT].

« Nous sommes bouleversés », et sa demande d'aide du gouvernement français pour obtenir la libération des otages. Je ne vois pas l'intérêt qu'aurait la DGSE à avoir inventé ces éléments, qui dépeignent Djamel Zitouni sous un jour plus compatissant que l'image de tueur enragé qu'on avait donnée de lui.

Dans *Les Martyrs de Tibhirine,* Mireille Duteil fournit des détails au sujet de la disparition subite du bulletin du GIA *El Ansar* et de la suspension de l'aide accordée par ses appuis libyen et palestinien.

Mes conversations avec Bernardo Olivera et Armand Veilleux m'ont donné des précisions sur la visite à la morgue pour vérifier l'identité des moines. Les têtes avaient peut-être été repérées plus tôt par les services secrets français, qui en avaient informé l'Église (le cardinal Lustiger avait soufflé les cierges le 23 mai, le jour de l'annonce sur Radio Medi 1) sept jours avant que les autorités algériennes ne confirment publiquement leur mort (30 mai). *Jusqu'où suivre?* donne aussi de nombreux détails sur la visite de Bernardo Olivera et Armand Veilleux à Alger pour les funérailles à la basilique.

Enfin, Mgr Teissier m'a aimablement transmis quelques-unes des centaines de lettres qu'il a reçues de la part d'Algériens ordinaires après l'assassinat des moines.

XIX. *Post mortem*

Les descriptions du départ d'Alger, du convoi jusqu'à Médéa, et de la cérémonie d'enterrement au monastère s'appuient sur les détails fournis par la sœur de Christophe, Élisabeth Bonpain, ainsi que par Armand Veilleux et Bernardo Olivera, tous présents au cimetière de Tibhirine ce jour-là.

El Watan (3 avril 1996) décrit les événements qui auraient précédé l'enlèvement, ainsi que la guerre entre les clans Baghdâdî et Benhadjar. L'auteur de l'article, Salima Tlemçani, ne doute pas une seconde de l'identité des kidnappeurs (« des éléments du clan Benhadjar ») dans sa reconstitution des faits parue en première page, probablement parce qu'elle tenait ses informations des forces de sécurité algériennes. Cette analyse est en totale contradiction avec le témoignage d'Abou Choeib Ali Benhadjar lui-même, qui, après avoir quitté le GIA, a écrit que les auteurs de l'enlèvement « sont des gens qui n'ont rien à voir avec l'islam, ni en paroles ni en croyances, et qui violent ses enseignements, leur esprit, et leurs actes ». Ce document a confirmé également ce que la presse avait déjà largement rapporté : il y avait de profondes divisions au sein du GIA par rapport à l'agressivité et à la violence de Djamel Zitouni à l'égard de ceux qui ne partageaient pas ses points de vue ou qu'il jugeait menaçants. La seule autre possibilité est que le clan Benhadjar ait été lui-même divisé et qu'Abou Choeib Ali n'ait pas, à titre personnel, pris part à l'enlèvement des moines. Le reste de l'article d'*El Watan* s'avérerait alors exact.

XX. *Une visite à Alger*

Mgr Claverie avait apparemment eu une prémonition, confiée à un ami au cours d'une conversation téléphonique, selon laquelle sa rencontre avec le ministre des Affaires étrangères français, Hervé de Charrette, en visite officielle en Algérie, lui coûterait la vie, parce qu'elle serait interprétée comme une expression malvenue de sympathie pour « l'ennemi » (*Le Monde*, 8 juin 1998).

Une Algérienne, Nadia Aït Zaï, avocate qui a vu des « repentis » interviewés à deux reprises sur une chaîne de télévision locale, m'a rapporté qu'ils avaient à chaque fois expliqué leur décision de quitter le maquis en disant que « les Saoudiens » leur avaient demandé de le faire. Le gouvernement de Riyad avait soutenu le FIS avant qu'il ne soit légalement interdit en 1992. Après cette date, il est possible qu'un soutien ait continué par des filières secrètes ou des personnes privées.

BIBLIOGRAPHIE

Livres

– ABD EL KADER, *Lettre aux Français,* traduction de René R. Khawam, éditions Phébus, Paris 1997.

– ABDELNASSER, Walid Mahmoud, *The Islamic Movement in Egypt, Perceptions of International Relations 1967-1981,* Kegan Paul International, London & New York 1994 (chapitres sur le développement de Al-Ikhwan Al-Muslimun 1954-1981, les organisations islamiques clandestines, le mouvement islamique en Égypte 1967-1981, Hassan al-Bannâ, Sayyid Qutb, le concept de *djihâd*).

– AGERON, Charles-Robert (sous la direction de), *L'Algérie des Français,* éditions du Seuil, Paris 1993.

– AGERON, Charles-Robert, *Histoire de l'Algérie contemporaine, 1830-1999,* Presses Universitaires de France, Paris 1999.

– AGERON, Charles-Robert, *Histoire de la France coloniale, des origines à 1914,* Colin, Paris 1991 (période étudiée : 1870-1914).

– AL AHNAF, Mustafa, BOTIVEAU Bernard, et FRÉGOSI Franck, *L'Algérie par ses islamistes,* éditions Karthala, Paris 1991.

– ALLEG, Henri, *La Question,* éditions de Minuit, Paris 1961.

– ANTIER, Jean-Jacques, *Charles de Foucauld,* Librairie Académique Perrin 1997.

– ANTIER, Jean-Jacques, *Marthe Robin, le voyage immobile,* nouvelle édition, Librairie Académique Perrin 1996.

– AOULI, Smaïl, REDJALA Ramdane, et ZOUMMEROFF Philippe, *Abd el-Kader,* éditions Fayard, Paris 1994.

– ARCAND, Madeleine, *A Century of Hope,* Society of Helpers, Chicago 1992.

– ARMSTRONG, Karen, *Muhammed, A Biography of the Prophet.* Harper, San Francisco 1992.

– BARBOUR, Nevill, ed. *A Survey of North West Africa. The Maghrib.* Oxford University Press, London 1962 (chapitre sur l'Algérie, pp. 201-255).

– BARRÉ, Jean-Luc, *Algérie : L'espoir fraternel,* éditions Stock, Paris 1997.

– BELVAUDE, Catherine, *L'Algérie,* éditions Karthala, Paris 1991.

– BENZINE, Rachid, et DELORME, Christian, *Nous avons tant de choses à nous dire,* Albin Michel, Paris 1997.

– BESSAÏH, Boualem. *De l'Émir Abdelkader à l'Imam Chamyl,* éditions Dahlab, Alger 1997 (chapitres sur Abdelkader).

– BLUNT, Wilfrid, *Desert Hawk. Abd el Kader and the French Conquest of Algeria,* Methuen and Co, Londres 1947 (chapitres I, II, III, IV, XIV, XVI, XX, XXI, XXII).

– BORGÉ, Jacques, et VIASNOFF Nicolas, *Archives de l'Algérie,* Archives de France, éditions Michèle Trinckvel, Paris 1995.

– BORRMANS, Maurice (édité par), *Orientations pour un dialogue entre chrétiens et musulmans,* Cerf, Paris 1981.

– BOUTALEB, Abdelkader, *L'Émir Abd-el-kader et la formation de la nation algérienne,* éditions Dahlab, Alger 1990.

– BURGAT, François, *L'Islamisme au Maghreb,* éditions Payot et Rivages, Paris 1995.

– CAMPS, Gabriel, *Les Berbères, mémoire et identité,* éditions Errance, Paris 1980 (Introduction, pp. 5-12, Origines, pp. 13-40, Religion, pp. 176-194).

– CASSIAN, John, *Conferences,* Paulist Press, New York 1985.

– CHENU, Bruno (édité par), *L'invincible espérance* (Lettres et allocutions de Christian de Chergé), Bayard éditions/Centurion, Paris 1997.

– Chenu, Bruno (édité par), *Sept vies pour Dieu et l'Algérie* (recueil de lettres et circulaires de Christian de Chergé et des frères de Tibhirine), Bayard éditions/Centurion, Paris 1996.

– Chergé, Christian de, *Dieu pour tout jour,* Chapitres de père Christian de Chergé à la communauté de Tibhirine (1986-1996), Les Cahiers de Tibhirine, Abbaye Notre-Dame d'Aiguebelle 2004.

– Churchill, Charles-Henry, *La Vie d'Abdel Kader,* traduction de Michel Habart, SNED, Alger 1981.

– Claverie, Pierre, *Les Évêques du Maghreb,* Cerf, Paris 1996.

– Claverie, Pierre, *Lettres et messages d'Algérie,* éditions Karthala, Paris 1996.

– Cornaton, Michel, *Les camps de regroupement de la guerre d'Algérie,* L'Harmattan, Paris 1967, préface de Germaine Tillion, postface de Bruno Étienne (chapitre III).

– Dévoluy, Pierre, et Duteil, Mireille, *La Poudrière algérienne,* Calmann-Lévy, Paris 1994.

– Durand, Joseph, *Itinéraire du dernier coopérant français en Algérie,* L'Harmattan, Paris 1997.

– Duteil, Mireille, *Les Martyrs de Tibhirine,* éditions Brepols, Turnhout, Belgique 1996.

– Duval, Armand, *C'était une longue fidélité à l'Algérie et au Rwanda,* Médiaspaul, Paris 1998.

– Esposito, John L. *Islam and Politics,* Syracuse University Press 1984 (chapitres sur le *Djamâ'a al-Muslimin, Takfîr wa-Hidjra,* et les Frères musulmans).

– Étienne, Bruno, *Abdelkader,* Hachette, Paris 1994.

– Étienne, Bruno, *L'Islamisme radical,* Hachette, Paris 1987.

– Ferchiche, Abdelkader, *L'Innocence fertile,* Kader Ferchiche, Montélimar 1998.

– Forestier, Patrick (en collaboration avec Ahmed Salam), *Confession d'un Émir du GIA,* Grasset et Fasquelle, Paris 1999.

– Frère Christophe, *Aime jusqu'au bout du feu, cent poèmes de vérité et de vie,* choisis par frère Didier de Tamié, éditions Monte-Cristo, Annecy 1997.

– Frère Christophe, *Le Souffle du don. Journal de frère Christophe, moine de Tibhirine,* Bayard éditions/Centurion, Paris 1999.

– Gacemi, Baya, *Moi, Nadia, femme d'un émir du GIA,* éditions du Seuil, Paris 1998.

– Goubert, Pierre, *The Course of French History,* Routledge, Londres & New York 1991.

– *Guerre d'Algérie, 1957: la bataille d'Alger,* Paris-Match, recueil d'articles, Paris.

– *Guide du jeune musulman. Les piliers de l'islam,* éditions Universel, Paris 1997.

– Guillard, Pierre, *Ce fleuve qui nous sépare. Lettre à l'Imam Ali Belhadj,* éditions Loysel, Paris 1994.

– Guitton, René, *Si nous nous taisons. Le martyre des moines de Tibhirine,* Calmann-Levy, Paris 2001.

– Hanoune, Louisa, *Une autre voix pour l'Algérie,* éditions La Découverte, Paris 1996.

– Henissart, Paul, *Wolves in the City. The Death of French Algeria,* Simon & Schuster, New York 1970.

– Hidouci, Ghazi, *Algérie, la libération inachevée,* éditions La Découverte, Paris 1995.

– Hirtz, Georges, *Islam-Occident, les voies du respect, de l'entente, de la concorde,* éditions PSR, Paris 1998.

– Horne, Alister, *A Savage War of Peace. Algeria 1954-1962,* Macmillan, Londres 1977.

– Imache, Djedjiga, et Nour, Inès, *Algériennes entre islam et islamisme,* Edisud, Avignon 1994.

– Julien, Charles-André, *Histoire de l'Afrique du Nord, de la conquête arabe à 1830,* Payot, Paris 1961 (chapitres sur le XVIIe siècle et les Berbères).

– Kepel, Gilles, *Jihad. Expansion et déclin de l'islamisme,* NRF, Gallimard, Paris 2000 (chapitres sur l'Algérie).

– Khadra, Yasmina, *Morituri,* éditions Baleine, Paris 1997.

453

– Khelladi, Aïssa, *Peurs et mensonges*, éditions du Seuil, Paris 1997.

– Kraft, Joseph, *The Struggle for Algeria*, Doubleday, Garden City (NY) 1961.

– Labat, Séverine, *Les Islamistes algériens*, éditions du Seuil, Paris 1995.

– Laoust, Henri, *Islam. Past Influence and Present Challenge*, edited by A. T. Welch and Pierre Cachia, Edinburgh University Press 1979 (chapitre : L'influence de Ibn Taymiyya).

– Laroui, Abdallah, *L'Histoire du Maghreb, un essai de synthèse*, François Maspéro, Paris 1970 (partie IV, ch. XIII, XIV, XV).

– Lesegretain, Claire, *Les Grands ordres religieux, hier et aujourd'hui*, éditions Fayard, Paris 1990 (chapitre sur les cisterciens et les trappistes).

– Leveau, Rémy (éd.), *L'Algérie dans la guerre*, éditions Complexe, Bruxelles 1995.

– Lings, Martin, *A Sufi Saint for the Twentieth Century*, Islamic Texts Society, Cambridge, Grande-Bretagne 1993.

– *Livre blanc sur la répression en Algérie (1991-1994)*, Comité Algérien des Militants Libres, de la Dignité Humaine et des Droits de l'Homme, éditions Hoggar, Suisse 1995.

– Loquin, Jacques, *L'Intégrisme islamique : mythe ou réalité?*, L'Harmattan, Paris 1997.

– Louf, André, *La Voie cistercienne : à l'école de l'Amour*, Desclée de Brouwer, Paris 1980.

– Malti, Djallal, *La Nouvelle guerre d'Algérie*, éditions La Découverte, Paris 1999.

– Martinez, Luis, *La Guerre civile en Algérie*, éditions Karthala, Paris 1998.

– Masson, Robert, *Jusqu'au bout de la nuit. L'Église d'Algérie*, Cerf, Paris 1998.

– Masson, Robert, *Tibhirine, les veilleurs de l'Atlas*, Cerf, Paris 1997.

– Mathias, Grégor, *Les Sections administratives spécialisées en*

Algérie, entre idéal et réalité (1955-1962), L'Harmattan, Paris 1998 (Introduction; chapitre : Création des SAS et formation des officiers SAS).

– MERAD, Ali, *L'Islam contemporain*, Presses Universitaires de France, Paris 1984.

– MERAD, Ali, *Le Réformisme musulman en Algérie de 1925 à 1940. Essai d'histoire religieuse et sociale*, Mouton & Co, Paris et La Haye 1967 (Introduction; première partie : chapitres II, III; deuxième partie : chapitres I, IV; troisième partie : chapitres III, V; quatrième partie : chapitres I, II, III, VI, VII).

– MERTON, Thomas, *Spiritual Direction and Meditation*, The Liturgical Press, Collegeville, Minnesota 1960.

– MESSAOUDI, Khalida, *Une Algérienne debout. Entretiens avec Élisabeth Schemla*, éditions J'ai Lu, Flammarion, Paris 1995.

– MONTAGNON, Pierre, *Histoire de l'Algérie, des origines à nos jours*, Pygmalion, Paris 1998 (Émir Abdelkader, périodes 1871-1880, 1914-1918, 1936-1945, et chapitre XVIII).

– MOUILLESEAUX, Louis (sous la direction de), *Histoire de l'Algérie*, éditions de Paris, Paris 1962 (périodes 1830-1880 et 1914-1945).

– NASR, Seyyed Hossein, *Ideals and Realities of Islam*, Mandala, Harper-Collins, Londres 1991.

– NESMY, Dom Claude-Jean, *Saint Benoît et la vie monastique*, éditions du Seuil, Paris 1959.

– NOZIÈRE, André, *Les Chrétiens dans la guerre*, éditions Cana, Paris 1979.

– OLIVERA, Bernardo, *Jusqu'où suivre? Les martyrs de l'Atlas*, Cerf, Paris 1997.

– PETERS, F. E., *Judaism, Christianity and Islam*, vol. 1, 2, 3, Princeton University Press, Princeton (NJ) 1990.

– PROVOST, Lucile, *La Seconde guerre d'Algérie. Le quiproquo franco-algérien*, Flammarion, Paris 1996.

– QUANDT, William B., *Between Ballots and Bullets*, Brookings Institution Press, Washington D.C. 1998.

– RAY, Marie-Christine, *Le Cardinal Duval*, Cerf, Paris 1998.

– RAY, Marie-Christine, *Christian de Chergé, prieur de Tibhirine,* Bayard éditions/Centurion, Paris 1998.

– ROUADJIA, Ahmed, *Les Frères et la mosquée,* éditions Karthala, Paris 1990.

– ROY, Jules, *La Guerre d'Algérie,* Julliard, Paris 1960.

– RUEDY, John (ed.), *Islamism and Secularism in North Africa,* Center for Contemporary Arab Studies, Georgetown University, Washington, D.C., St. Martin's Press, New York 1994.

– SAGDEEV, Roald, and EISENHOWER Susan (eds), *Islam and Central Asia, an enduring legacy or an evolving threat?* A Center for Political and Strategic Studies Book, Washington D.C. 2000.

– Saint BERNARD, *On the Song of Songs,* A. R. Mowbray and Co., Londres 1952.

– SCHAPIRO, J. Salwyn, *Anticlericalism, Conflict between Church and State in France, Italy and Spain,* Van Nostrand, Princeton (NJ) 1967 (chapitre sur la France).

– SCOTTO, Jean, *Curé pied-noir, évêque algérien,* Desclée de Brouwer, Paris 1991.

– STEAD, Julian (ed), *Saint Benedict : A Rule for Beginners,* New City Press, Hyde Park (NY) 1994.

– STORA, Benjamin, *Dictionnaire biographique de militants nationalistes algériens, 1926-1954,* L'Harmattan, Paris 1985.

– STORA, Benjamin, *La Gangrène et l'oubli,* éditions La Découverte, Paris 1991.

– STORA, Benjamin, *Histoire de l'Algérie coloniale, 1830-1954,* éditions La Découverte, Paris 1991.

– STORA, Benjamin, *Histoire de l'Algérie depuis l'indépendance,* éditions La Découverte, Paris 1994.

– STORA, Benjamin, *Histoire de la guerre d'Algérie,* éditions La Découverte, Paris 1993.

– TALBI, Mohammed, *Plaidoyer pour un islam moderne,* éditions Le Fennec, Casablanca 1998.

– TALEB, Ahmed, (Aka Ibrahimi, Ahmed Taleb) *Lettres de prison, 1957-1961,* SNED, éditions Nationales Algériennes, Alger 1977.

– Teissier, Henri (Mgr), *L'Église en islam,* Centurion, Paris 1984 (chapitre 1, L'itinéraire spirituel d'un Algérien : Abd-el-Kader).

– Teissier, Henri (Mgr) (édité par), *Histoire des chrétiens d'Afrique du Nord,* Desclée de Brouwer, Paris 1991 (chapitre 6 : L'Église d'Algérie : enracinement, épreuves et conversions, de 1830 à nos jours, par Denis Gonzalez, pp. 117-138).

– Teissier, Henri (Mgr), *Lettres d'Algérie,* Bayard éditions/Centurion, Paris 1998.

– Teissier, Henri (Mgr), *La Vie spirituelle,* Cerf, Paris, revue bimestrielle, octobre 1997 (tout ce numéro est consacré à Pierre Claverie en l'honneur du premier anniversaire de sa mort).

– Tocqueville, Alexis de, *Seconde lettre sur l'Algérie, suivie de Rapport sur l'Algérie (1847),* Mille et une nuits n° 408, Paris 2003.

– Touati, Amine, *Algérie : les islamistes à l'assaut du pouvoir,* L'Harmattan, Paris 1995.

– Turin, Yvonne, *Affrontements culturels dans l'Algérie coloniale. Écoles, médecines, religion, 1830-1880,* Entreprise Nationale du Livre (ENAL), Alger 1983.

– Vatikiotis, P. J., *The History of Egypt from Muhammad Ali to Mubarak,* The Johns Hopkins University Press, Baltimore (MD) 1969.

– Vergès Jacques, *Lettre ouverte à des amis algériens devenus tortionnaires,* Albin Michel, Paris 1993.

– Von Graffenned, Michael, *Inside Algeria,* Aperture Foundation, New York 1998.

– Zartman, I. William, Tessler M. A., Entelis J. P., Stone R. A., Hinnebusch R. A. and Akhavi S., *Political Elites in Arab North Africa,* Longman, New York & Londres 1982.

– Zartman, I. William, and Habeeb W. M. (eds), *Polity and Society in Contemporary North Africa,* Westview Press, Boulder, Colorado 1993.

Revues et périodiques

– Ageron, Charles-Robert, « La prise du pouvoir par le FLN », *L'Histoire,* n° 231. Dossier Spécial, avril 1999.

– Algérie : « Les raisons de la colère », *Les Cahiers de l'Orient,* n° 51, troisième trimestre, 1998.

– ATTAF, Rabha, « L'affaire d'Ouargla – Mythe fondateur du discours de l'éradication », publié dans *Peuples Méditerranéens,* n° 70-71, premier trimestre, 1995.

– ATTAF, Rabha, et GLUDICE, Fausto, « Algérie : la grande peur bleue. Questions about a faceless war », *Les Cahiers de l'Orient,* premier trimestre, 1995.

– ATTAF, Rabha, et GLUDICE, Fausto, « La bleuïté, encore et toujours », *Les Cahiers de l'Orient,* premier trimestre, 1995.

– BAUDRY, Étienne, ocso, « Itinéraire spirituel du Frère Michel Fleury, moine de Tibhirine, Pentecôte 1993 – 21 mai 1996 », *Collectanea Cisterciensia* n° 63, 2001.

– BENCHENANE, Mustapha, « L'armée, cœur et axe du pouvoir », *Autrement,* n° 38, Paris 1982.

– BORRMANS, Maurice, « Lavigerie et les musulmans en Afrique du Nord », *Bulletin de Littérature Ecclésiastique,* Institut catholique de Toulouse, janvier-juin 1994.

– BURGAT, François, « Algérie : l'AIS et le GIA, itinéraires de constitution et relations », *Monde arabe : Maghreb, Machrek,* n° 149, juillet-septembre 1995.

– CHERGÉ, Christian de, *L'Algérie devant Dieu,* dissertation écrite dans le cadre d'un projet de recherche sur l'Algérie par les étudiants de l'IPEA/PISAI, Institut pontifical des études arabes, Rome, juin 1974.

– DUMONT, Marie, « OAS, la stratégie de la terreur », *L'Histoire,* n° 231. Dossier spécial, avril 1999.

– DUMONT, Marie, « L'Europe et l'islam – L'Algérie et la France », *Enquête sur l'Histoire,* n° 15, hiver 1996.

– GARDA, Claude, « Les monastères cisterciens d'Algérie, Notre-Dame de Staouëli, Notre-Dame de l'Atlas », *Collectanea Cisterciensia,* n° 58, 1996 (pp. 201-216).

– GÈZE, François, « Algérie : pourquoi le silence? », directeur général des éditions La Découverte.

– GRAVRAND, Charbel-Henry, ocso, « Mémorial de l'Abbaye d'Aigue-

belle, leur maison mère : aux frères moines de N.-D. de l'Atlas »,
Collectanea Cisterciensia, n° 58, 1996 (pp. 336-351).

– HARBI, Mohammed, « Le F.L.N., Boumédiène, Chadli », *Autrement,* n° 38, Paris 1982.

– HARBI, Mohammed, « La politique occulte des clans », *Autrement,* n° 38, Paris 1982.

– HÉMON, Philippe, « Vers un à-Dieu en-visagé de vous », témoignage personnel d'un moine au sujet de ses frères du monastère Notre-Dame de l'Atlas, *Collectanea Cisterciensia,* fasc. 3, 1996.

– HENRY, Jean-Robert, « France-Algérie : assumer l'histoire commune », *Confluences, Méditerranée. Passions franco-algériennes,* n° 19, L'Harmattan, Paris, automne 1996.

– HENRY, Jean-Robert, « La France au miroir de l'Algérie », *Autrement,* n° 38, Paris 1982.

– HENRY, Jean-Robert, « L'identité imaginée par le droit : de l'Algérie coloniale à la construction européenne », *Cartes d'Identité,* Presses de la Fondation nationale des sciences politiques, novembre 1994.

– HENRY, Jean-Robert, « Sur l'intertextualité des stéréotypes en situation coloniale », *Rives Nord-Méditerranéennes,* n° 10, 1995.

– *Itinéraires,* revue semestrielle publiée par la Fondation Émir Abdelkader, n° 2, Alger, janvier-juin 1998.

– KAPIL, Arun, « Les partis islamistes en Algérie : éléments de présentation », *Monde Arabe : Maghreb, Machrek,* n° 133, septembre 1991.

– KEPEL, Gilles, « Aperçus sur l'idéologie du GIA », *Pouvoirs : l'Algérie,* éditions du Seuil, Paris 1986.

– MARTIN, Denis-Constant, « Comment dit-on "nous" en politique? », *Cartes d'Identité,* Presses de la Fondation nationale des sciences politiques, novembre 1994.

– MARTINEZ, René, « Lundi 1er novembre 1954 », *Autrement,* n° 38, Paris 1982.

– MORELLE, Chantal, et VAÏSSE, Maurice, « Histoire secrète des accords d'Évian », *L'Histoire,* n° 231, dossier spécial, avril 1999.

– OLIVERA, Bernardo, I. « Our Brothers of Atlas, For a faithful reading of the events », 27 mai 1996.

– Olivera, Bernardo, II. « Our Brothers of Atlas, Chronicle of the trip to Algeria », 11 juin 1996.

– Olivera, Bernardo, III. « Our Brothers of Atlas, Radiant witnesses of Hope : Your Story and Ours », 12 octobre 1996.

– Olivera, Bernardo, IV. « Our Brothers of Atlas, Keeping their Memory Alive », 21 mai 1997.

– « La parole aux Algériens », *Confluences, Méditerranée,* n° 25. L'Harmattan, Paris, printemps 1998.

Pennington, Basil, « The Cistercian Martyrs of Algeria, 1996 », *Encounter,* publié par l'Institut Pontifical des Études Arabes, n° 233, Rome, mars 1997.

Pervillé, Guy, « Mgr Duval, un évêque contesté. Alger 1941-1962 », *Autrement, Collection Mémoires,* n° 56, mars 1999.

Pervillé, Guy, « La tragédie des *harkis* : qui est responsable ? », *L'Histoire,* n° 231, dossier spécial, avril 1999.

Ray, Ellen, « Algeria : Theocracy by terror ? », *Covert Action Quarterly,* hiver 1999.

Slama, Alain-Gérard, « Oran, 5 juillet 1962 : le massacre oublié » *L'Histoire,* n° 231, dossier spécial, avril 1999.

Stora, Benjamin, « La guerre sans fin », *L'Histoire,* n° 231, dossier spécial, avril 1999.

Turquié, Sélim, « La France dite et maudite : l'errance entre deux terres », *Autrement,* n° 38, Paris 1982.

Turquié, Sélim, « Trucs, troc, piston et système D : l'Algérie au jour le jour », *Autrement,* n° 38, Paris 1982.

Turquié, Sélim, « Le Volcan algérien », *L'Atelier de géopolitique,* n° 1, automne 1999.

Winock, Michel, « La France en Algérie : cent trente ans d'aveuglement », *L'Histoire,* n° 231, dossier spécial, avril 1999.

INDEX

Comité algérien des militants libres de la dignité humaine et des
    droits de l'homme, 272
Concile Vatican II, 59, 60, 61, 67, 68, 69, 78, 90, 159, 161
Contant, Didier, 360, 361
Cyprien, saint, 80

D

Dahmen, Abdelkrim, 303
De Broucker, Dom Yves, 356
Deckers, père Charles, 262, 284
Dieulangard, Alain, 262, 263
Dominique, père (d'Aiguebelle), 237
Doutriaux, Yves, 357
Dupuch, Mgr Antoine-Adolphe, 375, 376, 377, 378, 400
Duval, Mgr Léon-Étienne, 28, 37, 40, 41, 42, 43, 45, 46, 47, 48,
    49, 50, 51, 52, 75, 85, 86, 87, 113, 116, 131, 165, 223, 225,
    245, 246, 272, 311, 336, 341, 343, 366, 391, 394

E

Eisenhower, Dwight D., 33
el-Saddat, Président Anouar, 187
el Din, Mahdi Abdelkader, 373, 374
Esther, sœur (Petite sœur de Jésus), 257
Évian, accords d', 51, 271, 281

F

Fadhallah, Cheikh Mohammed Hussein, 335
Farouk, Roi, 195
FIS (Front islamique du salut), 147, 148, 149, 150, 151, 152, 153,
    154, 166, 167, 168, 169, 170, 171, 172, 173, 182, 184, 185, 187,
    188, 189, 190, 191, 194, 212, 225, 244, 247, 248, 249, 250,

G

O

OAS (Organisation armée secrète), 48, 49, 270, 271, 272, 305
Olivera, Dom Bernardo, 29, 158, 159, 160, 161, 162, 163, 164, 165, 166, 198, 199, 200, 203, 336, 338, 339, 341, 342, 343, 348, 350, 351, 358, 393
ONM (Organisation nationale des moudjâhidines), 193
Ordre des cisterciens de la stricte observance (OCSO), 198

P

Pasqua, Charles, 261, 300, 325, 357
Paul, frère (de l'Atlas, né Paul Favre-Miville), 29, 115, 161, 162, 218, 219, 222, 231, 232, 236, 257, 281, 282, 283, 285, 286, 314, 316, 317, 318
Pères blancs, 47, 83, 100, 260, 262, 263, 265, 267, 272, 283, 286
Pères du Désert, 107, 123
Perrier, père Jacques, 59
Petit Bônois, Le, 37
Philippe, frère (de Tamié, né Philippe Hémon), 115, 118, 122, 123, 124, 179, 222, 284
Philippeville, massacres de, 44
Pie IX, pape, 266
Pie XI, pape, 46
Pierre, frère (de l'Atlas), 179
PRA (Parti du renouveau algérien), 302
Prévost, sœur Odette, 297

Q

Qutb, Sayyid, 144

TABLE DES MATIÈRES

DANS LA MÊME COLLECTION

Dès leur naissance, les éditions Nouvelle Cité se sont caractérisées par la place accordée aux témoignages. C'est pourquoi elles peuvent vous présenter dans leur collection « Récit » plus de cinquante témoignages qui montrent, chacun à sa manière, comment la vie l'emporte toujours sur la mort.

En voici la liste complète, par ordre alphabétique de titres :

Pour être tenu informé des publications des éditions Nouvelle Cité et recevoir notre catalogue, veuillez adresser vos coordonnées à :

Éditions Nouvelle Cité
Domaine d'Arny
91680 Bruyères-le-Châtel
France

ou à :

editions@nouvellecite.fr

NOM :..
Prénom :..

Adresse :..
....
Code postal :..
Ville : ....
Pays : ....

email :..

Je souhaite être informé(e) des publications de la maison d'édition Nouvelle Cité.

www.nouvellecite.fr

Achevé d'imprimer en août 2010
sur les presses de la Nouvelle Imprimerie Laballery
58500 Clamecy
Dépôt légal : août 2010
Numéro d'impression : 007221

Imprimé en France

La Nouvelle Imprimerie Laballery est titulaire de la marque Imprim'Vert®